Aucun guide de voyage n'est parfait. Des erreurs, des coquilles se sont certainement glissées dans celui-ci, malgré toutes nos vérifications. Les informations pratiques, adresses, numéros de téléphone, heures d'ouverture, peuvent avoir été modifiés ; certains établissements cités peuvent avoir disparu. Nous serions très reconnaissants à nos lecteurs de nous faire part de leurs commentaires, de nous suggérer des corrections ou des compléments qui pourront être intégrés dans la prochaine édition.

Insight Guide, Indonesia
© Apa Publications GmbH & Co Verlag KG, 1997
© Éditions Gallimard, 1998, pour la traduction française.

1ᵉʳ dépôt légal : janvier 1998
Dépôt légal : août 2002
N° d'édition : 12923 *(deuxième réimpression)*
ISBN : 2-07-051822-1

Imprimé à Singapour

BIBLIOTHÈQUE DU VOYAGEUR

LE GRAND GUIDE DE L'INDONÉSIE

Traduit de l'anglais et adapté
par Franck Olivier-Vial et Laurence Husson-Olivier-Vial

GALLIMARD

CEUX QUI
ONT FAIT CE GUIDE

C'est avec un guide consacré à Bali, au début des années 1970, que naquirent les éditions Apa. La première version (en anglais) du guide sur l'Indonésie tout entière parut en 1983. **Eric Oey**, diplômé de l'université de Berkeley en philologie et linguistique, et spécialiste de la langue malaise, en coordonna la première édition. Il a lui-même écrit l'« itinéraire » à Jakarta, mais s'est entouré de nombreux auteurs pour la rédaction des autres chapitres de cet ouvrage.

Il a confié la partie historique à deux spécialistes de l'archéologie : **Satyawati Suleiman** et le **Dr Onghokham**. S. Suleiman est maître de recherches au département d'archéologie de Jakarta, et a publié plusieurs ouvrages sur l'histoire indonésienne. Le Dr Onghokham s'intéresse à l'histoire sociale de Java et enseigne à l'université de Jakarta, depuis 1963. Il écrit en outre pour la presse indonésienne.

Kathy MacKinnon, **William Collins** et **Dewi Anwar** ont rédigé la partie traitant de la géographie et des populations. Kathy MacKinnon, docteur en zoologie de l'université d'Oxford, a travaillé sept ans pour le programme du Fonds mondial pour la nature (WWF) d'Indonésie et a publié des articles dans plusieurs revues scientifiques. On lui doit les pages sur la géographie, la faune et la flore.

Une partie du chapitre consacré aux Célèbes (Sulawesi) et celui traitant des textiles indonésiens sont dus à **Paramita Abdurachman**, l'un des universitaires les plus éminents dans le domaine de l'histoire et de la culture indonésienne. Spécialisée dans les périodes portugaise et espagnole, elle est aujourd'hui maître de recherches à l'Institut indonésien.

Le chapitre sur le batik est l'œuvre d'**Iwan Tirta**, célèbre styliste de batik indonésien. Avant de se consacrer à cet art, I. Tirta avait enseigné le droit international et travaillé aux Nations Unies, à New York. C'est au cours d'une recherche sur les danses sacrées de la cour de Susuhunan à Surakarta qu'il entra en contact avec les ateliers javanais de batik. Il publia un livre sur le batik en 1967 puis créa son propre atelier en 1970. Depuis, il organise en outre des expositions et des conférences sur les origines historiques et sociologiques du batik.

Michel Tenzer, **Bernard Suryabrata** et **Soedarsono** sont à l'origine du chapitre sur le gamelan, la danse et le théâtre. Musicien classique de formation, M. Tenzer a fait ses études de musique à l'université de Berkeley et a étudié le gamelan à Bali pendant deux ans. B. Suryabrata, professeur d'ethno-musicologie à l'école des Arts folkloriques de l'université de Jakarta, a été l'élève de Jaap Kunst, célèbre musicien de gamelan. Soedarsono, spécialiste de l'histoire des arts du spectacle de l'Asie du Sud-Est, a participé à la rédaction des pages sur la danse et le théâtre. Professeur d'histoire de l'art à l'université Gajah Mada de Yogyakarta, il a publié plusieurs livres et articles sur les arts du spectacle indonésien.

Les chapitres consacrés à Sumatra ont été rédigés conjointement par **Michel Vatin** et **Frédéric Lontcho**. Photographe et journaliste indépendant, M. Vatin a souvent voyagé en Indonésie. Éditeur, écrivain et docteur en anthropologie, F. Lontcho s'est surtout attaché à décrire Sumatra et les Célèbes (Sulawesi).

Pour Java, le guide s'est largement inspiré du *Grand Guide de Java*, dont l'auteur, **Peter Hutton**, un Australien, avait séjourné plusieurs années en Asie du Sud-Est.

Les pages traitant de Lombok et de Bali sont l'œuvre de **Made Wijaya** et du **Pr Willard Hanna**. Originaire d'Australie, M. Wijaya, a vécu dix ans à Bali. L'introduction historique qu'il avait rédigée pour le *Grand Guide de Bali* a servi de base au chapitre de ce guide consacré à Bali. Membre de l'American Universities Field Staff Inc., W. Hanna a beaucoup écrit sur l'Asie depuis 1930.

Les petites îles de la Sonde sont présentées par **Karl Müller**, grand reporter, titulaire d'un doctorat en anthropologie, qui a beaucoup voyagé en Indonésie. Certains de ces articles sur les îles de la Sonde ont été publiés dans *National Geographic* et dans *Géo*. **Liz Mortlock**, journaliste indépendante, réside à Bangkok et a participé à la rédaction de ce chapitre.

Les informations pratiques ont été rassemblées par Eric Oey, avec l'aide des différents auteurs du guide et celle du journaliste indépendant **Jeremy Allan**.

La mise à jour sur laquelle s'appuie cette nouvelle édition a été supervisée par **Scott Rutherford**. Installé à Singapour, c'est en tant que photographe pour *National Geographic* qu'il fit de l'Indonésie son terrain de chasse. Il a été assisté de **John Haseman**, qui a passé vingt ans en Asie et de **Joseph Yogerst**, qui a également habité de longues années en Asie, et qui a contribué à de nombreux guides de cette collection. **Julia Clerk**, établie en Californie, a écrit le chapitre sur la gastronomie et participé à la mise à jour des informations pratiques. **Debe Campbell**, qui vit depuis longtemps en Indonésie, à Bali, après Jakarta, s'est chargée des itinéraires à Bali et Lombok. **Genevieve Spicer** travaille dans la communication à Jakarta; pour ce guide, elle a revu les textes consacrés à Jakarta, Yogyakarta et Bandung. Diplômée en études islamiques, **Dra. Asriati** est l'auteur des pages sur l'islam. Enfin, c'est **Dave Heckman**, qui a vécu de nombreuses années à Sumatra, qui s'est chargé de cette grande île.

Les éditions Gallimard ont confié l'adaptation de cette nouvelle édition à **Laurence** et **Franck Olivier-Vial**, qui ont également traduit le *Grand Guide de Java*, et à **Jérôme Tadié**.

TABLE

TABLE

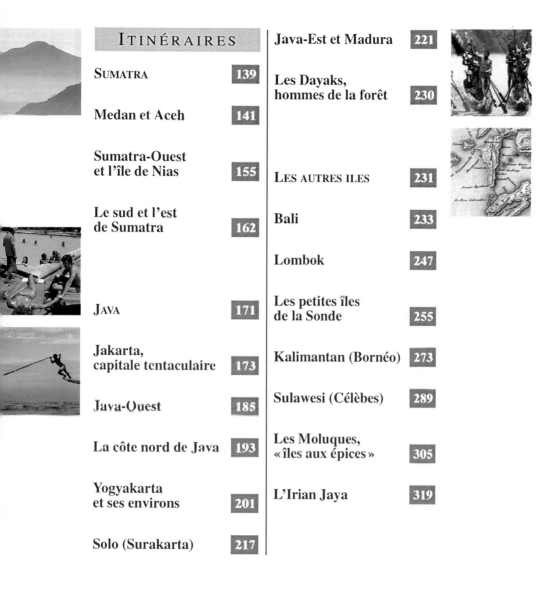

TABLE

BIENVENUE
EN INDONÉSIE

L'Indonésie regroupe 17 000 îles qui encerclent l'équateur, pareilles à un collier d'émeraudes. Elles abritent plus de 200 millions d'âmes qui parlent plusieurs centaines d'idiomes et qui représentent un grand nombre d'ethnies, de cultures et de croyances.

Connue des anthropologues et des botanistes sous le nom d'« archipel malais », convoitée par les colonisateurs portugais et hollandais pour ses « îles aux épices » (principalement les Moluques), l'Indonésie est encore de nos jours une inépuisable réserve de trésors. Elle abrite le plus extraordinaire rassemblement de peuples et de merveilles naturelles qui soit.

Celui qui visite aujourd'hui l'Indonésie marche dans les pas d'une lignée d'éminents voyageurs. De retour d'Inde, l'intrépide moine chinois Fa Hsien (IVᵉ au Vᵉ siècle apr. J.-C.), parti de Chine pour l'Inde en 399, se rendait dans son pays natal lorsqu'il fit naufrage au large de Java en l'an 412. Il fut le premier à rédiger une relation de voyage sur ces îles, en 414. Marco Polo (1254-1324), s'en retournant de Chine vers sa Venise natale, séjourna le long du littoral nord-est de Sumatra en 1292. Fernand de Magellan (1480-1521) organisa tout spécialement le tour du monde qui l'a rendu célèbre, en 1520, dans le but d'atteindre les îles indonésiennes des Moluques, à l'est des îles Célèbes. Enfin, en 1770, le capitaine anglais James Cook (1728-1779), ayant relevé sur une carte le tracé des côtes inconnues et lointaines de Nouvelle-Guinée (Irian Jaya), mouilla dans le port de Batavia (Jakarta) pour faire caréner son voilier.

Avec ces aventuriers, l'exploration de l'Indonésie ne faisait que commencer. De 1983 à 1995, le nombre de touristes a été multiplié par quatre. Mais cela ne veut pas dire, heureusement, que le pays en soit envahi. Le voyageur a encore de beaux jours de tranquillité devant lui : cet archipel est en effet l'un des pays les plus vastes du monde (si on la superposait à une carte de l'Europe, celle de l'Indonésie s'étendrait de l'Irlande à la mer Caspienne !) et réserve, à ceux qui ont

Pages précédentes : troupeau d'oies dans le centre de Java ; gardien du palais de Medan ; voiture de rallye à travers une forêt de palmiers ; marionnettes du théâtre d'ombres chinoises « wayang kulit » ; quelques-uns des nombreux volcans de l'archipel, dont certains sont encore en activité ; le repiquage du riz dans l'île de Lombok ; l'avenue Jalan Thamrin, à Jakarta. Ci-contre : cycliste au petit matin.

le goût de l'aventure et un esprit curieux, une infinité de motifs d'émerveillement. De plus, de nombreuses régions ne sont pas faciles d'accès et nécessitent une certaine préparation, la compagnie d'un guide, voire des autorisations spéciales.

En chemin, le voyageur croisera une variété hallucinante de paysages : des volcans bleu-gris couvant leur feu (celui du Krakatau a souvent fait des ravages) ou coiffés de lacs de cratère, des rizières verdoyantes, des mers d'un bleu d'azur, des plages d'un blanc immaculé, des récifs de corail foisonnants, des forêts vierges, des prairies ondoyantes, d'impénétrables marécages de palétuviers, des régions montagneuses au doux climat.

L'Indonésie, c'est aussi le pays des orchestres de gamelan et des *kretek* (cigarettes au clou de girofle), du temple de Borobudur et des tissus imprimés selon la technique du batik. C'est une corne d'abondance où l'on voit la ville tentaculaire de Jakarta contraster avec les tribus de l'âge de la pierre d'Irian Jaya, la noblesse figée de la cour du centre de Java rivaliser avec les rites magiques de villages balinais, les dragons de Komodo, reptiles tout droit sortis de la préhistoire, parler aux oiseaux de paradis au plumage écarlate.

L'Indonésie doit sa diversité et son originalité à sa longue histoire et à sa situation géographique exceptionnelle. Mais elle ne serait rien sans les centaines de tribus et de groupes ethniques qui la peuplent : les Sundanais, les Dayaks, les Bataks, les Gayos, les Minahasas, les Minangkabaus, les Mandars, les Nghadas, les Punans, les Tenggers, les Tetums, les Papous... Une variété qui fait la richesse de cette nation jeune, mais aussi sa fragilité à l'heure où Acehais, Timorais, Papous prennent leurs distances avec le pouvoir central incarné par les Javanais.

La devise de cette nation indonésienne est une formule empruntée à un poème javanais du XVe siècle, *Bhinneka tunggal ika* : « Diverse et une à la fois », ou l'unité dans la diversité.

Indonésien étudiant le Coran : l'Indonésie est le plus grand pays musulman du monde.

AU FIL DES TEMPS

C'était en 1891, près de Trinil, le long de la Solo, la rivière sinueuse qui arrose Surakarta. Dans la moiteur lourde de ces basses terres du centre de Java, une petite expédition paléontologique creusait dans les berges du cours d'eau. Elle était en quête de vestiges préhistoriques. Mais pas n'importe lesquels. Rien moins que le fameux « chaînon manquant », qui prouverait le passage des singes à l'espèce humaine.

L'« homme de Java »

L'âme du groupe, Eugène Dubois, était un jeune – 33 ans – médecin militaire néerlandais doublé d'un paléontologue amateur, mais passionné. Et, surtout, un partisan convaincu de la thèse évolutionniste formulée par Charles Darwin trois décennies plus tôt. Dans son livre *De l'origine des espèces par le moyen de la sélection naturelle*, paru en 1859, le biologiste britannique avait en effet prouvé que le milieu ambiant déterminait l'évolution du vivant. Cette démonstration avait déclenché un tir de barrage de la part des milieux religieux – rejet qui dure encore chez certains fondamentalistes protestants.

Il y avait de quoi. Le « transformisme » darwinien débouchait sur des conclusions inacceptables à leurs yeux : une évolution sans Dieu, et un homme qui descendait du singe. Un fervent disciple du chercheur britannique, l'Allemand Ernst Haeckel, avait même proposé en 1868 un nom pour l'espèce intermédiaire : pithécanthrope. Mais celle-ci restait à trouver. Dubois et son équipe allaient livrer une réponse, sous la forme d'une calotte crânienne et d'une mâchoire dénichées dans les sédiments déposés par la Solo.

Le Néerlandais trouva d'autres ossements durant les années qui suivirent ; sûr d'avoir là des restes hominiens, il donna à son fossile le nom forgé par Haeckel. Il avait raison ; son *Pithecanthropus erectus*

Pages précédentes : chefs-d'œuvre de l'orfèvrerie des cours javanaises. A gauche, sérénité d'un « bodhisattva » du IXᵉ siècle ; à droite, le crâne de l'« homme de Java » reconstitué.

(« homme-singe à station debout ») était bien un ancêtre direct de l'homme. Mais ses conclusions furent vite oubliées, jusqu'à ce que, en 1921, près de Pékin, l'on trouvât des fossiles semblables à ceux qu'il avait découverts. L'« homme de Java » et l'« homme de Pékin » (ou sinanthrope) étaient bien tous les deux des *Homo erectus*, espèce qui a occupé l'Afrique et l'Eurasie entre 2 millions d'années et 250 000 ans avant notre ère.

Les moulages visibles au musée de Géologie de Bandung et au musée Sangiran de Surakarta donnent une image assez fidèle d'un *Homo erectus*. Si sa mor-

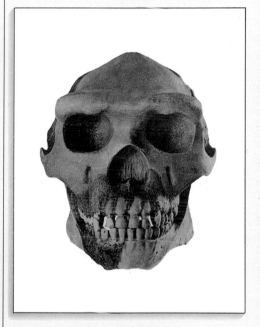

phologie générale ne diffère guère de la nôtre, il se distingue par une tête au front fuyant et aux arcades sourcilières en forme de visière. Il ne maîtrisait pas le langage articulé mais communiquait probablement par des sons. Chasseur et cueilleur, il vivait dans des grottes ou des campements et fut certainement le premier hominidé à se servir du feu. Son outillage consistait en des pierres sommairement taillées pour des fonctions déterminées, lames, hache, etc. Le lit de la Pacitan, une autre rivière du centre de Java, en a livré des milliers d'échantillons vieux de 500 000 à 250 000 ans ; Florès, Timor et d'autres îles en possèdent aussi.

Depuis 1,8 millions d'années

Depuis Dubois, les paléontologues ont repoussé plus loin dans le temps l'âge des premiers *Homo erectus* de Java. En 1994, deux chercheurs américains on découvert des fossiles humains de 1,8 million d'années (en Europe de l'Ouest, les plus vieux ont moins de 500 000 ans).

Cette datation a remis en cause l'hypothèse selon laquelle les premiers hommes seraient partis de l'Afrique de l'Est vers l'Europe et l'Asie environ un million d'années avant notre ère : soit cette migration a commencé beaucoup plus tôt, soit l'huma-

lité d'échanges entre 55 et 35 millions d'années av. J.-C., de l'Afrique à l'Asie en passant par la péninsule arabique. Ceux-ci ont pu se prolonger jusqu'à la montée des mers à leur niveau actuel, à la fin de la dernière période glaciaire (soit de 18 000 à 10 000 ans av. J.-C.).

Un débat analogue a trait au passage de l'*Homo erectus* à l'*Homo sapiens* : émigration africaine, ou présence simultanée en plusieurs points du globe ? En Indonésie, l'« homme de Solo » alimente la controverse. Certains voient en ce fossile vieux de 250 000 ans la preuve d'un passage authentiquement indonésien d'*erectus* à

nité ne vient pas d'un « berceau » est-africain, mais la différenciation entre singes et hominidés – l'homme et ses ancêtres fossiles comme l'*Homo erectus* – a eu lieu en plusieurs points de la planète, et notamment en Indonésie.

L'affaire s'est compliquée en 1996 avec la découverte en Thaïlande de la mâchoire d'un singe de 35 millions d'années. Ce fossile serait contemporain des plus anciens restes connus d'anthropoïdes, mis au jour près du Caire. Or, à cette époque, en Asie du Sud-Est, un sous-continent englouti, le *V*, réunissait les péninsules indochinoise et malaise, Sumatra, Java et Bornéo. Des paléontologues évoquent même la possibi-

sapiens. Mais l'Afrique conserve la palme de l'ancienneté, avec des squelettes d'*Homo sapiens* âgés de 90 000 ans, contre 60 000 ans en Asie.

Quoi qu'il en soit, l'homme occupait l'Asie du Sud-Est – tout comme le reste du Vieux Monde – vers 40000 av. J.-C. Ici, ces populations avaient un type australoïde : peau foncée, taille réduite et cheveux crépus. Elles ont commencé à inhumer leurs morts vers 20000 av. J.-C., et à peindre les parois des grottes 10 000 ans plus tard. Quelques millénaires après, un événement extérieur a balayé ces premiers occupants et donné à la région les caractéristiques de ses populations actuelles.

Les Austronésiens

Il s'agissait d'une immigration massive et durable de peuples en provenance du sud de la Chine et que les historiens ont appelés les Austronésiens. Ils se sont implantés aux Philippines et en Indonésie entre 4000 et 2000 av. J.-C. Marins accomplis, ils se sont ensuite répandus à l'est jusqu'à Madagascar, et à l'ouest jusqu'à l'île de Pâques et la Nouvelle-Zélande, atteinte entre 800 et 1000 de notre ère.

En Asie du Sud-Est, ils ont rapidement chassé ou absorbé les australoïdes. Mais les Austronésiens seraient, selon certains

lande possède un site néolithique daté de 7000 av. J.-C. A ce jour, l'Indonésie n'en a pas d'antérieur au IIIe millénaire avant notre ère. Si Java, les Célèbes (Sulawesi) et l'Irian Jaya ont donné de nombreuses preuves d'occupation néolithique (poteries, os d'animaux domestiqués, vêtements en fibres végétales, etc.), l'ouest du pays manque de tels vestiges.

La première plante comestible cultivée dut être le taro, tubercule encore largement consommé dans l'extrême est du pays, et que le riz a remplacé ailleurs. A partir du IIe millénaire avant notre ère, des mégalithes qui servaient de lieux de culte

spécialistes, de lointains descendants de populations qui auraient migré de l'Asie du Sud-Est vers la Chine aux alentours de 600 000 av. J.-C., au temps du *Sundaland*.

Quelle que soit leur origine, leur arrivée est contemporaine de l'ère néolithique, cette période qui voit apparaître l'agriculture, l'habitat permanent groupé, la poterie, etc. Concomitante de la fin de la dernière glaciation, elle débute 10 000 ans avant notre ère au Proche-Orient, un peu plus tard en Asie du Sud-Est. La Thaï-

*A gauche, outils de pierre du néolithique (Java);
ci-dessus, tambour de bronze de la civilisation
« dôngsônienne ».*

ou de tombeaux furent élevés en divers points de l'archipel. Aujourd'hui encore, ces pierres levées attirent des rassemblements religieux.

Ces hommes du néolithique restaient des marins, et les mers de l'archipel ont pu être le théâtre d'échanges commerciaux dès cette haute époque.

La culture du bronze Dông-Sôn

On a longtemps cru que l'âge du bronze avait commencé en Asie du Sud-Est entre 1000 et 600 av. J.-C., avec une culture mêlée d'influences chinoises et caractérisée par de grands tambours de bronze.

Elle porte le nom de Dông-Sôn, village du nord du Vietnam. Des ustensiles en bronze et en cuivre découverts récemment dans le nord de la Thaïlande et qui remonteraient à 3 600 ans av. J.-C. suggèrent un début plus ancien. Mais, en Indonésie, et jusqu'aux îles proches de la Nouvelle-Guinée, tous les bronzes connus sont de type « dôngsônien » et remontent à une période allant de 500 av. à 500 apr. J.-C. Ils sont gravés de motifs géométriques zoomorphes et anthropomorphes où l'on peut reconnaître un genre décoratif présent dans tout l'archipel – et qui a peut-être influencé les styles ultérieurs.

près d'une momie égyptienne des fragments de noix muscade, épice qui ne poussait alors que dans l'archipel. Ainsi, il semble bien que celui-ci ait figuré dès l'Antiquité dans les grands réseaux d'échange internationaux, qui empruntaient l'océan Indien, la mer de Java et la mer de Chine méridionale.

Les premiers royaumes indianisés

A partir du IIe siècle apr. J.-C., plusieurs civilisations de haute culture ont émergé en Asie du Sud-Est. Leur cosmogonie, leurs arts, leur organisation sociale et poli-

En même temps, la technique de la fonte du bronze, notamment le procédé à la cire perdue, s'est diffusée dans la région, comme en témoignent les moules en pierre trouvés un peu partout. Ces œuvres provenaient de petits royaumes dont l'économie reposait sur la riziculture et un commerce maritime déjà considérable. En effet, on a trouvé des objets indiens dans plusieurs sites préhistoriques. En outre, un tambour de bronze de Sangeang, île proche de Sumbawa, montre des personnages en costumes chinois, et des textes de la Chine des Han (206 av. – 200 apr. J.-C.) mentionnent les îles productrices de clou de girofle de l'Indonésie orientale. On a même identifié

tique empruntaient largement au modèle indien. Ces royaumes dits indianisés nous sont surtout connus grâce aux extraordinaires monuments qu'ils ont laissés : Borobudur et Prambanan à Java, Angkor-Vat au Cambodge, Pagan en Birmanie.

Cependant, on ne sait vraiment ni pourquoi ni comment ils en vinrent à adopter cette culture étrangère. A la thèse d'hier, qui supposait une invasion, on préfère aujourd'hui une explication fondée sur l'initiative même des monarques d'Asie du Sud-Est. Ceux-ci auraient fait venir des brahmanes et envoyé des étudiants en Inde. Il faut noter que la connaissance du sanscrit et des textes du sous-continent, de même que la maîtrise des techniques architecturales et des rituels indiens, leur aurait permis d'accroître leur pouvoir et la splendeur de leurs États, tout comme de s'intégrer à un espace commercial alors en pleine expansion.

L'Asie du Sud-Est n'en a pas pour autant perdu ses traits culturels. Les cultes et les techniques introduits ont intégré des éléments indigènes. En outre, ces contacts faisaient suite à des relations établies de longue date, qu'ils n'ont fait qu'amplifier.

Malheureusement, la connaissance de ces royaumes reste lacunaire. Elle s'appuie sur des inscriptions gravées dans la pierre et de vagues références glanées dans d'anciens textes chinois, indiens, arabes, grecs et romains. Java serait ainsi la Yawadvipa du *Râmayâna* et la Yavadiou de l'*Almageste* rédigé par le géographe grec Ptolémée au IIe siècle. Les premières descriptions apparaissent, elles, dans des écrits en chinois et en sanscrit remontant au début du Ve siècle.

En Indonésie, les premières inscriptions sur pierre connues ont été rédigées en caractères pallawa de l'Inde du Sud vers le milieu du Ve siècle. L'une vient de la côte orientale de Kalimantan (Bornéo); la seconde, de Java-Ouest, et cite le roi hindouiste Purnavarman et le nom de son royaume, Tarumanagara. Autre source intéressante, le récit du moine bouddhiste chinois Fa Hsien donne le premier témoignage oculaire sur Java, où il séjourna vers 412-413. Il met l'accent sur l'hindouisme; mais si les royaumes les plus précoces adhéraient principalement à cette religion, le bouddhisme l'emporta ensuite.

Tous ces États dépendaient étroitement du négoce maritime. Tarumanagara, par exemple, domina pendant deux bons siècles ces échanges. Puis une nouvelle puissance, le royaume bouddhique de Sriwijaya, basé près de Palembang (sud de Sumatra), s'empara à la fin du VIIe siècle des détroits de Malacca et de la Sonde et s'imposa sur les mers du Sud-Est asiatique jusqu'au XIIIe siècle. Ce fut le premier État dont la sphère d'influence correspondît à peu près à l'aire indonésienne.

A gauche, empreintes de pied et inscription mentionnant Purnavarman, roi hindouiste de Tarumanagara (ouest de Java); à droite, Candi Plaosan, sanctuaire bouddhique du IXe siècle.

Sriwijaya

Rares sont les sources disponibles sur ce royaume, à peine quelques inscriptions en vieux malais et en sanscrit. Mais les textes des Chinois et des Arabes attestent l'importance de cet empire, avec lequel ils échangeaient métaux, céramiques et cotonnades contre or et ivoire, bois précieux et parfums. Signe de la puissance de Sriwijaya, tous ces produits remplissaient les cales de vaisseaux qui figuraient parmi les plus gros de l'époque – certains portaient jusqu'à 600 t de fret ! Son pouvoir a dû s'étendre de sa base sumatranaise à

Java, Bornéo, Ceylan et l'Indochine. On sait par les écrits d'un bouddhiste chinois qui visita Palembang vers 672 que Sriwijaya était un État d'obédience bouddhiste et que les marchands du monde entier s'y approvisionnaient.

Mais commander les détroits ne suffisait pas. Sriwijaya manquait de terres propres à la culture du riz. Celles-ci abondaient en revanche dans le centre de Java, où de nouveaux centres de pouvoir apparurent au début du VIIIe siècle. Les uns hindouistes, les autres bouddhiques, ils commencèrent par approvisionner Sriwijaya en riz. Puis ils lui disputèrent la suprématie maritime, entraînant son déclin.

Les Saïlendra et les Sanjaya

Les indications sur ces puissances montantes sont fournies par les premiers temples et inscriptions du centre de Java. Concentrés sur le plateau de Dieng, ils datent de 732 apr. J.-C. et sont dus au roi hindouiste Sanjaya. Parallèlement, la dynastie bouddhiste des Saïlendra a édifié, entre 800 et 850, le Borobudur, ainsi que les sanctuaires moins connus de Mendut, Kalasan, Plaosan et Sewu.

Ces deux lignées devaient en fait représenter des gouvernements aux structures assez lâches, entretenant des liens de

Un mystérieux exode

Après Rakai Pikatan, des rois hindouistes régnèrent sur le centre de Java jusqu'en 928. A cette date, ils abandonnèrent cette riche région au profit de l'est javanais, où leur État prospéra pendant plusieurs siècles sous le nom de royaume de Mataram. Plusieurs explications ont été avancées pour expliquer ce transfert soudain et définitif. Le blocus imposé par Sriwijaya en est une. Il y a aussi l'éruption du Merapi, qui se produisit à la même époque et a pu couper tout accès aux ports côtiers du Nord et recouvrir de cendres le centre

dépendance réciproque avec de vastes zones rurales. Dans un premier temps, elles ont coexisté de manière plutôt pacifique, comme le donne à penser le sanctuaire shivaïte de Prambanan, qui fut construit tout près du Borobudur et à la même époque.

Mais les rivalités n'ont pas tardé : vers 850, l'héritier des Sanjaya, Rakai Pikatan, profita de son mariage avec une princesse de Saïlendra pour dominer le centre de Java. Vingt ans plus tard, les Saïlendra se replièrent à Sriwijaya, d'où ils organisèrent pendant plus d'un siècle un blocus de la mer de Chine du Sud pour contrecarrer les Sanjaya.

de Java. Ainsi, un temple à demi achevé gît à Sambisar, près de Prambanan, sous plusieurs mètres de débris volcaniques.

Le royaume de Mataram prospéra au cours du Xe siècle, jusqu'à lancer en 990 une grande offensive contre Sriwijaya, qu'il occupa pendant deux ans. Vingt-cinq ans plus tard, le royaume sumatranais prit sa revanche. Il anéantit la capitale javanaise, tua le roi Dharmawangsa et divisa le royaume en une multitude de petits fiefs. Il fallut vingt ans au roi suivant, le grand Airlangga, qui régna de 1019 à 1042, pour rétablir l'unité. Ce souverain a laissé le souvenir d'un ascète et d'un mécène ; il a notamment fait traduire les classiques indiens en javanais, ce qui représenta un énorme apport culturel. Peu de temps avant sa mort en 1049, il divisa le royaume entre ses deux fils, et les États de Kediri et Janggala virent ainsi le jour. Le premier absorba le second vers 1150. Kediri se maintint un siècle et passe pour le berceau des lettres javanaises.

Singasari et Mojopahit

Les siècles suivants, les royaumes de Java connurent une prospérité sans précédent, fruit d'une agriculture solide et d'un commerce maritime lucratif. De 1222 à 1293, le

royaume de Singasari a occupé le devant de la scène. Son fondateur était un aventurier de haute volée, Ken Arok, qui s'était révolté contre le roi de Kediri et avait établi sa capitale à Singasari, près de Malang (Java-Est).

Cette dynastie prit fin avec son dernier monarque, le grand Kertanegara, qui attaqua deux fois, par la mer, et avec succès, en 1275 et en 1291, le royaume de Sriwi-

A l'extrême gauche, la déesse Durga dans le sanctuaire hindouiste de Prambanan; à gauche, le roi Airlangga en Vishnou juché sur l'oiseau Garuda; ci-dessus, Ken Dedes, femme du roi Ken Arok, monarque de Singasari (XIIIe siècle).

jaya. Ces deux victoires en firent le maître des mers. Ce qui porta ombrage à l'empereur de Chine, le Mongol Kubilai Khan, qui dépêcha un ambassadeur à Java pour exiger un tribut. Kertanegara refusa, déclenchant la fureur du grand khan, qui lança en 1293 sa flotte contre Java.

Le corps expéditionnaire arriva à destination alors même que Kertanegara venait d'être tué par son vassal Jayakatwang. Une querelle de succession s'annonçait. Le gendre de Kertanegara, Wijaya, s'allia aux troupes sino-mongoles contre l'assassin de son beau-père et, au bout d'un an, remporta la victoire. Puis il se retourna contre ses alliés, qu'il contraignit à quitter Java.

En 1294, il fonda à son tour un nouvel État, Mojopahit. Il fit aussi bâtir, sur les rives de la Brantas et près de Trowulan (est de Java), une nouvelle capitale, dont seules les fondations apparaissent aujourd'hui. Toute de briques rouges, cette ville était dotée d'un savant système de canaux qui devait servir à acheminer vers la mer le riz et les autres denrées exportées.

Mojopahit, le plus fameux des grands empires indonésiens, fut le seul dont les frontières épousaient les contours du territoire actuel de la république d'Indonésie. Il demeure la principale référence des apôtres de l'unité indonésienne, quoique son expansion devait s'apparenter à une sphère d'influence économique plutôt qu'à une domination politique.

Son âge d'or se situe au XIVe siècle, à l'époque du roi Hayam Wuruk et de son brillant premier ministre Gajah Mada. Le déclin s'amorça à la mort du roi, en 1389. Ses héritiers se déchirèrent dans une guerre civile qui dura de 1403 à 1406. Le pays fut bien réunifié en 1429, mais le royaume javanais avait perdu la maîtrise des mers au profit du sultanat musulman de Malacca et ne gardait plus que le souvenir de son ancienne splendeur. La chute fut consommée en 1527, quand une autre puissance musulmane, le sultanat de Demak, port de la côte nord de Java, absorba ce qui restait de Mojopahit. Significativement présent dans l'archipel depuis le XIIIe siècle, l'islam mettait ainsi un terme à plus de dix siècles d'indianisation. Cependant, et bien que l'hindouisme ne se soit perpétué qu'à Bali et dans l'est de Java, l'influence de cette civilisation a perduré jusqu'à nos jours.

KAART
DER
Ambonsche Eilande
Het Strand Sakella
Hatte Hakie
R
A
M
Kotingan
Kim
Goram
Tenimbar
Manabacco
Capal
Pt. Swangi
Pt. Ay
Pt. Rhun
Neira
Lonthoir
Rosengyn
BANDASCHE EILANDEN
Het Mabakoe Rif
Het Strand Lelewe

سورة الفاتحة

بِسْمِ اللَّهِ الرَّحْمَٰنِ الرَّحِيمِ

الْحَمْدُ لِلَّهِ رَبِّ الْعَالَمِينَ الرَّحْمَٰنِ

الرَّحِيمِ مَالِكِ يَوْمِ الدِّينِ

إِيَّاكَ نَعْبُدُ وَإِيَّاكَ نَسْتَعِينُ

اهْدِنَا الصِّرَاطَ الْمُسْتَقِيمَ صِرَاطَ

الَّذِينَ أَنْعَمْتَ عَلَيْهِمْ غَيْرِ الْمَغْضُوبِ

عَلَيْهِمْ وَلَا الضَّالِّينَ

L'ISLAMISATION DE L'ARCHIPEL

A Surabaya, le grand port de Java-Est, dans les ruelles aux environs des quais, vit une importante communauté de descendants d'immigrés arabes. Au fin fond de ce quartier populeux dont les habitants ont parfois conservé la langue de leurs ancêtres venus du sud de la péninsule arabique, la mosquée Ampel est l'un des neuf grands lieux saints de l'islam javanais.

Le temps des marchands

Dans le petit cimetière attenant repose en effet Sunan-Ampel, le « maître » (religieux) Ampel. Ce personnage du XVe siècle est l'un des neuf saints, les *wali songo*, auxquels la tradition attribue la conversion de Java à l'islam. Une fervente dévotion populaire entoure leurs tombeaux, en majorité situés dans l'est de l'île.

Si leur existence historique n'est pas mise en doute, la religion monothéiste a, en fait, emprunté d'autres voies que le légendaire prosélytisme de cette poignée de saints hommes pour pénétrer et se répandre dans l'archipel. En revanche, cette tradition reflète quelque chose de juste : l'islamisation a bien été un processus largement pacifique, et non, comme ailleurs, le fruit d'une conquête.

Parmi les habitants du quartier arabe de Surabaya, certains aiment à se targuer d'avoir quelques gouttes du sang du Prophète dans les veines, et il y aurait dans tout l'archipel environ un million d'Indonésiens se qualifiant d'« Arabes ». Cependant, la foi du prophète Mahomet a été apportée principalement par des musulmans venus non de l'Arabie, mais des Indes, de la Perse et même de la Chine. Ces derniers n'étaient pas des soldats de Dieu, mais des marchands et des marins.

Pages précédentes : les Moluques du Sud, dont la population se partage à égalité entre chrétiens et musulmans, ont été l'ultime étape orientale de l'islamisation. A gauche, ce Coran provient du sultanat d'Aceh (nord de Sumatra) ; ci-dessus, la tombe du premier souverain musulman de l'archipel, Malil al Salih, sultan de Samudra-Pasai à Sumatra (elle date de 1297).

Ils se sont établis dans les grandes villes portuaires de l'archipel, alors au cœur des circuits d'échange entre Europe, Proche-Orient, sous-continent indien et Extrême-Orient. Et ont fait de celles-ci des foyers de propagation pour un islam qui s'est montré tolérant envers les rites et les croyances qui l'avaient précédé. Cela s'est passé entre les XIe et XVIe siècles. Mais le processus d'islamisation se poursuit de nos jours, dans ce pays qui compte plus de musulmans qu'aucune autre nation au monde et qui ne manque pas d'être touché par les débats qui agitent l'*Umma*, la « communauté des croyants ».

Premiers foyers de l'islamisation : des villes cosmopolites

Un grand flou entoure encore les premiers pas de l'islam en Indonésie. Ceux-ci ont été, en tout cas, intimement liés aux contacts entre l'Asie, de l'Inde à la Chine, et l'espace méditerranéen. Entre ces deux pôles, dès le début du VIIe siècle, s'est interposé le monde musulman. Vers l'an 640, dix-huit années à peine après le début de l'hégire, l'ère musulmane, les troupes des premiers califes contrôlaient en effet le Proche-Orient. Et les premières indications relatives à l'archipel figurent dans les relations de voyages laissées par les marchands arabo-musulmans qui naviguaient aux VIIIᵉ et IXᵉ siècles entre le golfe Arabo-Persique, la mer Rouge, l'océan Indien et la mer de Chine.

Cette route maritime d'Arabie vers l'Inde et la Chine passait en effet par le détroit de Malacca, et leurs bateaux faisaient notamment escale à Sumatra, alors siège de l'empire de Sriwijaya. Dans leurs récits, ils parlaient notamment de sa capitale, près de l'actuelle Palembang. Ils la présentaient comme une ville cosmopolite, dans laquelle se croisaient des négociants et des équipages chinois, indiens, persans, malais, arabes, etc.

présence de familles musulmanes dans cette région. L'on sait aussi que, à la même époque, les flottes de Java et de Sumatra, en quête d'esclaves, s'aventuraient jusqu'aux côtes est-africaines, alors sièges de comptoirs et d'États musulmans. Des conversions ont, là aussi, pu se produire.

L'attrait d'une religion égalitariste

Que ces adhésions aient ensuite provoqué des conversions massives s'explique par plusieurs facteurs. Tout d'abord, elles concernaient des groupes de négociants vivant dans des villes portuaires. Or, les

La même description est à l'époque donnée de divers points de la péninsule malaise, de l'autre côté du détroit, ainsi que de Canton, en Chine. Il n'est pas exclu que ce mélange de nations comprît de nombreux musulmans – ainsi, d'ailleurs, que des chrétiens, puisque des religieux avaient à l'époque essaimé jusque dans les grands ports chinois. Mais cette période n'a laissé aucun témoignage de conversion dans l'archipel indonésien.

Le document le plus ancien remonte en fait au XIᵉ siècle. Il s'agit d'une inscription en arabe, langue du Coran, déchiffrée sur une stèle funéraire et datée de l'an 1082. Retrouvée dans l'est de Java, elle atteste la

royaumes hindo-bouddhique de Java et Sumatra, dont elles dépendaient et alimentaient le trésor par les taxes prélevées sur les échanges, n'exerçaient sur ces cités qu'un contrôle assez lâche.

Ensuite, ces États se montraient perméables aux influences extérieures, d'ailleurs à l'origine de leur passage aux religions venues des Indes. Or, l'islam arrivait en Indonésie par des filières très largement non arabes. Sans la rigidité de l'orthodoxie originelle, déjà frotté à d'autres croyances par son acclimatation en Perse, dans le sous-continent et en Chine, l'islam pouvait s'adapter sans conflit aux réalités locales. Enfin, pour les communautés affairistes de ces comptoirs maritimes, l'islam, religion universaliste et égalitariste, présentait l'avantage d'abolir les barrières de caste et les différences ethniques. Au XIIe siècle, l'islam s'affirma d'ailleurs dans la Chine confucianiste et bouddhiste, et des marchands musulmans chinois ont alors contribué activement au développement du commerce international de l'empire du Milieu.

On touche là à une autre raison de l'islamisation : embrasser la foi née dans les sables d'Arabie, c'était intégrer un réseau commercial maritime musulman en pleine progression. En effet, entre cette fin du XIe

Asie, celles-ci mettaient en contact des pays fabricants de denrées manufacturées (l'Inde et la Chine) avec une Insulinde riche en produits de cueillette et en épices très recherchés, aussi bien en Asie qu'en Europe. Les premières principautés musulmanes indonésiennes apparurent dans ce contexte, alors même que s'effaçait le grand empire de Sriwijaya.

L'époque des sultanats

Le plus précoce de ces États islamisés était contemporain de Marco Polo. Rentrant de Chine en Europe par la mer, le voyageur

siècle et ce début du XIIe, qui ont laissé dans l'archipel les premiers documents archéologiques relatifs à l'islam, les dynasties musulmanes contrôlaient un immense territoire, de l'Atlantique à l'Indus. Au XIIIe siècle, les conquêtes des Mongols, de Pékin à la Volga, vinrent désorganiser les voies continentales et accroître encore l'importance des routes maritimes. En

A gauche, la mosquée de Banten, le grand port poivrier de l'Ouest javanais dont le sultanat de Demak s'empara en 1527; ci-dessus, les Portugais ont pris pied dans le mythique sultanat de Ternate, l'île du giroflier, aux Moluques, au début du XVIe siècle.

vénitien s'arrêta à Sumatra en 1291, l'année même de l'adoption de l'islam par Samudra-Pasai (nord de l'île), où la tombe du premier sultan (photographie page 35) remonte à 1297.

Cette nouvelle structure politique se répandit les deux siècles suivants dans les régions portuaires et commerçantes, et ce bien au-delà de Java et Sumatra – extension que les formes politiques antérieures n'avaient jamais réalisée. Cette diffusion illustre les progrès de la nouvelle religion, tout comme l'autonomie grandissante des villes et de leurs milieux commerçants par rapport aux États agraires et indianisés des plaines. Et ceci, toujours sans conflits : ainsi des tombes musulmanes figurent-elles dans la nécropole royale de l'empire de Mojopahit, tandis que l'un des derniers souverains de cette lignée eut, croit-on, une épouse musulmane.

Désormais autant politique que religieux, le processus d'islamisation gagna en puissance dans toute l'Insulinde aux XVe et XVIe siècles, comme dans le reste du monde. La prise de Constantinople en 1453 par les Ottomans boucla le dispositif musulman autour de l'Est méditerranéen. En Asie, l'empire moghol de Delhi réunit sous sa coupe les divers royaumes musul-

mans des Indes, et des communautés islamisées contrôlaient alors les principaux ports du sous-continent. En 1498, l'un d'entre eux, Calicut, abrita l'un des premiers contacts établis avec les Européens depuis l'Antiquité. En quête de produits tropicaux et d'épices, ces nouveaux venus n'étaient autres que les Portugais de Vasco de Gama.

En Insulinde, cette période vit le négoce international se structurer autour de deux grands pôles. Le premier, le détroit de Malacca, bénéficiait de sa proximité avec les plantations de poivre de Sumatra. Fondée vers 1400 par un membre de la lignée de Sriwijaya, la ville de Malacca

dominait ce couloir commercial. En 1414, son troisième souverain se convertit à l'islam. Désormais musulman, ce port était, à l'aube du XVIe siècle, aussi peuplé qu'une capitale européenne.

Le second pôle était le lointain archipel des Moluques : Ternate, où poussait le giroflier et où le premier sultanat fut fondé vers 1480, et les Banda, terre d'origine du muscadier. L'installation, au XVIe siècle, des Portugais, puis des Hollandais, fut un frein à l'islamisation de cet archipel dès lors activement christianisé, de même que les petites îles de la Sonde.

La phase des conquêtes

A Java, les sultanats se développèrent dans les ports de la côte nord-est. De Cirebon à Surabaya, ces cités prospères furent le centre du rayonnement islamique : prosélytisme des *wali songo* et de leurs disciples, création de *pesantren*, écoles d'approfondissement de la foi, adoption par les oulémas du *wayang kulit*, le théâtre d'ombres, pour faire passer leur message.

Le XVIe siècle a marqué un double tournant. A l'extérieur, les Portugais ont bouleversé les réseaux commerciaux en s'emparant de Malacca en 1511. Fondé en 1515 à la pointe nord de Sumatra, le sultanat d'Aceh était bien placé pour prendre sa succession. Il n'y parvint pas, en dépit de dirigeants capables comme Iskandar Muda (XVIIe siècle). A l'intérieur, Demak, sultanat de la côte nord de Java, conquit entre 1520 et 1530 les derniers vestiges de la période indianisée, absorbant ce qui restait de Mojopahit.

Pendant la seconde moitié du XVIe siècle, le centre du pouvoir glissa de cette côte septentrionale vers le centre. Un nouveau royaume, Mataram, annexa Demak et les autres ports côtiers du Nord. Bien que musulman, il conserva nombre de traditions hindouistes, qui imprégnèrent l'islam javanais. Toutefois, l'hindouisme disparut peu à peu de Java comme de Sumatra pour ne se maintenir qu'à Bali.

A gauche, la plupart du temps non arabes, les marchands musulmans ont été les principaux propagateurs de l'islam ; à droite, la mosquée de Banten ; au XVIe siècle, ce port poivrier de Java-Ouest était le siège d'un puissant sultanat.

1 Marché à Bantam. 2 Douane. 3 Chinois, habitans de Java, etc. avec toutes sortes de marchandises.
10 Tour ou l'on fait sentinelle. 11 Châtea

1 Marckt tot Bantam. 2 Tol huijs. 3 Chineesen, Iavanen etc. met aller leij Koopmanschapp
Vol Kraemen. 9 Mosquée 10 Wacht toren. 11

Commerce et Marcha
KOOPHANDEL

a Leide Chez Pierre vander Aa.

à Bantam.

AEREN.

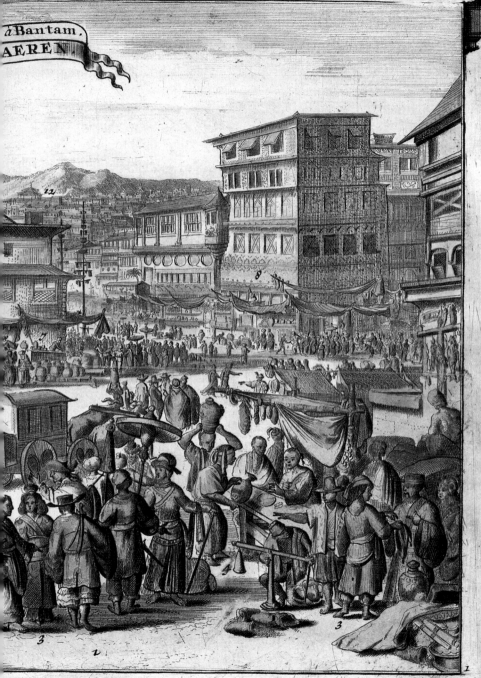

LA COLONISATION HOLLANDAISE

Depuis le xvᵉ siècle, les ports de Hollande et de Zélande servaient d'entrepôts pour les marchandises venant d'Allemagne et des autres pays riverains de la Baltique. A la suite de l'émancipation des Pays-Bas (alors appelés Provinces-Unies), en 1568 et après la guerre contre l'Espagne, nombre de négociants flamands développèrent leur flotte marchande et nouèrent des liens commerciaux directs avec le Levant, l'Amérique et l'Asie.

La publication par un Hollandais, en 1595, de son itinéraire vers les « Indes orientales », provoqua l'envoi presque immédiat de l'expédition Van Houtman, première d'une longue série. C'est alors que débuta l'aventure des Néerlandais en Indonésie. Son premier acte eut lieu en 1596, lorsque les quatre navires menés par Cornelius Van Houtman jetèrent l'ancre dans la rade de Bantam (aujourd'hui Banten, à l'ouest de Jakarta), alors le premier port poivrier de l'archipel, après avoir subi quantités de maladies et de dissensions. Une fois à Java, les Bataves commencèrent par tuer un prince javanais et sa suite, puis signèrent un traité insultant pour le prince de Banten, et, enfin, perdirent un bateau lors d'une attaque par les Javanais de Surabaya.

Van Houtman réussit néanmoins à rapporter quelques épices en Hollande, où il revint après deux ans d'absence, avec seulement trois navires peu chargés et la moitié de ses équipages. La cargaison était maigre, mais suffisante pour que l'expédition fût saluée comme un succès : les épices étaient si prisées en Europe à cette époque qu'elle suffit à couvrir les frais du voyage et dégagea même de modestes bénéfices pour les investisseurs ! Cela déclencha une véritable fièvre spéculative dans les cercles commerciaux hollandais et, l'année suivante, cinq consortiums expédièrent pas moins de 22 bateaux vers les Indes orientales pour s'approvisionner

A gauche, le sultan Hamenkubwono VIII de Yogyakarta en compagnie d'un dignitaire batave ; à droite, portrait de Jan Pieterszoon Coen, architecte de la colonisation.

en épices. En moins de cinquante ans, les Hollandais allaient s'imposer comme la première puissance dans l'archipel et acquérir la maîtrise des circuits commerciaux dans cette partie du monde.

La Compagnie des Indes orientales

En 1602, les chambres de commerce hollandaises fondèrent la Compagnie des Indes orientales (VOC). Cette société à capitaux multiples, l'une des premières de l'histoire, était habilitée à négocier des traités, à lever une armée, à construire des forteresses et même à déclarer la guerre au

nom des Pays-Bas. Après des débuts timides, elle arracha, au début du XVIIᵉ siècle, les îles d'Ambon et de Tidore (archipel des Moluques) aux Portugais.

Mais les concurrences espagnole et anglaise, sans parler de celle des musulmans, étaient autant d'obstacles pour la VOC. Aussi, en 1614, un jeune comptable ambitieux du nom de Jan Pieterszoon Coen n'eut-il guère de mal à persuader les dirigeants de la Compagnie que seule une politique vigoureuse rapporterait des profits substantiels. Ceux-ci lui confièrent la direction des opérations dans l'archipel, et il se lança dans une série d'aventures militaires déterminantes.

La fondation de Batavia

La première initiative de Coen fut d'établir un quartier général permanent à Jayakarta, sur la côte nord-ouest de Java, près des régions poivrières de Sumatra et du détroit stratégique de la Sonde. En 1618, il obtint du prince Wijayakrama l'autorisation d'agrandir le poste hollandais. Il entreprit aussitôt la construction d'un rempart doté de canons.

Aux protestations du prince qui affirmait qu'il n'avait jamais été question de fortifications dans leur accord, Coen répondit en bombardant le palais. La forteresse batave fut alors soumise à un siège en règle auquel participèrent Banten ainsi qu'une flotte anglaise fraîchement débarquée. Coen, dont la devise était « Ne jamais désespérer ! », ne s'avoua pas vaincu. Il partit chercher des hommes à Ambon, laissant la défense du fort à une poignée de soldats. Quand il revint cinq mois plus tard, il découvrit que ses hommes tenaient toujours la place malgré leur infériorité numérique (de l'ordre de un contre 30). Il infligea alors à ses ennemis une cuisante défaite avec seulement 1 000 hommes, dont nombre de mercenaires japonais. Jayakarta fut rasée et les Hollandais édifièrent à la place une ville semblable à Amsterdam, avec des canaux, des ponts-levis, des quais, des casernes, des entrepôts, une place centrale, un hôtel de ville et une église, le tout protégé par des remparts de pierre et des douves : Batavia.

En 1621, Coen s'assura la maîtrise des Banda (archipel des Moluques), îles de la noix muscade, après avoir massacré la quasi-totalité de leurs habitants. Trois d'entre elles furent transformées en plantations où la main-d'œuvre était réduite à l'esclavage. Les Hollandais resserrèrent graduellement leur étau sur le commerce des épices. De leur base d'Ambon, ils tentèrent de « négocier » un monopole des clous de girofle avec les souverains de Ternate et de Tidore. En 1641, ils reprirent Malacca aux Portugais et, à partir de 1649, lancèrent une série d'offensives, les terribles flottes de guerre (*hongi*), qui n'épargnèrent aucune île, à l'exception d'Ambon et de Ceram, où ils étaient déjà solidement établis. Lors de ces expéditions, les Hollandais, qui voulaient maintenir des cours élevés, n'hésitaient pas à détruire une partie des plantations de girofliers et de muscadiers, réduisant du même coup les insulaires à la misère.

Pourtant, la contrebande des épices battait son plein. Les marchands les achetaient à Macassar, dans le sud des Célèbes (Sulawesi). A plusieurs reprises, les Hollandais bloquèrent la rade de ce port musulman et imposèrent des traités lui interdisant de commercer avec d'autres nations. Mais, dans les faits, ils furent incapables de les faire respecter. En 1669, après trois années de combats acharnés, Macassar se rendit enfin aux Hollandais aidés des Bugis. Nommé gouverneur, l'un d'eux, Arung Palakka, instaura un règne de terreur pour étendre son pouvoir à tout le sud des Célèbes.

Les Hollandais à Java

A la fin du XVIIᵉ siècle, les Hollandais s'étaient assuré la maîtrise effective de l'est de l'archipel. A l'ouest, des querelles entre souverains indigènes, notamment à Java, où la présence hollandaise avait brisé le fragile équilibre politique, contrariaient encore leurs projets.

Sultan Agung (1613-1646), grand souverain du royaume musulman de Mataram, s'employait alors à agrandir son domaine. Venant de soumettre Surabaya, il occupait tout le centre et l'est de Java et comptait s'emparer de l'ouest en reconquérant Banten. Pour cela, il fallait faire sauter le verrou que représentait Batavia. En 1628, un corps expéditionnaire réussit à ouvrir une brèche dans les défenses de la ville, mais il fut bientôt repoussé. Un an plus tard, Sultan Agung lança une armée estimée à 10 000 hommes et pourvue d'énormes réserves de riz en prévision d'un long siège. Mais Coen s'empara de cette réserve. Mal commandés, affamés et malades, les soldats javanais tombèrent par milliers sous les remparts de Batavia, et Mataram ne menaça plus jamais la ville.

Plus tard, les deux ennemis s'allièrent même, sous le règne du despotique Amangkurat Iᵉʳ (1646-1677), pour soumettre les royaumes marchands de la côte nord de Java. Fréquentes, de telles alliances avec des aristocraties locales divisées ont été le principal moyen de la conquête coloniale. Ainsi en alla-t-il, par exemple, lors de la succession d'Amangkurat Iᵉʳ. Au lendemain de la guerre contre Macassar (1666-1669), de nombreux Bugis-Macassars se rassemblèrent dans l'est de Java, sous la bannière du prince madurais Trunajaya. En 1676-1677, avec le soutien du prince héritier de Mataram en exil, Trunajaya mit à sac la capitale de Mataram. Amangkurat Ier mourut en prenant la fuite. Dès lors en position de force à Java, le Madurais se proclama roi et désavoua son alliance avec le jeune prince de Mataram. Ce dernier demanda aux Hollandais d'intervenir et obtint leur accord, contre promesse de remboursement des dépenses militaires. Après la victoire des troupes de la VOC, le prince héritier

plus, le traité de Paris, signé en 1784 par l'Angleterre et les Pays-Bas, avait démantelé le monopole batave en décrétant la liberté de commerce en Asie.

Toutefois, ce sont les guerres dites « de succession » de Mataram (1740-1755) et les révoltes qui éclatèrent à Batavia et à Banten qui firent la dernière grosse saignée dans les finances, déjà mal en point, de la Compagnie. Les hostilités cessèrent en 1755, après maintes batailles sanglantes, avec la signature du traité de Giyanti qui scinda le royaume de Mataram en deux.

La VOC ne se releva jamais de ces années de troubles, même si elle dominait

restauré monta sur le trône, en 1680, sous le nom d'Amangkurat II. Mais il n'était pas en mesure d'honorer sa dette : son trésor avait été pillé et son royaume n'était plus que ruines. Il n'avait rien d'autre à proposer que des terres, et, bien qu'il eût cédé une grande partie de l'ouest de Java à la VOC, celle-ci essuya une grosse perte financière.

La VOC inaugurait une longue série de déboires. Au cours du XVIIIᵉ siècle, le commerce des épices était devenu moins rentable, alors que les engagements militaires à Java coûtaient de plus en plus cher. De

Un des innombrables combats opposant l'armée coloniale aux rebelles indigènes.

Java, et en décembre 1799, elle se déclara en faillite.

Les Indes néerlandaises

Après ce traumatisme financier, les Hollandais hésitaient quant à la politique à adopter dans l'archipel. En 1799, le gouvernement ne renouvela pas les monopoles de la VOC et mit la main sur toutes ses anciennes terres. C'est alors que celles-ci devinrent des colonies de la couronne et prirent le nom d'Indes néerlandaises. Mais, au départ, personne ne savait comment les rentabiliser. Obtenue au prix d'une banqueroute, la mainmise hollandaise sur Java ne devait devenir rentable qu'au cours du XIXᵉ siècle. Ce furent les guerres napoléoniennes qui ouvrirent de nouvelles perspectives aux Hollandais.

En 1808, Louis Bonaparte, alors roi des Pays-Bas, nomma Herman Willem Daendels gouverneur des Indes orientales. Fervent bonapartiste, ce Hollandais lança de vigoureuses réformes pour rentabiliser l'entreprise coloniale. Il instaura le travail forcé et obligea les cultivateurs à donner à l'État deux cinquièmes de leurs récoltes ; il aliéna de vastes étendues de terre aux Chinois et restaura la corvée, ce qui lui permit de faire construire une route reliant

remettre le tiers ou la moitié de sa récolte au gouvernement, en nature ou en numéraire, en guise de loyer. Mais, en 1815, après Waterloo, les Indes orientales furent restituées aux Pays-Bas. Si Raffles n'eut pas le temps de mener à bien toutes ses réformes, il marqua cependant Java de son empreinte. Contraint de quitter l'Insulinde, il fonda Singapour en 1819.

Nouvelle gestion coloniale

A cette date, les Bataves contrôlaient donc à nouveau l'archipel. Mais la situation économique y était catastrophique, toutes les

les deux extrémités de l'île. Il venait de lancer un train de mesures administratives, juridiques et militaires, quand Batavia tomba aux mains des Anglais, en 1811.

Les Britanniques qui envahirent Java étaient commandés par sir Thomas Raffles. Fin connaisseur du monde malais, cet administrateur doublé d'un intellectuel fut nommé gouverneur de l'île. Il voulait remplacer le vieux système mercantile (basé sur le commerce de monopole) par un système sans contraintes qui tirerait ses revenus des impôts. Il instaura donc la rente foncière (déjà en vigueur au Bengale) : la terre était considérée comme propriété étatique, et tout cultivateur devait

tentatives de réforme ayant échoué. La dette extérieure s'élevait à 30 millions de florins ! On cherchait des solutions quand, en 1829, Johannes Van den Bosch proposa à la couronne le système des cultures forcées (kultuurstelsel). Il s'agissait de lever un impôt de 20 % (qui passa plus tard à 33 %) sur toutes les terres de Java, payable en main-d'œuvre et en droit de jouissance du sol.

Sur ces terres réservées, les Hollandais plantèrent des cultures de rapport – café, canne à sucre, indigo, thé, tabac, quinine, huile de palme, noix de coco et caoutchouc – au détriment des récoltes vivrières. Ces denrées étaient acheminées en Hollande par une compagnie de commerce étatique, pour être vendues au profit de la Couronne.

Van den Bosch fut bientôt nommé gouverneur des Indes néerlandaises. Son système de cultures forcées permit de dégager, au cours de la première décennie, plus de 22 millions de florins par an. Ces profits évitèrent aux Pays-Bas de faire banqueroute et leur permirent de mener des travaux d'infrastructure, tant dans la mère patrie qu'en Insulinde.

Pourtant, les effets pervers de ce système étaient prévisibles dès le départ. Alors qu'en théorie il n'exigeait des pay-

leur travail, ces salaires étaient ridiculement bas, les impôts très élevés et la terre était propriété d'une poignée de planteurs. Après 1870, les plantations privées se substituèrent à celles de la Couronne et les rares exploitations gouvernementales qui subsistaient eurent recours au travail forcé jusqu'au XXe siècle.

Parallèlement, la métropole paracheva sa conquête de l'archipel. Non sans mal : la guerre contre le sultanat d'Aceh commença en 1873 et dura plus de trente ans. En 1906, les Hollandais s'emparèrent des Célèbes et, en 1907, du sud de Sumatra. Dans l'Est, Flores et Sulawesi furent vic-

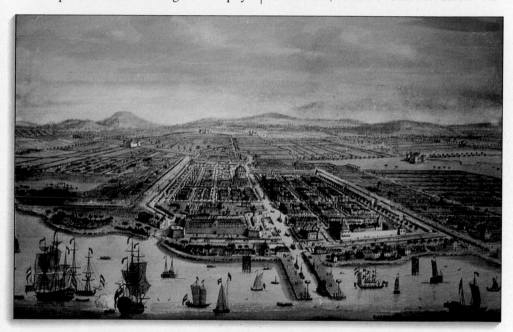

sans que le cinquième de leurs terres et de leur travail, il n'était pas rare que la réquisition portât sur la moitié, au préjudice des cultures vivrières. Java fut ainsi transformée en gigantesque plantation hollandaise.

Une mainmise totale

Dans les années 1870, le *kultuurstelsel*, trop critiqué, fut démantelé. Mais, si les paysans étaient désormais rémunérés pour

Page de gauche : le prince Diponogoro ; un soldat javanais. Ci-dessus, sur le site de Jayakarta, Batavia, bâtie sur le modèle d'Amsterdam.

times d'incursions répétées, jusqu'à leur soumission en 1906. Des combats se déroulèrent aussi dans les petites îles de la Sonde, avec des événements tragiques à Lombok et à Bali : à trois reprises (1894, 1906 et 1908), après avoir accompli le rite de purification, prélude au *puputan* (suicide royal) qui leur épargnait l'humiliation de la défaite, les princes balinais et leurs cours se laissèrent massacrer par les Hollandais.

Mais, en 1910, les Hollandais avaient réalisé l'unification de tout l'archipel aux dépens des royaumes indigènes, fournissant à la république d'Indonésie son territoire actuel, à l'exception de Timor-Est.

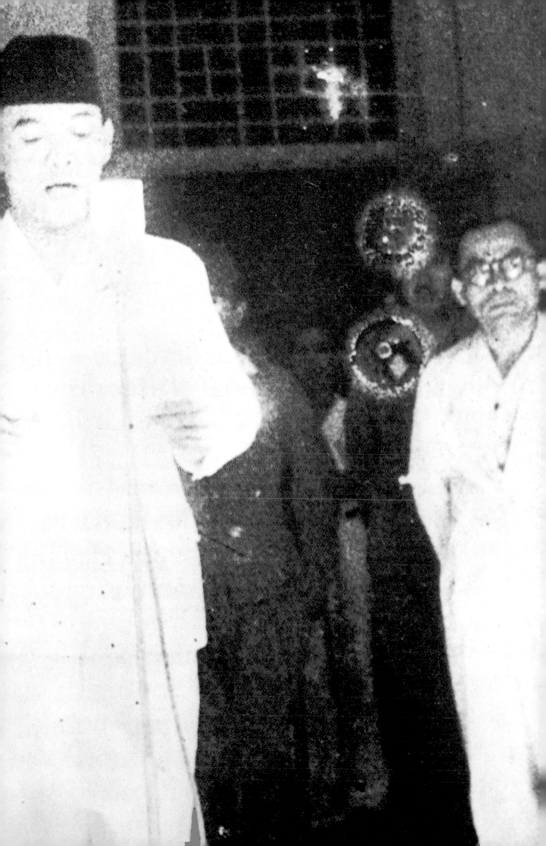

DE L'INDÉPENDANCE AU DÉCOLLAGE

Au tournant du XIXᵉ siècle, la future Indonésie a été, comme d'autres nations colonisées, le théâtre de changements nombreux et lourds de conséquences. Les Pays-Bas ont alors parachevé leur conquête. Ils se sont emparés des derniers États indépendants de Sumatra (où la guerre contre le sultanat d'Aceh dura de 1873 à 1903), de Bali (où l'assaut de 1906 provoqua le suicide de toute une cour), de Bornéo (Kalimantan), des Célèbes (Sulawesi) et des petites îles de la Sonde.

Parallèlement, l'ouverture du canal de Suez, en 1869, qui facilita grandement les échanges avec la métropole, permit des arrivées massives de colons. De 22 000 en 1850, le nombre de Hollandais et d'autres Européens est ainsi passé à 80 000 en 1905. Cet afflux provoqua une certaine européanisation, surtout à Java, où s'ouvrirent des hôtels et des cercles fréquentés par la société coloniale, ainsi que des ateliers, des usines et des magasins à l'occidentale. Le progrès technique fit aussi son entrée en Indonésie à cette époque, avec l'éclairage au gaz, puis l'électricité, tandis que l'on inaugura, en 1894, le chemin de fer transjavanais.

La colonisation elle-même évolua. En 1900, les Pays-Bas lancèrent une nouvelle politique coloniale. Visant à améliorer le sort de la population locale, elle aboutit, entre autres progrès, à l'ouverture aux *inlanders* («indigènes») d'écoles de type occidental. Par une fréquente ironie de l'histoire, celles-ci, bien que surtout fréquentées par les rejetons de la noblesse, donnèrent au mouvement indépendantiste ses premiers porte-parole et certains de ses futurs chefs. Apparues dès 1908, les premières organisations étudiantes furent ainsi les précurseurs de la critique de l'ordre colonial. Cette prise de conscience eut pour symbole Raden Adjeng Kartini (1879-1904), jeune aristocrate javanaise

Pages précédentes : proclamation de l'indépendance par Sukarno le 17 août 1945 ; à gauche, Sumatra, 1884, les débuts de la recherche pétrolière – et de la Royal Dutch Shell ; à droite, gravure coloniale caractéristique du XIXᵉ siècle.

devenue institutrice et sacrée héroïne nationale en 1964. Publiée après sa mort, sa correspondance, où elle exprimait ses désirs d'émancipation, connut un grand retentissement.

Éveil national

La première profession de foi véritablement nationaliste fut d'ailleurs lancée par des étudiants. Réunis en 1928 en congrès à Medan (nord de Sumatra), et venus de toutes les Indes néerlandaises, ils prononcèrent le «serment de la jeunesse» (*Sumpah Pemuda*) en faveur d'une nation,

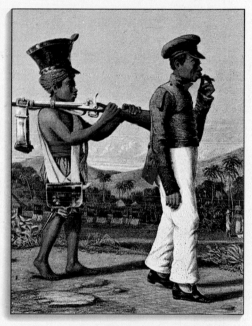

d'une patrie et d'une langue indonésiennes. Mais les Néerlandais avaient d'autres motifs d'inquiétude : l'émergence de deux formations politiques fondées par les élites urbaines.

La première, à l'origine simple corporation de négociants musulmans fondée en 1909 à Java (Sarekat Dagang Islamiyah), se transforma en 1911 en une confédération syndicale (Sarekat Islam). En 1919, elle comptait 2 millions de membres. La seconde était le Partai Komunis Indonesia (PKI, Parti communiste indonésien). Fondé en 1920 – ce qui en fait le premier parti communiste asiatique –, il gagna rapidement en puissance.

L'entrée en scène de Sukarno

Le climat social s'alourdit considérablement entre 1910 et 1930, avec des grèves très dures et des manifestations qui débouchaient souvent sur des affrontements. D'abord conciliant, le gouvernement colonial passa vite à une répression sans nuance. Il interdit le PKI en 1927, après avoir maté les rébellions communistes de Java et de Sumatra.

A la fin de la décennie, il avait envoyé la plupart des ténors nationalistes en résidence surveillée dans l'extrême est du pays. Certains de ces déportés passèrent

Guerre mondiale et la très rude occupation japonaise pour voir l'ordre colonial s'effondrer comme un château de cartes.

L'occupation japonaise

Au XIIᵉ siècle, un roi, Jayabaya, l'avait prédit : les blancs gouverneraient l'île en despotes, puis des hommes jaunes venus du nord resteraient le temps que mûrisse un épi de maïs ; Java, libérée de tout tyran étranger, entrerait alors dans un âge d'or.

Le 28 février 1942, les Japonais attaquèrent Java, et les Hollandais capitulèrent dès le 9 mars. En dix jours, la popula-

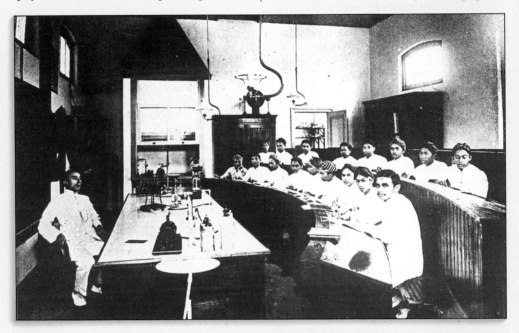

près de dix ans en exil. Ce fut le cas du futur premier président de la république d'Indonésie, Ahmed Sukarno (1901-1970), emprisonné quasi sans interruption de 1929 à 1942. Alors qu'il était encore élève ingénieur du prestigieux institut universitaire de technologie de Bandung (ITB), Sukarno avait été nommé à la tête du Partai Nasional Indonesia (PNI, Parti national indonésien). Fondé en 1927, le PNI fut le premier parti à se fixer l'indépendance pour objectif. Il comptait déjà plus de 10 000 membres en 1929.

Donc, au début des années 30, le mouvement nationaliste avait subi un revers sévère. Il fallut attendre la Seconde

tion assista à l'écroulement de la toute-puissance hollandaise. Elle vit d'abord des libérateurs dans les Japonais, mais déchanta bien vite. *« Trois années et demie d'occupation japonaise ont été plus dures que trois siècles et demi de domination hollandaise »*, selon un dicton local.

L'archipel fut mis en coupe réglée pour les besoins de l'économie de guerre nippone. Spoliations, famines, révoltes noyées dans le sang, exécutions sommaires, l'Indonésie connut tout le cortège des horreurs de l'occupation – camps de travail forcé compris. En 1943, lorsque le vent tourna à la défaveur des forces de l'Axe, les Japonais tentèrent bien de se concilier les Indonésiens. Ils autorisèrent la formation de milices armées, après avoir libéré les chefs nationalistes, dont certains choisirent la coopération, d'autres la résistance. En 1944, ils promirent même l'indépendance, mais la situation avait atteint un point de non-retour.

Douloureuse naissance

Le 17 août 1945, onze jours après l'explosion à Hiroshima de la première bombe atomique américaine et deux jours après la reddition du Japon, Ahmed Sukarno et Mohammed Hatta proclamèrent l'indé-

quatre années suivantes, les « opérations de police » conduites par les Hollandais leur donnèrent la maîtrise des villes. Mais l'armée de va-nu-pieds commandée par le jeune et charismatique général Sudirman combattait avec vaillance. Et la guerre se menait autant sur les champs de bataille qu'à la tribune de l'ONU, où les colonisateurs trouvèrent peu de soutien.

Finalement, en 1949, les États-Unis coupèrent les fonds du plan Marshall aux Pays-Bas, et le Conseil de sécurité des Nations unies leur demanda de retirer leurs troupes et de négocier l'indépendance. A La Haye, en décembre 1949, les

pendance de la république d'Indonésie. Ils en devinrent, respectivement, président et vice-président. La « constitution de 1945 », toujours en vigueur, fut promulguée le lendemain.

La réaction ne tarda guère. Dès le mois d'octobre éclatait le premier d'une longue série d'affrontements, la « bataille de Surabaya », qui opposa les Indonésiens aux troupes anglo-néerlandaises. Les

A gauche, les étudiants, comme ces étudiants en médecine, ont été parmi les premiers opposants aux Hollandais; ci-dessus, rassemblements, manifestations, discours enflammés : les indépendantistes ont d'abord agi au grand jour.

Hollandais signaient le transfert de souveraineté et mettaient fin à 330 années de présence néerlandaise.

Une nation à construire

Si l'indépendance était bien acquise, ses chapitres finaux restaient à écrire. Les Néerlandais conservaient leur moitié de l'île de Nouvelle-Guinée (qui ne faisait pas, juridiquement parlant, partie des Indes néerlandaises). Cette situation perdura jusqu'au mandat donné en 1963 par l'ONU à l'Indonésie pour administrer ce territoire. En 1969, après un référendum non exempt de critiques, celui-ci passa sous la souveraineté de l'Indonésie, dont il constitue, sous le nom d'Irian Jaya, la vingt-sixième province.

Le pays s'agrandit encore en 1975 du Timor-Oriental, conquis par les armes à la suite de l'abandon de cette colonie par Lisbonne en 1974, après quatre siècles et demi de présence. Annexée en 1976, elle est devenue la vingt-septième province du pays, au prix d'une des guerres les plus meurtrières du XXᵉ siècle. Selon les organisations internationales, les combats et la famine qui en résulta auraient fait 200 000 morts, soit le tiers de la population de l'ancienne possession portugaise.

plantations étaient dévastées, les capitaux et les compétences rares, la production de riz insuffisante. La population, pauvre et illettrée, augmentait à un rythme effréné. Or, la jeune nation avait opté pour un régime parlementaire, et l'absence de force politique majoritaire rendait la tâche encore plus difficile.

Divisés en une trentaine de partis à connotations ethniques et religieuses, les combattants, naguère unis pour l'indépendance, ne parvenaient pas à s'entendre. Les gouvernements se faisaient et se défaisaient au gré des alliances. Le président Sukarno ne pouvait guère agir, la constitu-

Lutte pour l'unification

Les premiers gouvernants de l'Indonésie eurent aussi fort à faire avec des mouvements sécessionnistes d'inspiration religieuse ou politique. Entre 1946 et 1960, Jakarta dut réduire quatre guérillas. Trois d'entre elles, basées à Aceh, dans l'ouest de Sumatra et de Java, avaient pour objectif la fondation d'États islamiques. La quatrième rassemblait les indépendantistes chrétiens des Moluques du Sud.

A cela s'ajoutait une autre urgence. Il fallait rebâtir, et pour une bonne part bâtir tout court, un pays saigné à blanc par la colonisation et la guerre. Les usines et les

tion provisoire de 1950 ayant considérablement limité ses pouvoirs. Les rébellions militaires qui éclatèrent en 1957 aux Célèbes (Sulawesi) et en 1958 dans l'ouest de Sumatra lui permirent de débloquer la situation. Il proclama l'état d'urgence et donna carte blanche à l'armée pour venir à bout des rebelles. En 1959, il rétablit par décret la constitution de 1945 et mit fin au régime parlementaire.

L'Indonésie entrait dans l'ère de la « démocratie dirigée », selon la formule de son président, qui concentrait désormais tous les pouvoirs entre ses mains. Enfin seul maître à bord, Sukarno allait se désintéresser des questions économiques pour mettre son talent oratoire et sa personne au service de causes politiques. La conférence afro-asiatique organisée à Bandung en 1955 lui avait déjà donné l'occasion de s'affirmer à la face du monde comme un tribun et un champion de l'anticolonialisme. Au point que le journaliste et écrivain Jean Lacouture a pu qualifier de « *festival Sukarno* » cet événement un peu oublié, mais qui eut un retentissement considérable et accrut le rayonnement de l'Indonésie et de son chef.

« *Levée d'écrou de la colonisation* », selon le président-poète sénégalais Senghor, la conférence de Bandung ras-

semblait les dirigeants de 29 pays d'Afrique et d'Asie fraîchement indépendants. L'Égyptien Nasser, l'Indien Nehru, le Chinois Zhou Enlai participaient à cette réunion, qui a donné naissance au Mouvement des non-alignés (MNA). Ce groupement de pays du tiers-monde refusait de s'« aligner » sur Moscou et encore moins sur Washington. La disparition du bloc soviétique en 1991 l'a vidé de sa substance.

A gauche, « Merdeka », l'« indépendance »; proclamée en 1945, elle ne fut reconnue qu'en 1949 par les Pays-Bas; ci-dessus, au premier plan, à gauche, Sukarno, et, à droite, le vice-président Mohammed Hatta.

Au début des années 60, l'anticolonialisme de Sukarno se fit plus virulent. En 1964-1965, Jakarta s'opposa par les armes à Kuala Lumpur à propos du Sabah et du Sarawak. Pour le président indonésien, l'entrée de ces territoires de l'est et du nord de Bornéo dans la Fédération de Malaisie équivalait au prolongement de la colonisation anglaise. En outre, Sukarno avait fait entrer au gouvernement le puissant Parti communiste indonésien (le PKI revendiquait alors 18 millions de sympathisants, près d'un Indonésien sur dix). Ce qui suscitait de la grogne dans les casernes et, en pleine guerre du Vietnam, ne pouvait que déplaire aux États-Unis.

En revanche, sur le front économique et social, presque rien n'avait changé. En 1965, les 70 dollars de revenu annuel par habitant classaient l'Indonésie parmi les pays les plus pauvres de la planète, loin derrière l'actuel Bangladesh, et l'inflation caracolait au taux vertigineux de 700 % par an, décourageant les investissements.

1965, « année de tous les dangers »

Tout s'enflamma soudain dans la nuit du 30 septembre 1965. De jeunes officiers enlevèrent et exécutèrent six généraux, qu'ils soupçonnaient de vouloir renverser le président. Le commandant en chef du corps de commando de réserve (Kostrad), le général Suharto, écrasa la rébellion. Le pays entra alors dans une des périodes les plus noires de son histoire. Accusé par l'armée d'avoir fomenté cette tentative de coup d'État, en intelligence avec la Chine de Mao, le PKI, dont la responsabilité dans cette affaire n'a jamais été établie, fut mis hors la loi et ses partisans pourchassés. Cette répression, qui dura plusieurs mois, fit entre 160 000 et 500 000 morts, au cours d'une crise de folie meurtrière qui frappa notamment la minorité sino-indonésienne, suspecte de sympathies pour le régime de Pékin et enviée pour sa prospérité. Le film de Peter Weir *L'Année de tous les dangers* traite de ces événements.

Pendant ce temps, à Jakarta, l'armée, soutenue par les étudiants, les intellectuels et une grande partie de la classe moyenne, entra en conflit ouvert avec Sukarno. Le bras de fer dura cinq mois; puis, le 11 mars 1966, Sukarno confia une partie des prérogatives présidentielles à Suharto.

Ce dernier ne fut formellement nommé président par l'Assemblée qu'en 1968. La reprise en main démarra dès son entrée en fonction. Le PKI et tout ce qui pouvait se rapporter au marxisme furent interdits. Les militaires entrèrent en masse dans l'administration. Les relations diplomatiques reprirent avec les États-Unis et l'Indonésie rompit toute relation avec la Chine et l'Union soviétique, puis constitua, en 1967, avec la Thaïlande, les Philippines, la Malaisie et Singapour, l'Association des Nations d'Asie du Sud-Est (Asean), regroupement pensé, à l'origine, comme un barrage anticommuniste.

effet vigoureux. L'Indonésie, qui importait encore le quart du riz du marché mondial en 1965, devint autosuffisante en 1984, et tripla sa production en une génération. Dans le même temps, la valeur de ses exportations fut multipliée par 54. De 1965 à 1996, le PNB par habitant fut multiplié par près de 13, alors que la population passait de 120 à 200 millions. La misère diminua considérablement : la proportion des Indonésiens vivant en dessous du seuil de pauvreté chuta de 60% à 13,5%, tandis que le taux d'alphabétisation atteignait 83% et que l'espérance de vie rejoignait la moyenne mondiale. Mais, si la richesse moyenne

Le « nouvel ordre »

Trente ans plus tard, l'effigie du président Suharto arborait un sourire confiant sur le billet de 50 000 roupies où l'on pouvait lire en légende : le « père du développement indonésien ». Telle est l'image qu'entendait laisser le président indonésien, réélu en 1998 pour un septième mandat consécutif par une Assemblée appelée à se prononcer sur une seule candidature, la sienne, et qui ne comptait que 40% de membres élus. Et tel était le message d'un régime, « le nouvel ordre » (orde baru, par opposition à « l'ordre ancien », orde lama, incarné par Sukarno), qui s'attribuait la paternité d'un essor en

augmentait, les inégalités connaissaient une aggravation sans précédent.

Pour soutenir cet essor, le gouvernement s'appuya sur les immenses ressources humaines et naturelles du pays, en premier lieu les hydrocarbures, qui représentèrent jusqu'à 80% des exportations avant 1975. Seul membre asiatique de l'Opep, l'Indonésie extrayait, au milieu des années 1990, 75 millions de tonnes de brut, et se situait au premier rang mondial pour les ventes de gaz naturel liquéfié. L'archipel se plaçait aussi en tête pour la production de poivre, de caoutchouc, d'étain, d'huile de palme, de café, de bois, de nickel, de charbon, d'or et de produits de la mer.

La politique du tout-pétrole ayant atteint ses limites en 1982-1983, l'Indonésie opta pour la diversification des exportations, les avancées technologiques et l'ouverture aux investissements étrangers. Ces derniers répondirent de façon spectaculaire. La diversification connut la même réussite : les exportations de produits manufacturés progressèrent à un rythme annuel de 20 % entre 1986 et 1995. Plus controversé, le développement technique fut incarné par une filière aéronautique bâtie de toutes pièces par le ministre de la Recherche (mais le N-250, qui vola pour la première fois en 1995, ne trouva pas de marché).

Quant au secteur automobile, il illustrait la politique de protectionnisme dont Jakarta était taxée de manière récurrente.

Comparée à l'essor général de l'Asie du Sud-Est, la réussite indonésienne n'était pas exceptionnelle, mais compte tenu du retard accumulé, et surtout du morcellement de l'archipel, le bilan était impressionnant. Mais la crise boursière, qui survint à Bang-kok durant l'été 1997 et gagna rapidement toute l'Asie, vint bouleverser ces données.

A gauche, en 1966, Sukarno informe la presse qu'il vient de transmettre une partie de ses pouvoirs à Suharto. Ci-dessus, Sukarno et Suharto.

La crise de 1997 et la « Reformasi »

Sensibles aux symboles, les Indonésiens ne manquèrent pas d'interpréter les gigantesques incendies qui ravagèrent Sumatra et Bornéo à la fin de 1997 comme un signe de mauvais augure. De fait, la crise boursière agit comme le révélateur des faiblesses structurelles de l'économie. La corruption, qui sévissait à tous les échelons, atteignit des proportions effarantes dans l'entourage du président. La fragilité du système bancaire provoqua une spectaculaire série de faillites. En 1998, la roupie perdit 80 % de sa valeur par rapport au dollar, multipliant par 5 le coût des importations ; le PIB baissa de 14 %, l'inflation dépassa les 60 % et le taux de chômage était de 23 % ; des secteurs entiers étaient sinistrés. Menacé de faillite (sa dette extérieure atteignait 144 milliards de dollars), le pays fit appel au FMI, qui lui octroya une aide conditionnée à des mesures « d'assainissement » économique.

Pour les Indonésiens, le choc fut rude. La classe moyenne urbaine vit ses rêves partir en fumées, alors que les légions de paysans venus s'installer en ville se trouvaient encore plus marginalisées, provoquant un développement sans précédent de la criminalité. Dans les campagnes surpeuplées, la hausse du prix du riz frappa de plein fouet la paysannerie et certaines provinces, comme Kalimantan et l'Irian Jaya, connurent un début de famine. Porte-parole du mécontentement général, les étudiants manifestèrent tous les jours, réclamant la démission de Suharto et l'instauration de la démocratie. Devenu le principal obstacle à la cohésion du pays, menacé de sombrer dans le chaos, le vieux dictateur fut abandonné par ses amis politiques, par une partie de l'armée, par les États Unis et, surtout, par la classe moyenne, qui formait jusqu'alors son principal soutien. En mai 1998, la capitale se trouva livrée pendant trois jours au pillage et à l'émeute. Plus de 1 200 personnes périrent. Les Sino-Indonésiens, boucs émissaires habituels, furent directement pris pour cible. Le pays n'avait pas connu de telles violences depuis plus de trente ans. L'armée, qui laissa les étudiants occuper le parlement, apparut comme l'acteur en sous-main de la chute du président. La tentation de coup d'État fut cependant écartée et, le 21 mai 1998, le vice-président Habibie, homme lige de Suharto, lui succédait.

Haï par les étudiants, méprisé par l'armée, celui-ci eut du mal à imposer son autorité. Durant sa présidence, les grands dossiers avancèrent peu. Plus grave, les foyers de tension se multiplièrent, à Kalimantan (entre Madurais et Dayaks), aux Moluques (entre chrétiens et musulmans), en Irian Jaya et à Aceh (où l'armée inflige une sévère répression depuis les années 1980 pour mater la rébellion indépendantiste). Mais un vent nouveau de liberté soufflait à Jakarta et les Indonésiens retrouvaient une liberté d'expression chèrement conquise. Des prisonniers politiques furent élargis. Premier scrutin libre depuis 1955, les élections légis-

latives de juin 1999 virent s'affronter 48 partis. Grand vainqueur, le PDI-P de Megawati Sukarnoputri (33,7 %), la fille de Sukarno, devança le Golkar, parti officiel des années Suharto, et le PKB, parti musulman d'Abdurrahman Wahid, alias Gus Dur. Mais une crise majeure survint au Timor-Oriental, qui depuis 1975 menait un combat autonomiste, sévèrement réprimé par l'armée. Contre l'avis de cette dernière, Habibie décida d'y organiser un référendum d'autodétermination, sous l'égide de l'ONU, en septembre 1999. La très large victoire des indépendantistes provoqua une réaction violente des milices locales, soutenues par l'armée. Pressé par la communau-

té internationale, Jakarta accepta l'envoi de Casques bleus. Cette décision, vécue comme une humiliation, fit perdre à Habibie ses derniers soutiens, et l'obligea à renoncer à se représenter à la présidence.

Gus Dur fut élu président par le parlement en novembre 1999 devant Megawati Sukarnoputri qui devint vice-présidente. Alors qu'il jouissait au début de son mandat d'un large soutien populaire et de la confiance de l'étranger et que l'économie donnait des signes de convalescence, il entra en rivalité avec le parlement dès 2000. A la suite de deux scandales le mettant directement en cause pour détournement de fonds, le parlement le destitua en juillet 2001; Megawati Sukarnoputri le remplaça.

La même année, l'application de la loi de décentralisation régionale, aux contours encore mal définis, marqua un tournant. Si les affaires de corruption étaient toujours d'actualité, elle tenta d'apporter une réponse aux tendances centrifuges de nombreuses provinces qui réclamaient une distribution des ressources plus équitable entre la capitale et les provinces.

Aux Moluques, où les affrontements ont fait près de 6 000 morts et entraîné le déplacement de 70 000 personnes jusqu'au début de l'année 2002, un accord de paix entre factions chrétiennes et musulmanes a été signé en février 2002, mais des troubles sporadiques demeurent. A Aceh, malgré l'espoir suscité par un début de négociations et les concessions faites aux partis musulmans (introduction de la *sharia* en 2002, en particulier), la solution militaire a finalement été privilégiée en 2001 : depuis, le nombre de victimes s'élève à plus de 2 000 morts. Enfin, l'Irian Jaya (Papua), qui reçut une autonomie relative début 2002, demeure un terrain de lutte entre le gouvernement central et les indépendantistes dont l'un des chefs fut assassiné en novembre 2001. Le rôle du pouvoir civil face à celui des militaires demeure donc un défi. A cet égard, la question des procès des membres de la famille de Suharto, accusés d'avoir détourné des milliards de dollars et d'avoir fait assassiner un juge, et des militaires reconnus coupables de violations des droits de l'homme, aura valeur de test.

A gauche, Suharto, qui démissionna en mai 1998.

LE PLUS GRAND ARCHIPEL DU MONDE

Entre océan Indien et océan Pacifique, comme un collier d'émeraudes répandues sur la mer et offertes à la mousson et aux alizés, la myriade d'îles qui compose l'Indonésie forme le plus vaste archipel de la planète, avec une superficie qui atteint 1 919 317 km² (soit 1,4 % des terres émergées, pour 3,4 % de la population mondiale). Ce territoire immense, trois fois et demie la France, donne à la nation de Sukarno la dix-septième place au palmarès mondial des pays les plus étendus.

Immensités entre ciel et mer

C'est un territoire étrange, sans continuité, tout en fragments, où l'on saute d'île en île, jusqu'au plus loin de l'Orient. Où les étendues bleu outremer glissent sans fin sous les ailes des avions ou sous l'étrave des voiliers, tant la mer est partout, tant les distances sont immenses. *Tanah air kita,* « notre terre et notre eau », équivalent indonésien du mot « patrie », dit bien combien l'insularité est ici le fait marquant. Au point que les Indonésiens eux-mêmes connaissent en règle générale très mal leur pays, qui chevauche l'équateur et enjambe trois fuseaux horaires, qui touche par un bout à l'Asie continentale et par l'autre à la Mélanésie. Au total, il s'étend sur plus de 5 000 km d'est en ouest et plus de 2 000 du nord au sud, et comprend 5,4 millions de kilomètres carrés d'eaux nationales (près de deux fois la Méditerranée).

De la musulmane Banda Aceh, à la pointe nord de Sumatra, à Jayapura, près de la frontière avec la Papouasie-Nouvelle-Guinée, il y a ainsi à peu près la même distance que de Brest aux monts Oural, ou d'une côte des États-Unis à l'autre. Et il faut quinze heures de vol, plus trois de décalage horaire, pour relier ces deux villes – temps de correspondance non compris. Ces durées sont peu de chose à côté de ce qu'il aurait fallu il y a une génération. L'Indonésie a misé sur l'avion, et la desserte aérienne de l'archipel est excellente. La compagnie Merpati, qui a le réseau national le plus dense, atterrit par exemple dans 39 localités de la lointaine Irian Jaya !

Une population inégalement répartie

A cet éclatement de l'espace se superposent de considérables écarts de taille et de population. Ainsi, et bien que la prise en

compte du moindre îlot ait permis de faire passer leur nombre, dans les décomptes officiels, de 13 667 à 17 508 dans les années 90, seules 3 000 îles sont assez vastes et fertiles pour être habitées.

Et 90 % de la population résident sur six d'entre elles, Sumatra, Java et Bali, Kalimantan (partie indonésienne de Bornéo, qui correspond aux trois quarts de cette île partagée avec la Malaisie et le sultanat de Bruneï), Sulawesi (les anciennes Célèbes) et l'Irian Jaya (moitié occidentale de la Nouvelle-Guinée, indonésienne depuis 1969).

Même au sein de ce groupe, on constate de fortes disparités. Couverte de forêt et

Pages précédentes : la forêt primaire couvre encore 75 % du territoire indonésien, mais déboisement et incendies la menacent. A gauche, l'Anak Krakatau (« fils du Krakatau »), l'un des 130 volcans actifs d'Indonésie ; ci-dessus, papillon de Sulawesi, l'une des 10 000 espèces d'insectes endémiques dans l'île.

traversée par de grands fleuves qui sont les principaux moyens de communication, Kalimantan abrite 5 % des Indonésiens sur 28 % du territoire (539 000 km², à peu près comme la France). Sixième île du monde par sa taille (474 000 km², superficie comparable à celle de l'Espagne), Sumatra compte 40 millions d'habitants.

Mais ils sont 122 millions à Java, Madura et Bali additionnées, sur une surface totale de 138 000 km², qui accueille 60 % des Indonésiens sur 7 % des terres et détient ainsi le record mondial de densité humaine (900 habitants au kilomètre carré, le triple des pays d'Europe les plus denses).

compte le double sur une surface plus de deux fois supérieure, mais tout en montagnes abruptes et vallées reculées.

A l'est, l'archipel des Moluques réunit un millier d'îles et d'îlots étirés sur environ 1 500 km du nord au sud, entre les Philippines et l'Australie. Girofle et noix muscade firent leur réputation d'« Isles aux épices » ; très volcaniques, elles forment un trait d'union géographique et biologique entre l'Asie du Sud-Est et la Mélanésie.

A cette dernière aire appartiennent pleinement la flore, la faune et la population originelle de l'Irian Jaya. A l'extrême est

Grenier à riz de l'archipel, ces îles ont vu fleurir les grandes civilisations qui ont donné les sanctuaires de Borobudur tout comme des traditions artistiques hautement sophistiquées. Elles sont aujourd'hui le cœur politique du pays et son premier centre industriel, culturel et touristique.

Le contraste est net entre ces régions surpeuplées et les petites îles de la Sonde (Nusa Tenggara, les « îles du sud-est »). Ce chapelet de confettis montagneux pauvres et volcaniques semés sur près de 2 000 km, de Lombok, à l'est de Bali, à Timor, abrite seulement 7,3 millions d'habitants pour 80 000 km². Au nord de cet archipel, Sulawesi, île en forme d'orchidée, en

de l'Indonésie, cette province de 470 000 km² où ne vivent que 1,7 million d'habitants, possède le quart des ressources naturelles indonésiennes et abrite la seconde forêt du monde, après celle de l'Amazonie – mais la moitié en a été concédée à des compagnies forestières...

Sous la loi des volcans

Une histoire géologique tourmentée est à l'origine de cet éparpillement de l'espace. Celui-ci épouse en fait la forme d'un arc, disposition due à la compression des plaques tectoniques indo-australienne et pacifique, qui dérivent respectivement vers le nord et l'ouest, contre la plaque eurasiatique. Les îles indonésiennes ont émergé assez récemment – les plus jeunes n'ont que 15 millions d'années, ce qui est peu sur l'échelle du temps géologique – le long du front de collision de ces plaques. Cette structure s'est organisée autour de la plateforme de la Sonde, zone stable où les mers, peu profondes, sont apparues après la dernière période glaciaire, qui a duré de 18 000 ans à 10 000 ans avant notre ère. Auparavant, Sumatra, Java et Bornéo étaient reliées à l'Asie et formaient avec le sud de l'Indochine un vaste sous-continent disparu, le Sundaland.

du Tambora, sur l'île de Sumbawa (à côté de Lombok), en 1815, provoqua 92 000 morts et projeta 150 km^3 de cendres et de débris dans l'atmosphère. Meurtriers, les volcans sont des bienfaiteurs lorsque leurs rejets fertilisent les sols. Il faut pour cela qu'ils soient basiques, comme c'est le cas à Java et à Bali. Ailleurs, ils sont le plus souvent acides, ce qui rend au contraire les terres impropres à la culture.

Des paysages variés

La majeure partie de l'archipel (Sumatra, Kalimantan, le nord de Sulawesi et des

Ce processus géologique, qui se poursuit, explique aussi l'activité sismique et volcanique de l'archipel. L'on a dénombré 400 volcans, dont plus de 130 en activité, qui donnent une éruption importante tous les trois ans en moyenne, et, parfois, de véritables cataclysmes.

En 1883, l'explosion du célèbre Krakatau tua plus de 36 000 personnes et déclencha un raz de marée qui fit plusieurs fois le tour de la terre. Moins connue, celle

A gauche, au sud de Surabaya, le mont Semeru (aussi nommé Mahameru) est le point culminant de Java avec ses 3 676 m ; ci-dessus, à Java, mangrove dans la péninsule d'Ujung Kulon.

Moluques), à cheval sur l'équateur, appartient à la zone climatique équatoriale et connaît donc des pluies importantes, à l'origine d'une végétation très dense. Java, les petites îles de la Sonde, le sud de Sulawesi et des Moluques, ainsi que l'Irian Jaya, jouissent d'un climat tropical humide, mais on y trouve des zones sèches.

Les températures sont, dans l'ensemble, stables, avec une moyenne annuelle quasi constante de 27°C. Les pluies sont plus abondantes de novembre à avril, durant la mousson du nord-est qui souffle de la mer de Chine méridionale. Entre mai et octobre, l'alizé du sud-est amène une saison de moindres précipitations et même une véritable saison sèche dans les îles orientales. Ces variations dans les précipitations, avec les différences dans la nature des sols et les écarts d'altitude, commandent la répartition de la végétation.

Sur les terres les plus arrosées, Sumatra, Kalimantan, Sulawesi, Irian Jaya, la forêt humide domine le paysage. Les arbres atteignent 40 à 70 m de haut, et sous cette épaisse coupole de feuillage pousse un enchevêtrement de palmiers, de lianes, de fougères épiphytes et de bambous, couverts d'une mer de lichens, de mousses et de plantes rampantes. Contrairement à ce que l'on pourrait penser, cette forêt vierge

de 3 m de long. A Sumatra pousse la rafflésie (*Rafflesia arnoldi*), la plus grande fleur du monde (1 m de diamètre). La forêt recèle aussi quantité de bois précieux, d'arbres aromatiques et à épices, des fruits exotiques étonnants et des dizaines de variétés de bananiers et de palmiers fruitiers.

Neiges éternelles

En altitude, les températures basses et la couverture nuageuse entraînent une croissance plus lente, des espèces moins nombreuses et un écosystème moins complexe. La forêt vierge laisse peu à peu place à

croît sur des terrains très pauvres, que les pluies incessantes ont privés de leurs minéraux, et se nourrit en fait de végétaux morts qui se décomposent.

Le climat humide ne la met pourtant pas à l'abri des incendies, qui peuvent causer de véritables catastrophes naturelles : en 1997, 600 000 à 800 000 ha furent détruits par le feu. Elle couvre malgré tout encore les deux tiers de l'archipel et rassemble 40 000 espèces végétales, soit le dixième du patrimoine mondial. En Irian Jaya, la forêt abrite plus de 2 500 espèces d'orchidées sauvages dont *Grammatophylium speciosum*, l'orchidée tigrée de Nouvelle-Guinée, la plus grande du monde avec ses branches

diverses essences alpines plus sélectives, principalement des châtaigniers, des lauriers et des chênes. Au-dessus de 2 500 m, on trouve des rhododendrons, des forêts chétives couvertes de mousses et des arbres nains drapés de lichens.

Encore plus haut, on rencontre prairies alpines, edelweiss géants et autres plantes qui évoquent plus la Suisse que l'Indonésie. On peut admirer de ces paysages inattendus sur tous les sommets de Java, de Sumatra et d'ailleurs. A 500 km de l'équateur, le plus haut sommet d'Indonésie et du sud-ouest du Pacifique, le Puncak Jaya (« pic de la Victoire », ex-mont Carstensz), culmine même à 5 040 m d'altitude sous une coiffe de neige éternelle et de glace.

En revanche, dans les petites îles de la Sonde, la forêt a disparu au profit de la savane, en raison de la sécheresse du climat et de l'activité humaine. Celle-ci menace aujourd'hui aussi bien Sumatra que Sulawesi, Kalimantan que l'Irian Jaya, et elle est l'objet d'enjeux économiques considérables.

Outre l'exploitation forestière et les incendies, les industries minières (pétrole, or, métaux) et les cultures de rapport (grandes plantations de latex, café, cacao, etc.) entraînent des destructions massives.

boisé entre 1982 et 1990. « Dernière frontière » de l'Indonésie, avec l'île de Bornéo, l'Irian Jaya est aujourd'hui au cœur de cette problématique.

Pour amateurs d'éco-tourisme

Parmi ces mesures de protection figurent les 300 réserves naturelles, aussi bien terrestres que sous-marines, du pays. Parcs nationaux ou zones protégées, elles sont le plus souvent aisément accessibles et permettent de rencontrer la faune indonésienne, aussi riche et diverse que la flore, avec des célébrités comme le varan de

Ces îles peu peuplées reçoivent en outre le trop-plein humain de Java et Bali, en raison de la politique officielle de transmigration qui vise à décongestionner ici pour « développer » là-bas.

Sensible au risque de voir disparaître un patrimoine écologique irremplaçable, le gouvernement indonésien applique diverses mesures de protection et a imposé le replantage. Cependant, Sumatra, par exemple, a perdu le tiers de son manteau

A gauche, les volcans de Sumatra vus par un illustrateur hollandais; ci-dessus, à droite, les couleurs éblouissantes du perroquet; à gauche, oiseau de paradis d'Irian Jaya.

Komodo, le plus grand lézard du monde, le nonchalant orang-outan de Sumatra et de Kalimantan, ou encore le babiroussa de Sulawesi, espèce de sanglier, et le daim nain de Java.

On distingue deux aires biologiques, de part et d'autre de la « ligne Wallace », du nom d'un naturaliste du XIXe siècle. A l'ouest de cet axe imaginaire, qui passe entre Bali et Lombok, la faune est proche de celle de l'Asie, et l'on trouve des buffles, des singes, de grands félins et des oiseaux comme le calao. Tandis qu'à l'est elle s'apparente à celle de l'Australie, avec des marsupiaux et les oiseaux au plumage éclatant d'Irian Jaya et des Moluques.

UNE MOSAÏQUE ETHNIQUE

Quiconque arpente l'Indonésie est sans cesse frappé par les différences physiques que l'on peut constater d'un bout à l'autre de l'archipel. C'est que, en effet, les 200 millions d'Indonésiens se répartissent en plus de 300 groupes ethniques aux effectifs très inégaux.

En effet, si chacun a sa propre culture et sa propre langue, quelques-uns prédominent. A Java, les Javanais proprement dits – ceux du Centre et de l'Ouest – sont par exemple 60 millions, et l'on compte 40 millions de Sundanais dans l'Est. A l'autre extrémité de l'éventail, certaines tribus papoues d'Irian Jaya ne comptent que quelques dizaines de membres et ont leur propre parler.

Malgré cette diversité, les Indonésiens ont des références communes. Au premier rang de celles-ci figure la langue officielle, le *bahasa indonesia*, variété du malais. Seule langue de l'enseignement, de l'administration et de la télévision, elle est parlée par une immense majorité de la population, souvent en complément d'une langue régionale. L'histoire, les religions, les similitudes dans les cultures et les modes de vie fournissent d'autres ciments unitaires. Enfin, une solide et ancienne base ethnique et culturelle commune rassemble et unit les Indonésiens. Pour, en fait, constituer cette Indonésie « une et diverse », selon la devise que cet État s'est choisie à l'heure de son indépendance.

Un fonds culturel commun

La plus ancienne occupation humaine de l'archipel remonte à 1,8 million d'années avant notre ère, mais l'on n'en sait guère plus sur ces *Homo erectus* d'Indonésie. Certains préhistoriens croient en une possible continuité de ces derniers à l'« homme de Java », daté de 500 000 ans av. J.-C., puis à l'*Homo sapiens* de type

Pages précédentes : le sultan de Yogyakarta et sa femme. A gauche, une femme dayak porte son bébé dans une hotte ornée de toutes les richesses de la famille ; à droite, à Java, la cueillette du thé dans une plantation.

australoïde présent dans la région aux alentours de 40 000 av. J.-C., et qui composait des groupes de pêcheurs et chasseurs-cueilleurs tailleurs de pierre. Les « Négritos », population noire de petite taille, qui subsistent de nos jours dans quelques forêts reculées de la péninsule malaise, dans l'île d'Andaman (Inde), au nord de Sumatra et dans plusieurs îles des Philippines, seraient les derniers représentants de ces premiers habitants.

Mais, à l'origine du peuplement actuel de l'Indonésie, comme d'ailleurs de la Malaisie et des Philippines, il y a l'installation progressive et générale, à l'aube de

l'histoire, des populations dites austronésiennes. Ce qui explique aussi l'existence d'un fonds culturel commun à l'ensemble de l'archipel.

Originaires des régions côtières du sud-est de la Chine, les Austronésiens ont commencé à migrer vers 4 500 av. J.-C., emportant avec eux leurs plantes alimentaires et leurs animaux domestiques, comme le porc, ainsi que leurs coutumes (comme l'érection de mégalithes). Après avoir fait souche à Formose (Taïwan), ils sont repartis, un millénaire plus tard, vers l'Insulinde (Indonésie, Malaisie et Philippines actuelles). Vers 2000 av. J.-C., ils occupaient la majeure partie de l'archipel et entamaient une double progression, vers l'est et l'ouest. Celle-ci les a conduits, dans le Pacifique, jusqu'à l'île de Pâques, abordée vers 500 apr. J.-C., et la Nouvelle-Zélande, touchée entre 800 et 1000 de notre ère et terme du périple oriental de ce peuple marin, mais aussi agriculteur. A la même époque, ils se sont installés à l'ouest, à Madagascar.

Ces conclusions s'appuient sur de nombreux témoignages culturels attestant une même origine d'un bout à l'autre de cet immense espace. Nombreuses, ces similitudes concernent aussi bien les modes d'organisation sociale et économique que

tions australoïdes, déjà présentes à l'arrivée des Austronésiens, et ces derniers. L'hypothèse la plus généralement retenue en la matière est celle d'une lente fusion de ces deux ethnies.

Il faut par ailleurs noter que, une fois dans l'archipel, les Austronésiens ont vécu dans un cadre naturel marqué par des influences identiques, comme celles des volcans, des moussons, de la mer et de la forêt. De plus, excellents navigateurs, ils ont trouvé dans l'insularité de quoi cultiver les échanges, au lieu de nourrir le repli sur soi. Le rôle de carrefour commercial maritime que l'archipel a toujours joué en

les pratiques religieuses ou les techniques artisanales. La biologie a même été mise à contribution; ainsi, l'analyse de l'ADN fossile des anciens habitants de l'île de Pâques a démontré leur appartenance à l'ensemble austronésien.

Cette représentation du peuplement de l'Indonésie rend caduques les hypothèses établies dans les années 30. S'appuyant sur des données archéologiques moins riches qu'aujourd'hui, celles-ci l'expliquaient par deux vagues successives d'invasions, « proto-malaise » d'abord, « deutéro-malaise » ensuite, d'origine chinoise, puis mongole. En outre, rien ne confirme les affrontements supposés entre les popula-

témoigne. Et c'est par lui que l'Indonésie s'est trouvée au confluent des grands courants culturels, hindouisme, bouddhisme, islam et civilisation européenne hier, mondialisation des échanges aujourd'hui, qui ont façonné son histoire. Ils ont aussi enrichi, sans le recouvrir totalement, le vieux tronc austronésien de nouveaux facteurs d'unité.

Une même famille linguistique

On peut comparer le rôle joué par cette commune appartenance austronésienne pour les ethnies indonésiennes à celui du fonds indo-européen pour les peuples latins, celtes, germaniques, slaves, iraniens, caucasiens et aryo-indiens. Les langues de l'archipel l'attestent, tout comme elles accréditent avec vigueur la présence d'un même peuplement austronésien de Madagascar à la Polynésie.

En effet, à l'exception des dialectes papous, très nombreux mais pratiqués par de tout petits groupes, les parlers d'Indonésie appartiennent dans leur immense majorité, et tout comme ceux de Malaisie, des Philippines et de Madagascar, à la famille linguistique « nousantarienne » (de *nusantara*, « archipel »). Celle-ci est un rameau des langues austronésiennes,

langue très souple, s'est enrichi d'apports sanscrits, arabes, chinois, européens, puis anglo-saxons. Dès 1928, le mouvement indépendantiste l'a retenu comme future langue nationale. Employée de longue date comme langue des échanges dans une bonne partie du pays, elle était en effet la seule à même de dépasser les clivages linguistiques régionaux, et donc de favoriser l'unité nationale.

Proche de l'indonésien, le malais de Malaisie – lui aussi langue officielle – en diffère à peu près autant que le français de France de celui du Québec. Aux Philippines, en revanche, si toutes les langues

auquel se rattachent les idiomes du Pacifique.

Le *bahasa indonesia*, première langue et langue officielle, n'est autre que le malais, vieille langue d'échange et de culture qui a dû être répandue dans l'archipel bien avant que les Européens n'en constatent, au début du XVIe siècle, l'emploi de Sumatra aux Moluques.

Favorisé par les Hollandais, qui n'ont pas imposé le néerlandais, le malais,

A gauche, visages balinais et javanais ; ci-dessus, à Sumatra : un Minangkabau musulman et un Batak de la région du lac Toba, en majorité chrétienne.

appartiennent à la famille austronésienne, les indépendantistes ont préféré le *tagalog* au malais.

Dans tous ces pays, les colonisations, hollandaise en Indonésie, anglaise en Malaisie, espagnole puis américaine aux Philippines, ont de plus imprimé leur marque, contribuant à différencier les langues comme les cultures nationales.

Ce processus de segmentation s'est prolongé après les indépendances. En Indonésie comme chez ses deux cousins de l'ASEAN (Association des nations de l'Asie du Sud-Est), la scolarisation de masse, tout comme le développement des médias populaires, en particulier la télévision, ainsi que les échanges entre les ethnies, jouent un rôle efficace en faveur d'une culture et d'une conscience nationales. L'emprise de celles-ci est plus particulièrement perceptible chez les urbains. Ainsi, les citadins, qui forment plus du tiers de la population, délaissent les parlers locaux au bénéfice de la langue nationale et répandent des façons de faire déconnectées de la tradition.

L'harmonie, vertu nationale

Cette tradition se maintient cependant avec vigueur dans l'un des aspects les plus

tout sensible à Java. On peut en voir l'expression dans la pointilleuse étiquette javanaise. Celle-ci fixe des règles de comportement précises. Le négligé, dans le vêtement comme dans l'attitude ou le ton de voix, appartiennent par exemple au registre du *kasar*, le « sale ». Le respect des aînés, la mesure en toute chose, l'absence d'esprit vindicatif, voire simplement revendicatif, sont, eux, *halus* (« raffiné »).

Mais ce refus du conflit dans les relations n'est pas pour autant circonscrit à Java, et de nombreux autres peuples de l'archipel vouent le même culte à l'harmonie, individuelle, familiale et sociale.

frappants, et les plus constants, de la personnalité et de l'idéologie indonésiennes : la préférence donnée à la recherche du consensus plutôt qu'à l'affrontement. On en trouve l'illustration au plus haut niveau, dans le quatrième principe de la philosophie d'État, les *panca sila*. Habituellement résumé sous le mot « démocratie », celui-ci parle en fait de « démocratie conduite avec sagesse, dans la concertation et la représentation ».

Cette quête de l'harmonie, dont on peut observer les effets aussi bien à l'échelon politique que dans les échanges entre les personnes, au sein de la famille comme dans les rapports professionnels, est sur-

Souvent source de surprise pour les voyageurs européens – un interlocuteur peut répondre « non » au lieu de « oui », pour ne pas contredire l'autre – cette vertu nationale vient peut-être de l'organisation sociale induite par la riziculture.

Le « ladang », culture sur brûlis

Ce sujet a été en particulier étudié par deux anthropologues américains, Clifford et Geertz, qui ont concentré leurs travaux sur les deux grands modes de production agricole existant en Indonésie : le *ladang* et le *sawah*. Le *ladang* (« essart ») est une agriculture itinérante pratiquée sur des terrains boisés défrichés par le feu. Selon la nature des sols, on plante soit des céréales, comme le riz, qui prédomine dans les îles occidentales, soit des tubercules (igname, taro), ou encore des palmiers à amidon (sagoutier, lontar). Ces deux dernières familles de plantes sont plus fréquentes à l'est et au sud-est de l'archipel, au-delà de Lombok.

Cette technique d'essartage épuise vite des sols peu fertiles, et elle contraint au nomadisme. Ces raisons font qu'elle ne peut nourrir qu'une population restreinte, comme les tribus de l'intérieur de Kalimantan (les Dayaks), où la densité moyenne est de 10 habitants au kilomètre carré, et regroupée en villages. Si ces cultivateurs semi-nomades représentent moins de 10 % de la population indonésienne, ils sont disséminés sur plus des deux tiers du territoire.

Ailleurs, dans les riches plaines alluviales et les régions littorales, règne l'agriculture par irrigation, le *sawah*, qui a donné naissance à des groupes humains nombreux et liés par des relations communautaires. L'irrigation et la culture des rizières demandent en effet une main-d'œuvre nombreuse : il faut retourner la terre, terrasser, niveler, endiguer les parcelles et construire des systèmes sophistiqués d'alimentation en eau, planter, récolter, etc.

Ce système, synonyme de rendements élevés et de surplus considérables, exige un haut degré de coopération sociale. C'est en particulier le cas à Java et à Bali, où une structure sociale hiérarchisée avec précision commande ces délicats travaux d'irrigation. Les excédents alimentaires ainsi dégagés ont permis une opulence et un raffinement culturel sans précédent sur ces deux îles.

Comme on peut s'y attendre, les communautés *sawah* de Java et de Bali sont totalement différentes des groupes *ladang* des îles périphériques. Par exemple, les délibérations villageoises sont réglées, non pas à la majorité ni selon une loi autocratique, mais par le consensus d'individus âgés ou respectés. Au pinacle des vertus sociales, l'harmonie veut que chacun connaisse sa place, au sein de la société comme à la rizière, et remplisse le rôle qui lui est assigné, ni plus, ni moins. Cette tradition emprunte peut-être aussi au système des castes, importé lors de l'indianisation de l'archipel.

On retrouve cette primauté de la coopération sur l'expression individuelle dans les arts et le protocole des cours javanaises et balinaises. Et, en dépit de ce que le découpage entre sociétés *ladang* et *sawah* peut avoir de simplificateur, ce communautarisme au fort souci de hiérarchie et de contrôle social marque la société contemporaine.

Une minorité mal aimée

Il arrive que cet unité si bien réglée, et peut-être un brin frustrante, vole en éclats. Ce fut le cas lors de la répression anticommuniste qui suivit la tentative (réelle ou supposée) de coup d'État de 1965, qui fit 500 000 morts. Cela se produit aussi lorsque les rancœurs alimentées par l'inégalité des revenus débouchent sur des exactions contre la minorité chinoise. Forte de 4 à 6 millions de membres, celle-ci est en effet créditée d'une richesse et d'une puissance économique sans commune mesure avec le nombre de ses membres.

A gauche, un habitant de Timor et un Papou ; à droite, femme dayak, reconnaissable aux lobes de ses oreilles distendus par des boucles.

UN SEUL DIEU

Les autocollants à l'effigie de Jésus et de Garuda côtoient les affiches avec des sourates du Coran en arabe et les portraits des héros nationaux... Chaque jour que Dieu fait – ou plutôt Allah, comme le nomment ici tant les musulmans que les chrétiens –, ils sont une dizaine de marchands à proposer toute une imagerie où le pieux, le mythique et le laïc se répondent, sur le trottoir d'une artère commerçante d'Ambon, dans l'archipel des Moluques. Ces vendeurs de rue offrent, en un raccourci saisissant, un condensé de la pluralité religieuse et culturelle qui règne dans cet État indonésien laïc de par sa constitution.

Ce pluralisme est-il harmonieux ? Pour une écrasante majorité d'Indonésiens, la réponse est « oui ». Pourtant, les prêtres chrétiens et les imams musulmans se livrent ici et là à des duels sonores entre cloches et appels à la prière. Et des manifestations dégénèrent parfois et se concluent par des églises et des temples incendiés. La coexistence harmonieuse voulue par les fondateurs de l'État n'a pas éradiqué la rivalité des religions.

Premier pays musulman, État laïc

L'Indonésie comptait en 1995 près de 87 % de musulmans, proportion qui en fait la première terre d'islam du monde. Les chrétiens se partagent entre deux tiers de protestants et un tiers de catholiques ; ils constituent 9 % de la population. Un degré d'éducation élevé, l'adhésion d'élites urbaines – notamment, à Java et dans la minorité d'origine chinoise – leur confèrent un poids historique et économique sans commune mesure avec leur nombre. Si les quelque 2 % d'hindouistes sont surtout balinais, il en subsiste quelques milliers dans l'est de Java, chez les Tenggers. S'ajoutent à ce puzzle 1 % de bouddhistes et 1 % de sujets « n'ayant pas encore de religion », selon la terminologie officielle – en fait, les adeptes de divers cultes animistes.

Pages précédentes : dans la mosquée Istiqlal de Jakarta, la plus vaste d'Asie du Sud-Est. A gauche, le voile a fait son apparition ces dernières années.

A l'indépendance, les voix n'avaient pas manqué pour réclamer un État régi par la *sharia*, la loi islamique. Préoccupés d'abord d'unité nationale, les premiers dirigeants ont préféré entériner la pluralité des croyances. Celle-ci a toutefois été circonscrite dans les limites du monothéisme, mais avec une subtilité tout indonésienne. La « foi en un seul Dieu », l'un des cinq principes de l'idéologie officielle, le *panca sila*, sait s'accommoder du foisonnement de déités de l'hindouisme balinais, dans la mesure où ce panthéon possède bien une divinité suprême.

Vrais musulmans ?

Les chiffres ne rendent pas compte des particularités de l'islam en Indonésie, où il est enrichi de pratiques issues du passé autochtone et hindo-bouddhiste.

A 25 km de Yogyakarta, la plage de Parangtritis accueille chaque année une fête dont les participants – notamment le sultan de Yogyakarta – se concilient, par des offrandes, Nyai Roro Kidul, divinité de l'océan. On rencontre aussi souvent des hommes et des femmes qui méditent près d'une source, d'une grotte ou d'un vieux temple indien, tout en affirmant être musulmans. Un mollah du Caire ou de Kuala Lumpur crierait à l'hérésie devant de telles pratiques ! Celles-ci ont d'ailleurs amené plus d'un sociologue à voir en Indonésie une forte proportion de musulmans « nominaux ». Les « vrais » fidèles seraient alors reconnaissables à une foi vierge de pratiques préislamiques. Ils se recruteraient surtout à Sumatra ainsi qu'à Java-Ouest, à Sulawesi, à Ternate et à Tidore. D'autres spécialistes concluent en revanche à une pleine appartenance des musulmans indonésiens à l'*Umma*, la « communauté des croyants ». Ils font valoir que nombre d'autres peuples professant l'islam, les Arabes compris, ont gardé des survivances de leur passé « païen ».

Abdurrahman Wahid, qui est devenu président de l'Indonésie en 1999, affirmait en 1993 dans l'hebdomadaire *Asiaweek*, alors qu'il était le chef de l'association musulmane Nahdlatul Ulama (premier groupement de ce type au monde avec 30 millions d'adhérents) : *« Croire en Dieu et au Prophète suffit pour être un bon musulman. »*

Depuis le XIIIᵉ siècle

En apparence anodine, cette formule renvoie au premier des cinq « piliers » de l'islam, la *shahâda* (littéralement, « témoignage »), la profession de foi selon laquelle *« il n'y a de Dieu que Dieu, et Mahomet est son prophète »*. A elle seule, elle peut suffire à assurer le salut du fidèle et est incluse dans la prière, des mosquées sénégalaises à celles d'Indonésie, où les croyants, nominaux ou pas, ont fait leurs les principaux préceptes de l'islam. Il en est ainsi des quatre autres « piliers » : les cinq prières quotidiennes, le jeûne du mois

tissement des autres religions révélées. Ce trait, qui lui a longtemps valu une grande souplesse d'adaptation, permet de mieux comprendre la persistance de traditions antérieures, de l'Afrique à l'Indonésie. Cette tolérance, associée à la simplicité initiale de la conversion – en gros, l'énoncé de la *shahâda* y suffisait – expliquent aussi la rapidité avec laquelle cette nouvelle religion s'est diffusée. Significativement présente dans l'archipel dès la fin du XIIIᵉ siècle, elle l'a quasi intégralement converti en deux cents ans, balayant les États indianisés. Il s'agissait d'un islam apporté par des marchands, non par des armées, venus

de ramadan, l'aumône et, si possible, le voyage à La Mecque et à Médine. Ces prescriptions sont toutefois suivies avec moins de zèle en Indonésie qu'ailleurs. De même, les deux livres qui guident les croyants, le Coran reçu de Dieu par Mahomet et la *Sunna*, somme des actes et propos du prophète et base de la déontologie musulmane, appartiennent-ils à l'univers culturel et individuel. Il en va de même des personnages mentionnés dans ces textes, qui sont bien souvent présents dans la Bible, d'Adam aux Patriarches, de Salomon à Jésus. En effet, l'islam découle de l'Ancien et du Nouveau Testament. Simplement, il se considère comme l'abou-

cinq siècles après Mahomet non seulement du monde arabe mais aussi de Perse, d'Inde et de Chine. Autrement dit, cet islam s'était déjà frotté à des éléments exogènes, en particulier à l'hindouisme. Un autre facteur éclaire et le succès de l'islam en Indonésie et le maintien de pratiques antérieures. Son message universaliste a, en effet, pu représenter un idéal égalitaire pour des populations soumises à la hiérarchie sociale de l'hindouisme. Au début du XXᵉ siècle, les pionniers de la lutte pour l'indépendance trouveront pareillement dans l'islam une référence commune, propre à dépasser les barrières de statut social et d'appartenance ethnique.

Renouveau

Depuis le début des années 1980, on assiste à un « renouveau », marqué par une démarche d'approfondissement de la foi et par des manifestations de l'identité religieuse. Les foulards font partie du paysage, même s'ils restent minoritaires. La construction de mosquées va bon train, tout comme le *hadj* (pèlerinage à La Mecque). Ce phénomène touche surtout les milieux urbains et les classes moyennes, pour lesquels ce retour à la foi peut constituer une forme de réponse aux défis lancés par la modernisation et son cortège de bouleversements.

cratisation des institutions, le pouvoir alterna entre des mesures visant à islamiser la vie publique, afin de se rallier des soutiens musulmans (comme le *hadj* très médiatisé de Suharto en 1991), et une répression musclée assortie d'une reprise en main idéologique s'appuyant, elle aussi sur cinq « piliers ». Non pas ceux de l'islam, mais ceux de la philosophie d'État, le *panca sila* (croyance en un seul Dieu, humanitarisme, justice sociale, démocratie et unité nationale), qui avait été établie en 1945 pour éviter justement que l'identité indonésienne ne se définisse par rapport à... l'islam. L'année de tempête politique et économique qui a

Il doit aussi être apprécié en fonction du climat politique. Pendant la présidence de Suharto, dans un État qui muselait l'opposition, les formations religieuses pouvaient canaliser aisément aspirations et frustrations ; celles de la classe moyenne comme celles des laissés-pour-compte de la croissance, deux catégories apparues avec l'expansion économique. En réponse aux affirmations d'identité religieuse et aux voix qui osaient s'élever en faveur d'une démo-

A gauche, les emprunts à la culture arabe se multiplient ; ci-dessus, les mosquées restent en revanche bâties dans le style indonésien, comme celle-ci, au bord d'un lac de Sumatra.

suivi la chute de Suharto a ainsi enflammé les identités religieuses. Les conflits entre chrétiens et musulmans, préoccupants depuis quelques années (voir les émeutes de décembre 1996 à Tasikmalaya, à l'ouest de Java), ont pris une tournure dramatique à Kalimantan et aux Moluques ; à Aceh s'est réveillée la lutte autonomiste, se superposant à l'affirmation d'une identité musulmane conservatrice. Enfin, la légalisation du multipartisme a conduit à la naissance d'un grand nombre de partis islamiques dont le principal, le PKB (Parti de l'éveil national), a vu son chef, Adurrahman Wahid, accéder à la présidence indonésienne aux élections de novembre 1999.

RELIGIONS ET COUTUMES

Toutes les statistiques officielles concernant la confession des plus de 200 millions d'Indonésiens – 87 % de musulmans, 9 % de chrétiens, 2 % d'hindouistes, 1 % de bouddhistes et 1 % de «sans religion» – ne disent rien sur la pratique religieuse. La fréquence de celle-ci, son intensité, les formes qu'elle peut prendre comme les similitudes ou les différences qu'elle peut présenter par rapport au vécu de la foi tel qu'on le connaît ailleurs : autant de thèmes que les recensions du ministère des Religions laissent de côté.

Un seul Dieu, beaucoup d'« esprits »

S'y intéresser risquerait en effet d'ébranler la belle ordonnance statistique qui fait de l'Indonésie le premier pays musulman de la planète, et qui confirme, en le légitimant, le premier des cinq principes (*panca sila*) de l'idéologie d'État, la *« foi en un Dieu unique »*.

On découvrirait, par exemple, que les mêmes personnes peuvent prier les esprits du banian, de la roche ou du volcan, et se recueillir à l'église ou au temple devant la Croix, ou s'incliner dans la direction de La Mecque. Il n'y a pas ici d'exclusive, mais une multiplicité du divin. Et cette imbrication entre les croyances constitutionnellement reconnues et les autres, admises, ne s'arrête pas aux prières en des lieux non conventionnels. Elle ne se limite pas non plus à des franges marginales de la population, loin s'en faut.

En mars 1992, les organisateurs d'un grand rassemblement musulman réuni à Jakarta, à l'initiative de l'une des plus grandes fraternités islamiques de l'archipel, ont, par exemple, affirmé que la réussite de cette manifestation était due à la présence de 2 500 djinns. Ces génies invisibles au commun des mortels auraient joué le rôle d'une « police spirituelle » qui aurait assuré le bon déroulement de la rencontre, selon les organisateurs – tous musulmans d'irréprochable observance. Le fait, connu, a par ailleurs été rappelé par la très sérieuse revue *Asiaweek* en juin 1993. Musulmane depuis le début du XVIe siècle, et connue pour le strict respect des préceptes coraniques qui y règne, la région de Banten (à l'ouest de Jakarta) fournit un autre exemple de croyances et de pratiques *a priori* peu en accord avec l'orthodoxie religieuse.

C'est là en effet qu'il faut aller si l'on veut assister à une séance de *debus*, danse de transe dont les interprètes, entrés en contact avec le sacré, ingurgitent du verre, se transpercent à coups de couteaux, ou encore s'ouvrent le ventre pour en extraire leurs intestins. Trucages ? Peut-être ; en tout cas, on a pu voir du *debus* sur la chaîne publique de télévision – qui intègre

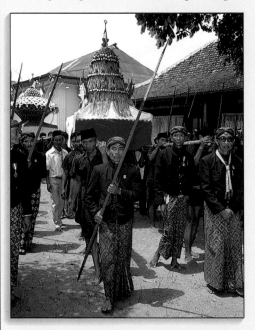

par ailleurs dans ses programmes les appels à la prière musulmane...

On n'y voit pas, en revanche, la redoutable *kuntilanak*, sorcière, succube, femme morte en couches qui réapparaît sous les traits d'une séductrice au dos percé, qui vole les nouveau-nés et envoûte les mâles. Nul ne l'a jamais vue. Mais tout le monde a entendu parler de quelqu'un qui connaît quelqu'un qui a été sa victime. Et que dire de ces paysans de Madura (dans l'est de Surabaya), île pourtant réputée « très musulmane », tombant à bras raccourcis sur un touriste pelotonné dans son sac de couchage au bord d'un champ, et qu'ils avaient pris pour un fantôme ? Histoire vraie, dont le héros involontaire et malheureux finit à l'hôpital.

Que dire, sinon que, dans cette île (dont les habitants sont en fait des plus affables), comme ailleurs en Indonésie, tout un ensemble de croyances accompagne les religions officielles, ou bien s'y incorpore ? Il n'y a pas que les paysans et les musulmans qui soient concernés. Catholique à 85 %, la population en grande partie mélanésienne de Florès, christianisée dès le début du XVIᵉ siècle, pratique, dans certains villages, des rites de purification dans lesquels des sacrifices d'animaux sont suivis de ripailles bénies par le curé du lieu.

des formes diverses, ailleurs dans l'archipel, composent l'*adat*, la coutume, qui régit l'existence des vivants et garantit l'équilibre du monde.

Pour ce qui est de la force de ce syncrétisme dans les hautes sphères de la société, point n'est besoin d'évoquer les fréquentes consultations de devins (*dukun*) que la rumeur publique attribue au président Suharto. Il en allait d'ailleurs de même pour son prédécesseur – mais les voyantes des pays « développés » ne reçoivent-elles pas de nombreux hommes politiques ? Non, il suffit de rencontrer de ces citadins aisés, diplômés de l'enseignement supé-

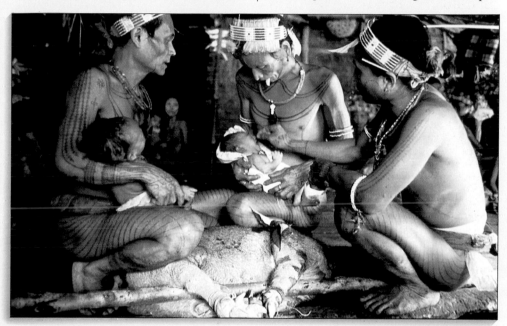

Toujours dans cette île, au pied du volcan Kelimutu, aux trois lacs de cratère vert, noir et rouge (où, croit-on, séjournent les âmes des morts), chapelles et mégalithes se côtoient dans les villages. Semblables aux menhirs bretons, ces mégalithes sont les tombes des ancêtres. Et les villageois y déposent les offrandes lors des cérémonies qui rythment la vie rurale. Le respect de telles pratiques, que l'on retrouve, sous

A gauche, défilé cérémoniel à Java ; ci-dessus, rite de purification postnatale chez les Dayaks de Kalimantan – au-dessus d'un cochon noir, animal de première importance dans l'économie locale.

rieur, musulmans ou chrétiens, occupant de hautes fonctions et qui assurent avoir provoqué l'incarnation des esprits par la puissance de leur concentration, en accord avec leur gourou (personnage qui conjugue formation musulmane et profondes connaissances mystiques).

Une vie spirituelle intense

En Indonésie, quels que soit l'âge ou l'appartenance ethnique, sociale et religieuse, on croit donc fréquemment aux génies, au « paranormal » (le mot est le même en indonésien qu'en français, et le sujet a très régulièrement les honneurs de la presse, sans parler des dramatiques télévisées bourrées d'esprits démoniaques et autres kriss magiques). On invoque les « esprits » ; on consulte l'âme de ses ancêtres ou de grands défunts – les pèlerinages sur les tombeaux des saints musulmans ont beaucoup de succès. On interpelle de très vieux « dieux du lieu », certainement antérieurs à l'arrivée des grandes religions (hindouisme au IIIe siècle, bouddhisme au VIIe siècle, XIIIe siècle pour l'islam et XVIIe siècle pour le christianisme). Et l'on pratique, ou l'on subit, la magie (*guna guna*) et ses sortilèges. Le tout en pratiquant sa religion.

se rejoignent tout de même en la « foi en un Dieu unique », même à Bali.

Après tout, toutes les religions n'ont-elles pas été *« conçues par Dieu afin que les hommes d'origines, de cultures et de trajectoires différentes puissent l'adorer également, et promouvoir le règne de la morale, de l'amour et de la solidarité »* ? L'auteur de cette phrase de tolérance n'est autre qu'Abdurrachman Wahid, qui préside le Nadhlatul Ulama, première des associations musulmanes de l'archipel et du monde par le nombre d'adhérents.

Cette diversité n'empêche pas que des minorités importantes par le nombre adhè-

Omniprésence du divin

Superstitions, mysticisme exacerbé, archaïsmes dans lesquels se réfugierait une population, en particulier urbaine, écartelée entre modernisation galopante et traditions rassurantes ? Plus largement et plus profondément, sous les sages décomptes officiels émerge un sentiment du sacré où monothéisme, quête du spirituel et panthéisme se mêlent.

Un sentiment omniprésent, qui imprègne la vie, et qui fait de l'Indonésie un kaléidoscope de rites et de croyances. L'Occidental y perd vite ses repères. Même si toutes ces manifestations du divin

rent strictement à l'esprit et à la lettre d'une religion. Le nord de Sumatra (Aceh), l'ouest et le nord de Java, Madura, le sud de Sulawesi, les régions côtières de Kalimantan, les anciens sultanats de Tidore et Ternate (Moluques) et les grandes villes de l'archipel sont, par exemple, considérés comme des régions d'orthodoxie musulmane. Mais, même là, le fonds autochtone ou l'apport de l'indianisation n'ont pas disparu.

Bref, en Indonésie encore moins qu'ailleurs il n'est de foi « pure ». Ainsi la religion balinaise (Agama Bali, parfois appelée Agama Tirta, « religion de l'eau lustrale ») diffère-t-elle largement de l'hindouisme tel qu'on le connaît dans son pays d'origine. Au dieu universel *Sang Hyang Widi* – providentiel, car il permet d'accorder la foi des Balinais avec le monothéisme des *panca sila* – s'ajoutent Brahma, Vishnou et Shiva, divinités hindouistes de la création, de la conservation et de la destruction. Mais les insulaires adorent des centaines d'autres dieux, déesses du riz, des semailles et des moissons, génies de la montagne, puissances de la mer ; sans compter les esprits propres à chaque village et les mânes des ancêtres. Tous ont droit à leur temple ou à leur autel dans les villages.

semangat, l'énergie créatrice. Elle siège un peu partout, dans des plantes (en particulier le riz), des animaux, ou dans les objets qui forment le patrimoine familial, et qui prennent à la longue un caractère sacré.

Chez l'homme, cette force a pour réceptacle la tête et les cheveux. D'où les chasses aux têtes naguère à l'honneur chez les Dayaks, les Torajas de Sulawesi et les Papous Danis d'Irian Jaya. Le sang et les autres fluides humains sont aussi réputés renfermer le *semangat*. Le drapeau indonésien n'a pas échappé à ce symbolisme. Sukarno y voyait le blanc de la pureté, de la sève et du sperme, et le rouge du soleil, de

Célébrations et méditation

Les rites traditionnels comportent plusieurs constantes. Celle du repas de cérémonie collectif (*selamatan*) est l'une des plus répandues. Ces banquets où figure une pyramide de riz (*tumpeng*) sont organisés pour les grands événements de la vie personnelle (naissances, mariages) et collective (fin du ramadan, inauguration d'un bâtiment). D'autres célébrations propitiatoires tournent autour de la notion de

A l'extrême gauche, à Florès, pendant la célébration de Pâques ; à gauche, rituel de transe balinais ; ci-dessus, crémation à Bali.

la terre et du sang. Et, de nos jours, dans de nombreuses îles, les cérémonies de purification des maisons donnent lieu à des sacrifices d'animaux domestiques dont on répand le sang autour des piliers et dont on enfouit les têtes porte-bonheur sous le bâti.

Il faut aussi mentionner les multiples transes de possession, *debus* de Banten, *kuda kepang* (danse du « cheval jupon ») de Java, *sanghyang dedari* de Bali, et les diverses pratiques des Dayaks et des Papous. Et il faut se souvenir que la danse, le théâtre, les marionnettes, la musique ont toujours une fonction de communication avec le divin. Même l'art du batik, école de concentration, a cette dimension.

LES ARTS DE LA SCÈNE

A Java et à Bali, les arts de la scène ont une longue histoire derrière eux. Histoire qui a probablement commencé avant la période d'indianisation. Pour autant, il n'y a pas de « classiques » au sens où on l'entend en Occident, pas de Sophocle, de Racine ou de Corneille. Le répertoire de la danse comme du théâtre puise non dans les œuvres d'auteurs, mais dans les épopées indiennes, intarissables sources que les éléments autochtones et les apports du monde musulman enrichissent.

Il n'y a pas non plus de pièces en cinq actes, ni d'histoires qui reflètent la réalité, ni de personnages issus du monde des humains, ni de mise en scène à proprement parler. L'expression est commandée par des règles très anciennes et très précises qui codifient déplacements, mouvements, chant et diction.

Enfin, la démarcation entre danse et théâtre est beaucoup moins tranchée qu'en Occident. Les arts ont toujours partie liée avec le sacré, et ce sont des divinités du panthéon hindouiste, des génies bons ou mauvais, des héros mythologiques ou légendaires, qui s'animent sous les yeux du spectateur. Et cela non seulement à Java et Bali, mais aussi dans le reste de l'archipel, où ils instituent un rapport religieux au monde.

Danses et rites

Quel que soit le genre – théâtre chanté, mime, transe, pure chorégraphie –, la représentation est en effet à la fois un hommage aux dieux et un présent de beauté fait aux humains, une tentative de se concilier les forces de la nature et de s'attirer la protection des ancêtres. C'est, en outre, une grandiose invitation au rêve, pour un public avide d'épopées. Aussi danseurs, acteurs, chanteurs, musiciens et tous ceux qui contribuent à ces activités occupent-ils une place essentielle dans la

Pages précédentes : spectacle de « wayang orang » au palais de Solo. A gauche, danseuses de « serimpi » au Dalem Pujokusuman ; à droite, le « zaiwo », « danse des hommes » de Sumba.

communauté : ils sont les garants du bon ordre du monde.

Dans les sociétés les plus traditionnelles de l'archipel, le lien entre danse et rite, notamment d'exorcisme ou de propitiation, est d'une évidence flagrante, comme dans cette ronde qu'exécutent les *datuk* (magiciens bataks des hautes terres de Sumatra), bâton sacré à la main, autour d'un cercle « magique » tracé sur le sol. Au paroxysme de leurs évolutions, ils bondissent et plantent la pointe de leur bâton dans un œuf posé à terre... Ici et là, des danses rituelles font partie des cérémonies qui marquent les grandes étapes de la vie,

cycles agricoles, intronisation d'un chef, exorcisme, etc. Hommes et femmes se meuvent le plus souvent séparément et tous les adultes sont en général invités à participer. Assez sommaire, la chorégraphie se caractérise par des gestes lents, de petits pas et de gracieux mouvements des mains pour les femmes. Les hommes, au contraire, lèvent haut les genoux et miment souvent des figures d'art martial (*pencak silat*). Les danseurs aux costumes chamarrés sont accompagnés par des chants, par le martèlement des pilons dans les mortiers à riz (*lesung*) et parfois par des flûtes. Dans les régions musulmanes de Sumatra, ainsi que dans l'ouest de Java et aux Célèbes (Sulawesi), on se sert aussi du *rebab* (la vielle).

Les danses de transe

Au cours de ces séances, sur fond de musique lancinante, les exécutants, possédés par le rythme, entrent en transe. La plus célèbre de ces danses est le *barong* balinais, immortalisé par le film de Margaret Mead *Trance and Dance in Bali*, tourné vers 1950. Ce drame oppose la sorcière Rangda au bon Barong, un être légendaire, mi-dragon, mi-buffle. Il se donne souvent à l'intention des touristes,

Possédées par les esprits, elles accomplissent, les yeux clos et au même moment, des mouvements identiques – qui ne leur ont jamais été enseignés – et finissent par s'évanouir de concert lorsque cessent les chants qui les ont accompagnées. La cérémonie est alors terminée : le mal a été chassé du village. Sumatra et Sulawesi ont eu des danses analogues, liées aux rites funéraires.

Les danses de cour

Jusqu'à la fin du XIXe siècle, tous les souverains javanais entretenaient dans leurs palais des troupes de danseurs et d'acteurs.

et on l'appelle aussi « danse des kriss » car des hommes armés de ces poignards tentent de tuer Rangda. Mais celle-ci les possède tous et retourne leurs armes contre eux. Ils ne doivent leur survie qu'à l'intervention du généreux Barong. A la fin de la pièce, les danseurs sont si profondément possédés par la transe qu'il faut les exorciser. Le spectacle se clôt par le sacrifice d'un poulet destiné à apaiser les esprits maléfiques.

Toujours à Bali, il faut mentionner les *sanghyang*, rites de transe dansés. Le plus connu est le *sanghyang dedari*, où des nymphes célestes implorées par un chœur féminin sont incarnées par deux fillettes.

Aujourd'hui, seules les cours du centre de Java pratiquent encore ce mécénat. Parmi les plus anciennes d'Indonésie, les danses javanaises tant traditionnelles que contemporaines, et celles de Bali, sont imprégnées d'influences indiennes.

Pour déceler celles-ci, le sanctuaire de Prambanan, près de Yogyakarta, se révèle tout aussi riche d'informations qu'un spectacle. Y sont en effet sculptées soixante illustrations tirées du manuel de danse classique indien, le *Natyasastra*. Les danseurs sont représentés les genoux fléchis, les pieds écartés et tournés vers l'extérieur, le buste droit. L'artiste a traité avec soin les postures de la tête et des mains (les *mudra*), dont le « langage » joue un rôle clé dans la chorégraphie classique indienne. A Java et à Bali, leur signification littérale s'est perdue, mais elles n'en demeurent pas moins essentielles, comme dans toute l'Asie du Sud-Est. Et, si l'on attribue la paternité des danses du centre de Java à certaines dynasties musulmanes (du XVᵉ au XVIIIᵉ siècle), on sait avec certitude que le lexique musical et gestuel est bien plus ancien.

La plus connue d'entre elles est le *bedoyo ketawang*. Jadis interprété à la cour de Yogya, il n'est plus représenté qu'une fois par an au palais de Surakarta, pour l'anni-

Loro Kidul était supposée se donner vraiment au souverain – ce qui indique qu'un antique rite de fertilité a pu être à l'origine du *bedoyo ketawang*.

Le *serimpi*, autre grande danse des cours centre-javanaises, met aux prises deux graciles amazones armées de délicats poignards, d'arcs et de flèches. Représenté sur certains bas-reliefs de Borobudur, le *serimpi* avait pour uniques interprètes les princesses de la famille régnante. Mais, depuis le début du XXᵉ siècle, la fondation d'écoles de danse populaires l'a largement démocratisé. Cependant, l'islamisation des campagnes a mis en sourdine les arts de scène.

versaire du couronnement du *susuhunan*. Il remonterait au règne de Sultan Agung (1613-1645), illustre souverain du royaume de Mataram. Il célèbre rituellement l'union mystique entre le *susuhunan*, descendant du fondateur de la dynastie Senopati, et la belle mais redoutable « déesse de la mer du Sud », Nyai Roro Kidul. Il a pour exécutantes neuf femmes vêtues de robes nuptiales. Il y a peu encore, aucun étranger au palais ne pouvait assister à ce spectacle, car

A gauche, les Mollo de Timor se préparent en dansant à livrer bataille ; ci-dessus, I Nyoman Mario, célèbre danseur balinais des années 30, interprétant un « kebyar ».

Danse à Bali

Dans l'« île des dieux », danse et théâtre sont, de longue date, deux éléments fondamentaux de la vie quotidienne. Après l'extinction des royaumes balinais, au début du XXᵉ siècle, ces arts se sont déplacés des cours palatines vers les villages, où la tradition reste vivace ; et les festivals des temples intègrent toujours une danse, une pièce de théâtre ou quelque autre spectacle destiné au divertissement des dieux.

Alors que la gestuelle javanaise met l'accent sur des mouvements lents et maîtrisés, des gestes harmonieux exécutés les yeux baissés et les membres près du corps, les

LE RÂMÂYANA

Imperturbable, le super-héros s'empare de l'arme magique et, grâce à ses super-pouvoirs, il est le seul à pouvoir s'en servir. Scène échappée de quelque manga japonais ? Emprunt aux *comics* américains ? Pas du tout. L'arme est un arc ; le super-héros a pour nom Râma et l'image figure en couverture d'un *komik* (« bande dessinée ») à mille rupiah, sur l'éventaire d'un commerçant du Blok M, cet immense centre commercial du sud de Jakarta.

Cette scène est l'un des premiers épisodes du *Râmâyana*. Initialement rédigée en Inde au début de notre ère, à partir de légendes plus anciennes, cette histoire appartient à la

culture de tout le Sud-Est asiatique marqué par la civilisation indienne (Birmanie, Thaïlande, Laos, Cambodge, Malaisie, et, bien sûr, Indonésie). Des arts de cour à la bande dessinée, du théâtre à la poésie et aux arts plastiques, le *Râmâyana* figure au répertoire local. Il en va de même de l'autre épopée indienne, le *Mahâbhârata*. L'une et l'autre ont été enrichies de traits javanais, mais le spectateur indien y reconnaît sans peine personnages et péripéties.

Pour assurer pareille pérennité, il fallait à ce texte plus qu'une trame fertile en rebondissements. En effet, au-delà de l'épopée, le *Râmâyana* peut se lire, et se voir, comme un conte moral. Mieux, comme une allégorie aux multiples niveaux de lecture, où l'affron-

tement entre le bien et le mal, loin d'un manichéisme simpliste, renvoie au perpétuel flux et reflux entre ombre et lumière, entre vie et mort.

Râma, le très gracieux, à la démarche ailée, à la pensée déliée, est le personnage principal. Incarnation de Vishnou et fils du roi d'Ayodhyâ (ville sainte du nord-est de l'Inde), il a trois demi-frères, Bhârata, Lakshmana et Shatrughna. Désigné par son père pour hériter du royaume, il remporte la main de la princesse Sîtâ lors d'une joute où il bande un arc magique. Mais la mère de Bhârata intrigue pour placer son fils sur le trône. Elle y parvient. Râma, Sîtâ et Lakshmana partent en exil. Errant dans la forêt, Râma affronte et vainc d'horribles démons, les Râkshasha. Râvana, chef de ces derniers, veut se venger. Il emprunte l'apparence d'une biche dorée pour attirer les deux frères loin de Sîtâ. La ruse réussit, Râma et Lakshmana abandonnent Sîtâ pour traquer cet animal merveilleux. Fertile en artifices, Râvana se transforme alors en ermite que le hasard a mené jusqu'à Sîtâ. Il l'invite à oublier Râma, qui l'a ainsi délaissée. Face au refus de la princesse, Râvana retourne à son aspect habituel, et effrayant, s'empare d'elle, s'élève dans les airs et la transporte à Langka, île dans laquelle on peut peut-être reconnaître Ceylan. Unique témoin de ce rapt aérien, l'oiseau Jatayu, fils de Garuda et allié de Râma, tombe mortellement blessé par Râvana. Avant d'expirer, il a toutefois le temps de tout raconter aux deux frères.

Partis à la recherche de Sîtâ, ces derniers rétablissent en chemin le roi des singes Sugrîva sur son trône, qu'accaparait son usurpateur de frère. En récompense, Sugrîva met son armée et son valeureux général Hanuman à la disposition du duo. C'est Hanuman qui retrouve le premier Sîtâ. D'un bond fantastique, il s'est projeté à Langka et la découvre dans un jardin des palais de Râvana. Las ! les gardes de ce dernier le surprennent et s'emparent de lui après un furieux combat. Un bûcher est dressé : le général est promis aux flammes. Le bois s'embrase… Mais Hanuman défait ses liens. Seule sa queue brûle : ce panache enflammé mettra le feu au palais ennemi. Puis Râma, Lakshmana, Hanuman et son armée franchissent le détroit qui les sépare de Langka, sur la chaussée ingénieusement bâtie par les animaux alliés des singes. La bataille est terrible. Râma finit par tuer Râvana en lui décochant une flèche magique ; de retour à Ayodhyâ, il se voit restituer en grande pompe son trône par Bhârata.

danseurs font ici montre d'énergie ; le regard est expressif, les mouvements sont saccadés.

Les Balinais distinguent les danses sacrées (*wali*), cérémonielles (*bebali*) ou simplement divertissantes (*bali-balihan*). A l'origine réservées à la noblesse, ces dernières se sont répandues dans les villageois et elles tendent à se rapprocher du genre cérémoniel. L'une d'elles, le *legong kraton* (*kraton* signifie « palais »), jadis apanage des cours royales, est même aujourd'hui l'une des plus prisées. Au point qu'elle accompagne fréquemment les fêtes de temples et se taille un franc succès auprès

nouveau guerrier au dieu du temple dont il devenait le défenseur. Le *baris gede* mobilise un groupe d'hommes armés de lances ou de boucliers, prêts à répondre à la charge de l'ennemi. Sa forme la plus populaire est un solo dans lequel le danseur somptueusement vêtu rend par la seule intensité de ses mouvements tout ce qui anime un guerrier valeureux. Donner un tel spectacle tient de la prouesse pour les danseurs et les musiciens, qui doivent jouer de façon synchrone afin de traduire les passions les plus intenses éprouvées par le soliste. Cette danse à la gloire de la virilité exige à la fois concentration mentale et agilité physique.

des touristes. Le *legong* illustre un épisode d'un drame légendaire survenu au XIIIᵉ siècle dans l'est de Java. Il comprend un trio composé de deux très jeunes filles aux coiffes fleuries et aux costumes scintillants, qui symbolisent des nymphes célestes, et d'une danseuse plus âgée, la *tonjong*. L'action est mimée et les sentiments des protagonistes sont exprimés par leurs seuls attitudes, gestes et postures.

Les *baris* (« soldat » en vieux javanais) étaient à l'origine destinés à présenter un

A gauche, Sita, épouse de Rama ; ci-dessus, scène tirée du « Râmâyana » donné au Dalem Pujokusuman.

Enrichissement du répertoire

Depuis le début du XXᵉ siècle, de nouvelles danses sont apparues à Bali. C'est le cas du célèbre *kécak*, qui associe le chant de transe du *sanghyang dedari* et l'épisode du *Râmâyana* où intervient l'armée des singes d'Hanuman. Chorégraphié pour la première fois dans les années 1930, ce ballet narratif, parfois appelé « danse des singes », est l'un des spectacles balinais les plus courus.

A la même époque, le légendaire danseur et chorégraphe I Nyoman Mario mit au point une danse exclusivement masculine, le *kebyar*, où la musique tient une place prépondérante. Il est interprété par un soliste talentueux, qui reste assis et n'utilise que la partie supérieure de son corps.

Le théâtre traditionnel

A Java, tous les genres théâtraux ont une même origine : le théâtre de marionnettes (*wayang*). Le mot *wayang* a toutefois un sens plus large. Il s'applique aussi au théâtre avec des acteurs en chair et en os sur une scène, tel le *wayang topeng* (théâtre masqué, le genre le plus ancien) et le *wayang orang* (théâtre dansé), les deux

formes les plus connues. Mais, même là, l'histoire, les décors, certains mouvements d'acteurs et les intonations sont empruntés au théâtre d'ombres. Si, à Bali, le théâtre masqué reste populaire, à Java, il a perdu la faveur des cours musulmanes dès la fin du XVIe siècle et ne survit plus que dans les villages côtiers du nord.

Le théâtre dansé javanais, *wayang orang* ou *wayang wong*, daterait du XVIIIe siècle. Sa genèse est devenue affaire d'État. Les gens de Surakarta (Solo) affirment que leur prince Mangkunegara Ier en est l'initiateur, alors que ceux de Jogjakarta attribuent cette paternité à leur souverain Hamengkubuwana Ier. Cette rivalité illustre en tout

cas le prestige du théâtre dansé, qui appartient aux arts et aux rituels des cours : les représentations étaient données lors des commémorations des grands événements du royaume. A l'instar de l'opéra en Chine, le *wayang orang* connut son âge d'or dans les années 1920 et 1930 ; d'énormes productions étaient alors montées, les spectacles s'étalaient sur plusieurs jours et employaient des troupes de 300 à 400 acteurs.

Java compte encore trois compagnies professionnelles : Sri Wedari à Surakarta, Ngesti Pandhawa à Semarang et Bharata à Jakarta.

Une tradition menacée

Ici comme ailleurs, la vie moderne met en péril la survie de ces arts traditionnels. Le tourisme, trop souvent vecteur de spectacles frelatés, n'est pas le moindre des dangers. Mais il assure aussi des recettes régulières aux compagnies privées, à l'heure où les palais du centre de Java n'ont plus les moyens d'entretenir des troupes à demeure. Autre signe positif, le souci de préserver ce patrimoine a amené les pouvoirs publics à intervenir. Les académies d'art dramatique (Asti), qui délivrent un enseignement très complet, constituent une des facettes de cette politique culturelle. Dans ce panorama contrasté, Bali fait figure d'exception. Outre la stimulation apportée par le tourisme à la tradition chorégraphique, celle-ci demeure très vivante et continue d'être appréciée par les insulaires. Chaque village possède ainsi sa propre troupe qu'un important programme de spectacles incite à améliorer et à étendre son répertoire.

De jeunes chorégraphes diplômés des Asti, rompus aux techniques de la danse occidentale classique et moderne, s'imposent sur la scène théâtrale indonésienne notamment par leur modernisation des thèmes traditionnels. Le *sendratari*, adaptation muette du *wayang orang* javanais, dont la première représentation a été financée par un voyagiste, fournit un bon exemple de ces créations contemporaines.

A gauche, tradition et création moderne sont mêlées dans cette « danse des éventails » qu'interprètent des étudiants d'une Asti ; à droite, danseuse balinaise de « legong ».

LE GAMELAN, UN SON LUNAIRE

« La musique du gamelan n'est comparable qu'à deux choses : la lueur de la lune et l'eau vagabonde. Elle est pure et mystérieuse comme la lueur de la lune et toujours changeante comme l'eau vagabonde. » C'est ainsi que Debussy décrivit la musique du gamelan, qu'il entendit à l'occasion de l'exposition universelle de Paris, en 1889. Depuis, les sons ensorceleurs et hypnotiques de cet ensemble instrumental continuent de fasciner l'Occident.

À l'époque, les béotiens la jugeaient primitive, tandis que d'autres l'admiraient simplement pour son exotisme. La musique du gamelan a toujours tenu une place majeure dans la vie artistique, religieuse ou politique de Java et de Bali. *Karawitan* est le terme indonésien forgé dans les années 50 par Ki Sindusawarno, premier directeur du conservatoire de musique de Surakarta, pour désigner tous les arts javanais et balinais qui intègrent la musique du gamelan (danse, spectacle de marionnettes, théâtre). Si les gamelans ont pour vocation première d'accompagner la danse et le théâtre, cette musique est également goûtée pour elle-même, le plus souvent dans le cadre de fêtes royales ou religieuses. Aujourd'hui, elle est fréquemment diffusée à la radio et à la télévision.

Une musique de percussion

Le terme gamelan dérive de *gamel*, mot qui désignait, en javanais ancien, un marteau – terme approprié pour un orchestre de percussions. Certains pensent que les rythmes syncopés du gamelan trouveraient leur origine dans la pulsation du *lesung*, mortier employé à Java pour décortiquer le riz. D'autres associent ces thèmes musicaux aux coassements des grenouilles ou à la cacophonie du chant des coqs qui annonce l'aube. Mais nul ne sait exactement à quelle époque le premier orchestre de gamelan fut constitué.

Pages précédentes : foule massée autour de l'orchestre de gamelan qui accompagne une représentation de « wayang kulit » ; à gauche et à droite, gamelan du palais de Surakarta.

Le gamelan javanais

À Java, le *karawitan* et ses arts associés atteignirent leur apogée dans les cours islamiques des XVIIIe et XIXe siècles, bien que certains orchestres aient déjà existé sous l'empire de Mojopahit. On a retrouvé des textes mentionnant ces instruments datant du Xe siècle apr. J.-C. La musique du gamelan javanais, lente, majestueuse et mystique, devait répondre aux aspirations de l'aristocratie raffinée à qui elle était destinée, en exprimant un sentiment de puissance contenue, de gravité et de maîtrise de l'émotion.

Un gamelan est un orchestre composé de 5 à 40 instruments qui ne jouent pas en solo. Seuls le rebab (vielle à deux cordes) et le *suling* (flûte en bambou), peuvent tenir le rôle de soliste, mais il ne s'agit pas de percussions. Leur intégration dans le gamelan est récente, comme celle des chœurs.

Le principe de base de la musique du gamelan est celui de la stratification. La musique s'élabore en phrases de coupe binaire, où chaque groupe d'instruments joue sa partie : les instruments de registre aigu jouent des phrases courtes et les instruments de registre grave donnent les phrases longues et les ponctuations.

DÉCOUVERTE MUSICALE

Plus d'un siècle s'est écoulé depuis que Claude Debussy s'enthousiasmait pour les sonorités tremblantes et les enchaînements fluides du gamelan – terme qui désigne l'ensemble des instruments d'un orchestre traditionnel, et non les seuls métallophones. De l'auteur des *Nocturnes* à Pierre Boulez ou au compositeur de musique « répétitive » américain Terry Riley, l'apport de l'Indonésie à la musique occidentale est manifeste.

Pour le grand public, l'accès à ces œuvres lointaines a progressé lentement, au fil de l'amélioration des techniques d'enregistrement et de l'intérêt porté aux musiques

d'ailleurs, avant d'exploser au cours des années 80 avec l'engouement pour les « musiques du monde ». Jusqu'à la Seconde Guerre mondiale, avec les actualités cinématographiques, ce sont les grandes expositions internationales qui ont fourni les principales occasions de découvrir la riche tradition musicale indonésienne. C'est à l'exposition universelle de Paris, en 1889, que Debussy découvrit cette *« musique javanaise qui contenait toutes les nuances, même celles que l'on ne peut plus nommer »*.

En 1931, lors de l'Exposition coloniale, près du bois de Vincennes, le pavillon des Indes néerlandaises accueillait, dans une même enceinte, la réplique d'un temple bali-

nais et un « théâtre javanais ». Au programme : marionnettes, danses, théâtre et concerts – avec l'orchestre du sultan de Yogyakarta ! Antonin Artaud y reçut le choc du théâtre balinais et, pour la première fois semble-t-il, des enregistrements de musique indonésienne furent faits en France.

A la même époque débutèrent les enregistrements sur place, grâce aux Néerlandais, bien sûr, mais aussi à des découvreurs venus d'autres horizons. Deux figures se détachent parmi ces pionniers, celles de deux Américains, les frères Fahnestock, qui ont sillonné l'archipel et l'océan Pacifique à bord de leur voilier aménagé en studio de prise de son. Léguée à la bibliothèque du Congrès (Washington), leur collection comprenait des documents musicaux de toute l'Indonésie, ainsi que de Tahiti et d'autres îles du Pacifique. On peut entendre une sélection de leurs enregistrements indonésiens dans *Music for the Gods – The Fahnestock South Sea Expedition, Indonesia*, sous le label Rykodisc.

A partir des années 60, l'attrait pour l'Orient et le souci de préservation du patrimoine culturel se sont conjugués avec les progrès des moyens d'enregistrement pour donner une discographie abondante et de bonne qualité, notamment en France, grâce aux travaux de musicologues comme Jacques Brunet ou Kathi Basset. Du coup, devant les bacs débordants des disquaires, il devient parfois difficile de faire son choix. La *Discographie de l'Asie du Sud-Est* d'Alain Swietlik est l'indispensable sésame qui aide à distinguer le bon grain de l'ivraie (en attendant le *Guide discographique des musiques du monde* que prépare ce musicologue). La discographie succincte donnée en fin de volume indique quelques titres faciles à trouver et tenus pour des enregistrements majeurs. Par ailleurs, à Paris, l'école de gamelan de la Cité de la musique permet de se familiariser, par l'écoute comme par la pratique, avec ces nuances *« qu'on ne peut plus nommer »*.

Foisonnante et bon marché, la production discographique indonésienne se vend dans les grands supermarchés et les quelques boutiques spécialisées de Jakarta, et, surtout, par l'intermédiaire d'une multitude de vendeurs de rue. A Bali et dans les grandes villes culturelles, le programme des concerts et autres spectacles peut être connu à l'avance. Ailleurs, dans les bourgs et les villages, il faut se renseigner, tendre l'oreille pour savoir si une fête, une répétition ou un *pasar malam* (« foire nocturne ») se prépare.

L'Occidental qui entend pour la première fois un gamelan ne manque pas d'être surpris car, à l'inverse de nos musiciens, qui recherchent l'accord consonant des instruments, les musiciens du gamelan préfèrent une certaine dissonance, qu'ils obtiennent en accordant leurs instruments à hauteur de ton légèrement différente. Des musiciens comparent la structure du gamelan à un arbre : le registre bas serait les racines, la mélodie le tronc, tandis que les branches, les feuilles et les fleurs figureraient la complexité des ornements.

Les instruments sont regroupés selon leur fonction. Les grands gongs en bronze ment par les *bonang* (petits gongs suspendus à l'horizontale), les *gender* (type de *slentem*), les *gambang* (xylophones en bois) et les *celempung* (cithares à cordes métalliques). Tous ces instruments, associés aux *suling*, aux rebabs et aux chœurs, produisent une musique complexe et délicate.

Les chœurs ne sont devenus véritablement populaires à Java qu'au XIXᵉ siècle, bien que le chant accompagne depuis longtemps les récitations de poèmes et certaines cérémonies religieuses. Ces chanteurs peuvent être des femmes (*pesinden*) ou des hommes (*gerong*). Les voix sont traitées comme des instruments.

sont l'élément principal de l'orchestre. Ils assurent la structure rythmique tandis que les métallophones portent le thème et que les autres instruments se chargent de l'ornementation. Les *kendhang*, tambours en bois, contrôlent le tempo.

Dans les régions du centre de Java, le thème central d'un morceau est joué par les *saron* (petits métallophones reposant sur un résonateur en bois) et par les *slentem* (métallophones dotés de résonateurs en bambou). Des variations rapides sur le thème central sont exécutées simultané-

Ci-dessus, les répétitions de gamelans sont très souvent publiques.

On pense souvent, à tort, que la musique du gamelan est une musique improvisée. Peut-être parce que l'usage des partitions est rare. En fait, la plupart des compositions (*gendhing*) sont réalisées selon des règles ancestrales strictes transmises par oral. Les musiciens apprennent donc ces compositions polyphoniques par cœur.

Chaque *gendhing* est écrite soit pour illustrer un thème spécifique, soit à l'intention d'un personnage du *wayang kulit*, soit pour accompagner une danse ou un rituel. Dans le gamelan, on distingue deux types de musique : la musique dite « forte », dominée par les métallophones, et la musique « douce », qui met en avant les voix et les rebabs. Mais dans l'ensemble, les Javanais préfèrent les rythmes syncopés.

Le style musical de la côte nord de Java se distingue des autres styles de l'île. Cette région ayant subi les influences des nombreux marchands étrangers qui fréquentaient ses comptoirs, le gamelan y a pris des intonations nouvelles. La musique du gamelan, qui à l'origine était une musique de cour javanaise, s'est répanduc dans toute l'Indonésie, y compris sur la péninsule malaise, se modifiant au gré des influences locales.

Le gamelan balinais

Le gamelan balinais offre une incroyable variété de styles. Le gamelan *gong kebyar* est l'un des orchestres les plus courants à Bali. Le *kebyar* renvoie à un style de musique endiablée qui est né dans le nord de l'île autour de 1915, mais les ensembles qui le pratiquent aujourd'hui ont étendu leur répertoire à de nouveaux styles. Dans le *gong kebyar*, quatre gongs de tonalité différente définissent la « base continue » (base rythmique et mélodique). Ce sont le gong, le *kempur*, le *kempli* et le *kemong*. Le thème mélodique est porté par deux paires de grands métallophones : les *jegogan* et les

calung. Une section de dix instruments *gangsa* (métallophones de registre aigu) ornement le thème, et le *reggong* (la version balinaise du *bonang* javanais) est jouée par quatre musiciens. Une paire de tambours *kendhang* conduit le groupe. Le batteur du *kendhang*, dont la résonance est la plus grave, fait office de chef d'orchestre. Un jeu de petites cymbales à main (*cengceng*), et plusieurs flûtes en bambou complètent l'ensemble.

La musique balinaise se distingue par ses rythmes vifs et capricieux, qui contrastent avec le gamelan lent et pondéré de Java.

Une musique vivante

Les musiciens, par tradition, mémorisaient leurs morceaux. Ce n'est qu'au début du XXe siècle que ceux des palais du centre de Java commencèrent à recevoir un enseignement spécifique. A Bali, depuis les débuts du gamelan jusqu'à ce jour, les artistes se produisent dans le cadre de leur village. Néanmoins, depuis l'indépendance, plusieurs académies de musique gouvernementales enseignent les arts traditionnels de façon plus méthodique.

Dans les villages, il est difficile de distinguer les amateurs des professionnels. De nombreux artistes villageois jouent bénévolement. A Java, même dans les villages, les ensembles d'instruments sont invariablement la propriété d'une famille, dont ils symbolisent, en quelque sorte, le statut social. On peut admirer des gamelans de cours au musée Sasono Budaya, à Yogya, et au palais Mangkunegaran, à Solo. Une fois par an, pour le festival Sekaten, les gamelans des sultans de Yogya et de Solo se produisent en public.

Les gamelans balinais appartiennent aux clubs de musique des villages, les *sekaha*, qui les entretiennent en coopératives. Le calendrier religieux balinais affiche en effet un programme musical chargé. Les gouvernements provinciaux ont joué un grand rôle dans la sauvegarde des styles musicaux traditionnels, en organisant des concours dans toute l'île, afin d'encourager les compositeurs et les musiciens à développer les inépuisables ressources du gamelan.

A gauche, le gamelan Kiyai Bermoro du palais de Yogyakarta ; à droite, chanteuse « d'opéra javanais ».

TEXTILES : LES FILS DE LA TRADITION

A en croire des collectionneurs avertis, l'Indonésie possède la plus grande variété de tissus traditionnels au monde. Chacune des quelque 350 ethnies du pays a en effet donné naissance à son propre artisanat textile.

Certaines de ces traditions, vieilles de deux mille ans ou plus, se sont maintenues au sein des localités les plus isolées ; d'autres groupes humains ont emprunté aux méthodes de fabrication et aux styles étrangers, indiens en particulier, et, dès le début du XVIᵉ siècle, européens. Les courants migratoires internes ont de même favorisé la diffusion de techniques et du répertoire décoratif. Ainsi, dans la lointaine Babar, petite île à l'est de Timor, les *basta*, longues bandes de tissu à damier portées en châle par les hommes, trahissent, dans leur emploi comme dans leur motif, leur origine indo-javanaise.

Une symbolique complexe

Tissus en fibres végétales de Bornéo, d'Irian Jaya et de Sulawesi ; délicates soieries *songket* de Sumatra ; magnifiques batiks de Java et *ikat* des îles orientales : toutes ces étoffes sont, avant tout, porteuses d'une valeur sacrée et symbole de statut social. Susceptibles de servir aussi bien de dot que de cadeau ou de monnaie d'échange – fonction que de petits carrés de tissu remplirent longtemps sur l'île de Buton –, elles jouent un rôle de premier plan dans de nombreux rituels.

Traditionnellement, la fabrication (filage, teinture, tissage) symbolise le processus de la Création, et, en particulier, la naissance de l'homme. Cette dimension sacrée explique que de nombreux interdits régissent tant la production des textiles que leur port. Sur la côte nord de Java, à mi-chemin entre Semarang et Surabaya, la région de Tuban fournit une bonne illus-

Pages précédentes : le motif « rocs et nuages » de Cirebon. A gauche, femmes en costume « hinggi » de Sumba ; à droite, le « tissu de l'âme » tissé pour les futures mères, chez les Bataks du centre nord de Sumatra.

tration de ces codes. Tout d'abord, et là comme ailleurs, tisser est une activité strictement féminine. Ce monopole s'accompagne de spécialisations précises. Par exemple, la teinture à l'indigo est la prérogative de la femme du chef religieux.

Les tons et le décor traduisent ensuite le rang et l'âge. Chez les femmes, les rouges vifs désignent les jeunes filles ; les associations de rouges, de bleus et de noirs, les mères ; et les tons les plus sombres sont l'apanage des aïeules. Cette gamme, qui correspond aux phases diurnes du soleil, reflète le cycle de la vie. Pour les hommes, le *kain kentol* à carreaux et à rayures

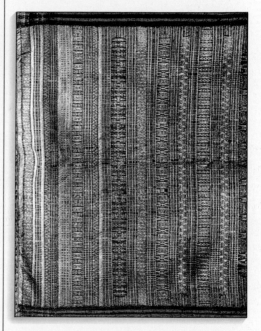

semés de points blancs indique, selon la complexité de ce dessin, si l'on est cultivateur sans terre, propriétaire, ou « aristocrate » issu des fondateurs du village.

Enfin, si ces tissus de la vie quotidienne se caractérisent par des motifs colorés sur un fond clair, les dessins lumineux sur une toile sombre sont réservés aux étoffes sacrées ou cérémonielles. Cette règle souffre toutefois une exception : les blancs *putihan*, au décor floral ou géométrique d'un bleu lumineux, qui préservent du « mauvais œil » et des maladies.

Dans leurs grandes lignes, ces distinctions valent pour l'ensemble du pays. Les Bataks de Sumatra, par exemple, donnent à une femme enceinte pour la première fois, et au cours du septième mois de grossesse, une étoffe marron et blanc, la *ragidup* (« tissu de l'âme »), dont les dessins sont « déchiffrés » par un vénérable sage de la tribu. Les Toraja de Sulawesi attribuent une origine divine aux fils qui composent les *maa*, textiles sacrés qui aident à se concilier les esprits de fertilité. Jusqu'au XIXᵉ siècle, à Sumatra-Sud, une « étoffe bateau » (à motif de navire, de plantes et d'animaux) entrait dans l'exécution des rites attachés aux grands événements de la vie : naissance, circoncision, mariage et funérailles.

miques. Les tissus en fibres végétales de Kalimantan, des Célèbes (Sulawesi) et d'Irian Jaya remontent, par exemple, à la préhistoire – et témoignent d'un grand art. Les Torajas de Sulawesi font bouillir et fermenter l'écorce des pandanus, des mûriers et d'autres arbres jusqu'à obtenir un résidu pulpeux qu'ils aplatissent avec des maillets en bois et en pierre, pour en faire de grandes plaques fines et souples. Teintes ou estampées à l'aide de pigments naturels, puis découpées, elles deviennent châles, corsages, ponchos, sacs, etc.

Jusqu'à une époque récente, certaines tribus des hautes terres de Kalimantan

Il est en outre partout interdit aux teinturières de parler de la mort ; et les femmes enceintes, menstruées ou malades sont écartées de l'aire de tissage. De même, il faut un jour propice pour monter les fils sur le métier à tisser, afin d'en assurer la solidité ; et la mort d'un membre de la communauté villageoise interrompt le travail : l'esprit du défunt pourrait répandre la maladie et rompre les fils.

Textiles « primitifs »

Ici et là, on travaille toujours selon des méthodes ancestrales qui ont résisté aux techniques modernes et aux colorants chi-

(Bornéo), de Flores, de Sulawesi et de Timor fabriquaient des tuniques de guerre avec des fibres prises à l'écorce de diverses plantes et tressées par entrecroisement. Dans certaines régions reculées, on peut même voir des vêtements en feuilles de sagoutier ou de palmier, voire en fibres de bambou et d'ananas.

La splendeur des « ikat »

L'apparition des *ikat* remonte à l'avènement du coton dans l'archipel, aux alentours, croit-on, du XVᵉ siècle. Les régions de production comprennent certaines régions de Java, Bali et les petites îles de la

Sonde (de Sumba et Florès à Timor et Tanimbar), ainsi que des districts enclavés de Sumatra, de Kalimantan et de Sulawesi. L'Inde, le Japon, les Philippines produisent aussi de ces étoffes.

Le terme *ikat*, du verbe *mengikat* (« lier »), désigne à la fois le procédé de fabrication et l'étoffe obtenue. Longue et complexe, la technique de l'*ikat* exige des trésors de patience et d'habileté. Le filage du coton, la préparation des teintures, le nouage des fils de chaîne, les bains de teinture successifs et les séchages répétés sont autant de manipulations minutieuses qui précèdent le tissage proprement dit. Pour

sieurs fois l'opération et tout en variant aussi bien les colorants que les emplacements recouverts, on obtient des compositions élaborées aux tons chatoyants, avec des motifs regroupés en zébrures sur des bandes horizontales et longitudinales.

Le motif peut être appliqué aux seuls fils de chaîne (fils parallèles disposés dans le sens de la longueur du tissu), ou bien, comme pour l'*ikat endek* de Bali, seulement aux fils de trame (qui passent entre les fils de chaîne). Lorsque chaîne et trame sont traitées en même temps, on parle de double *ikat* (le *geringsing* de Bali en est le meilleur exemple).

cette dernière étape, les fils, qui peuvent être de coton ou de soie, sont d'abord fixés sur un cadre fait de deux perches en bambou. Puis la tisserande gaine par endroits ces fils d'écorce de bananier ou de bandelettes en plastique, selon une disposition qui dépend du motif recherché : ainsi, dans le bain de teinture, seules les fibres non protégées se colorent. En répétant plu-

A l'extrême gauche, un « ikat » de Timor, reconnaissable à ses bandes longitudinales ; à gauche, une double technique d'« ikat » et de « songket » a donné ces tons lumineux et ces motifs chatoyants ; ci-dessus, le gainage des fils dans la confection d'un « ikat ».

Il semble que la technique des *ikat* tramés et des doubles *ikat*, que l'on ne trouve que dans quelques régions de l'archipel, soit d'origine indienne. En effet, les *ikat* tramés sont en général en soie. Or, si la sériciculture a probablement été importée de Chine à une époque reculée, ce ne fut que lorsque les marchands musulmans importèrent des *ikat* indiens en soie que les Indonésiens commencèrent à en produire. La fabrication se répandit sur les côtes, près des comptoirs commerciaux fréquentés par les navires étrangers (Palembang, Riau, Gresik, Ujung Pandang notamment), mais aussi à Bali. A Sumatra, les artisans de Palembang et de Bangka

LE MONDE DU BATIK

Le batik, technique de teinture des tissus dans laquelle on enduit de cire les parties de l'étoffe qui doivent rester vierges de couleur, est l'un des fleurons de la culture javanaise.

Certains spécialistes se demandent cependant si ce procédé n'a pas été importé d'Inde. On a retrouvé les noms de divers motifs de batik dans des œuvres littéraires javanaises du XIIᵉ siècle, mais le terme même n'apparaît en effet dans les textes des cours javanaises qu'après l'arrivée de marchands indiens dans l'archipel.

Réputés dans le monde entier pour leur qualité, les batiks de Java restent supérieurs à ceux de Sumatra ou de Bali. Ils doivent beaucoup à l'invention du *canting* ; ce tuyau en bambou muni d'un bec en cuivre sert à appliquer la cire fondue sur le tissu, exécutant des dessins très délicats.

L'élaboration d'un beau batik demande des trésors de patience. Tout d'abord, on trace le motif à la craie ou au crayon sur un tissu de soie ou de coton blanc. Puis on recouvre de cire les parties du tissu qui ne doivent pas être colorées par la première teinture. Selon la complexité du dessin, cette opération peut demander des centaines d'heures de travail. Le tissu est ensuite immergé dans le bain colorant, puis séché. Ce processus d'application de cire suivi de teinture est répété jusqu'à l'obtention du nombre de couleurs désiré.

Au XIXᵉ siècle, on comptait plus d'un millier de motifs traditionnels et une vingtaine de styles régionaux. Les principaux foyers de cet art se trouvaient à Yogyakarta et à Surakarta/Solo, ainsi que sur la côte nord (Cirebon, Pekalongan). Dans le centre de Java, cet artisanat était l'apanage des femmes de l'aristocratie ; sur la côte nord, il était aux mains des Chinois, des Arabes et même des artisans indo-néerlandais.

Les tons et les thèmes variaient considérablement d'une région à l'autre. Dans le centre de Java, certains graphismes étaient réservés à la cour et aux membres de l'aristocratie, tels le *kawung* (grands ovales regroupés par quatre pour former une feuille de trèfle), le *ceplok* (fleur à huit pétales inspirée du *patola* indien), les ailes dites de *sawat* ou de Garuda et le *parang rusak barong* ou « kriss brisé », à base de diagonales et d'arabesques enchevêtrées.

Les deux couleurs de base étaient l'indigo et le *soga* (brun obtenu à partir de l'écorce d'un arbre), déclinés dans une infinité de nuances. Certains motifs du centre de Java se paraient néanmoins de couleurs d'un éclat inhabituel. Les teintures les plus élaborées réclamaient des ingrédients aussi variés que le sucre de palme, la banane, ou le melon fermenté.

Sur la côte nord, les jaunes, les mauves, les ocres, les verts et les bleu pâle étaient à l'honneur, et les motifs marqués d'influences chinoises, européennes et islamiques. Sur tous les batiks destinés à la cour de Cirebon figurent par exemple des nuages d'inspiration chinoise. Sur l'un des plus célèbres motifs, le *mega mendung* (nuages chargés de pluie), ils apparaissent dans des tons vifs et contrastés de rouge, de bleu, de rose ou de vert, comme un orage surnaturel.

Au début du XXᵉ siècle, le *batik cap* – qui se fabrique à l'aide d'un tampon en cuivre trempé dans la cire – a mis ces tissus à la portée de tous et permis des exportations massives vers les autres îles de l'archipel, Singapour, la Malaisie, etc. On trouve aujourd'hui des batiks dans une infinité de motifs et d'application, des pièces de collection les plus élaborées au tout-venant qui habille les sacs, les souliers ou les couvre-chefs.

ꦲꦩꦤꦗꦶꦮꦺ

Borobudur, Central Java, Indonesia
Tel. 62 (0293) 788333 Fax. 62 (0293) 788355
Drawing by Olivia Bown

Dear Bapak & Ibu Pick,

thank you very much for choosing to
stay at Amanjiwo. We hope that
you have enjoyed the experience.
please accept these leather puppets called
" RAMA & SHINTA "

they are Symbol of holy love.
We hope that it will remind you with
Java and Amanjiwo.
We look forward to the pleasure of
welcoming you back.

warm regards

Housekeeping.

avaient même mis au point des *ikat* particulièrement raffinés, aux riches tons rouges, bleus et jaunes souvent rehaussés de fils d'or. Encore fabriqués, mais avec moins de brio, ils font toujours partie du costume de cérémonie dans cette région du sud de Sumatra.

Tenganan Pegeringsingan, dans l'est de Bali, bastion des Bali Aga (les Balinais « originels »), est l'un des trois endroits au monde, avec l'Inde et le Japon, où des artisans possèdent encore la subtile technique du double *ikat*. Ces étoffes sacrées dites *geringsing* – littéralement « à l'abri de la maladie » –, teintes avec de l'indigo,

(teinture brune à base de racines et d'écorces) étaient les principaux pigments d'origine locale. Les marchands musulmans ont de longue date ajouté à cette palette le carmin, rouge de cochenille originaire du Mexique. Mais les colorants chimiques font aujourd'hui une concurrence féroce à ces matières naturelles.

Tissus de prix

Certains *ikat* ont depuis longtemps acquis les faveurs des collectionneurs. Outre les *geringsing*, c'est le cas du *hinggi* (« manteau ») de la côte orientale de Sumba, que

appartiennent au registre des objets cérémoniels.

Naguère, il arrivait, dans certains cas, que la réalisation de ces étoffes s'étalât sur une dizaine d'années. Durée qui explique le prix souvent très élevé atteint par ces étoffes, et qui tient au grand nombre d'opérations nécessaires, comme à la nature des teintures employées. Faisant appel à des plantes ou à des minéraux, la préparation de ces colorants tient du secret de fabrication. L'indigo, racine qui donne un colorant rouge (*mengkudu*), et le *soga*

Ci-dessus, atelier de tissage au début du XXᵉ siècle.

les Hollandais exportèrent en grande quantité au XIXᵉ siècle. Ces tissus fabriqués par paires (un pan pour le corps, l'autre en écharpe) doivent leur réputation à la richesse des tons et à la finesse des détails, qui donnent vie à des frises horizontales associant animaux et personnages stylisés. Victimes de leur succès, les « manteaux de Sumba » sortent aujourd'hui des ateliers de Bali et de Java, et les bains chimiques ont remplacé les colorants végétaux. Très rares, les pièces anciennes atteignent des prix astronomiques sur le marché des antiquités.

Les habitants des îles de Roti et de Sawu confectionnent aussi de beaux *ikat*. A

Sawu, la préférence va à des bandes étroites et longitudinales ornées de rangées symétriques de fleurs, d'étoiles, ou de losanges blanc et rouge sur fond indigo. Les *ikat* de Roti ressemblent à ceux de Sawu; mais ils adoptent parfois un décor d'étoiles à huit branches ou de fleurs, souligné de rayures et bordé de triangles (*tumpal*).

Plus faciles à trouver, ceux de Java sont notamment confectionnés sur la côte nord, région de longue tradition textile, par ailleurs renommée pour les batiks. Là comme ailleurs, le sacré et le prestige se confondent dans ces étoffes précieuses.

Révolution textile

Entre les XIVᵉ et XVᵉ siècles, l'archipel connut une explosion de l'offre de textile et une rapide évolution des techniques. A l'origine de ces transformations, on trouve des commerçants étrangers, indiens, chinois, arabes, puis européens, qui inondèrent alors les îles indonésiennes de cotonnades et de soieries. Celles-ci n'étaient pas une nouveauté. On en importait, semble-t-il, depuis longtemps déjà : mais en petites quantités, car ces étoffes étaient l'apanage des nobles. L'augmentation considérable des volumes achetés entraîna une « démocratisation » de ces étoffes. Ce phénomène eut un grand retentissement sur l'artisanat local. Il faut noter que l'accroissement de la demande européenne en épices a pu provoquer cette progression des achats : les négociants étrangers échangeaient en effet ces précieuses denrées contre des tissus, troc rentable pour les Indonésiens d'alors.

L'autre nouveauté majeure qui fut peut-être introduite à cette époque réside dans l'usage du coton, qui a supplanté les fibres végétales. Très vite et très largement répandu dans tout l'archipel, le coton a donné l'*ikat* ainsi que le sarong, pièce de tissu sans couture, ou bien cousue aux deux extrémités, qui forme un long fourreau que l'on noue autour de la taille. Ces cotonnades se fabriquent aujourd'hui à une échelle industrielle à Java, aux abords des ports de commerce apparus aux XVᵉ et XVIᵉ siècles sur la côte nord. De Sumatra aux Moluques, pour les hommes comme pour les femmes et de l'enfance aux derniers jours, le sarong est toujours l'élément de base de l'habillement. Même les cadres vêtus à l'occidentale n'ont de cesse, de retour à la maison, d'enfiler leur sarong.

Autre textile qui trouve son origine dans le commerce avec le monde islamique, le *songket* intègre des fils d'or et d'argent. Ceux de Palembang ont des fils d'or scintillants qui forment un motif géométrique d'une grande finesse sur un fond de soie rouge vif. A l'inverse du tissage simple, dans lequel les fils de chaîne et de trame alternent de façon régulière, le fil de trame passe ici au-dessus ou en dessous de plusieurs fils de chaîne à la fois. Il faut compter laborieusement les fils de chaîne pour les regrouper en petits paquets, puis faire passer des navettes afin de guider le fil de trame.

Toujours à Sumatra, les Minangkabaus sont réputés pour leurs *songket* en fils d'argent sur fond de soie lie-de-vin.

A Bali, les *songket* vont du sarong tout simple à petits motifs géométriques or ou argent, aux exubérants costumes de fête où les fils précieux chamarrent de riches soieries. En outre, certains *songket* peuvent figurer des représentations animalières ou des personnages du *wayang kulit*.

A gauche, femme filant le coton à Lembata, l'une des petites îles de la Sonde; à droite, l'un des tissus les plus sacrés de Bali, le « geringsing ».

ARCHIPEL DE SAVEURS

Moins connue en Occident que ses consœurs vietnamienne et chinoise, voire thaïlandaise ou japonaise, la cuisine indonésienne n'en est pas moins, par sa diversité comme par ses saveurs, parmi les premières du monde.

Encore vaudrait-il mieux parler des cuisines indonésiennes. A l'image du morcellement géographique de l'archipel, la carte culinaire de l'Indonésie comprend en effet mille variations, d'une île à l'autre, d'une

Le riz est roi

Le *wok*, dans lequel viandes, légumes, nouilles sont mis à sauter, évoque ainsi la Chine. L'influence proche-orientale transparaît dans les multiples *sate*, ces brochettes de viande, coupée en morceaux ou hachée avec herbes et épices, version malaise du chiche-kebab turc. Et le café (*kopi*), qui se boit partout, témoigne de l'héritage colonial. Enfin, on est en Asie, et le riz reste l'aliment de base ; toutefois, aux Moluques et en Irian Jaya, le sagou, fécule tirée d'un palmier, et la patate douce lui font concurrence.

région à l'autre, parfois même d'une vallée à l'autre.

Le climat et les ressources naturelles ont néanmoins légué des constantes. L'histoire, et au premier chef celle des échanges commerciaux, a eu des effets identiques. Placée au carrefour de voies maritimes ancestrales entre le Pacifique et l'Eurasie, l'Indonésie a adopté des recettes venues d'ailleurs. Ce qui est un trait supplémentaire de cette capacité typiquement indonésienne d'intégrer les apports extérieurs sans renier sa propre identité ; aptitude que les Indonésiens donnent bien souvent comme l'une des clefs de leur pays et de leur personnalité.

Omniprésent, le riz l'est jusque dans la terminologie. Le mot *nasi* (« riz cuit ») apparaît dans quantité de noms de mets et indique qu'il forme la base du plat. Le plus courant, le *nasi goreng* (« riz frit »), véritable plat malais, se compose de riz agrémenté de légumes, de viande, ou encore de crevettes, le tout frit et servi avec force *sambal*, pâte de piments. L'ajout de l'adjectif *istimewa* (« spécial ») signale un petit supplément, œuf à la poêle ou lamelles de fromage de soja, frais (*tahu*) ou fermenté (*tempe*) et grillé.

Second ingrédient majeur, les nouilles (*mi*) sont à base de farine de riz et préparées de la même façon dans le *mi goreng*.

Le *nasi campur* est une bonne introduction à la diversité des saveurs indonésiennes. Ce « riz frit aux variétés » associe en effet poisson, légumes frais sautés, œuf poêlé, cacahuètes grillées, noix de coco râpée, pâtes de piments auxquels on ajoute de grands beignets à base de riz et de crevettes, les *krupuk*, sur une belle assiettée de riz fumant.

Ces plats et leurs nombreuses variantes ne sont pas les seuls proposés d'un bout à l'autre du pays. Il en va de même du poulet frit (*ayam goreng*), du *cap cai* (légumes sautés), et des brochettes – de bœuf, poulet ou mouton, et toujours largement arro-

indonésienne. Subtile préparation de Sumatra-Ouest, très appréciée et très épicée, le *rendang* est un ragoût de bœuf longuement mijoté – jusqu'à trois jours ! – et imprégné de la sauce dans laquelle il a cuit. Celle-ci est constituée d'une multitude d'ingrédients pilés au mortier : oignon, ail, coriandre, curcuma, gingembre, piment, feuilles de citronnier, citronnelle, pâte de crevettes, tamarin, et lait de noix de coco. Si la préparation demande un long travail, déguster un *rendang* n'a rien de difficile. Il figure sur la carte de la plupart des bonnes tables et chez tous les restaurateurs *padang*, qui ont

sées de pâte de cacahuètes. Le *soto ayam* (« soupe de poulet »), au bouillon additionné de noix de coco râpée, est aussi très répandu. Si *soto* signifie « soupe », le mot *sop* désigne quelque chose entre la soupe et le pot-au-feu, lequel peut être de viande ou de poisson.

Tables d'abondance

A ces mets nationaux s'ajoute un autre plat, pourtant d'origine régionale, le *rendang*, l'un des sommets de la gastronomie

A gauche, desserts et fruits javanais ; à droite, brochettes à la balinaise.

posé leurs fourneaux dans quasiment toutes les villes et bourgades du pays. Les restaurants *padang* ont de quoi surprendre la première fois. Ici, pas de carte ; à peine s'est-on installé que la table se couvre d'assiettes, de bols, de coupes et de coupelles remplis des mets exposés dans la vitrine qui donne sur la rue. Il peut y avoir jusqu'à vingt plats ! Le tout est servi froid, et l'on ne paie que ce que l'on a consommé. Cette abondance n'est pas sans évoquer le *rijstaffel*, cette « table de riz » des beaux jours de la colonisation néerlandaise, qui pouvait comprendre 350 plats et dont les restaurants de luxe proposent un abrégé riche d'une dizaine de mets.

« Warung » et « kaki lima »

Les cuisines régionales se découvrent au fil des pérégrinations, avec quelques rencontres inévitables, comme, à Java, le *gado-gado*, salade froide de légumes bouillis arrosée de sauce de cacahuètes et couverte de *krupuk*. A Bali, canard et cochon, rôtis ou en sauce, et, bien sûr, le riz, caractérisent une cuisine locale très épicée. Heureusement, « l'île des dieux » est pourvue de restaurants où le touriste mange (très bien) à l'asiatique ou à l'occidentale. Plus à l'est, les produits de la mer règnent en maîtres. Les amateurs d'exo-

tisme iront goûter le lézard grillé des Dayaks de Bornéo, les ragoûts de serpent ou de souris des Minahasas du nord des Célèbes (Sulawesi), ou encore les spécialités papoues d'Irian Jaya.

Les tables de l'archipel se laissent classer en trois grandes catégories. Les restaurants classiques existent dans tout ce qui dépasse la taille d'un village, avec quelques très bonnes adresses dans les grandes villes et les centres touristiques. Viennent ensuite les *warung*, petites échoppes qui sont à la

A gauche, un durion; à droite, une jeune fille d'Ambon en tenue de danse avec un plateau de fruits.

fois café, épicerie, bazar et restaurant. Au bas de l'échelle des prix et du confort, mais non de celle du goût, il y a les petites carrioles des marchands de rue, les *kaki lima*, qui servent, pour quelques centaines de roupies, des plats chauds et froids, des crêpes, des soupes et des boissons.

Boissons et desserts

Eau minérale, thé chaud (*teh pahit*) ou glacé (*es teh*), café *tubruk* (servi avec le marc), jus de fruits et sodas accompagnent les repas. On peut aussi boire de la bière, la Bintang nationale ou les marques étrangères et, dans les restaurants de luxe, des vins d'importation. Au rayon des alcools locaux, on trouve le vin de palme (*tuak* ou *arak*) et le *brem* (alcool de riz).

La prodigalité de la terre pourvoit en outre la moindre table d'une grande variété de fruits. Les bananes (*pisang*), dont il existe près de 40 variétés, et qui se consomment crues, frites, ou en beignets. Puis les oranges (*jeruk*), les pamplemousses (*jeruk Bali*) et les ananas (*nanas*), complètent, avec les fruits de la passion et les pommes, l'éventail des fruits connus en Occident. S'y ajoutent les fruits des tropiques, permanente fête de couleurs, de formes et de saveurs. Trônant dans les marchés, le durion hérissé d'épines et à l'odeur déroutante séduit parfois pour sa suavité. L'énorme fruit du jaquier, à la chair jaunâtre, est d'un abord plus facile. Les ramboutans à la peau couverte de longs poils ont la saveur acidulée des fruits rouges. Le *salak*, en forme de figue étirée et à la peau écailleuse, renferme une pulpe au goût voisin de celui des pommes. De la taille d'un œuf, le *sawo* (« sapotille ») à l'écorce sombre, recèle une chair liquoreuse couleur ivoire.

Du côté des desserts, les *martabak* (crêpes épaisses qui peuvent être salées ou sucrées et garnies de chocolat, de cacahuètes pilées, etc.) le disputent à des gâteaux de toutes les couleurs et à quantité de boissons glacées. Ces dernières, rangées sous l'appellation d'*es campur*, ont pour point commun la glace pilée. Toutes sortes de douceurs sont ensuite versées sur cette fraîcheur, sirops de fruits, chocolat liquide, lait de noix de coco, dés de gélatine colorée, grains de tapioca ou encore minuscules gâteaux de riz cuits à la vapeur.

ITINÉRAIRES

Bien plus qu'un simple paradis tropical, l'Indonésie est un véritable kaléidoscope culturel. De ses vénérables temples indo-javanais à ses luxueux hôtels modernes, des tribus de l'âge de la pierre qui peuplent les hautes terres de l'Irian Jaya à la moderne Jakarta, un fascinant mélange d'Orient et d'Occident, de richesse et de pauvreté, de tradition et de modernisme, de familier et d'exotisme s'offre au regard du voyageur.

Nombreux sont ceux qui ont déjà succombé aux charmes de l'Indonésie : artistes, musiciens, écrivains, anthropologues, relayés depuis la fin des années 1960 par un nombre grandissant de touristes, qui venaient d'abord à Bali uniquement, avant de découvrir tout l'archipel.

Toutefois, le tourisme est loin d'avoir défiguré ce pays et, dans la plupart de ses nombreuses îles, les visiteurs passent encore inaperçus. Même dans certains villages de Bali, île qui absorbe à elle seule plus de la moitié des 5 millions de touristes qui visitent chaque année l'Indonésie, les Occidentaux font figure de nouveaux venus. Et il ne faut pas oublier que l'Indonésie est un pays qui n'est pas un mais multiple. Si la plupart des voyageurs se contentent de visiter les sites prestigieux du centre de Java et la verdoyante Bali, les autres îles, d'un accès moins aisé, peuvent se révéler tout aussi fascinantes.

Les transports et les infrastructures hôtelières sont en plein développement depuis quelques années, et le confort fait de moins en moins figure d'exception.

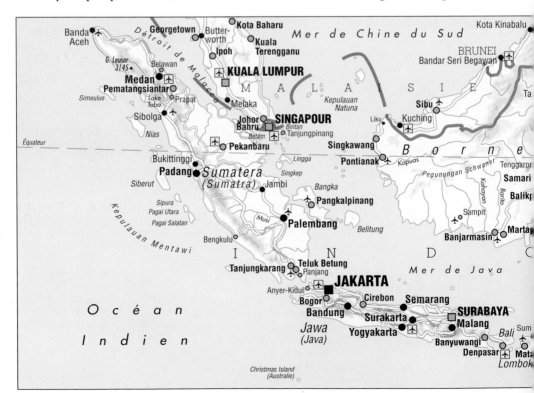

Aujourd'hui, toutes les capitales provinciales et la plupart des villes moyennes possèdent de nombreuses possibilités d'hébergement et au moins un bon hôtel avec air conditionné. La mise en place d'un réseau aérien complexe permet désormais aux plus aventureux de mettre le cap sur des contrées encore mal connues. Partout, l'autobus, l'autocar et le taxi sont des moyens de transport aussi rapides que bon marché.

La langue ne pose plus, non plus, un réel problème : à défaut de francophones, on rencontre de plus en plus d'Indonésiens qui parlent l'anglais et qui se proposent de servir de guide ou tout simplement aideront cordialement chacun à trouver son chemin.

Depuis quelques années, de plus en plus de touristes sortent des sentiers battus et s'aventurent en pays toraja, dans le centre de Sulawesi (les Célèbes), chez les Bataks du lac Toba, dans le nord de Sumatra, à Lombok ou dans la petite île de Komodo. Il reste encore des centaines d'îles à découvrir, que ce guide s'efforce de mettre en lumière afin d'aider chacun à trouver un itinéraire à sa mesure. Et si l'Indonésie a fait la une de l'actualité ces dernières années, à l'occasion d'éruptions de violence, celle-ci reste largement confinée à certaines régions (Aceh et Moluques surtout). Hormis ces zones, que l'on conseille d'éviter en attendant qu'elles connaissent des jours meilleurs, le pays maintient vivace sa joie de vivre et sa qualité d'accueil.

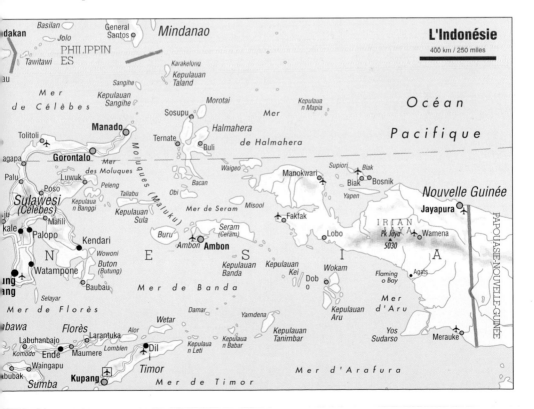

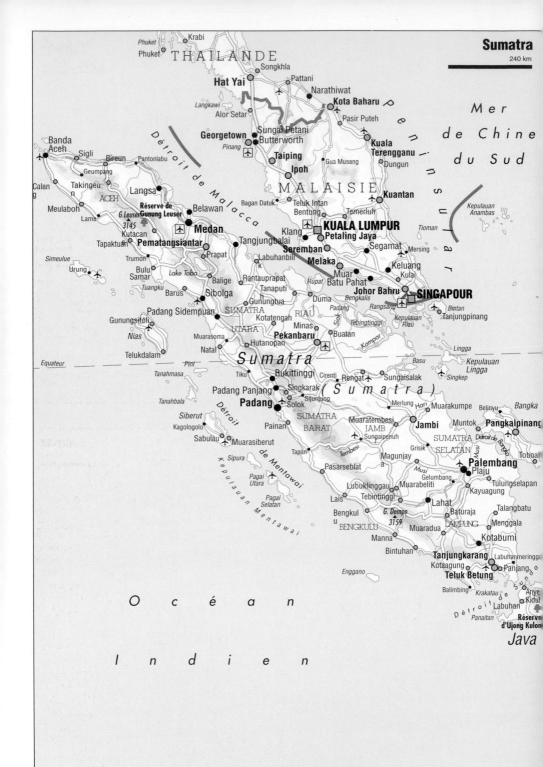

Sumatra
240 km

Mer
de Chine
du Sud

Phuket
Phuket
Krabi
THAÏLANDE
Songkhla
Hat Yai
Pattani
Narathiwat
Langkawi
Alor Setar
Kota Baharu
Pasir Puteh
Sungai Petani
Georgetown
Butterworth
Pinang
Taiping
Ipoh
Gua Musang
Kuala
Terengganu
Dungun

Banda
Aceh
Sigli
Bireun
Pantonlabu
Geumpang
Calan
g
Takingeu
n
Langsa
ACEH
Détroit de Malacca
Meulaboh
Lame
G. Leuser
Réserve de
Gunung Leuser
Belawan
Bagan Datuk
Teluk Intan
Bentung
Temerluh
Tioman
Kepulauan
Anambas
Kuantan
3145
Kutacan
Medan
KUALA LUMPUR
Petaling Jaya
Tapaktuan
Pematangsiantar
Tangjungbalai
Klang
Seremban
Segamat
Mersing
Prapat
Labuhanbili
Melaka
Keluang
Simeulue
Trumon
Bulu
Samar
Lake Toba
Balige
Rantauprapat
Muar
Kulai
Urung
Tuangku
Barus
Sibolga
Tanaputi
Rupat
Batu Pahat
Johor Bahru
SINGAPOUR
Gunungtua
Duma
Bengkalis
Rangsang
Bintan
Gunungsitoli
Padang Sidempuan
SUMATRA
RIAU
Padang
Siak
Kepulauan
Tanjungpinang
Nias
Muarasoma
UTARA
Kotatengah
Minas
Tebingtinggi
Riau
Natal
Hutanopan
Pekanbaru
Buatan
Kampar
Lingga
Equateur
Pini
Basu
Kepulauan
Tanahmasa
Tiku
Bukittinggi
Cirenti
Rengat
Sungaisalak
Lingga
Singkep
Sumatra
(Sumatra)
Singkarak
Padang Panjang
Singkarak
Merlung
Muarakumpe
Belinyu
Bangka
Tanahbala
Padang
Solok
Hari
Siberut
Painan
SUMATRA
BARAT
Muaratembesi
JAMBI
Jambi
Muntok
Pangkalpinang
Kagologolo
Sungaipenuh
SUMATRA
Détroit de
Toboa
Sabulau
Muarasiberut
Tapan
Tembesi
Grisik
Magunjay
a
Musi
Palembang
Plaju
Sipura
Pagai
Utara
Pasarseblat
Gelumbang
Tulungselapan
Pagai
Selatan
Lubuklinggau
Muarabeliti
Kayuagung
Lais
Tebintinggi
Lahat
Talangbatu
Bengkul
u
G. Dempo
Baturaja
Menggala
BENGKULU
3159
Muaradua
LAMPUNG
Kotabumi
Manna
Bintuhan
Tanjungkarang
Labuhanmeringga
Kotaagung
Panjang
Enggano
Teluk Betung
Balimbing
Krakatau
Anye
Kidul
Détroit de Sunda
Labuhan
Panaitan
Réserve
d'Ujong Kulon
Java

Océan

Indien

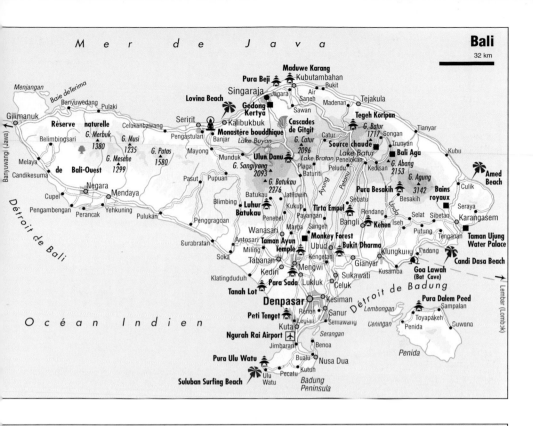

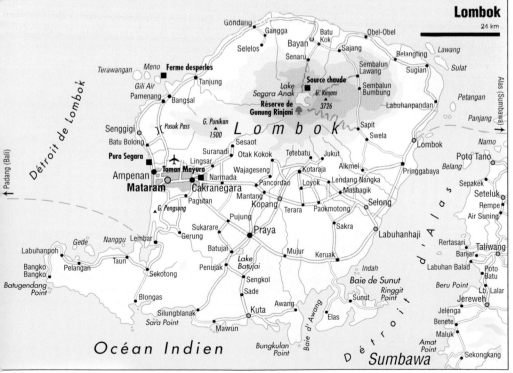

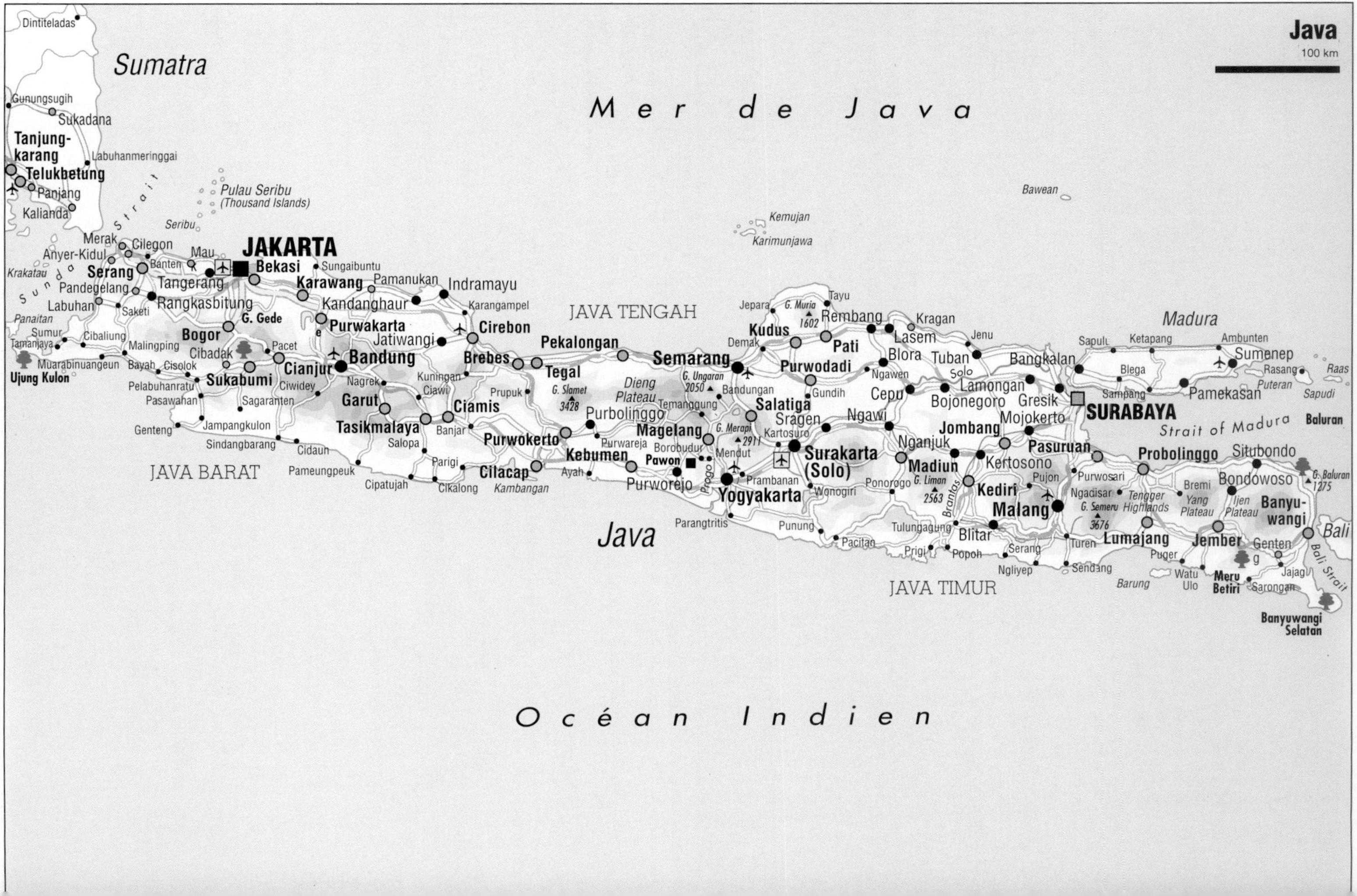
Java
100 km
Mer de Java
Océan Indien
Sumatra
Java
Madura
Bawean
Kemujan
Karimunjawa
Pulau Seribu
(Thousand Islands)
Seribu
Sunda Strait
Krakatau
Strait of Madura
Bali Strait
Bali
JAVA BARAT
JAVA TENGAH
JAVA TIMUR
JAKARTA
SURABAYA
Dintiteladas
Gunungsugih
Sukadana
Tanjung-karang
Telukbetung
Labuhanmeringgai
Panjang
Kalianda
Merak
Cilegon
Anyer-Kidul
Banten
Mau
Serang
Tangerang
Bekasi
Sungaibuntu
Pandegelang
Labuhan
Rangkasbitung
Saketi
Karawang
Pamanukan
Indramayu
Kandanghaur
Karangampel
Panaitan
Sumur
Tamanjaya
Cibaliung
Malingping
Bogor
G. Gede
Purwakarta
Jatiwangi
Cirebon
Ujung Kulon
Muarabinuangeun
Bayah
Cisolok
Cibadak
Pacet
Cianjur
Bandung
Brebes
Pekalongan
Tegal
Pelabuhanratu
Pasawahan
Sukabumi
Ciwidey
Nagrek
Kuningan
Ciawi
Prupuk
G. Slamet 3428
Dieng Plateau
Genteng
Jampangkulon
Sagaranten
Garut
Tasikmalaya
Ciamis
Banjar
Purbolinggo
Sindangbarang
Cidaun
Salopa
Purwokerto
Kebumen
Purwareja
Pameungpeuk
Cipatujah
Parigi
Cikalong
Cilacap
Kambangan
Ayah
Purworejo
Semarang
G. Ungaran 2050
Bandungan
Temanggung
Magelang
Borobudur
Pawon
Mendut
Progo
Yogyakarta
Parangtritis
G. Merapi 2911
Kartosuro
Prambanan
Salatiga
Jepara
G. Muria 1602
Tayu
Kudus
Demak
Pati
Rembang
Kragan
Lasem
Purwodadi
Gundih
Sragen
Surakarta (Solo)
Wonogiri
Punung
Pacitan
Blora
Ngawen
Cepu
Ngawi
Ponorogo
G. Liman 2563
Madiun
Nganjuk
Tulungagung
Prigi
Popoh
Tuban
Jenu
Solo
Bojonegoro
Lamongan
Gresik
Jombang
Mojokerto
Kertosono
Kediri
Brantas
Blitar
Serang
Ngliyep
Bangkalan
Sapulu
Ketapang
Blega
Sampang
Pamekasan
Ambunten
Sumenep
Rasang
Puteran
Raas
Sapudi
Baluran
Pasuruan
Pujon
Malang
Turen
Sendang
Purwosari
Ngadisar
G. Semeru 3676
Tengger Highlands
Probolinggo
Lumajang
Barung
Situbondo
Bremi
Yang Plateau
Bondowoso
Ijen Plateau
Jember
Puger
Watu Ulo
Meru Betiri
Banyu-wangi
G. Baluran 1275
Genten
Jajag
Sarongan
Banyuwangi Selatan

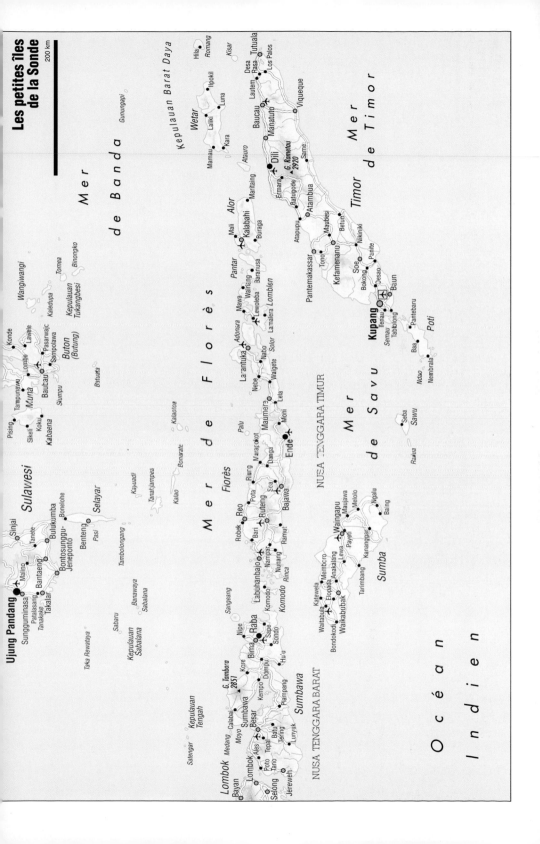

Les petites îles de la Sonde

200 km

Mer de Banda

Mer de Florès

Mer de Savu

Mer de Timor

Océan Indien

Kepulauan Barat Daya
Wetar
Romang
Hila
Kisar
Luna
Ilpokil
Mamau
Liliki
Laliki
Kara
Atauro
Gunungapi
Desa
Rasa
Tutuala
Los Palos
Lautem
Baucau
Manatuto
Dili
Viqueque
G. Ramelau 2970
Same.
Ermera
Batugode
Aileu
Maubisi
Manufahi
Maubara
Atambua
Betun
Nikiniki
Soe
Panite
Desao
Baun
Bokona
Kefamenanu
Tono
Pantemakassar
Atapupu
Mali
Alor
Kalabahi
Buraga
Maritaing
Wairiang
Pantar
Mawa
Adonara
Lewoleba
Baranusa
Lomblen
La'antuka
Waigete
Solor
Lamalera
Kabo
Nebe
Lela
Maumere
Danga
Maracokot
Moni
Ende
Palu
Riung
Eca
Pota
Reo
Bari
Ruteng
Robek
Nampar
Bajawa
Ramut
Nunang
Labuhanbajo
Rinca
Komodo
Sape
Sondo
Bima
Raba
Hu'u
Dompu
Kempo
Kore
G. Tambora 2851
Sumbawa
Sumbawa Besar
Calabai
Medang
Moyo
Plampang
Lunyuk
Jereweh
Taliwang
Seteluk
Batu
Jering
Poto Tano
Tepal
Ales
Lombok
Bayan
Selong

Semau
Kupang
Tenau
Tablolong
Baa
Pantebaru
Poti
Nembrala
Ndao
Raijua
Sawu
Seba

Nusa Tenggara Timur
Nusa Tenggara Barat

Sumba
Waingapu
Melolo
Ngalu
Bang
Maujawa
Kananggar
Lewa
Anakalang
Payeti
Waikabubak
Bondokodi
Katewela
Waitabula
Membro
Elopada
Tarimbang

Sulawesi
Ujung Pandang
Sungguminasa
Sinjai
Malino
Tanete
Bantaeng
Pataisang
Bulukumba
Takalar
Tanakeke
Bontosunggu-Jeneponto
Bonelohe
Benteng
Selayar
Pasi
Tambolongang
Kayuadi
Tanah Jampea
Bonerate
Kalaotoa
Kalao
Kalaotoa
Bituata

Muna
Buton (Butung)
Pising
Tampunang
Sikeli
Lombe
Koku
Kabaena
Siumpu
Bautau
Sampolawa
Pasarwajo
Lawele
Konde
Tomea
Binongko
Kaledupa
Kepulauan Tukangbesi
Wangiwangi

Taka Rewataya
Satengar
Kepulauan Sabalana
Sabaru
Banawaya
Sabalana
Kepulauan Tengah
Sangeang
Nipe

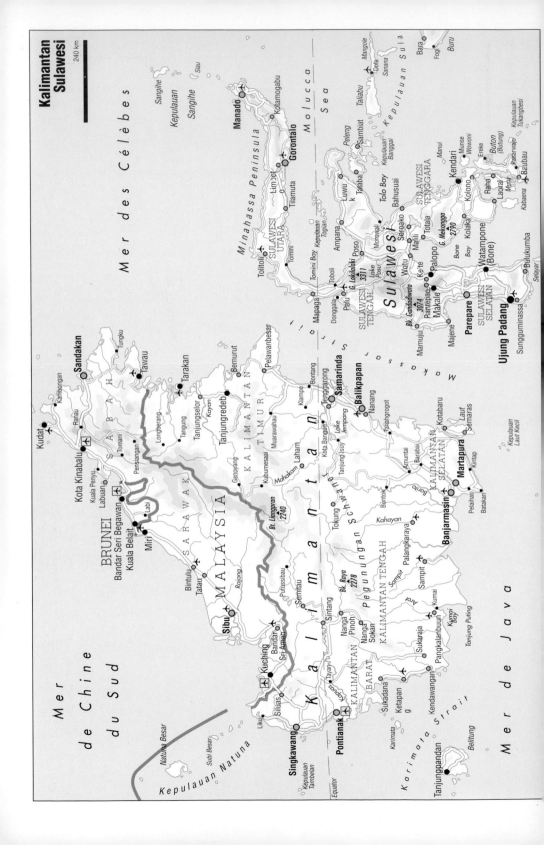

Kalimantan Sulawesi

240 km

Mer des Célèbes

Mer de Chine du Sud

Mer de Java

Molucca Sea

Makassar Strait

Karimata Strait

Kepulauan Natuna

Kepulauan Sangihe

Sangihe

Siau

Bara

Fogi

Buru

Mangole

Dofa

Sanana

Mangole

Taliabu

Kepulauan Sula

Kepulauan Tukangbesi

Manado

Kotamogabu

Gorontalo

Limbot

Tilamuta

Tomini Bay

Kepulauan Togian

Tomini

Paleng

Sambiat

Luwu

Tataba

Kepulauan Banggai

Bahusuai

Seroako

Manui

Munse

Wowoni

Ereke

Batuba

Buton (Butung)

Kendari

Kolono

Raha

Laoral

Muna

Kabaena

Selayar

Bulukumba

SULAWESI UTARA

Minahassa Peninsula

Tolitoli

Dongala

Mapaga

Palu

Toboli

Ampana

Poso

Morowali

SULAWESI TENGAH

Loke Poso

G. Lokiloki 3311

Bk. Gandadiwata 3074

Mamuju

Majene

SULAWESI SELATAN

Parepare

Ujung Padang

Sungguminassa

Sulawesi

Watu

Malili

Totala

Kolaka

Palopo

Ké'te

Rantepao

Makale

Bone

Boy

Bay

G. Mekongga 2790

SULAWESI TENGGARA

Watampone (Bone)

Sandakan

Kunak

Kambangan

Ranau

Tungku

S A B A H

Tawau

Tarakan

Longberang

Tanjungselor

Koyan

Tomani

Pensiangan

Tanjungredeb

Bemurut

Pelawanbesar

Kudat

Kota Kinabalu

Kuala Penyu

Labuan

Tunung

Bemurut

BRUNEI

Bandar Seri Begawan

Kuala Belait

Miri

Labi

S A R A W A K

Bintulu

Tatau

Sibu

Kuching

Bandar Sri Aman

Singkawang

Pontianak

M A L A Y S I A

K A L I M A N T A N T I M U R

Muarawahau

Kubumesaai

Mahakam

Laham

Genoyang

Bk. Liangpran 2240

Samarinda

Tenggarong

Balikpapan

Nanang

Bontang

Klampo

Kota Bangun

Loke Jempang

Tanjung Isuy

Taianhgrogot

KALIMANTAN SELATAN

Martapura

Banjarmasin

Laut Semaras

Laut Kotabaru

Kintap

Batakan

Pelaihari

Amuntai

Barabai

Buntok

Barito

Kahayan

KALIMANTAN TENGAH

Palangkaraya

Sampit

Sompit

Aroi

Kumai

Sukaraja

Pangkalanbuun

Kumai Bay

Tanjung Puting

K A L I M A N T A N B A R A T

Pegunungan Schwaner

Bk. Raya 2278

Tokung

Nanga Pinoh

Nanga Sokan

Sintang

Putussibau

Semitau

Nanga Badau

Sukadana

Ketapang

Kendawangan

Tayan

Sanggau

Sandan

Tanjungpandan

Belitung

Karimata

Kepulauan Laut Kecil

Kepulauan Tambelan

Natuna Besar

Subi Besar

Kepulauan Natuna

Equator

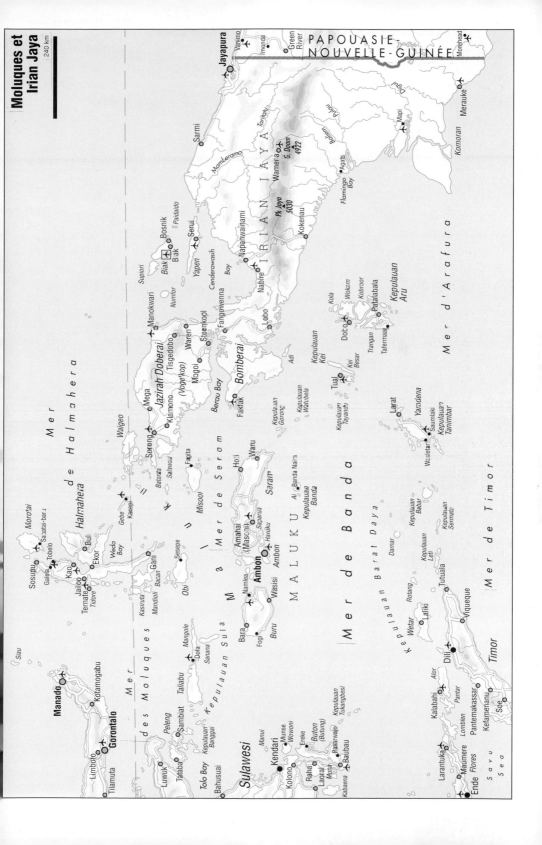

Moluques et Irian Jaya

240 km

PAPOUASIE-
NOUVELLE-GUINÉE

Green River
Imonda
Vanimo
Jayapura
Morehead
Mapi
Merauke
Komoran
Digul
Pulau
Bian
Agats
Flamingo Boy
Kokenau
Pk Jaya 5030
Mapnwaihami
Warnera G. Daam 4922
Paidaido
Bosnik
B'ak
Blak
Serui
Yapen
Numfor
Cenderawasih
Boy
I R I A N   J A Y A
Nabire
Lobo
Fangowenna
Nappanwaihami
Supiori
Manokwari
Mega
Klamono
Tisgedobo
(Vogelkop)
Waren
Maqoi
Steenkool
Jazirah Doberai
Berau Boy
Bomberai
Fakfak
Adi
Sarmi
Mamberamo
Tarftapu
Botleri
Pulau
Patalabala
Kepulauan
Aru
Wokam
Kobroor
Trangan
Tatermaal
Kola
Doto
Kepulauan
Kei
Kei Besar
Tual
Kepulauan
Gorong
Kepulauan
Watubela
Kepulauan
Banda
Ai Banda Naira
Banda
Larat
Yamdena
Saumlaki
Kepulauan
Tayandu
Kepulauan
Tanimbar
Wealetar
Mer d'Arafura

Mer de Halmahera
Morotai
Sa-atai-ba-ı
Sosupu
Galela
Tobelo
Kao
Jailoo
Ternate
Tidore
Bul
Ekor
Weda Boy
Gani
Bacan
Kasiruta
Mandioli
Obi
Sesepe
Gebe
Kaoepi
Waigeo
Batanta
Salawaï
Misool
Sorong
Fuita
Klamono
H a l m a h e r a

Mer
des
Moluques
Siau
Tilamuta
Limboto
Kotamogabu
Manado
Gorontalo
Luwuk
Tataba
Peleng
Sambiat
Taliabu
Mangole
Dofa
Sanana
Kepulauan Banggai
Kepulauan Sula
Kepulauan
Tukangbesi
Bahusuai
Tolo Boy
Kolono
Ereke
Munse
Wowoni
Pasarwajo
Raha
Laoral
Muna
Kabaena
Baubau
Button (Butung)
Kendari
Manui
Sulawesi

Mer de Seram
Waru
Hoi
Sanana
Amahai (Masoh)
Sapanua
Haruku
Ambon
Ambon
Namlea
Wasisi
Bara
Fogi
Buru
Seram
M A L U K U
Mer de Banda

Kepulauan Barat Daya
Kepulauan Babar
Kepulauan Leti
Damar
Kepulauan Sermatz
Rotang
Wetar
Ialiki
Tutuala
Viqueque
Dili
Alor
Pantar
Kalabahi
Lomblen
Pantemakassar
Kefamenahu
Soe
Larantuka
Maumere
Ende
Flores
Timor
Mer de Timor
Savu Sea

SUMATRA

Il y a plus de mille ans, l'île de Sumatra était le siège d'un grand empire commerçant : le royaume de Srivijaya, dont la capitale se trouvait aux environs de l'actuelle Palembang. Sumatra était alors un point de passage entre l'Inde, le Moyen-Orient et l'Europe d'une part, et l'Extrême-Orient d'autre part, en particulier lorsque le commerce des épices était la grande affaire des puissances coloniales.

Troisième île de l'archipel par la taille (à peu près celle de la Suède), Sumatra est le territoire le plus important d'Indonésie. De tous les points de vue – aussi bien stratégique, économique que politique – Sumatra a toujours été l'épine dorsale de la nation. Seconde île d'Indonésie par la population (30 millions d'habitants), elle est la première par les exportations : pétrole, gaz naturel, caoutchouc, huile de palme, mais aussi tabac, thé, café et bois. Elle est aussi la troisième destination touristique du pays, après Bali et Java.

Sumatra est formée d'une longue chaîne de montagnes, parmi lesquelles un grand nombre sont des volcans. Il y en a 90, dont 15 sont en activité. Au contraire de ceux de Bali et de Java, ces derniers rejettent des matériaux acides qui n'améliorent pas la fertilité des sols. Les éruptions et les tremblements de terre sont fréquents et parfois redoutables.

C'est vers 1880 qu'on a découvert du pétrole dans cette région, qui a conduit à la fondation de la Royal Dutch Shell. On a découvert d'autres gisements le long de la côte orientale, et Sumatra extrait les trois quarts du pétrole du pays, ce dont profitent les villes côtières : Medan, Pekanbaru, Jambi et Palembang. Dans d'autres régions côtières subsistent la pêche, le cabotage et le commerce traditionnels.

Sumatra continue d'être symbole d'exotisme, qu'il s'agisse d'Aceh, ville rebelle, et des tribus bataks, sans oublier le tigre de Sumatra. Éclipsée aux yeux de beaucoup par Java, Sumatra n'en est que plus tranquille sans en être moins intéressante.

Et, ce qui n'est pas un mince avantage, elle se trouve en outre à deux petites heures de bateau de Singapour, de l'autre côté du détroit de Malacca.

Pages précédentes : le sourire lumineux d'une marchande de chapeaux. Ci-contre : pêcheur sur le lac Toba.

MEDAN ET ACEH

Dès le VIIe siècle apr. J.-C., la côte sud-est de Sumatra était le siège de l'un des plus grands empires commerciaux d'Asie du Sud-Est, le royaume boud-dhique de Sriwijaya, dont la capitale occupait le site de l'actuelle Palem-bang. Sriwijaya, pauvre en terres arables, prospéra d'abord en contrô-lant le flux des bateaux et des mar-chandises qui empruntaient les détroits de la Sonde et de Malacca, passages obligés entre le Pacifique et l'océan Indien.

Sriwijaya commanda ces détroits pendant sept siècles. En 1377, il fut terrassé par l'empire javanais de Mojopahit, victoire qui marqua le début de l'expansion de l'islam dans l'île. A la fin du XVIe siècle, la région côtière du Nord devint la patrie du puissant sultanat d'Aceh.

On distingue néanmoins deux grands groupes ethniques parmi les habitants de Sumatra, les Minangkabaus et les Bataks, et quelques groupes minori-taires, comme les Gayos, les Alas, les Kubus, les Kerincis, les Rejangs, les Lampungs, les Mentawis, les Engga-nos, les Acihais, et les Malais du litto-ral oriental.

L'île est divisée en huit provinces : Aceh, Sumatra-Nord, Sumatra-Ouest, Riau, Jambi, Bengkulu, Sumatra-Sud et Lampung. Ces unités administra-tives englobent souvent des îles plus petites. Ainsi, la province orientale de Riau comprend non seulement l'archi-pel de Riau, qui s'étire jusqu'au sud-ouest de Singapour, mais aussi les îles, riches en pétrole, d'Anambas et de Natuna, situées entre la péninsule malaise et Bornéo. De même, la pro-vince de Sumatra-Sud comprend deux îles productrices d'étain, Bangka et Belitung, qui, fournissent à elles seules près de 20 % de la production mon-diale de ce métal.

La capitale du Nord

Medan, ancienne banlieue maréca-geuse d'un sultanat mineur, est aujour-d'hui une métropole qui compte plus de 2,5 millions d'habitants. Promue au rang de port de commerce par les Hollandais après la prise du sultanat de Deli en 1872, elle fut faite capitale régionale en 1886.

Medan a conservé de nombreux bâtiments intéressants de l'époque coloniale. Pour la plupart, ils se trou-vent dans le vieux quartier de Polonia et sur Jalan Jendral Yani, aux abords de la **place Merdeka** : le monument Art déco de la poste centrale, la **fon-taine Nienhuys**, érigée en l'honneur du pionnier du tabac à Sumatra, l'an-cien **Witte Societet** (l'actuelle banque Negara), l'**hôtel de Boer** (aujourd'hui Dharma Deli Hotel), concurrent du Raffles de Singapour, le **Grand Hotel Medan** (devenu le Granada Medan) et les bureaux de **Harrison & Crossfield** (siège de la société P. T. London Sumatra Indonesia). Cette rue est aussi bordée de magasins chinois, qui vendent absolument de tout.

Medan, qui reste une cité commer-çante, compte de nombreux marchés.

A gauche, lumière matinale sur le lac Toba ; à droite, foule assistant à un défilé dans Medan.

Les plus grands sont les **Pasar Kampung Keling**, **Ramas** et **Hongkong**, ainsi que le très haut en couleur **marché central**.

A l'extrémité sud de la plus longue rue de Medan, Jalan Sisingamangaraja, s'élève la massive **grande mosquée** (Masjid Raya), construite en 1906 dans un style néo-baroque.

En face, l'**Istana Maimun**, palais du sultan, fut construit en 1888 par un architecte hollandais qui importa les marbres d'Italie et les meubles de Paris. La bâtisse sert toujours de résidence aux descendants du sultan, mais sa partie centrale est ouverte au public. On peut y voir des souvenirs de l'époque coloniale (des meubles, des portraits, des costumes) et des armes anciennes.

Une cité cosmopolite

Le vieux quartier européen, avec ses larges avenues plantées d'arbres et flanquées d'immenses villas coloniales, s'étend sur la rive occidentale du Deli. La Jalan Diponegoro a conservé une église protestante bâtie en 1921.

Le **Vihara Gunung Timur**, qui est le plus grand temple chinois d'Indonésie, attend d'autres fidèles sur Jalan Hang Tua.

Si bouddhistes et taoïstes y prient de concert, le **Vihara Borobudur**, à côté de l'hôtel Danau Toba, est fréquenté exclusivement par des fidèles bouddhistes.

Un temple hindou, **Sri Mariaman**, quelque peu en retrait de Jalan Arifin, est le centre spirituel de l'importante communauté indienne de Medan.

Une visite au **musée de Sumatra-Nord** (Musium Sumatera Utara) permet de se familiariser avec les tribus qui peuplent la province.

Les amateurs d'architecture hollywoodienne visiteront, eux, le quartier résidentiel chinois au luxe ostentatoire qui se déploie autour de la Jalan Subrapto.

Le zoo **Margasatwa**, sur la route de Deli Tua, donne un aperçu bref et bien

A gauche, le marché aux fruits à Brastagi; à droite, la grande mosquée à Medan.

peu réjouissant de la faune sumatranaise.

A 8 km au sud de Medan, le village
d'**Asam Kumbang** abrite une ferme de
crocodiles qui peut justifier un petit
détour.

En revanche, et à moins de s'intéresser particulièrement aux ports, on
peut se dispenser d'aller voir celui de
Belawan, à 25 km au nord de Medan,
sur l'embouchure du Deli. Le port de
Belawan, le troisième du pays, a été
pour la plus grande part réalisé avec
des compétences et des capitaux.
étrangers.

A **Bohorok**, à 97 km à l'ouest, peu
après la ville de **Binjai** (célèbre pour
ses fruits, notamment ses ramboutans
et ses durions), on peut visiter le
« centre de réinsertion » des orangs-
outangs (singes dont le nom veut dire,
à la lettre, « hommes de la forêt ») du
Fonds mondial pour la nature (World
Wildlife Fund), où l'on adapte les
singes nés en captivité à leur cadre de
vie naturel avant de les remettre en
liberté.

Ignorée de la plupart des touristes, la province d'Aceh est pourtant un fantastique terrain d'aventures.

Aceh la rebelle

Aceh, province située à l'extrême
nord-est de Sumatra, a toujours été le
premier point de contact de l'archipel
avec les influences extérieures. Dès les
premiers siècles de notre ère, c'est certainement par là que l'hindouisme,
puis le bouddhisme, firent leur entrée
dans l'archipel. Et c'est dans cette
pointe nord de la grande île que, à la
fin du XIIIe siècle, les premiers États
islamisés, les sultanats, virent le jour.

Le sultanat d'Aceh connut son âge
d'or sous le règne d'Iskandar Muda
(1604-1636), qui étendit brièvement
son influence jusqu'à la péninsule
malaise. Les siècles suivants furent
marqués par la résistance active à la
colonisation hollandaise comme par
une vive activité commerciale.

Les Hollandais déclarèrent la guerre
à Aceh en 1873, et il fallut 10 000
hommes et d'âpres combats pour
vaincre le sultan et prendre la capitale,
Banda Aceh. Loin de s'avouer vain-
cus, les Acihais se lancèrent alors dans

une guérilla aux accents de *djihad* («guerre sainte») dans l'espoir de chasser les infidèles bataves. Écrasée en 1878, la rébellion reprit quelques années plus tard et s'étendit à l'intérieur du pays, sur les territoires tribaux des Gayos, où le commerce du poivre permettait aux rebelles de financer l'achat d'armes. Les Hollandais mirent sur pied une milice contre-révolutionnaire indigène. Malgré la défaillance du chef local Tangku Omar, qui se rangea aux côtés des Acihais, une paix relative fut rétablie en 1903. Mais les Hollandais maintinrent d'importantes garnisons jusqu'à l'invasion japonaise de 1942.

En reconnaissance de sa résistance à l'invasion, et dans le but de faire oublier les velléités autonomistes, Aceh obtint à l'indépendance le statut de district autonome. Mais la rébellion en faveur de l'indépendance d'un territoire à la fois riche en pétrole et en gaz et attaché à un islam « traditionnel » reprit à partir des années 80 et l'armée indonésienne mena pendant vingt ans une très sévère répression, qui fit près

de 5 000 morts. En 2000, malgré l'opposition de l'armée, Gus Dur se montra prêt à accorder une large autonomie à la province mais les interventions militaires reprirent en mars 2001. Certaines concessions ont aussi été faites, comme l'application de la *sharia*, en mars 2002. Il est plus qu'impératif de se renseigner sur la situation avant de s'y rendre.

Entre volcans et plantations

Si la Transsumatranaise, qui suit la côte est d'Aceh, est la meilleure route de l'île, elle est monotone et encombrée. Mieux vaut donc, pour rejoindre le nord de l'île, emprunter l'axe qui longe la vallée d'Alas et traverse la réserve du mont Leuser (on descend alors vers le sud avant de repartir plein nord).

En partant de Medan, le premier site digne d'intérêt est **Brastagi**, ancienne station climatique coloniale perchée dans les collines et centre maraîcher et horticole. Les Hollandais y ont laissé des auberges, des villas et un hôtel colossal, le **Bukit Kubu**.

Officiers hollandais sur un champ de bataille pendant la guerre d'Aceh.

On peut visiter les villages karo bataks des environs, avec leurs pavillons communautaires en bois, et faire, après avoir traversé des rizières, l'ascension du **volcan Sibayak**, par un sentier qui mène jusqu'au lac de cratère. Cette excursion assez facile exige quatre heures de marche (il faut partir tôt le matin pour profiter de la vue avant qu'un voile de brouillard ne recouvre le paysage).

L'étape suivante, **Kabanjahe**, est à mi-distance de la province d'Aceh et du lac Toba. Sur ces terres volcaniques poussent des palmiers à huile, des hévéas, des théiers et des caféiers.

A proximité, on peut visiter les villages karo bataks de **Barus Jahe** et de **Lingga**, et aller voir les chutes de **Sikulap** et **Sipisopiso**, au bord du lac.

Villages le long de la rivière

Le pays gayo alas commence à **Kutacane**, à 110 km au nord de Kabanjahe. Apparentées aux Bataks, ces tribus montagnardes devinrent au XVIIᵉ siècle les vassales du sultanat d'Aceh, lequel les obligea à se convertir à l'islam et mena une véritable guerre de religion contre leurs pratiques animistes. Mais les Orang Lingga, qui vivent dans des régions très reculées, ont conservé croyances et pratiques ancestrales : sacrifices de buffles et de volailles, offrandes de fruits et de légumes aux esprits des arbres, des rochers, des montagnes, des lacs et des rivières pour maintenir l'harmonie originelle.

Première étape, Kutacane s'étire au bord de l'Alas, rivière qui coule en fond de vallée. Le site occupé par ce gros bourg marchand est impressionnant : au milieu des rizières et des cocoteraies, sous une ceinture de montagnes couvertes d'une jungle impénétrable. Dans la rue principale, où les autocars s'arrêtent, de nombreuses petites échoppes permettent de se ravitailler.

La route étroite remonte ensuite la vallée. Elle traverse une jungle très dense et longe la réserve naturelle du mont Leuser, qui s'étend des versants

La cascade de Sipisopiso.

du **Gunung Leuser** (3 466 m) à la côte ouest.

A la lisière du parc du mont Leuser, à 80 km de Kutacane, les « grandes maisons » gayos et alas qui forment le beau village de **Blangkejeren** sont fort anciennes. Longues et basses, elles abritent une soixantaine de personnes appartenant à plusieurs familles supposées descendre d'un ancêtre mâle commun. D'une manière générale, les maisons des villages acihais traditionnels adoptent une forme rectangulaire et reposent sur de solides pilotis en bois. Un trou percé dans la toiture, faite de palmes ou de chaume de riz, laisse s'échapper la fumée du foyer.

Ces villages, toujours environnés de rizières et de cocoteraies, disposent d'une mosquée et d'une *balairong* (maison communautaire). Lieu de réunion pendant la journée, celle-ci, la nuit, abrite les hommes célibataires, les garçons pubères et les hôtes de passage. Fait à noter : alors que le système social en pays Aceh est patriarcal, l'habitat est matriarcal. L'homme qui se marie va ainsi habiter avec la famille de sa femme, pratique en contradiction avec les usages musulmans, mais non avec l'*adat*, le droit coutumier local.

Une route construite par des forçats sous l'occupation japonaise relie Blangkejeren à **Takengon** (100 km environ).

« Capitale » du pays gayo, Takengon est bâtie sur les berges du **Danau Tawar**, lac de 25 km de long. Les indigènes, qui ne s'y baignent jamais de crainte d'être emportés par quelque monstre aquatique, préfèrent les bains publics et les sources chaudes de **Kampung Balik**.

A 80 km, la ville de **Bireuen**, dans la plaine côtière, est la principale place marchande gayo pour le café, la cannelle, le clou de girofle et le tabac.

Sigli, sur la côte nord

Sigli, sur l'estuaire de deux fleuves, le Krong Baru et le Krong Tuka (à 110 km de Bireuen), s'appelait jadis

A gauche, père et fils chevaucher fièrement une mobylette japonaise ; à droite, pour les mariages, on arbore les costume traditionnel d'Aceh.

Padri et était l'un des principaux ports d'où les pèlerins d'Aceh s'embarquaient pour La Mecque.

Ici débuta, en 1804, la terrible guerre dite « de Padri ». La ville a été détruite, mais il reste quelques vestiges de l'ancien *kraton* (« palais »), à la périphérie de la ville, sur la route de Banda Aceh, et de la tombe du sultan Maarif Syah, premier sultan musulman d'Aceh, mort en 1511, à Kampung Kibet.

Érigée sur les cendres de Padri, Sigli devint une étape importante sur la ligne de chemin de fer, aujourd'hui désaffectée, construite par les Hollandais. Résultat : la plus grande curiosité locale n'est autre que la **gare**, bâtiment colonial tout en bois laissé à l'abandon. Mais la douceur du climat de cette petite ville invite à une halte. On peut flâner le long de la promenade en bord de mer, entre le kiosque à musique et les ruines de l'ancienne capitainerie, ou sous les frangipaniers qui embaument les trois cimetières (musulman, européen et chinois) aux tombes semées sous les cocotiers.

La grande mosquée de Banda Aceh.

Bandah Aceh la musulmane

Banda Aceh, capitale de la province, est sise à l'embouchure de deux fleuves, le Krong Aceh et le Krong Daroy. La ville, bien agencée et très propre, ne figure pourtant dans aucun circuit touristique. C'est la solide réputation d'intégrisme musulman qui colle à ses habitants, traduite par l'application de la *sharia*, en mars 2002, qui explique cette mise à l'écart. Depuis les émeutes de janvier 2000, qui ont fait 400 morts, et la reprise des combats, il est rigoureusement déconseillé de se rendre à Banda Aceh.

Bien que le palais du sultan et la grande mosquée aient été détruits au moment de l'invasion hollandaise de 1874, on peut encore y voir de nombreux vestiges d'un glorieux passé. Ainsi, sur Jalan Tengku Umar s'élève le **Gunungan**, palais qu'Iskandar Muda (ou bien son fils) fit construire au début du XVIIe siècle, ainsi que les bains royaux de la même époque.

Les tombes d'une douzaine de sultans des XVᵉ et XVIᵉ siècles jalonnent Jalan Kraton.

Sur Jalan Mansur Shah, d'autres tombeaux royaux (parmi lesquels celui d'Iskandar Muda) entourent le **musée Rumah Aceh Awe Gentah**. Cette ancienne demeure aristocratique renferme une belle collection de kriss, d'étoffes et de bijoux.

Les non-musulmans peuvent pénétrer en dehors des heures de prières dans la **grande mosquée** (Masjid Raya), édifice tout blanc coiffé de coupoles noires, qui date de 1879. Le marché et le quartier chinois s'étendent à l'ouest de cette mosquée, le long de Jalan Perdagangan.

A proximité, la **place Penayung** concentre tout ce que Banda Aceh compte de vie nocturne. Familles et groupes de jeunes viennent s'y asseoir en fin de journée pour bavarder en commandant à boire ou à dîner aux *warung* et aux échoppes alentour.

Kampung Kuala Aceh, village voisin de Banda Aceh et lieu de pèlerinage, attire des musulmans de toute l'île. Ils viennent se recueillir devant la tombe de Tungku Sheikh Shah Kuala (1615-1693). Ce saint homme, qui traduisit le Coran en malais et rédigea de nombreux ouvrages religieux, repose dans un site fort agréable, sous les manguiers et face à la mer.

En quittant Banda Aceh

Les amoureux de routes côtières prendront celle qui quitte Banda Aceh vers l'ouest pour mener aux plages de **Lohong**, **Lampuk** et **Lhoknga** (environ 20 km). Fort belles, les plages du coin n'offrent malheureusement pas la moindre possibilité de baignade. Les eaux de l'océan Indien déferlent avec une telle violence sur cette partie du littoral, et le ressac est si puissant, qu'il est difficile de se tenir debout, même là où l'on a pied.

A une cinquantaine de kilomètres plus au sud et un peu en retrait de la côte, **Lamno**, village dont les habitants prétendent descendre de Portugais qui

Sourires offerts au touriste.

firent naufrage ici il y a trois siècles, peut faire l'objet d'un crochet.

Banda Aceh n'est pas la « dernière frontière » de l'Indonésie. Cette distinction revient à **Pulau Weh**, petite île que l'on gagne en avion ou en bac à partir de la capitale provinciale.

La ville principale de l'île, **Sabang**, est un port franc qui respire un parfum d'aventure : on peut ici embarquer pour Calcutta, Malacca et Singapour, et cette île est connue pour ses eaux cristallines et son côté désuet.

Le lac Toba, cœur du pays batak

Le **lac Toba** est sans doute le plus beau site de Sumatra. A 160 km au sud de Medan et à 1 000 m d'altitude, ce lac de cratère a les dimensions d'une mer intérieure : long de 90 km, il s'étend sur 800 km² (presque autant que la mer Morte et une fois et demi le lac Léman) et occupe une immense caldeira de 2 100 km². En son centre, l'île luxuriante de Samosir a ses eaux bleu-vert pour écrin.

Le lac Toba est le berceau mythique du peuple batak, dont plus de 3 millions de représentants habitent dans les montagnes des environs. Chacune des sept tribus principales – Karo, Pakpak, Dairi, Toba, Mandailing, Simalungun et Angkola – a sa langue et ses coutumes propres. En fait partie le culte rendu aux ancêtres autour de ces sanctuaires que sont les nombreux mégalithes érigés dans les villages.

Les peuples bataks seraient venus des contreforts de l'Himalaya, du nord de la Birmanie et de Thaïlande il y a mille cinq cents ans. On pense que c'est en raison des similitudes qu'elles présentent avec leurs régions d'origine qu'ils ont élu domicile dans ces hautes terres du centre de Sumatra. Les contacts avec les populations du littoral les ont amenés à cultiver le riz, comme à opter pour la charrue et le buffle d'eau.

Bien que leurs voisins minangkabaus et acihais aient embrassé l'islam depuis longtemps, les Bataks restèrent animistes (et cannibales) jusqu'au

Course cycliste dans la palmeraie.

milieu du XIXe siècle, époque à laquelle les missionnaires allemands et hollandais en convertirent un grand nombre au christianisme. Toutefois, les Bataks du Nord restent animistes, alors que ceux du Sud, en particulier les Mandailings, sont musulmans. Néanmoins, les sculptures de pierre figurant les ancêtres parsèment toujours et partout les cimetières, et même les prêtres consultent encore les tablettes astrologiques avant de prendre une décision importante.

Un système clanique

Les Bataks vivent en clans (*marga*) qui rassemblent plusieurs communautés issues d'un même ancêtre, selon des modèles variables : à l'origine peuvent ainsi se trouver un père ou une mère, ou bien des conjoints, voire des enfants, de ces grands ancêtres. Issus en droite ligne de cette structure première, des liens de parenté très hiérarchisés régissent toute la vie sociale. L'arbre généalogique d'une famille

batak doit ainsi remonter à cinq siècles au moins. Précieusement conservé, il fixe la position de chacun au sein du clan et régit les relations, notamment lors des cérémonies. Les descendants des prisonniers ou des esclaves prennent place à la périphérie de ces réseaux.

A l'origine, les villages bataks (*huta*) étaient protégés par un épais rempart de bambou – témoignage d'un passé belliqueux. A l'intérieur de cette enceinte, le village s'organise autour d'une place où se dresse la maison du chef, la plus imposante. Elle sert à l'occasion de lieu de réunion et de cour de justice. Les maisons traditionnelles sont de longues bâtisses construites sur pilotis, afin d'éviter les inondations, et surmontées d'un toit à deux pentes à la charpente en bambou et à la couverture en chaume de riz ou en palmes. Ce toit est relevé aux extrémités et les pignons sont décorés de mosaïques et de sculptures votives. Aujourd'hui, la tôle ondulée remplace bien souvent le chaume. Ces maisons abritent plusieurs familles, chacune ayant un espace réservé de part et d'autre d'un couloir central.

De Medan au lac Toba

La grand-route qui va de Medan au lac Toba longe la côte pendant 80 km avant de s'enfoncer à l'intérieur des terres, près de Tebingtinggi. En chemin, elle croise des routes secondaires qui mènent à des plages désertes, comme celles de **Pantaicermin** ou **Sialangbuah**.

La route grimpe ensuite jusqu'à **Pematangsiantar** (à 128 km de Medan). Cette grosse ville installée dans la fraîcheur des collines est spécialisée dans l'hévéa et le palmier à huile, qui sont les deux grandes cultures de rapport de Sumatra. Le **musée Simalungun**, sur Jalan Sudirman, présente de nombreux échantillons d'artisanat batak, dont de remarquables sculptures sur bois.

Prapat, gros village sur la rive orientale du lac Toba, 50 km plus loin, est apprécié depuis l'époque coloniale pour son climat et pour son calme. Un

Saignée de l'hévéa.

joli marché odorant et coloré s'y tient tous les samedis et divers équipements touristiques (hôtels, golf, ski nautique) en ont fait le principal centre de récréation de la région.

Une autre route relie Medan à Prapat en passant par **Brastagi** et les **monts Karo Batak** avant d'atteindre **Kabanjahe**, au nord du lac, d'où l'on jouit d'un panorama grandiose sur la vallée de Tongging et sur les chutes de Sipisopiso, qui alimentent le lac Toba.

Au bord du lac, entre Kabanjahe et Prapat, la visite du **palais de Simalungun**, à la sortie de **Pematang Purba**, s'impose, surtout à cause des artistes qui s'y produisent. La route longe ensuite la rive orientale du lac jusqu'à Prapat.

Le lac Toba et l'île de Samosir

Ambarita, un village sur l'île de Samosir.

Le **lac Toba** fut formé il y a plusieurs millénaires par une énorme éruption volcanique. Il est entouré de montagnes et de collines couvertes de pins et de rizières en terrasses. Le climat y est doux, parfois pluvieux, mais jamais oppressant. Bref, c'est un vrai lieu de villégiature.

Au centre du lac, la grande **île de Samosir** (1 055 km²) est l'endroit idéal pour apprécier la beauté et le calme du lieu. D'autant qu'on y compte une bonne cinquantaine d'hôtels et de *losmen*. Éparpillés entre Tomok, Ambarita et la péninsule de Tuk Tuk, ils ont le bon goût de n'altérer en rien le paysage, leurs propriétaires les ayant construits dans le style local.

Une seule route carrossable fait le tour de l'île ; mais, les véhicules étant rares, il vaut mieux la découvrir à pied, à moins de participer à une visite organisée par l'un des hôtels de Prapat ou de louer une mobylette (il faut bien marchander le prix à l'avance). Pour ce qui est de l'accès, pas d'inquiétude : des bateaux font la navette entre Prapat et Samosir.

Tomok, sur la côte est, est l'un des hauts lieux de la culture batak. C'est en effet ici que se serait établi le mythique roi Sidabuta, le père de tous

les Bataks. Son tombeau est la principale curiosité de ce village. En forme de bateau et peint d'un rouge sang éclatant, il semble en effet doté d'un étrange pouvoir.

Confié à la garde d'un vieil aristocrate, un petit **musée** a pris place dans la maison royale voisine. Autre attrait du lieu : la ruelle qui part de la jetée et qui déborde d'échoppes à souvenirs, *ulos kain* (étoffes), mandolines à deux cordes, sculptures sur bois, calendriers bataks, etc.

Tomok a malheureusement perdu de son authenticité ces dernières années à cause de l'augmentation de la fréquentation touristique.

Premier pôle d'hébergement hôtelier de l'île de Samosir, la péninsule de **Tuk Tuk** (qui compte pas moins d'une cinquantaine de *losmen* !) et le village du même nom jouissent d'une très belle situation sur le lac Toba. On peut y visiter le nouveau pavillon communautaire (et y assister à des danses) ainsi que quelques maisons traditionnelles.

Sur les traces de la culture batak

A une heure de marche de Tuk Tuk (à 5 km au nord), **Ambarita** a, en revanche, conservé son cachet : son mur d'enceinte, ses maisons traditionnelles, avec leurs décorations et leur toit en chaume, et, en prime, trois superbes ensembles mégalithiques. Le premier regroupe des sièges en pierre tricentenaires et la tombe de Laga Siallagan, premier rajah du lieu. Lorsqu'un ennemi était capturé, les rajahs du voisinage étaient conviés à se réunir dans le village. Ils se déplaçaient ensuite vers le deuxième bloc de mégalithes, sur des fauteuils en pierre où ces chefs tribaux décidaient du sort du prisonnier et rendaient la justice. Ce « tribunal » fait à présent partie de la grande cour du village, et il côtoie un tumulus où les animistes viennent se recueillir. Le troisième ensemble mégalithique, non loin de là, comprend une dalle sur laquelle les prisonniers étaient torturés puis exécutés.

Simanindo, à la pointe nord de l'île (à 20 km de Tuk Tuk), est plus facile d'accès en bateau qu'à pied. On pénètre dans ce village par un passage étroit pratiqué dans un mur d'enceinte de 3 m d'épaisseur, qui donne sur la place principale.

Parmi la double rangée de belles maisons et de greniers à riz qui bordent cette place se détache la demeure royale. Elle est facile à reconnaître aux motifs rouge et noir et aux cornes de buffles qui la décorent. Restaurée, elle abrite à présent un musée ethnographique. Dans la deuxième cour, ceinte de superbes maisons, des danses traditionnelles ont lieu tous les matins.

Dans un bâtiment adjacent, on peut voir de belles barges royales, en bon état de conservation.

Au large de **Simanindo**, la petite **île de Tao** et ses bungalows sont un refuge idéal pour ceux qui trouveraient l'ambiance de Samosir trop trépidante.

On peut se rendre à **PanguruRan** (à 40 km de Tuk Tuk) pour prendre un bain d'eau chaude sulfurée.

A gauche, scène de vi à Medan ; à droite, détail d'un toit typique de la régio du lac Toba.

SUMATRA-OUEST ET L'ILE DE NIAS

Si le nord de la grande île est le pays des Bataks et des Acihais, la province de Sumatra-Ouest est celui des Minangkabaus. En dépit d'une adhésion profonde et déjà ancienne (elle remonte au xve siècle) à l'islam, ce peuple se caractérise par une culture propre bien vivante. Une architecture traditionnelle d'une grande élégance, à l'origine de demeures reconnaissables à leurs toits élancés, un mode de vie encore largement communautaire, un artisanat très riche : de nombreux traits rendent compte de cette originalité minangkabau. Autre puissant particularisme, surtout en terre d'islam : les Minangkabaus restent en grande partie organisés en clans qui forment autant de sociétés à la fois matriarcales et matrilinéaires. C'est le groupe humain de ce type le plus nombreux.

Aujourd'hui encore, les adultes des deux sexes restent attachés toute leur vie à leur *rumah* (maison) maternelle, tandis que les enfants résident chez leur mère ou chez l'oncle maternel. Et, alors que le droit islamique des successions favorise les hommes, les biens et le nom se transmettent par les femmes.

Même la légitimité du pouvoir provient des femmes. Le mari, qui n'a que peu d'influence dans la maison de sa femme, devra hériter de sa mère pour exercer une certaine autorité, voire devenir le chef d'un des clans (*pangulu*). Ce chef – qui peut aussi recevoir son statut d'un frère ou d'un oncle maternel – règle tous les litiges (fonciers, rituels, conjugaux) du clan.

Ces clans comprennent les Melayus, les Tanjungs, les Chaniagos et les Jambaks, auxquels s'ajoutent une multitude de sous-clans localement autonomes, dont certains ont rejeté les coutumes tribales. D'après la tradition, les Minangkabaus doivent leur nom à une victoire (*menang*) remportée par un buffle d'eau (*kerbau*) sumatranais lors d'un duel avec un congé-

nère javanais. Les Sumatranais firent jeûner leur bufflon pendant les dix jours précédant l'affrontement et lui attachèrent aux cornes des lames acérées. Lors du combat, l'animal affamé prit le flanc de son adversaire pour celui de sa mère et se jeta sur lui, le blessant mortellement. Depuis, le buffle est l'emblème des Minangkabaus.

Les hautes terres minangkabaus

Depuis le lac Toba, la Transsumatranaise, qui rejoint le sud de l'île en longeant les monts Barisan, traverse les plateaux minangkabau.

A 73 km au sud de Prapat, dans la région des Bataks Mandailings, la ville portuaire de **Sibolga** est l'un des deux points d'embarquement pour l'île de Nias, avec Padang, le grand port de Sumatra-Ouest.

Padangsidempuan (à 90 km de Sibolga), est réputée pour ses succulents *salak*, fruits à l'écorce écailleuse. Les amateurs de temples perdus dans

A gauche, mariée de Palembang ; à droite, la tour d'horloge de Bukittinggi.

la jungle feront un crochet de 150 km (aller et retour) pour arpenter les ruines de **Padanglawas**, à 15 km à l'est de la bourgade de **Gunung Tua**. Édifices de briques rouges perdus dans l'immensité végétale, pas moins de 40 temples hindous des XIᵉ et XIIᵉ siècles y attendent le visiteur dans une ambiance mystérieuse à souhait. Quatre de ces constructions sont bien conservées, les autres sont restaurées. Des fragments de sculptures et d'autres vestiges archéologiques parsèment ce site peu visité.

De Padangsidempuan, la route serpente au fond d'une vallée fluviale et mène à **Hutanopan** (114 km), dernière grosse localité de Sumatra-Nord. La Transsumatranaise s'élève ensuite jusqu'à **Muarasipongi** pour descendre de ce village d'altitude dans une autre vallée et ainsi pénétrer dans Sumatra-Ouest. Les hautes terres du pays minangkabau ne commencent vraiment qu'un peu plus loin, dans la bourgade de **Lubuksikaping** (à 100 km de Hutanopan).

A 20 km plus au sud, à **Bonjol**, la grand-route croise l'équateur, comme le signalent un globe terrestre et un écriteau. C'est sous cette latitude que l'île de Sumatra atteint sa plus grande largeur. La luxuriance de la végétation témoigne de l'abondance des pluies. Bonjol a abrité au XIXᵉ siècle les quartiers généraux du chef Tunku Imam Bonjol, âme d'une rébellion sanglante contre les Hollandais.

Bukittinggi, villégiature sereine

Perchée sur une colline à 920 m d'altitude, sous un dais de volcans, **Bukittinggi** (60 000 habitants) est la capitale du pays minangkabau. A 77 km de Lubuksikaping, 380 km de Sibolga et 555 km du lac Toba, ce centre commerçant a conservé tout le charme des anciennes cités coloniales, ses collines la protégeant d'une urbanisation excessive. Des bâtiments administratifs, un musée et une bien modeste université en font le cœur de la région. Le climat y est doux et ensoleillé, et

Circulation à Bukittinggi

les habitants accueillants. De la musique minangkabau s'échappe des taxis et des magasins, tandis que de gracieuses voitures à cheval (*dokar*) peinent à gravir les rues pentues.

Le **marché** (tous les samedis) est l'endroit où faire emplette d'artisanat, d'antiquités et de souvenirs minangkabaus. Il se divise en sections : une allée pour les bouchers, une pour les coiffeurs, une autre pour les artisans, etc. Devant d'immenses paniers débordant de richesses, les maîtres-artisans de Kota Gadang exposent leurs étoffes chatoyantes et leurs bijoux d'or et d'argent ornés de pierres, précieuses ou... simplement colorées quand elles proviennent des montagnes voisines.

Peu nombreuses, les curiosités de Bukittinggi se résument à la **tour-horloge** de la place centrale, au **fort de Kock** et au **musée Rumah Adat Baandjuang**. Juché au sommet d'une colline, ce dernier a été installé dans une maison communautaire vieille de 140 ans. On peut y voir des costumes de danse et de mariage, des instruments de musique, des parures et des coiffes, divers produits artisanaux et des armes. A proximité immédiate, le **zoo** présente un bel échantillon de la faune sumatranaise. Au sommet d'une autre colline, à l'ouest de la ville, le **fort de Kock** fut construit par les Hollandais en 1825. Le fort en lui-même ne présente guère d'intérêt, mais il offre un point de vue idéal sur la campagne et le **canyon Ngarai**, dont les gorges rocheuses et escarpées se déploient sur 4 km de long. Un passage étroit à travers la **gorge de Kota Gadang** mène, sur le versant sud de Bukittinggi, à **Kota Gadang**, village réputé pour ses objets en or et en argent et ses châles tissés à la main.

Une superbe excursion de 40 km à l'ouest de Bukittinggi, à travers forêts et rizières, conduit au **Maninjau**, lac de cratère de 16 km sur 8 km entouré de monts escarpés et noyés de végétation tropicale. Tour du lac en vélo ou en cyclomoteur, excursions en canoë ou en barque à moteur loués sur place, baignades dans une eau tiède et

Crépuscule en pays padang.

propre peuvent facilement occuper plusieurs journées dans ce site où l'on dort dans les *losmen* semés sur le rivage.

Les environs de Bukittinggi offrent bien d'autres buts d'excursion. A environ 12 km au nord de la ville, à **Batang Palapuh**, une ferme s'est spécialisée dans la culture des rafflésies, ces fleurs géantes de Sumatra qui s'épanouissent en automne.

Ngalau Kamang, à 15 km, est une grotte étonnante aux galeries hérissées de stalactites et de stalagmites.

Quant à **Payakumbuh**, à 39 km à l'est de Bukittinggi, c'est le meilleur endroit d'où accéder aux cascades du pittoresque **canyon Harau**.

A 40 km au sud-est, **Batusangkar**, siège de vieilles et nobles familles minangkabaus, vaut le détour pour les deux vieux palais laissés par les dynasties locales dans des vallons verdoyants. Cette localité permet aussi de se rapprocher du **mont Merapi** (2 891 m ; il faut une journée de marche pour atteindre le sommet).

De Bukittinggi à Padang

En voiture, il faut deux heures et demie pour parcourir les 92 km qui séparent Bukittinggi de Padang, alors que le voyage en train en demande huit. En chemin, à seulement 20 km de Bukittinggi, **Padangpanjang** mérite un arrêt. Cette jolie petite ville propose des spectacles de danse (à l'ASTI, au nord de l'agglomération) et la reconstitution d'un village minangkabau.

La route longe ensuite le **lac Singkarak** (à 30 km de Bukittinggi). Plus grand et d'accès plus facile que le Maninjau, il ne compte cependant que quelques *losmen*.

Solok, l'étape suivante (à 55 km de Padangpanjang), est une ville de montagne célèbre pour ses sculptures sur bois et ses maisons traditionnelles.

Vient ensuite, au terme d'une descente de 60 km, **Padang**, capitale de la province de Sumatra-Ouest et troisième ville de l'île, avec 300 000 habitants. Son architecture traditionnelle, ses rues larges que sillonnent des voi-

Paysage des hautes terres padang.

tures à cheval lui donnent un petit air colonial. De beaux exemples d'architecture hollandaise se laissent admirer le long des deux artères ombragées de la ville : Jalan Sudirman et Jalan Proklamasi. L'estuaire de la Muara et ses quais valent le coup d'œil, tout comme les temples tarabiscotés du vieux quartier chinois (**Kampung Cina**). Le **musée Adityyawarman** (Jalan Pemuda) expose de belles pièces d'artisanat minangkabau. On peut aussi s'attarder près de **Masjid Muhammadan**, la vieille mosquée, et visiter le **cimetière chinois** : perché sur la colline des singes (**Bukit Monyet**), il surplombe la ville et l'océan.

Au chapitre culinaire, on n'échappe pas à la spécialité de la ville, le fameux *nasi padang*, assortiment de dix à vingt plats très épicés servis froids avec du riz. Padang est aussi le point d'embarquement pour Nias, Siberut et les autres îles de l'archipel des Mentawaï.

Dans les environs, les amateurs de plage pourront se rendre à **Bungus Beach**, à **Pasir Jambak** ou encore à **Air Manis**. Toutes trois permettent de se baigner à loisir et de lézarder sur des grèves de sable fin.

A une dizaine d'heures de route au sud de Padang, l'immense **parc naturel de Kerinci-Seblat** couvre 345 km² de paysages montagneux, que domine le cône du volcan Kerinci, point culminant de Sumatra (3 800 m).

Si l'on vient de Padang, on peut quitter la route côtière à Tapan pour s'aventurer (avec un véhicule tout-terrain) à l'intérieur des terres jusqu'à **Sungai Penuh**. De cette bourgade au cœur de la réserve partent en effet de nombreux sentiers pédestres. Ils mènent au **Gunung Tujuh** et à son magnifique lac de cratère ; aux marais d'altitude qui entourent **Danau Bentu** ; et enfin aux forêts vierges du **mont Seblat**, les dernières du sud de Sumatra. Éléphants, rhinocéros, tigres, léopards, gibbons et tapirs peuplent cette région sauvage. On n'y rencontre pas, en revanche, d'orang-outang, animal emblématique de l'île ; mais des locaux affirment avoir aperçu le très

A gauche, guerrier de Nias ; à droite, les hommes de Nias sautent des murets de près de 2 m de haut.

mystérieux *orang pendek* (créature courtaude, poilue et très forte) ou le mythique *cigau* (mi-lion, mi-tigre).

L'île de Nias

Le chapelet d'îles qui jalonne la côte ouest de Sumatra – Simeulue dans l'**archipel de Banyak** ; Nias, Tanahbala, Siberut, Sipura et les Pagai dans celui des **Mentawai** –, est formé par la crête d'une arête sous-marine séparée de Sumatra par une fosse profonde.

Longue de 120 km et large de 40 km, **Nias** est l'île la plus grande, la plus connue et la plus accessible. Dans ce foyer d'une des cultures les plus originales de toute l'Asie du Sud-Est, les voyageurs viennent admirer des villages conçus comme des forteresses, bâtis en hauteur, parcourus de chemins de garde pavés et avec de longs escaliers pour seuls moyens d'accès. Les maisons, qui reposent sur des pilotis, s'alignent en rangs parallèles de part et d'autre d'une rue pavée, et sous la protection d'une palissade en bambou. Rien d'étonnant à ce luxe de précautions : des siècles durant, l'île a subi les incursions des marchands d'esclaves d'Aceh (Sumatra-Nord).

Parmi les traditions locales, le *fahombe*, au cours duquel des hommes sautent par-dessus un mur de pierre haut de 2,50 m, est le spectacle le plus connu de Nias. Ces bonds étaient à l'origine un rite de passage à l'âge adulte. Aujourd'hui, cette pratique, qui est représentée sur le billet de 1 000 *rupiah,* est surtout destinée aux touristes, de plus en plus nombreux. Il en va de même des diverses danses guerrières, telles que le *tulotlo*, qu'exécutent des hommes parés de masques et d'armures.

Les bacs en provenance de Sibolga et de Padang accostent à **Teluk Dalam** (dans le sud de l'île), et à **Gunung Sitoli** (dans l'est). **Bawomataluwo**, à 15 km de Teluk Dalam, est le village le plus visité de l'île. On y parvient au prix de 500 marches d'un escalier qui débouche sur une place dallée et flanquée de deux alignements de maisons

Le souriant...

aux toits de chaume. Au centre de cette longue esplanade, l'imposante maison du chef, reconnaissable à ses piliers sculptés et à ses 15 m de hauteur, domine le village depuis deux siècles et demi. Pas moins de 287 mégalithes sculptés, ainsi qu'un « mur à saut », achèvent de faire de Bawomataluwo une étape indispensable.

Tout proche et construit sur le même principe, avec escalier d'accès et grand axe dallé bordé de demeures, le village d'**Hilisimaetano** ne compte pas moins de 140 maisons traditionnelles pour 4 500 âmes.

Une excursion dans la très belle localité de **Gomo** (sur la côte est, à environ 50 km de Teluk Dalam) permettra de découvrir d'autres spectaculaires pierres géantes sculptées. Par le passé, ces villages, qui étaient le siège de dynasties locales, se sont aussi distingués par de petites sculptures en or. Seuls les musées – celui de Jakarta et, aux Pays-Bas, le musée ethnologique de Leyde – en conservent des exemples.

... et le sérieux.

Nias est depuis peu une escale pour les croisières de luxe, ce qui a arrangé les affaires des vendeurs d'artisanat. Les conditions d'hébergement restent cependant spartiates. Composé encore exclusivement de petits *losmen*, le très modeste équipement touristique se concentre autour de **Lagundi** et de **Sorake**, plages contiguës et proches de Teluk Dalam. Les surfeurs australiens ont mis à l'honneur les magnifiques vagues de ces deux bouts de côte, où l'on loge dans de petits bungalows répartis sous les cocotiers.

Au sud de Nias, **Siberut**, à 100 km de la côte, est synonyme d'aventure. On ne s'y déplace qu'en pirogue, les cours d'eau étant les seules voies de communication, et l'on paie ses achats avec des cigarettes ou d'autres articles, les 30 000 habitants pratiquant toujours le troc.

Pour **Sipura** et les **Pagai**, ou l'île d'**Enggano**, encore plus au sud et encore plus sauvage, mieux vaut parler l'indonésien et se munir de provisions et d'une moustiquaire.

LE SUD ET L'EST DE SUMATRA

Très méconnue des touristes, cette moitié méridionale de Sumatra est riche de contrastes. Ainsi, la province de Lampung procure une bonne part des revenus nationaux grâce à son pétrole et à son caoutchouc, mais des tigres mangeurs d'hommes rôdent toujours dans ses forêts. Et si les très nombreux immigrants javanais cultivent ces terres du sud, jadis couvertes d'un épais manteau végétal, des tribus animistes vivent encore dans les profondeurs des forêts vierges.

Le sud de Sumatra est divisé en quatre provinces administratives : Lampung, qui occupe l'extrémité méridionale ; Sumatra-Sud ; Bengkulu à l'ouest ; Jambi à l'est. Une multitude de cours d'eau, dont le Hari, navigable sur près de 500 km, et le Musi, fleuve le plus long de l'île, sillonnent cette immense région.

Presque toute la province de Jambi et les deux tiers orientaux de celle de Lampung ne sont qu'une vaste plaine alluviale située à 30 m au-dessus du niveau de la mer. La partie occidentale de Lampung est, elle, une région montagneuse où les sommets volcaniques culminent à 3 000 m. La côte orientale est une grande plaine marécageuse qui se prolonge, au nord-est, dans la province de Riau.

Le port fluvial de **Jambi**, capitale de la province du même nom, s'élève sur les rives du Hari, à 256 km au nord de Palembang. Cette cité cosmopolite de 300 000 habitants manque singulièrement d'intérêt : comme à Palembang, toute la vie tourne autour du pétrole, qui est la principale richesse. Les transports routiers et fluviaux entre Jambi et Palembang sont lents et fatigants, aussi nombre d'habitants de la région leur préfèrent-ils l'avion. Cependant, pour qui dispose de temps, les voies d'eau permettent d'approcher les tribus très isolées, comme celle des Kubu, qui vivent

Cérémonie de mariage Palembang

dans des huttes en bambou sur les berges marécageuses du Hari, du Musi, de la Rawas et de la Tembesi. Ils vivent de chasse et de cueillette et se refusent à pêcher. Le mot Kubu est devenu un terme générique pour les peuples de la jungle et des marais au nord du Palembang.

Au nord de Jambi, près des cours du Kuantan et de l'Indragiri, les Mamaqs, qui furent en contact avec les Minang-kabaus dès le XIVᵉ siècle, habitent des maisons sur pilotis au-dessus des marécages. A l'origine, ils se nourrissaient des produits de la chasse et de la pêche, mais ils cultivent depuis peu le riz.

Palembang, cité pétrolière

Grande métropole du sud de Sumatra et pôle pétrochimique, **Palembang**, avec son million d'habitants, est la deuxième ville de l'île derrière Medan. Elle a grandi sur les rives du Musi, à quelque 200 km de la côte. Port international depuis plus d'un millénaire,

elle fut la capitale du royaume boud-dhique de Sriwijaya, qui régna sur le trafic maritime régional du VIIᵉ au XIIIᵉ siècle. C'était aussi un foyer spirituel où des milliers de moines bouddhistes étudiaient et traduisaient des textes sacrés.

Sous la colonisation hollandaise, Palembang vécut à l'heure de l'étain, des mines du métal blanc ayant été découvertes sur l'**île de Bangka**, au large de l'embouchure du Musi. Si les produits de la forêt, le caoutchouc et le café, contribuent aujourd'hui à l'activité économique de la ville, c'est le pétrole qui a fait la prospérité de Palembang au XXᵉ siècle. En témoignent les complexes pétrochimiques de **Plaju** et de **Sungei Gerong**. Pertamina, la prospère société nationale des pétroles, a financé à grands frais la construction d'une station de télévision, d'un stade, d'une tour d'horloge et d'un élégant minaret pour sa grande et fière mosquée qui date du XVIIIᵉ siècle. Pour partie bâtie sur l'eau – ce qui lui a valu le surnom, très large-

Raffinerie de pétrole de la côte est.

ment hyperbolique, de « Venise du Sud-Est asiatique » –, Palembang se compose d'une nuée de maisons et de boutiques étagées sur les rives du fleuve, dont l'activité n'est pas sans évoquer les *klong* et le marché flottant de Bangkok. Autre ressemblance avec le Siam : les danses locales, et notamment la *gending srivijaya*, dont la gestuelle rappelle les danses thaïes. Spécialités de la ville comme de sa région, les laques et les étoffes s'achètent dans les échoppes de la grande artère centrale, la Jalan Sudirman.

Un département entier du **musée Rumah Bari** (dans la rue du même nom, à côté de la rivière) est consacré à l'histoire naturelle. Ce musée renferme aussi des statues mégalithiques, des sculptures hindoues et bouddhiques, ainsi que de nombreux objets ethniques et de fragiles porcelaines chinoises. Ce musée mal connu est pourtant l'un des plus riches et des mieux arrangés du pays, en particulier dans sa présentation du riche passé de Palembang.

Bengkulu

De Palembang ou de Padang, on peut rejoindre **Bengkulu** (respectivement à 450 km et 800 km) par la route. Cet ancien comptoir poivrier fut fondé en 1685 par les Anglais. Sir Stamford Raffles, qui fonda Singapour en 1819, en fut lieutenant-gouverneur de 1818 à 1823. Il y introduisit la culture du café et de la canne à sucre et y ouvrit des écoles. Signe de l'importance de Bencoolen (son nom du temps des Britanniques), ces derniers y construisirent la plus importante de leurs forteresses d'Asie du Sud-Est, le **fort Marlborough**. Il date de 1762 et l'armée indonésienne y maintient toujours une garnison. Une visite au **jardin botanique de Dendam Taksuda** permet d'admirer la rafflésie, fleur géante qui est l'emblème de Sumatra.

Au sud-est de Bengkulu, la ville de **Lahat** (270 km) s'ouvre sur les hautes terres de Pasemah. Ce plateau montagneux est semé de mégalithes sculptés, de tombes et d'autres monuments qui

Le fort Marlborough de Bengkulu.

remonteraient au 1ᵉʳ siècle de notre ère.

La région du **mont Dempo**, volcan qui culmine à 3 159 m, est connue pour ses dolmens et ses sanctuaires.

Lampung la « javanaise »

Près de 75 % des habitants du centre et du sud de cette province sont des Javanais établis ici par la politique gouvernementale de transmigration, qui vise au désengorgement de l'île surpeuplée de Java et au développement d'autres régions de l'archipel. Amorcés ici il y a un siècle par les Hollandais, ces transferts de population ont connu une accélération notable depuis 1970. Au point que cette province est aujourd'hui qualifiée de « petite Java ». Terre de colonisation agricole, Lampung est quasi dépourvue d'intérêt touristique. En outre, la conurbation que forment **Tanjungkarang**, la capitale provinciale, et **Lelukbetung**, a été presque entièrement détruite par l'éruption du Krakatau (1883) et a donc perdu tout cachet historique.

Une exception toutefois dans ce désert, et de taille : la **réserve de Way Kambas**, qui s'étend sur 130 000 ha le long de la côte sud-est. On y découvre toute la richesse de la faune sumatranaise (éléphants, tigres, sangliers, oiseaux). L'office de protection de la nature, qui a ses bureaux à Tanjungkarang, organise des excursions en bateau De **Labuhan Meringgi**, les embarcations remontent jusqu'à l'estuaire de la Way Kambas, rivière navigable sur près de 25 km.

Autre centre d'intérêt, **Taman Purbakala**, à 50 km à l'est de Tanjungkarang, présente sur 25 ha un bel ensemble de mégalithes anciens et autres pierres levées, dont un phallus haut de 2 m. Ce parc est bien aménagé, balisé et parsemé d'aires de pique-nique.

A 100 km de Tanjungkarang, le petit port de **Bakahuni** fait face à Merak, sur Java. Les bacs quotidiens qui assurent la liaison traversent le détroit de la Sonde et passent au large du site du **Krakatau**, le tristement célèbre volcan.

L'archipel des Riau

Entre Singapour et les basses terres marécageuses de la côte sumatranaise, avec lesquelles il forme la province de **Riau**, ce dédale d'îles et d'îlots occupe l'extrémité méridionale du détroit de Malacca. C'est à la fois l'une des régions les plus riches de toute l'Indonésie, grâce au pétrole et à la proximité de Singapour, et un vieux foyer de civilisation malaise. Par leur diversité, les 3,7 millions d'habitants de la province rendent compte de ce riche passé et d'une vocation commerciale toujours d'actualité. Les descendants des commerçants chinois, arabes, indiens, perses côtoient en effet ici les Malais, les marins bugis originaires de Sulawesi et les mystérieux « nomades des mers », ces Orangs Lauts qui, éparpillés de la Birmanie aux Philippines, passent leur vie à bord de leurs frêles embarcations.

Ce creuset ethnique caractérise **Tanjung Pinang**, plus grande ville de l'archipel des Riau, sur l'île de **Pulau**

« Warung padang » ervant de la isine locale sez relevée.

Bintan, à quelques encablures de Singapour (de 45 mn à deux heures de trajet, selon le type de bateau). Tanjung Pinang doit à sa situation géographique, au croisement des routes maritimes qui relient Singapour, Sumatra, Java, Madura et Sulawesi, d'être un port actif. Toutes sortes d'embarcations y croisent : jonques, cargos, bateaux de pêche, goélettes de Sulawesi et de Madura. Et aussi le *nade* de Sumatra : ce navire pourvu de grandes voiles est conçu sur le modèle des anciennes caravelles portugaises et espagnoles.

Pulau Bintan et les îles voisines

Pulau Bintan a bien d'autres attraits. Des plages tropicales comme on les rêve, avec cocotiers et mer transparente ; de vieux temples chinois et les palais des anciens sultans malais. Sans oublier la toute proche Singapour, paradis du shopping. Bintan n'a pourtant rien de commun avec celles de la côte ouest de Sumatra. Depuis 1994, cette île est l'une des priorités de la politique touristique indonésienne, et ses très belles plages se sont couvertes en un temps record d'hôtels cinq étoiles et de parcours de golf internationaux (deux de 18 trous et un de 9 trous). En juin 1997, le Club Méditerranée a ouvert ici son second site indonésien, un luxueux village-hôtel édifié entre plage et greens.

Cadre principal de ce développement et siège du Bintan Beach International Resort (BBIR), **Pasir Panjang Beach**, sur la côte nord, est moins accueillante aux petits budgets que la **Trikora Beach**, à l'est. Pourtant aussi bien pourvue en cocotiers et eau bleu turquoise, cette dernière ne propose que des *losmen* et de petits hôtels.

Passer quelques jours à Bintan permet néanmoins de rayonner, à partir de Tanjung Pinang, vers plusieurs destinations. Desservies par les bateaux-taxis (*kapal motor*) ou accessibles en barques affrétées, elles peuvent faire l'objet d'une excursion d'une journée. Celle-ci peut commencer à **Senggarang**. Ce quartier chinois bâti sur les berges de la Riau se distingue par son **temple du Banian**, maison clanique vieille de

deux cents ans perchée sur un gigantesque banian. Modeste mais fort intéressant, le **musée Riau** (Jalan B. G. Katamso, dans la banlieue est) présente des costumes, des armes, des instruments de musique et du mobilier ayant appartenu aux sultans de Riau.

Une courte balade en bateau-taxi mènera ensuite non loin du port, sur l'îlot qui porte le **temple chinois** de la rivière aux Serpents.

Proche elle aussi, l'île de **Pulau Penyengat** abrite une ancienne capitale royale, dont les ruines du palais du rajah **Ali Marhum**, construit en 1808 et envahi par les banians, attestent la grandeur. Eux aussi en passe d'être submergés par la jungle, le **mausolée** des rajahs malais ainsi qu'une **mosquée royale**, tous deux du XVIe siècle, s'élèvent juste à côté.

Précisions pour les voyageurs au long cours : un bac hebdomadaire relie Tanjung Pinang à Jakarta, et l'on peut aussi embarquer ici pour les autres îles de l'archipel des Riau, notamment **Batam**. A l'ouest de Bintan, cette île de 400 km^2 a été transformée, en deux décennies et à coup de millions de dollars en vaste domaine touristique doublé d'une zone franche industrielle. Passée de 6 000 à 120 000 habitants, la population est en majorité employée par des dizaines de grandes entreprises étrangères qui bénéficient de la proximité de Singapour.

Toujours dans la province de Riau, mais à Sumatra, **Pekanbaru**, la capitale locale, est un port établi depuis le XVIIIe siècle sur les rives du Siak, à 160 km de la côte. Cette cité pétrolière chère et dépourvue de charme permet cependant d'explorer la jungle alentour, où rôdent tigres, éléphants et le fameux rhinocéros de Sumatra.

On peut faire halte à **Siak Sri Indrapura**, à quatre heures de bateau, où s'élève le **Balai Rung Sari**, palais construit en 1723 et qui fut habité jusqu'en 1968. Cette région compte de nombreux représentants d'un peuple naguère semi-nomade, les Sakais ou Orangs Batins (« hommes de l'intérieur »). Ils ont emprunté aux Minangkabaus leur langue et leur système matrilinéaire.

Coucher de soleil sur l'île de Bintan.

JAVA

Java, île fertile, « patrie » de l'un des plus vieux êtres humains dont on ait découvert les restes, est un monde à elle toute seule. Plus de 120 millions d'âmes vivent sur cette île grande comme quatre fois la France.

Mais Java a avant tout à offrir son histoire et sa culture. Les danses et le théâtre javanais, les marionnettes du *wayang kulit*, la musique du gamelan et les batiks sont connus du monde entier, ainsi que ses temples et ses palais. La beauté des paysages, moins renommée, n'en est pas moins certaine : forêt tropicale humide, pâturages montagnards, baies cristallines.

Java a été le territoire des rhinocéros, des tigres, des bœuf sauvages, des gibbons, des écureuils volants, des cerfs nains, des crocodiles de mer, des pythons, des paons, à présent cantonnés dans des réserves naturelles.

Java compte de nombreux volcans. Le volcan est même si typique de l'île qu'on en a presque toujours un en vue, où qu'on se trouve. Une trentaine sont en activité, et certains donnent vie à des lacs de boue en ébullition, à des jets de gaz ou à des sources chaudes soufrées. A quelques années d'intervalle se produisent des éruptions de cendres et de lave, qui libèrent des gaz délétères, des nuages de cendre ou des coulées de boues brûlantes qui engloutissent parfois des villages entiers. Mais ce sont aussi les déjections des volcans qui ont donné à Java sa fécondité légendaire.

Le répertoire des danses puise son inspiration dans les légendes de l'Inde, les exploits des guerriers musulmans ou les aventures des héros populaires javanais. Les mosquées dressent vers le ciel leurs minarets, l'entrée des temples chinois est gardée par des lions de pierre, et les églises retentissent du chant des chorales. Les origines des rites de transe se perdent dans des brumes aussi épaisses que celles des origines de l'homme lui-même, et les marionnettes de cuir ou de bois électrisent les auditoires au cours de représentations qui durent des nuits entières. Enfin, le gamelan résonne de sonorités profondes ou argentines.

Pages précédentes : repiquage du riz dans les rizières. Ci-contre : vue depuis la route qui conduit au plateau de Dieng.

JAKARTA, CAPITALE TENTACULAIRE

Comme Manille ou Bangkok, Jakarta fait partie des grandes métropoles d'Asie du Sud-Est. Comme elles, elle reflète le très vif développement de cette région du monde et concentre de criantes inégalités. Objet urbain d'un type nouveau, la capitale de l'Indonésie s'est agrandie démesurément et en un temps record : de 1 million d'habitants à la fin des années 1940, elle est passée à plus de 10 millions en 2000, et la majorité des bâtiments n'y a pas plus de vingt-cinq ans. Miroir des réussites et des excès, elle fut le théâtre des événements violents qui aboutirent à la chute de Suharto et dont elle se remet aujourd'hui.

Le charme des contrastes

Pour ses habitants, Jakarta est une mégalopole polluée et harassante, où les autobus bondés brinquebalent à 10 km/h sur les artères à deux fois trois voies perpétuellement engorgées qui cisaillent de part en part le tissu urbain. Pour des hommes d'affaires du monde entier, c'est le cœur de la vie politique et économique indonésienne, l'endroit où tout se décide. Et avec une pléiade d'hôtels cinq étoiles, des avenues bordées de banques, de sièges de multinationales et de centres commerciaux ultramodernes, Jakarta commence à rivaliser avec Singapour, comme sa municipalité en affiche l'ambition.

Séjourner dans cette ville monstrueuse, où se fait en général le premier contact avec l'Indonésie, c'est plonger dans l'Asie du XXIe siècle – en particulier dans les quartiers d'affaires à l'architecture futuriste –, avec des échappées possibles vers les rares vestiges du passé que l'urbanisation effrénée n'a pas balayés. Deux jours suffisent pour arpenter ces témoins de plus de quatre siècles d'histoire : ce qui reste de la vieille Batavia, capitale des Indes néerlandaises ; le labyrinthe de Glodok, le « quartier chinois »; les marchés traditionnels (aux fleurs, aux oiseaux, etc.) et quelques rues tranquilles à l'atmosphère des années 70 (en particulier Jalan Jaksa, la rue des hôtels pour routards, et Jalan Surabaya, pour ses antiquaires).

Les gigantesques centres commerciaux, vraies villes dans la ville, où l'on passe des vendeurs de rue aux boutiques des grands du prêt-à-porter mondial, invitent à faire de bonnes affaires (surtout dans l'artisanat, la confection, le mobilier). Ces vastes emporiums climatisés permettent aussi de constater l'évolution des modes de vie et de consommation chez les Indonésiens de la grande cité. Avec un revenu mensuel trois fois supérieur à la moyenne nationale, les Jakartanais sont entrés de plain-pied dans les temps modernes : selon une étude menée en 1997, quatre foyers sur cinq sont équipés de la télévision en couleurs et du téléphone. Mais il existe encore d'importantes poches de pauvreté : derrière les immeubles à l'architecture futuriste, des ruelles défoncées donnent dans les *kampung*

A gauche, en plein cœur de Jakarta, la frénésie urbaine de la Jalan Thamrin ; à droite, la flamme dorée du Monument national, obélisque du Monas.

(« villages ») traditionnels et labyrinthiques que traversent des canaux qui sont autant d'égouts à ciel ouvert.

Mais, là comme ailleurs, on vérifiera la surprenante bonne humeur des Jakartanais, riches ou pauvres, preuve que le béton et la pollution n'ont pas effacé la gentillesse, cette vertu nationale. Enfin, les environs de Jakarta ne manquent pas d'attraits, en particulier la côte et l'archipel des Mille Îles (Pulau Seribu), paradis de nature à quelques dizaines de minutes de bateau du port ; et l'on mange bien dans cette capitale où, des *warung* aux grands hôtels, sont proposées toutes les cuisines de l'archipel et d'ailleurs.

Sunda Kelapa

En règle générale, la visite de la ville débute par l'estuaire de la Ciliwung, sur les quais du vieux port, **Sunda Kelapa**, qui porte le nom de l'ancêtre de Jakarta. Au début du XVIᵉ siècle, Sunda Kelapa était le grand port marchand du royaume hindouiste de Pajajaran, qui dominait alors tout l'ouest javanais. A la même époque, les principautés musulmanes de Java disputaient le lucratif commerce international aux États indianisés. Tandis que les Européens, avec la prise de Malacca en 1515 par les Portugais, avaient fait irruption sur la scène régionale. Pendant un bon siècle, le destin de Sunda Kelapa a oscillé au gré des rapports de forces entre ces trois puissances.

Voiliers des îles

En 1527, le 21 juin, elle fut conquise par le sultan de Demak (côte nord-est de Java), qui la rebaptisa Jayakarta (« grande victoire »). Les Hollandais s'en emparèrent par la force des armes, le 28 mai 1619. Le gouverneur général Jan Pieterszoon Coen, nommé par la Compagnie des Indes orientales, la fit raser pour lui substituer Batavia, ville bâtie à l'image d'Amsterdam, avec des canaux et des ponts, de la brique et de la pierre,

La rade de Batavia su[r] une carte a[...] 1787.

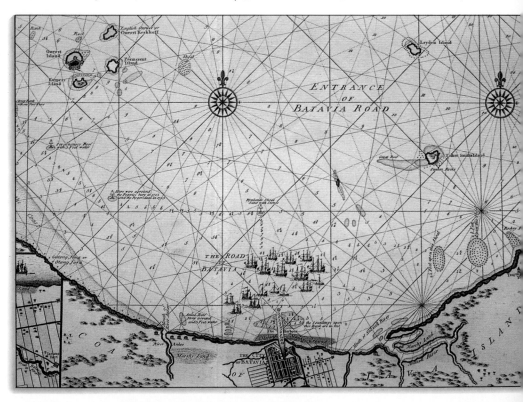

autour de l'estuaire de la Ciliwung. La plaine marécageuse de Jakarta se vengea : ses canaux firent de Batavia un foyer de maladies qui décimèrent les colons du siècle suivant.

De ce passé tumultueux, il ne reste que le spectacle des dizaines de goélettes amarrées le long des quais du **Pelabuhan Sunda Kelapa** (« port de Sunda Kelapa »). Spécialités des Bugis et des Macassar des Célèbes, ces *pinisi* aux coques peintes de couleurs vives assurent toujours une bonne part du commerce interinsulaire. On les voit encore mieux du sommet de la tour de guet hollandaise du XIXᵉ siècle, **Uitkijk** qui permet d'embrasser la ville d'un seul coup d'œil.

Après Uitkijk, il suffit de poursuivre sur quelques mètres dans Jalan Pakin, puis de remonter la première ruelle à droite (Jalan Pasar Ikan), pour entrer au **musée Bahari**. Ce musée maritime occupe un entrepôt hollandais datant de 1652. Il contient une impressionnante collection de maquettes des bateaux en usage hier et aujourd'hui

Goélettes amarrées dans le port de Sunda Kelapa.

dans l'archipel, ainsi que des plans et des cartes anciennes illustrant l'histoire de Batavia et de la Compagnie des Indes orientales. Le premier étage invite à un autre fascinant voyage dans le temps : ses photographies jaunies reconstituent en effet les voyages en paquebot d'Europe en Indonésie au début du XXᵉ siècle. En continuant dans la même rue, on parvient au **Pasar Ikan**, le marché aux poissons, nauséabond et sans grand intérêt.

Ancol, parc de loisirs au bord de la mer

Cette balade du vieux port au marché aux poissons ne demande pas plus de trois heures. Après, on peut se rendre à pied dans la vieille **Batavia** (tout droit au sud, à 800 m par les rues Tongkol et Cengkeh), ou bien prendre un taxi pour le parc de loisirs d'**Ancol**, au bord de la mer, à 2,5 km à l'est. Sur 137 ha de verdure un peu jaunie, ce havre de paix comprend plusieurs restaurants, des hôtels, un golf, des pis-

cines, un océanorium et diverses attractions (location de pédalos, de planches à voile et de dériveurs, bowling, cinéma, grande roue, etc.), ainsi qu'un intéressant marché artisanal, le **Pasar Seni**. De sa marina partent les bacs qui desservent l'archipel touristique des Pulau Seribu, les « Mille Iles ».

Un parfum d'Indes néerlandaises

La **place Fatahillah** (Taman Fatahillah), son vieux canon et les bâtiments coloniaux qui la bordent : voilà à peu près tout ce qui reste de la première Batavia, tout simplement appelée Kota (« ville ») sur les plans de Jakarta et les panneaux des lignes d'autobus. La lointaine copie d'Amsterdam a connu bien des vicissitudes. Florissante durant tout le XVIIᵉ siècle, elle subit, au XVIIIᵉ siècle, la baisse des cours des denrées tropicales. En 1740, elle a été le théâtre du massacre des trop prospères Chinois de Batavia par les Néerlandais et les Javanais.

Surtout, les épidémies – malaria, typhoïde, choléra – ont régulièrement décimé sa population. Si bien que, au début du XIXᵉ siècle, l'énergique gouverneur général Willem Daendels fit édifier une nouvelle ville, plus au sud, sur des terrains plus salubres, autour de l'actuelle place de l'Indépendance (Taman Merdeka). En grande partie mise à bas, la vieille Batavia a fourni les matériaux de construction.

Toujours debout, sur le côté sud de la place Fatahillah, l'hôtel de ville abrite le **musée historique de la ville de Jakarta** derrière une façade fraîchement rénovée que surmonte un beffroi octogonal. Mais l'intérieur reste en piteux état. Cette bâtisse du XVIIᵉ siècle et son mobilier d'époque sont l'un des rares témoignages sur la haute société coloniale d'alors. A l'arrière, la cour arborée est un havre de paix où il fait bon s'arrêter.

Sur le côté ouest de la place, le **musée du Wayang** (Wayang Musium) mérite lui aussi une visite. Il renferme à peu près tous les types de marion-

Vue d'Ancol, le parc de loisirs de Jakarta.

nettes connues en Indonésie et en Asie du Sud-Est, ainsi qu'un remarquable ensemble de *topeng*, les masques des acteurs du *wayang topeng* javanais. A l'est, logé dans le palais de justice achevé en 1879, le **musée des Beaux-Arts et de la Céramique** (Musium Seni Rupa) présente les toiles de peintres indonésiens, notamment Raden Saleh et Affandi, ainsi que des sculptures modernes et une belle collection de céramiques et de porcelaines anciennes.

Tout proche, au nord de la place, le **café Batavia** invite à une halte gourmande dans cet entrepôt hollandais restauré avec goût et transformé en café-restaurant chic et rétro (mobilier des années 30 et photographies de la même époque). Ce quartier a gardé quelques autres bâtiments néerlandais, qu'on trouve principalement sur **Jalan Kali Besar**, voie qui longe le « grand canal » (Kali Besar), à 200 m de Taman Fatahillah. Au n° 11 de cette voie s'élève un beau bâtiment en briques rouges et à frises en bois

Jakarta compte 14 millions d'habitants, et un Indonésien sur trois a moins de quinze ans.

construit vers 1730. Celui qu'occupe la Chartered Bank, un peu plus haut dans la même rue, remonte à la même époque. A 500 m de là, dans la direction de Sunda Kelapa, au bout de ce grand canal à l'eau croupissante, on peut voir un vieux **pont-levis** hollandais, en tout point semblable à ceux qui parsèment Amsterdam.

Quartier chinois

Cette excursion dans le vieux Jakarta peut se prolonger dans le quartier chinois très commerçant de **Glodok**. Fondé par les rescapés du pogrom de 1740, auxquels les Hollandais avaient concédé ce secteur alors hors les murs, il s'étend entre la vieille ville et la place Merdeka, à l'ouest des avenues Gajah Mada et Hayam Wuruk (deux grandes voies parallèles et polluées, que divise un canal noirâtre).

Débouchant sur l'avenue Gajah Mada, les rues Kermurnian 8, Naga, et Kermunian 5 mènent tout droit dans ce dédale de ruelles, les unes très

calmes, les autres commerçantes, où flotte l'encens des temples. On trouve de tout ici, de la pharmacopée traditionnelle (racines et reptiles dans des bocaux, etc.) aux vêtements et aux livres, de la haute fidélité importée aux cédéroms bricolés sur place. Il faut essayer de trouver le **Dharma Jaya**, qui est le doyen des quelque 70 temples chinois de Jakarta, sur Gang Petak Sembilan. Dans ce lieu de culte dévolu aux ancêtres et à divers personnages divinisés (Confucius, Laozi, par exemple) ou mythiques brûlent en permanence des centaines de bâtonnets d'encens et de cierges déposés devant des dizaines de statues rutilantes et bedonnantes, sous le regard de quelques officiants chenus.

Au centre de Jakarta

Jakarta a tout de même un vrai centre: **Medan Merdeka** (place de l'Indépendance), carré de 700 m de côté planté de gazon jauni, où pointe, à 137 m de hauteur, l'obélisque du **Monas**, le Monument national. Cet hommage en forme de *linga* (phallus) au peuple indonésien luttant pour l'indépendance porte une flamme en bronze recouverte de 37 kg d'or. Commandé par Sukarno, il fut achevé en 1961. Tous les jours de 9 h à 17 h, au sous-sol, un musée historique offre un bel échantillon d'art patriotique kitsch, et l'ascenseur (lorsqu'il veut bien fonctionner) hisse les visiteurs au faîte de l'édifice, d'où l'on voit, par temps clair, la mer au nord et, au sud les montagnes autour de Bogor.

On peut aussi jeter un coup d'œil au nord sur l'**Istana**, palais présidentiel dont les deux corps de bâtiment, qui datent du XIXᵉ siècle donnent sur la place. Sukarno y résida, mais Suharto lui préférait sa demeure du quartier voisin et résidentiel de Menteng.

Au nord-est, à 800 du Monas, s'élève le minaret de la **mosquée Istiqlal**. Les plans de ce lieu de culte musulman, le plus vaste d'Asie du Sud-Est, ont été tracés par un architecte chrétien.

L'Istiqlal, plus grande mosquée d'Asie du Sud-Est, peut accueillir 20 000 fidèles.

Un musée indispensable

Taman Merdeka n'est que d'un intérêt mineur par rapport au **Musée national**, qui s'ouvre sur le côté ouest de la place. Les collections, à la fois historiques, archéologiques et ethnographiques, de cette institution fondée en 1868 sont une mine d'informations sur l'art, le passé et les cultures de l'archipel, de Sumatra à l'Irian Jaya.

Si l'on ne dispose pas des deux à trois heures nécessaires pour tout voir, de la statuaire indo-bouddhique du rez-de-chaussée aux objets en provenance de toutes les provinces exposés dans l'aile droite, il faut se concentrer sur la chambre du Trésor, à l'étage. Kriss et coupes en or, armes d'apparat, flûtes gainées d'ivoire et serties de pierreries : cet espace traité avec sobriété, et de surcroît climatisé, ne rassemble que des chefs-d'œuvre d'orfèvrerie, témoins des anciens royaumes indonésiens. Certaines pièces de cet ensemble ont été exposées à Paris, en 1995, au musée Guimet.

Au Musée national, le dieu hindouiste Ganesh.

Jakarta sympa

Non loin de là, **le centre culturel Taman Ismail Marzuki** (*alias* TIM) invite à découvrir les créations de l'art vivant. Vaste enclave verte et arborée située dans le quartier de Menteng, à 1,5 km au sud-est du Monas, par les rues Medan Merdeka Timur et Menteng Raya, le TIM englobe salles de spectacle et d'exposition, petits restaurants bon marché et cinémas. Y sont programmés des artistes d'ici et d'ailleurs, dans tous les genres, du gamelan au rock, du théâtre politique au *wayang*, ainsi que des expositions de peinture et de sculpture.

A proximité, les hôtels de **Jalan Jaksa** sont la providence des voyageurs à budgets petits et moyens. Au sud de Medan Merdeka, à 500 m de la gare de Gambir, cette rue, perpendiculaire aux avenues Kebon Sirih et Wahid Hasyim, conserve, de même que les venelles voisines, une atmosphère villageoise. Ici, pas de grands immeubles comme ailleurs, mais de

petites pensions avec des jardinets et des cafés-restaurants sans prétention, où se retrouvent les routards du monde entier.

Si l'on réside dans la ville, il faut s'accorder un petit saut en taxi jusqu'à la **Jalan Surabaya**, à 2 km au sud-est. Les dizaines d'antiquaires qui ont ouvert boutique sur cette rue tranquille proposent en général des objets de bonne qualité. A une quinzaine de minutes en taxi et à l'est, la Jalan Pramuka abrite un pittoresque marché aux oiseaux (**Pasar Burung**).

Métropole du XXIᵉ siècle

Recevoir le choc des audaces architecturales de Jakarta, c'est possible en quelques heures d'une balade à dire vrai quelque peu fatigante, en ligne droite et au sud au sortir de Medan Merdeka.

La promenade peut commencer à pied, sur les 2 km du **boulevard Thamrin**, jusqu'au rond-point de l'hôtel Indonesia (« **Bunderan HI** »), où se

dresse, au-dessus d'une fontaine, la « statue de la Bienvenue », érigée en 1962 pour les Jeux asiatiques et fondue dans le plus pur style réaliste socialiste. Elle commémore l'indépendance. Environ 100 m après l'intersection avec l'avenue Kebon Sirih, le **Hard Rock Cafe** de Jakarta (qui a été ouvert avant celui de Paris) accueille la jeunesse dorée de la capitale dans l'ambiance musicale et américanisée propre à cette chaîne planétaire.

Au carrefour suivant, un arrêt s'impose à l'ancêtre des grands magasins jakartanais, le **Sarinah**, très bien approvisionné (à côté de l'ambassade de France). Au bas de l'avenue et sur Bunderan HI, le centre commercial **Sogo** occupe une aile de l'hôtel **Grand Hyatt**. On y fait halte dans des cafés aseptisés où les consommateurs s'affichent avec leur téléphone sans fil, et dans des boutiques qui déclinent tous les grands noms de la mode mondiale – de Lanvin et Chanel à Donna Karan, aux mêmes prix qu'en Europe.

Mieux vaut ensuite descendre en taxi ou en autobus public bleu et blanc climatisé la **Jalan Jenderal Sudirman**, forêt de gratte-ciel aux formes tapageuses. Au début de cette voie, les enseignes criardes que l'on remarque à gauche signalent les boîtes de *dangdut* (croisement entre rock et variété) de la **Jalan Blora**. Terminus de l'autobus, l'immense cité commerciale de **Blok M**, autour de la gare routière de **Kebayoran Baru**, le quartier résidentiel du sud de la ville, achèvera ce parcours au parfum futuriste. Non loin de là, dans le quartier de Pasar Minggu, le parc zoologique de Ragunan permet de découvrir un condensé de la faune indonésienne (notamment un varan de Komodo).

De là, on peut aller en taxi, à 10 km, au **Taman Mini Indonesia Indah** (« petit jardin de la belle Indonésie »). Sur la route de Bogor, ce parc d'attractions présente sur 120 ha les 27 provinces indonésiennes, à travers leurs architectures et leurs cultures, dans autant de pavillons qui s'égrènent autour d'un lac, accompagnés d'une volière, d'un jardin d'orchidées, de restaurants et du **musée de l'Armée**.

A gauche, ces tenues de mariage de Sumatra Ouest sont exposées au Taman Mini ; à droite, le musée historique de Jakarta, dans l'ancienne mairie hollandaise.

JAVA-OUEST

Voilà une région que les voyageurs qui s'en vont du côté de Yogyakarta pour visiter les temples de Borobudur et de Prambanan, ou qui filent vers Bali, ne font en général que survoler, au mieux traverser. Pourtant, l'Ouest javanais – le pays Sunda (ou Sounda) mérite qu'on s'y attarde, même si ses attraits sont plus l'œuvre de la nature que celle de l'homme.

Dépaysement tropical

Le plus étonnant à Java-Ouest, c'est peut-être le contraste saisissant entre la démesure urbaine de Jakarta et les vastes étendues presque vierges de présence humaine, ou bien riches de forts particularismes culturels, qui atteignent presque les portes de la capitale tentaculaire.

Ainsi, à moins de 100 km des faubourgs, dans les forêts qui couvrent les collines au sud de Rangkasbitung, les mystérieux Baduis vaquent à leurs occupations comme il y a des siècles, ignorant superbement la modernité qui les entoure. Cette communauté forte de quelques milliers de membres est restée non musulmane et professe une religion ancestrale mêlée d'apports monothéistes.

Ce n'est pas la seule surprise que réserve cet arrière-pays aux paysages tour à tour somptueusement sculptés par l'homme, magnifiés par la puissance première d'une végétation invincible, ou bien tout entiers sous l'empire des volcans. A l'ouest de Bogor, routes et pistes musardent entre des rizières en terrasse qui n'ont rien à envier à celles de Bali, tandis que, à 150 km à vol d'oiseau des hôtels cinq étoiles du boulevard Thamrin, le parc national d'Ujung Kulong s'étend sur une péninsule couverte de jungle. En face de Jakarta, l'archipel des Pulau Seribu recèle des îles paradisiaques à seulement une heure de bateau du port. Le Krakatau fume encore au-dessus des eaux poissonneuses du détroit de la Sonde, face à des plages dorées. Et une flore d'apparence alpine hérisse les pentes des volcans qui courent sur toute la longueur du pays Sunda et tombent, au sud, en rocailles abruptes dans l'océan Indien.

Une forte identité

Avec 46 300 km², la province de Java-Ouest représente un peu plus du tiers de la superficie de l'île. Du nord au sud, elle s'étend de la mer de Java à l'océan Indien, et, d'ouest en est, du détroit de la Sonde à Cirebon. Elle correspond ainsi assez exactement à l'aire d'extension de la culture sundanaise. Les Sundanais – au nombre de 35 millions, près du tiers de la population de l'île – forment l'une des minorités ethniques les plus importantes et les plus homogènes de l'archipel.

Pour ces derniers, le mot «Java» ne désigne que l'est et le centre de l'île, foyers de la culture et des arts de cour javanais, et centres d'une civilisation indo-bouddhique qui a moins touché leur terre. Le plus ancien témoignage

Pages récédentes : ue générale de Banten, où les Hollandais, prirent pied pour la première fois dans l'archipel, en 1596; à gauche, architecture de type colonial à Banten; à droite, dans la forêt, sur le mont Gede, près de Cipanas.

historique de l'indianisation dans l'archipel, les inscriptions sur pierre du roi Purnnawarmma (Vᵉ siècle) ont été trouvées dans l'ouest de Java, mais il n'y a pas ici de *candi* (« temple ») hindou, ni de figuration du Bouddha, ni de *kraton*, et le pays Sunda a longtemps suivi sa propre voie.

Au XIVᵉ siècle, il a résisté aux visées du royaume de Mojopahit. Au début du XVIᵉ siècle, il était le siège d'un puissant royaume hindouiste, Pajajaran, qui avait pour port principal Sunda Kelapa, sur le site de Jakarta (voir p. 176). Ce port tomba en 1527 sous les coups du sultanat musulman de Demak, entraînant la disparition de Pajajaran. Les décennies suivantes virent une rapide expansion de l'islam et la montée en puissance d'un autre sultanat, Banten, port proche de Jakarta et grand centre de la culture et du commerce du poivre. Puis vint la domination hollandaise ; et, après l'indépendance, une rébellion armée d'inspiration islamiste restée sans lendemain.

Aujourd'hui, l'empreinte de l'islam reste ici plus visible qu'ailleurs à Java. Il existe d'autres différences notables. En particulier une langue propre, le sundanais. Proche de l'indonésien, que ce peuple bilingue pratique quotidiennement, elle se parle, s'écrit et s'imprime largement. Les comportements ne sont pas non plus les mêmes que dans le Centre et l'Est : les Sundanais sont réputés plus directs, plus familiers, loin de la complexe et sourcilleuse étiquette javanaise.

Pôle de prospérité

Sur le plan économique, cette province fait figure de vitrine du développement indonésien. Depuis 1967, elle a drainé environ 30 % des investissements étrangers dans l'archipel. Sa capitale, Bandung, est la troisième ville du pays, avec plus de 3,5 millions d'habitants. Elle abrite de nombreux établissements d'enseignement supérieur ainsi que la société aéronautique nationale IPTN, fabricant du premier

Mouillage dans l'archipel des Pulau Seribu, près de Jakarta.

avion de ligne de conception indonésienne, le N-250.

Java-Ouest possède aussi une industrie lourde (aciérie Krakatau Steel, à
Cilegon), de bons équipements de
communication (autoroutes Jakarta-
Bogor et Jakarta-Cilegon, aéroport de
Bandung, et le futur port géant de
Banten), ainsi que plusieurs grandes
plantations (thé, cacao, café, canne à
sucre, hévéa) et des mines (or et
argent, fer, cuivre). Cet essor économique a atténué le contraste entre les
deux grandes régions géographiques
de la province, la plaine côtière rizicole et le massif volcanique du Priangan, resté peu peuplé et d'accès difficile jusqu'au XXe siècle.

Face à Jakarta, les Mille Iles

Le minaret de la mosquée de Banten.

Bungalows et cocotiers, sable blond et
eaux transparentes souhaitent la bienvenue aux **Pulau Seribu**. Le nom de
cet archipel qui affleure en mer de
Java, à quelques milles au large de
Jakarta, signifie « mille îles », mais il
n'y en a en fait que 200, où vivent
12 000 habitants. Tous les jours à
7 h 30, le bac qui part du port de plai-
sance d'Ancol dessert les plus proches.

Parmi elles, **Onrus**, à 5 km de la
côte, très boisée, abrite les ruines des
entrepôts et du bassin de carénage qui
datent de l'époque hollandaise. Pour
les plus éloignées (70 km au maxi-
mum), il faut passer par les agences de
voyages de Jakarta. Ces îles rempor-
tent un franc succès auprès des riches
Jakartanais et des expatriés installés
dans la capitale : rares sont celles qui
n'ont pas vu s'élever bungalows et
hôtels, tandis que les prix commencent
à y atteindre des sommets. C'est
notamment le cas sur **Pantara Timur**,
Pantara Barat, **Pelangi**, **Sepa** et **Putri**.
Meilleur marché, **Papa Theo** (d'après
le nom du cargo échoué près de cette
île en 1982), ainsi que **Piniki** et
Malinjo possèdent en outre de bons
sites de plongée. Les coraux sont à
faible profondeur (de 10 m à 20 m), et
la visibilité est excellente entre les
mois de mai et de septembre.

Banten, sultanat oublié

A l'ouest de la capitale, la voie express
Jakarta-Merak (120 km, compter 3 h)
mène aux plages du détroit de la
Sonde et au Krakatau. A Serang (à
90 km de Jakarta), un embranchement
conduit à **Banten** (10 km plus loin).
Au XVIe siècle, cet ancien sultanat
connaissait la célébrité jusqu'en
Europe, où il était appelé Bantam, en
raison de sa prééminence dans la production et le négoce du poivre. Prise
en 1682 par les Hollandais, rasée en
1808, la ville fut réduite à l'état de
bourgade. Les autorités indonésiennes
projettent sur ce site d'importants
aménagements portuaires, qui lui ren-
dront peut-être un rôle commercial de
premier plan.

Le bourg conserve les ruines de
deux palais et d'un ancien ouvrage de
protection hollandais, le **fort Speelwijk**. Avec la vieille mosquée du XVIe
siècle, dont les toits superposés évoquent un temple balinais, et le temple
chinois du XVIIIe siècle, ils justifient le
détour dans cette localité malheureusement dépourvue d'hôtel.

Au large, à une demi-heure de
bateau, l'île de **Pulau Dua** est l'une
des principales réserves ornitholo-
giques de l'archipel. Indispensable,
l'autorisation de visite de Pulau Dua
est délivrée à l'office de tourisme de
Serang.

Face au Krakatau

De retour sur la route principale,
après Cilegon, ville industrielle sans
intérêt, on arrive, après 14 km, à
Merak, port d'embarquement pour
Sumatra (départ toutes les heures).
Peu après cette ville, les confortables
bungalows du **Mambruk Beach Hotel**,
qui offrent une vue imprenable sur le
Krakatau, sont un bon point de chute.

Plus au sud, de longues plages et des
criques bordent la route entre **Anyer**
(à 26 km de Merak) et **Labuhan**
(67 km). A 6 km d'Anyer, le rocher
percé de **Karan Bolong** est une attraction locale.

*Derrière ces
pêcheurs, le
Krakatau.*

Un peu plus loin, le village et la plage de **Carita** disposent de nombreux petits hôtels, au bord d'une mer où l'on peut se baigner sans crainte des courants.

Face au Krakatau, le petit port de **Labuhan** est le point de départ pour les excursions autour du volcan (que l'on peut aussi atteindre d'Anyer et de Carita), et dans le parc national d'Ujung Kulon.

A 50 km du rivage, le **Krakatau** semblait dormir depuis des siècles, lorsque, au début de 1883, il commença à donner des signes d'irritation. Le 26 août, il éclata dans une série d'explosions dont le fracas s'entendit à 5 000 km de distance. Véritable catastrophe planétaire, ce cataclysme cracha 16 km^3 de cendres, plongeant les environs dans l'obscurité jusqu'à 160 km à la ronde, et déclencha un raz de marée de 30 m de haut qui fit plus de 35 000 morts. Une journée et demie plus tard, on put même mesurer le contrecoup de cette vague, qui avait fait le tour de la terre, sur les côtes de France. Les cendres firent elles aussi le tour du globe et provoquèrent de simili-éclipses en Europe. Sous la poussée des matériaux volcaniques, le volcan s'effondra, entraînant la formation d'une caldeira de 40 km^2.

Aujourd'hui, le Krakatau consiste en quatre îles dont trois (Sertung, Rakata, Panjang) sont en fait les restes de cet effondrement. Surgeon volcanique du cône originel, l'**Anak Krakatau** (« fils du Krakatau ») n'est apparu qu'en 1928. Il culmine à 150 m, mais progresse de plusieurs mètres par an en raison de la lave qu'il déverse. Avec **Sertung**, où près de 120 espèces végétales ont colonisé la lave, il est l'objectif des balades en mer proposées à Labuhan. La traversée aller et retour demande une dizaine d'heures avec un voilier, deux fois moins avec un bateau à moteur. Si l'ascension de l'Anak Krakatau et de Sertung n'a rien de difficile et peut se faire dans la journée, il faut prévoir un jour de plus si l'on souhaite plonger dans les riches fonds marins qui entourent ces îles.

Le jardin botanique de Cipanas, annexe de celui de Bogor.

Sentiers d'aventure

Labuhan est aussi le point de départ pour le parc national d'Ujung Kulon, à la pointe sud-ouest de Java, et le pays Badui. Réserve animale et végétale d'une rare richesse, **Ujung Kulon** se compose de 786 km² de territoire marécageux et densément boisé, où les rares possibilités d'hébergement (les maisons d'hôtes du parc) restent rudimentaires. Ce bout du monde impénétrable abrite les derniers rhinocéros unicornes de Java (*Rhinoceros sondaicus*), ainsi que des buffles sauvages (*banteng*), des panthères, des daims nains, etc.

Pour se rendre chez les Baduis, il faut suivre la route de Bogor jusqu'à **Rangkasbitung** (à 65 km de Labuhan), où l'on demandera un permis de visite à l'administration locale (*kantor kabupaten*).

Là, une bifurcation mène à **Lewidmar** (25 km) puis à **Cisimeut**. Encore deux heures de marche, puis on arrive à **Kaduketug**, premier village badui et premier point de contact avec cette population dont le mode de vie n'a pas changé depuis des siècles. Elle se partage en deux sous-groupes, identifiables à la couleur de leurs vêtements : des Baduis « noirs » et des Baduis « blancs ». Ces derniers vivent isolés dans la forêt et refusent tout contact avec le monde extérieur. L'existence des premiers est réglée par quantité d'interdits qui frappent, par exemple, le port du pantalon, l'usage des engrais ou l'élevage des animaux. Cette région à la nature luxuriante et les mystérieux Baduis peuvent laisser un souvenir inoubliable, mais il faut y rester au moins quelques jours, et coucher à la dure dans les villages.

De Rangkasbitung, la route traverse des paysages de montagne et de rizières jusqu'à **Bogor** (100 km, et seulement une heure d'autoroute depuis Jakarta, à 60 km), théâtre, en 1994, du sommet des chefs d'État de l'APEC, forum de Coopération économique Asie-Pacifique. C'est aussi l'ancienne Buitenzorg des Hollandais, qui en

Bandung.

avaient fait un lieu de villégiature. Ces derniers sont à l'origine du très renommé jardin botanique fondé en 1817, le somptueux **Kebun Raya**, où quelque 15 000 espèces végétales (dont 400 de palmiers et plus de 5 000 d'orchidées) s'offrent au regard, sans parler du magnifique **musée zoologique**.

L'élégante demeure néo-classique qui se dresse au nord du parc fut bâtie en 1856 pour les gouverneurs généraux des Indes néerlandaises, dont elle était l'une des résidences officielles.

Stations d'altitude et port de pêche

Le cône du Tangkuban Prahu, près de Bandung.

Seulement 75 km, par une belle route de montagne, qui serpente entre les volcans, séparent Bogor de **Pelabuhanratu**, petite station balnéaire qui s'est développée autour d'un port de pêche. Le site comprend plusieurs hôtels de toutes catégories, mais il faut se méfier de l'océan : les courants sont très dangereux, même près du rivage.

Si l'on préfère rejoindre directement Bandung (120 km de Bogor), il faut prendre une route qui traverse la région touristique de **Puncak**.

Les premières haltes ont pour nom **Cisarua**, connue pour ses cascades, puis **Puncak**, col perché au-dessus des plantations de thé et où un sentier mène au **lac Telaga Warna**. Hôtels et petits restaurants sont très nombreux dans ces stations d'altitude mises à la mode par les Hollandais dans les années 30.

Vient ensuite **Cipanas**. De cette station thermale qui abrite une annexe du jardin botanique de Bogor, on peut grimper, au prix d'une bonne journée de marche en forêt, au sommet du **Gede** (2 958 m).

Bandung

A trois heures de train et quatre heures de route de Jakarta, **Bandung** (160 km) est la capitale provinciale et le centre culturel du pays sunda. Cette ville de 3,5 millions d'habitants a laissé

son nom dans l'histoire pour avoir accueilli la célèbre conférence afroasiatique de 1955. Aujourd'hui à l'étroit entre les volcans qui la cernent, Bandung ne manque cependant pas de cachet, et son air vivifiant change agréablement des moiteurs de Jakarta.

Il faut aller chercher le charme du « Paris de Java » – sobriquet d'avantguerre dû à la belle ordonnance de ses rues – dans les bâtiments Art déco de l'époque hollandaise, comme les hôtels Savoy et Preanger (Jalan Asia-Afrika), ou la sublime Villa Isola, au nord. Le **Musée géologique** (avenue Diponegoro) mérite une visite pour ses collections (minéraux, cartes, fossiles) et sa reconstitution du squelette de l'homme de Java. Le conservatoire de musique (212, Jalan Buah Batu) et plusieurs salles de spectacle invitent à découvrir la danse, la musique et le théâtre sundanais.

A 32 km au nord de la ville, le **volcan Tangkuban Prahu** (« bateau renversé ») se laisse approcher par une route qui va jusqu'au bord du cratère.

Après cette excursion plutôt réfrigérante, rien ne vaut les sources chaudes de **Ciater**, à 7 km en contrebas.

On peut coucher sur place ou bien à **Maribaya**, où coulent aussi de bienfaisantes eaux chauffées par les volcans. D'autres sources, elles aussi dues à l'activité volcanique de cette région, ont fait la réputation de **Garut**, grosse ville située à 64 km de Bandung.

La capitale de Java-Ouest invite aussi à se rendre au sud, à **Ciwidey** (à 30 km), grand centre de fabrication des fameux kriss, et, plus loin sur la même route, au **lac Patengan** ou jusqu'au cratère du **mont Ciwidey**.

On parvient par une autre route à **Pengalengan** (à 40 km de Bandung), point de départ des excursions pour le **lac Sipanunjang** et le cratère du **mont Papandayan**, volcan toujours en activité. Ces deux axes continuent vers le sud, jusqu'à la mer ; une voie côtière en très mauvais état longe ensuite un littoral rocheux et sauvage, parsemé de villages de pêcheurs et très peu touché par le tourisme.

Les coques font assaut de couleurs dans le port de Cirebon.

LA CÔTE NORD DE JAVA

L'intérêt de cette côte plate qui borde une plaine desséchée tient principalement à ses ports et, dans une moindre mesure, à l'arrière-pays montagneux de Cirebon. On ne le dirait pas, à les voir assoupies auprès de leurs quais où l'on charge et décharge les goélettes de haute mer, mais ces bourgades du *pasisir* (« côte ») ont été jadis des villes parmi les plus actives et les plus riches de Java.

Elles exportaient en effet les surplus agricoles du fertile arrière-pays javanais et recevaient les navires aux cales remplies des odorantes épices des îles orientales. Loin de se cantonner à un rôle régional, ces ports servaient d'entrepôts aux marchands du monde entier. Entre les XVe et XVIIe siècles, ils devinrent des foyers de propagation de la foi musulmane dans l'ensemble de l'archipel.

A l'entrée du Kraton Kesepuhan, on peut reconnaître, sculpté dans le chapiteau, le motif des « rocs et nuages » propre à Cirebon.

Lorsqu'on quitte Jakarta vers l'est, par le train, qui traverse la plaine littorale, ou par la route, qui suit la côte, le premier arrêt d'importance est **Cirebon**.

Cirebon

Dans cet ancien sultanat fondé au XVIe siècle se sont mêlées avec bonheur les influences sundanaise, javanaise, chinoise, islamique et européenne. Convoité par les puissants royaumes de Banten et de Mataram, Cirebon finit par faire allégeance à ce dernier au début du XVIIe siècle, avant de tomber en 1677 sous la coupe des Hollandais.

Actuellement, ce port de pêche endormi est réputé pour ses fruits de mer. Il y règne une atmosphère détendue et son ancienne splendeur transparaît dans quatre *kraton* (palais) décatis qui ont plutôt l'allure de vieilles demeures de maître. Au XVIIe siècle, pas moins de trois sultans administraient de conserve la riche

Cirebon. Ces monarques, que le protectorat hollandais établi en 1705 maintint dans leur position, voulaient rivaliser de splendeur avec les cours du centre de Java. Ils firent construire ces palais. Seuls deux d'entre eux, qui sont d'ailleurs voisins, le Kesepuhan et le Kanoman, sont ouverts au public.

Avec son portail à deux battants aux pignons en briques rouges et ses pavillons de réception aux lignes fluides, le **Kraton Kesepuhan**, édifié vers 1529, est l'un des plus beaux exemples d'architecture indo-javanaise encore debout. Sa décoration, en revanche, résulte d'un curieux mélange d'influences sundanaise, javanaise, musulmane, chinoise et européenne. L'entrée, par exemple, est surmontée d'un chapiteau qui imite des nuages et des rocs. Ce motif, qui est un peu le symbole de Cirebon (on le retrouve sur les batiks locaux), développe sur un mode original un thème d'origine chinoise. A l'intérieur, un grand *pendopo* javanais à colonnades contient un salon à la française, tandis que, apposées sur les parois du Dalem Ageng (« salle des cérémonies »), des céramiques de Delft narrent des scènes de la Bible. Adjacent au palais, le petit musée est hélas dans un état de décrépitude qui en dit long sur la misère des budgets culturels indonésiens. C'est d'autant plus dommage que, au centre de cette salle obscure remplie d'un fourbi de lances et autres antiquités guerrières, trône un objet somptueux et délirant : un char d'apparat fabriqué en 1528, en forme de dragon ailé doté d'une trompe d'éléphant, tout en bois rouge et doré – couleurs où l'on peut voir une possible influence de la Chine.

Il suffit de passer par la place du marché, très animée, puis de traverser une paisible cour intérieure ombragée par de vénérables banians, pour accéder au **Kraton Kanoman**, qui date de 1670. Ici aussi, ameublement européen et murs à faïences hollandaises et chinoises donnent un cachet composite à cet ensemble, dont le musée renferme quelques pièces intéressantes.

Sur la côte nord.

Juste à côté du palais Kesepuhan se dresse encore la **grande mosquée** (Mesjid Agung), dont le toit à deux pentes repose sur une superbe charpente. Sa date de construction, vers 1500, en fait l'un des plus anciens édifices musulmans de Java.

Un détour par le **port**, pour voir les voiliers, un autre par le tout proche temple chinois de **Tay Kak Sie**, l'un des plus vieux de l'archipel, complètent la visite de la ville.

Dans les environs, les bassins vides et les grottes artificielles mal entretenues du **Taman Sunyaragi** (à 4 km au sud-ouest) ne rappellent que de très loin la vocation d'origine de ce lieu de méditation aménagé en 1852 par un architecte chinois pour un sultan local.

Autre curiosité, le **tombeau de Sunan Gunung Jati**, à 5 km au nord de la ville, attire des foules de pèlerins. Ce *sunan* (« maître ») qui vécut à Cirebon au XVIᵉ siècle fut l'un des *wali songo*, les « neuf saints » légendaires, propagateurs de l'islam à Java. Toujours à proximité immédiate, le village

Roches volcaniques sur une plage proche de Cirebon.

de **Trusmi** produit des batiks de belle facture (par son accueil et ses prix, la boutique-atelier Ibu Masina s'impose comme l'une des meilleures adresses).

Pekalongan, « ville du batik »

Après Cirebon, la route suit une côte marécageuse et monotone où seule l'activité des pêcheurs offre un divertissement. A 72 km à l'est, **Tegal** peut mériter un arrêt pour ses poteries et ses faïences (les plus belles proviennent d'un village à 10 km au sud).

Encore 70 km, et voici **Pekalongan**, connue sous le nom de « Kota Batik », la « ville du batik ». C'est en effet ici que sont réalisés les batiks les plus prisés de Java. Leur style développe des motifs d'inspiration musulmane, javanaise, chinoise et européenne, dans des tons pastel.

Pour se familiariser avec cette technique, rien ne vaut le **musée du Batik** (Jalan Pasar Ratu) et les ateliers de Mme Oey Soe Tjoen, dans le village de **Kedungwuni** (à 9 km au sud).

Semarang

A 100 km de Pekalongan, **Semarang**, cinquième ville d'Indonésie, avec 2 millions d'habitants, et centre industriel et portuaire, est aussi la capitale de la province de Java-Centre. Cette agglomération fait partie des rares ports du *pasisir* à n'avoir pas sombré dans la somnolence.

Sur Jalan Suprapto, l'**église hollandaise** de 1753 indique le centre de ce qui fut au XVIIIᵉ siècle le quartier européen. Il ne reste guère d'autres bâtiments de l'époque coloniale, qui ont été mis à bas après l'indépendance, ici comme ailleurs en Indonésie.

Bien plus pittoresque, le **quartier chinois** (Pacinan) compte une demi-douzaine de temples et de vieilles maisons aux volets sculptés. Pour y parvenir, il suffit de remonter la Jalan Suari, de la vieille église à la Jalan Pekojan. Pour dénicher le passage minuscule où siège le plus grand et le plus ancien des temples d'Indonésie, le **Tay Kak Sie** (1772), il faut tourner à droite, juste à la hauteur d'un pont, en arrivant de Jalan Pekojan.

A la périphérie ouest, la grotte de **Gedung Batu** témoigne de l'ancienneté de la présence chinoise dans cette région : elle est dédiée à Zheng He, amiral chinois, mais de confession musulmane, qui vécut au XVᵉ siècle.

La région de Semarang compte aussi un groupe de neuf temples shivaïtes du VIIIᵉ siècle. Cet ensemble dénommé **Gedung Songo** se trouve à proximité de la localité de **Bandungan**, petite station d'altitude sur les pentes du **mont Ungaran**, à quelques kilomètres d'**Ambarawa** (elle-même à 50 km au sud de Semarang).

Sur la route de Surabaya

Dans sa première moitié, la route côtière de Semarang à Surabaya (330 km) passe par Demak, Kudus, Jepara, Rembang, Tuban, ou à proximité. Toutes ces petites localités furent au XVIᵉ siècle le siège de cités-États qui tiraient leur puissance de la maîtrise du commerce maritime. C'est par elles également que l'islam se répandit à Java.

A 26 km de Semarang, **Demak**, aujourd'hui à l'intérieur des terres, fut, au XVIᵉ siècle, le premier sultanat de l'île. C'est lui qui réalisa la conquête et la conversion de la partie occidentale de la côte. Seule sa mosquée évoque encore ce glorieux passé.

Kudus, vieille ville religieuse à 25 km de Demak, est la capitale des *kretek*, cigarettes indonésiennes au clou de girofle. Elle conserve de magnifiques maisons en bois de teck sculpté et une mosquée du XVIᵉ siècle au portail et au minaret d'inspiration indo-javanaise.

A 33 km au nord, une multitude d'ateliers d'ébénisterie impose **Jepara** comme la ville du teck.

Plus à l'est, respectivement à 70 km et 80 km de Kudus, **Rembang** et **Lassem** ne manquent pas de charme. Leurs maisons aux murs chaulés donnent à ces ports un aspect proche-oriental, tandis que de nombreux temples trahissent une très ancienne présence chinoise.

A gauche, maison en teck à Kudus ; à droite, dans tous les ports du « pasisir », les bateaux traditionnels offrent cette débauche de couleurs

YOGYAKARTA ET SES ENVIRONS

Yogyakarta – que les Indonésiens écrivent aussi Jogjakarta, et abrègent en « Yogya » ou « Jogja » – est une ville où il fait bon s'attarder. En dépit des 2,7 millions d'habitants que comptent l'agglomération et son territoire de 3 200 km², avec lequel elle forme une des 27 provinces indonésiennes, la capitale culturelle de Java conserve en effet une atmosphère de grosse bourgade où la vie s'écoule doucement. Et pas un jour ne se passe sans un spectacle de danse, de théâtre, de marionnettes ou de musique.

La ville même semble avoir été inventée exprès pour le plaisir de la flânerie. Dédales fleuris des ruelles où déambulent des grappes d'enfants rieurs ; marchés de toutes sortes, aux oiseaux, aux fruits, aux épices ; cohorte colorée des cyclo-pousse sur l'avenue centrale et commerçante, la Jalan Malioboro ; vastes esplanades qu'ombragent de vénérables banians : tout ici paraît empreint d'une extrême douceur. Même l'islam a l'air encore plus tempéré qu'ailleurs et plus imprégné d'influences javanaises.

Spiritualité javanaise

Au cœur d'un immense croissant rizicole, entre mer au sud et montagnes au nord, la région de Yogyakarta est pourtant habitée depuis au moins deux millénaires. Elle a connu un premier âge d'or entre les VIIIe et IXe siècles. La dynastie bouddhiste des Saïlendra bâtit alors le Borobudur, et les Sanjaya hindouistes, l'ensemble des temples de Prambanan (ces deux sites très renommés ne sont qu'à 40 km de la ville).

Au moment de leur construction, Yogya n'était qu'un village. Mais, déjà, ces deux sanctuaires, de même que les dizaines d'autres de même époque, plus petits, qui les environnent, affirmaient la dimension spirituelle de la région. Cette dernière s'y prêtait, puisqu'elle est circonscrite par le volcan Merapi, séjour du divin, et l'océan Indien, demeure de la mythique reine des mers du Sud, Nyai Roro Kidul.

Frondeuse et intellectuelle

Sur le plan politique, c'est la scission du second royaume centre-javanais de Mataram qui explique la présence de deux palais à Yogyakarta, comme, d'ailleurs, dans la cité voisine de Surakarta (Solo).

L'État de Mataram a été fondé en 1587 dans le village de Kota Gede – aujourd'hui faubourg de Yogya renommé pour ses bijoux en argent. A l'issue de luttes intestines et d'interventions hollandaises, Mataram fut divisé en 1755 entre les principautés de Yogyakarta et de Surakarta (Solo). Par la suite, ces deux maisons royales se sont à leur tour scindées, pour donner quatre dynasties, qui ont chacune érigé leur palais. Ceux de Yogya datent, respectivement, du milieu du XVIIIe siècle et du début du XIXe siècle. Dès les années 1800, soit à peine un

Pages précédentes : les temples hindouistes de Prambanan. A gauche, membre de l'aristocratie locale ; à droite, le Sumur Gumuling, lieu de méditation du Taman Sari.

demi-siècle après son accession, en 1755, au statut de cité royale, Yogyakarta résista à la férule coloniale. Ce qui lui valut d'être envahie et pillée par deux fois, par les Hollandais en 1810, et, deux ans plus tard, par les Britanniques – qui avaient pris Java aux Hollandais pendant les guerres napoléoniennes. Les quatre années d'occupation anglaise qui suivirent furent marquées par la scission d'une branche de la maison royale. Elle donna naissance à l'autre lignée de Yogya, celle des Paku Alaman.

Quelques années plus tard, un jeune prince héritier du nom de Diponegoro y mena une rude lutte, à la fois contre le sultan et contre l'occupant hollandais revenu dans ses possessions. Épopée populaire, cette rébellion restée dans l'histoire sous le nom de « guerre de Java » a duré pas moins de cinq ans (1825-1830). En 1946, quand les Hollandais récupérèrent leur colonie, Sukarno et Hatta, qui avaient proclamé l'indépendance de l'Indonésie le 17 août 1945, durent se replier de Jakarta sur Yogyakarta, qui fut promue capitale provisoire. Elle le demeura durant toute la guerre d'indépendance, jusqu'en 1949. Outre ses élites politiques, Yogya et sa région accueillirent pendant cette période 6 millions de réfugiés, dont plus de 1 million de combattants. Hamengkubuwono IX, son jeune sultan, prit fait et cause pour l'indépendance. Il alla jusqu'à convertir une partie de son palais, le Kraton Hadiningrat, en université populaire, et fut plus tard vice-président de la République. Son portrait orne aujourd'hui le billet de 10 000 *rupiah*.

Héritière de cette devancière, l'**université Gajah Mada** est aujourd'hui l'un des établissements les plus cotés du pays. Attirant des élèves de tout l'archipel, elle ajoute une note estudiantine à cette ville que son héritage historique et culturel, des temples aux arts et aux palais, place à juste titre dans la quasi-totalité des programmes proposés par les voyagistes. Yogya est en outre facile d'accès par la route, l'avion ou le train.

Le Kraton Hadiningrat

Le Kraton Hadiningrat

Palais le plus important de Yogyakarta, le **Kraton Hadiningrat** était – et est encore pour nombre de Javanais – à la fois un pôle politique et le centre de l'univers. Plus qu'une demeure princière, c'est, comme les autres palais de Java, une véritable ville dans la ville, dont la conception même reflète la cosmogonie javanaise. Le nom que portent les sultans, Hamengkubowono, que l'on peut traduire par « celui qui tient le monde dans son giron », indique que cette symbolique s'étend aux souverains, qui ont reçu leur pouvoir directement des dieux.

Le pavillon d'audience central (*pendopo*) et l'esplanade qui le reçoit figurent à la fois le symbole du pouvoir temporel et celui du mythique mont Meru, montagne sacrée et pivot du cosmos. Tout autour, les pavillons et les nombreuses cours sont séparés par de hauts murs percés de portes, dans lesquels il faut voir la matérialisation des degrés cosmiques. Et, alors que l'entrée nord regarde vers la montagne et les dieux, celle du sud est orientée vers l'océan Indien, dont la divinité, Nyai Roro Kidul, est associée de longue date aux cours javanaises. Hamengkubowono X, le sultan actuel, et sa cour, lui rendent chaque année un solennel hommage, face aux flots qui déferlent sur le sable gris de la plage de Parangtritis.

Ainsi, loin d'évoquer un passé révolu, ce *kraton*, comme l'autre palais de Yogya, est partie intégrante d'une spiritualité toujours vivante et qui fait bon ménage avec l'islam. Ses pavillons abritent encore les sultans et leurs familles – qui ouvrent leurs portes aux visiteurs. Ces deux palais sont aussi des conservatoires artistiques dans lesquels le promeneur peut assister à des spectacles et à des répétitions (danse, gamelan, *wayang*).

Le Kraton Hadiningrat a été bâti entre 1756 et 1792. S'il ne présente pas un grand intérêt architectural, on est en revanche rapidement absorbé par son atmosphère comme hors du temps

A gauche, à l'entrée du « kraton », ce « kala » éloigne les démons ; à droite, garde du « kraton ».

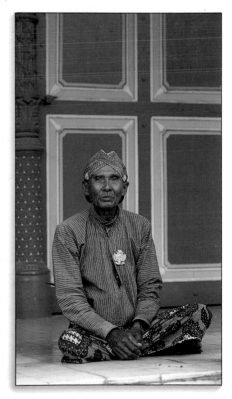

et encore tout imprégnée de la vie de cour. Il s'étend en plein centre, au débouché de la Jalan Malioboro.

Comme un sas entre l'espace public et cet ensemble sacré, le vaste square (*alun-alun*) qui les sépare servait autrefois de « salle d'attente » aux visiteurs venus présenter leurs doléances au sultan. A l'instar des touristes d'aujourd'hui, ils se reposaient sous les deux augustes banians (*waringin*) qui ombragent cette place dominée à l'ouest par la **grande mosquée** (Mesjid Besar), qui date de 1773. Eux aussi riches de symboles, ces deux grands arbres aux racines aériennes figurent l'équilibre permanent des antagonismes au sein du royaume.

Restreint désormais aux espaces circonscrits par la première ligne de fortifications, ce *kraton* comprenait à l'origine un vaste ensemble résidentiel destiné à la cour, ainsi qu'une mosquée, un jardin d'agrément, des écuries, des casernes et une fonderie d'armes. Huit kilomètres de muraille protégeaient le tout. Cette dernière a été en grande partie abattue, et les anciennes dépendances forment un quartier animé, tout en venelles étroites et connu pour ses ateliers de peinture et de batik.

La porte ouest est aujourd'hui l'entrée principale du *kraton*. Elle a été pratiquée dans le **Pracimasono**, naguère dortoir de la soldatesque et maintenant école de *dalang* (« marionnettiste »).

Vient ensuite une succession de sept cours, le long desquelles s'ordonnent des pavillons ouverts ou fermés. Si leur architecture illustre le style javanais le plus pur, leur décoration porte la marque d'une européanisation des goûts. Ainsi, dans les années folles, vers 1920, incorpora-t-on à ce cadre jusqu'alors strictement javanais des marbres italiens, des colonnes en fonte, des chandeliers de cristal et des meubles rococo.

Le sultan Hamengkubuwono X et sa famille résident dans le groupe de bâtiments central, le **Proboyekso**. Une partie de cet ensemble a été converti en **musée**. Ses salles renferment les trésors royaux accumulés par la dynastie : antiquités, armes et éléments de costume, gamelan, ainsi que des portraits des sultans, des photographies anciennes, etc.

Faisant face au square, dont un mur le sépare, le pavillon **Pagelaran** servait autrefois de salle de réunion. Il n'est pas rare d'y voir de nos jours des répétitions de danse ou de gamelan, auxquelles on peut librement assister.

Dans une seconde cour s'élève un autre *pendopo*, le **Bangsal Kencana** ou « salle des trônes ». Aussi dénommé « pavillon d'or », c'est l'orgueil du *kraton* et le centre du complexe palatial. Coiffé d'un toit très incliné et richement décoré, il est supporté en son centre par quatre énormes colonnes en bois sculpté. Cette architecture s'inspire directement des pavillons communautaires tribaux (*balai*), dont on peut voir des exemples à travers tout le monde austronésien, auxquels les Javanais ont intégré des principes architectoniques d'origine indienne.

Le Taman Sari

A proximité immédiate du *kraton*, le **Taman Sari**, ancien jardin des sultans, a gravement souffert des intempéries et d'un tremblement de terre survenu en 1867. Aménagé au milieu du XVIIIᵉ siècle par Hamengkubuwono Iᵉʳ, premier sultan de Yogyakarta, il était conçu comme un vaste espace d'agrément et de méditation. Des canaux d'irrigation alimentaient des jardins et des bains reliés par des promenades et des souterrains. Au milieu d'un lac artificiel s'élevait la résidence du sultan. Les Hollandais prirent cette grosse bâtisse de style européen pour un château d'eau (*waterkasteel*) : le terme est depuis resté pour désigner l'ensemble du site. A demi en ruine et envahi par la végétation, le Taman Sari garde beaucoup de charme. Succession de labyrinthes et de bassins, il abrite aussi de nombreux petits ateliers de batik.

Derrière le « château d'eau », un tunnel conduit aux **Trois Bains** (*umbul-umbul*), ensemble en partie restauré. Le grand bassin central, orné d'une fontaine à tête de dragon, était réservé aux reines, aux concubines et aux princesses, et le petit bain, au sultan. Au sud et niché au milieu du *kampung* (« village »), le **Pesarean Pertapaan** servait de retraite royale. On y accède en passant sous une voûte ouvragée, à l'est des bains, puis en empruntant un sentier tortueux qui part sur la gauche.

Plus étonnant encore, le **Sumur Gumuling**, puits circulaire que les locaux appellent *mesjid* (« mosquée »), était le lieu où les sultans rendaient hommage à Nyai Loro Kidul, toute-puissante déesse des mers du Sud. Les souverains de Mataram lui avaient été promis en mariage par le fondateur de la dynastie, Senopati, et c'était d'elle que les sultans détenaient leurs pouvoirs. On parvient à ce puits mystique, en fait une espèce d'atrium flanqué de galeries, par un passage souterrain qui s'ouvre immédiatement à l'ouest du « château d'eau ».

Avant de quitter ce quartier, il est agréable d'aller flâner dans le **Pasar Ngasem**, marché aux oiseaux où les Javanais, grands amateurs de chants d'oiseaux, marchandent au milieu d'une nuée de perroquets, de perruches, de grives, qui battent des ailes dans leurs cages suspendues au bout de longues perches.

Tout à côté, le **quartier des peintres de batik** rassemble de jeunes artistes à la mode et d'autres qui destinent leur production aux seuls touristes de passage.

Jalan Malioboro

Cette artère centrale coupe la ville du sud au nord et sur 3 km, du *kraton* jusqu'au monument dédié à la divinité protectrice locale, Kyai Jaga. Vraie voie royale, ce grand axe fut conçu comme une avenue dévolue aux processions par son créateur, le sultan Hamengkubuwono Ier. D'où son nom de **Jalan Malioboro**, dont la racine sanscrite signifie rue « aux guirlandes » (ces guirlandes de fleurs que l'on suspendait partout lors des processions), et non « rue du duc de Marlborough »,

Bâtiments de l'époque coloniale dans le centre de Yogyakarta.

étymologie fantaisiste qui se fonde sur la prise de Yogyakarta par les Anglais, en 1812.

Bordée de boutiques et envahie de voitures, de cyclo-pousse et de piétons, cette avenue commerçante se parcourt d'habitude à partir de l'*alun-alun*, au sud et face au Kraton Hadiningrat. Première halte possible, le **musée Sono Budoyo** (sur le côté nord-ouest de la place) renferme un bouddha en or, des objets préhistoriques, des bronzes indo-bouddhiques, des marionnettes, des costumes de danse et des armes traditionnelles javanaises.

Juste derrière ce musée inauguré en 1935 par l'Institut javanais et installé dans un édifice de style local, la **Bibliothèque royale** n'ouvre normalement pas ses portes au public.

Après le grand carrefour au nord de la place, le **fort Vredeburgh**, ancienne caserne hollandaise, est destiné à devenir un centre culturel.

Juste en face, l'ancienne Résidence hollandaise servit de palais présidentiel entre 1946 et 1949, pendant la guerre d'indépendance. C'est à présent la résidence du gouverneur de la province de Yogyakarta. Plus haut sur la droite, un immense marché couvert, le **Pasar Beringharjo**, est le domaine de la pénombre et des odeurs : les femmes y vendent fruits, légumes, batiks, piments et toutes sortes de friandises et de boissons médicinales javanaises.

Les artisans, la ronde permanente des petits métiers, les restaurants où l'on sert de délicieux jus de fruits, des plats chinois, indonésiens et européens complètent les attraits de Jalan Malioboro. Au numéro 16, l'**office de tourisme** donne les horaires de tous les spectacles prévus à Yogya.

Ville d'art

De tous les arts traditionnels de Yogya, le *wayang kulit*, le théâtre d'ombres de marionnettes, est certainement le plus cher aux Javanais. En dépit de l'influence grandissante du cinéma et de la télévision, cet art reste

Danseuses royales de Yogyakarta dans les années 1860.

très populaire à Yogya. Le *dalang* (« marionnettiste ») et son orchestre sont souvent invités dans les villages à l'occasion d'un *selamatan* (fête rituelle) ou d'un mariage. Il est alors capable d'improviser durant toute une nuit, sur le thème d'une fable tirée en général des épopées hindoues du *Mahâbhârata* ou du *Râmâyana*.

Il suffit de se rendre au pavillon des spectacles, le **Sasana Inggil**, au sud du *kraton*, pour pouvoir assister tous les jours à des versions abrégées. Programmées plus spécialement pour les touristes, ces séances n'en sont pas moins tout à fait conformes aux canons de cet art.

On ne quitte pas Yogya sans avoir les oreilles pleines des sonorités fluides du gamelan, dont la musique répétitive résonne dans les pavillons du *kraton* comme sur les étals des nombreux marchandes de cassettes. Des répétitions publiques ont lieu tous les lundis et mercredis matin au Kraton Hadiningrat, et, un dimanche sur cinq, un concert a lieu à 10 h dans l'autre palais de Yogya, le **Puro Pakualaman**. On peut aussi voir fabriquer les instruments du gamelan selon les méthodes ancestrales dans les fonderies de Yogya.

Quant aux danses javanaises, les répétitions hebdomadaires du *kraton* comme celles des nombreuses écoles d'art de la ville en fournissent un bon échantillon. De mai à octobre, le **ballet Râmâyana** propose un inoubliable spectacle chorégraphique de quatre nuits consécutives dans l'enceinte des temples de Prambanan.

Boutiques, batiks et bijoux

Yogyakarta et ses faubourgs sont riches d'un artisanat foisonnant, dont le batik est peut-être la plus savante expression. Pour se familiariser avec la préparation de ces tissus de soie ou de coton, qui sont teints après avoir reçu un motif dessiné en appliquant de la cire fondue, une visite s'impose au **Centre de recherche sur le batik** (Balai Penelitian Batik, près de la

A gauche, atelier de batik ; à droite, présentation du Râmâyana.

poste centrale). On peut assister à toutes les phases de l'exécution, et même apprendre cette technique subtile : pour une somme modique, le centre propose des stages d'un mois, à raison de trois heures par jour, six jours par semaine.

Les batiks de Yogya sont fabriqués et vendus dans toute la ville, mais plus spécialement sur **Jalan Tirtodipuran**, rue qui compte plus de 25 ateliers et salles d'exposition. Pour des batiks provenant de toutes les régions de Java, **Toko Terang Bulan** (sur Jalan Malioboro, près du marché couvert) vend à des prix fixes et raisonnables sarongs, châles (*selendang*) nappes, chemises, robes et autres articles. Nombre d'artistes locaux réalisent en outre des peintures-batiks destinées à être encadrées.

A 5 km du centre et au terme d'une balade agréable à accomplir en cyclopousse, le bourg de **Kota Gede** est, lui, connu pour ses ateliers où l'argent est travaillé de toutes les manières pour être converti en bijoux ou en objets décoratifs. On peut y observer toutes les phases du façonnage, du martelage à la ciselure, et les prix sont abordables.

A 10 km plus au sud, le bourg d'**Imogiri** mérite une halte pour sa nécropole royale, où repose Sultan Agung (1613-1645), troisième souverain de Mataram et unificateur de l'île – à l'exception de Batavia. On atteint cet ensemble de vieux tombeaux moussus noyés dans la verdure par un escalier en pierre de 345 marches.

Encore 20 km et on arrive sur la plage et les dunes de sable noir de **Parangtritis**. Sur l'océan Indien, ce village, dont les petits hôtels ne sont fréquentés que le week-end, est un lieu de détente agréable après le tohubohu de la ville. Pas question toutefois d'y faire trempette : les courants sont mortels. C'est ici que, chaque année, lors de son anniversaire, le sultan de Yogyakarta rend hommage en grande pompe à la déesse Nyai Roro Kidul, protectrice de la lignée de Mataram depuis sa fondation par Senopati.

Dessin du Borobudur datant du XVIIᵉ siècle.

Les monuments de Java-Centre

Pour les Javanais, les *candi*, temples funéraires en pierre, sont la preuve matérielle du talent artistique de leurs ancêtres. Beaucoup d'efforts ont été consacrés aux fouilles archéologiques, ainsi qu'à la restauration, à l'étude iconographique et au déchiffrement des inscriptions de ces *candi*, qui fourmillent dans la province de Java-Centre On commence cependant tout juste à en comprendre la symbolique. Des questions fondamentales, comme leurs affinités de style avec l'art indien ou leur fonction dans l'ancienne société indonésienne, restent sans réponse ; même leur datation demeure incertaine. Ce qui est avéré, c'est qu'ils comptent parmi les plus belles prouesses architecturales de tous les temps.

La splendeur du Borobudur

De Yogya, une petite heure de route (42 km) à travers les rizières de la plaine de Kedu conduit au pied des marches du légendaire **Borobudur**, le plus grand monument bouddhique du monde et le plus ancien d'Asie du Sud-Est. Il fut construit entre 775 et 856, au temps de la dynastie des Saïlendra, soit trois bons siècles avant Angkor et Notre-Dame de Paris. Vers l'an 950, Borobudur, comme tous les autres sites du centre de Java, fut mystérieusement abandonné. A la même époque, le Merapi connut une violente éruption qui recouvrit ce temple de cendres volcaniques. Puis la végétation le dissimula aux yeux des hommes pendant près d'un millénaire.

Il fallut, pour le retrouver, attendre 1815 et le gouverneur anglais Thomas Stamford Raffles, qui fit dégager l'immense édifice. Après le départ de Raffles, le « temple-montagne », laissé à nouveau à l'abandon, fut l'objet de terribles pillages. Sa restauration ne commença vraiment qu'en 1907, avec Theodor Van Erp. Ce Hollandais découvrit la faiblesse secrète du géant de pierre : fait d'un simple revêtement

Selon l'heure, le jour ou le moyen e transport, majesté du Borobudur transparaît autrement.

de blocs de basalte et d'andésite appareillés sans mortier sur un tertre artificiel en terre, le Borobudur, débarrassé de la végétation qui l'avait protégé mille ans durant, risquait de s'écrouler sous l'effet des eaux d'infiltration. Mais les deux guerres mondiales puis la guerre d'indépendance empêchèrent Van Erp de réaliser ses projets de restauration.

Deux tremblements de terre, en 1961, provoquèrent de nouveaux dégâts. Finalement, en 1973, le sauvetage démarra sous les auspices et avec les fonds de l'Unesco. Cette entreprise titanesque mobilisa 700 hommes pendant dix ans. Mais elle fut menée à bien, et, le 23 février 1983, le président Suharto put rouvrir le site au public.

Le chemin de la Sagesse

On estime que 30 000 tailleurs de pierres et sculpteurs, 15 000 porteurs et des milliers de maçons travaillèrent durant 75 ans à l'édification de ce monument. A une époque où Java devait compter à peine 1 million d'habitants, cela représentait la mobilisation d'environ 5 % de la population de l'île. Est-ce la foi populaire ou la coercition qui poussa tant d'hommes à participer à l'élaboration de ce monument ? Nul ne sait. En revanche, il est certain que les souverains Saïlendra pouvaient exiger du peuple le surplus de riz et le travail nécessaires.

Comme tous les stupas (monument bouddhiste en forme de dôme), le Borobudur symbolise la montagne (*meru*) habitée par les dieux et se veut à la fois une réplique des trois divisions du monde propres au bouddhisme Mahayana (« grand véhicule »). Les dix niveaux du temple se répartissent ainsi entre le *khamadhatu*, sphère inférieure, celle de la vie humaine ; le *rupadhatu*, étage intermédiaire, celui de la « perception » ; et l'*arupadhatu*, sphère supérieure, qui symbolise le détachement suprême. Le premier niveau, encore à demi visible, portait des bas-reliefs qui dépeignaient les délices du *khamadhatu*, et

Le Borobudur a été conçu pour l'éducation spirituelle d pèlerins pl que pour l'adoration d'un dieu.

la damnation qu'elles entraînent. La première terrasse, processionnelle, et, au-dessus d'elle, les quatre niveaux de galeries percées d'escaliers et crénelées de centaines de bouddhas siégeant dans des niches, composent la sphère du *rupadhatu*.

Les 1 460 bas-reliefs qui jalonnent ces 6 km de cheminement (il faut commencer par les escaliers est et faire le tour de chaque galerie dans le sens des aiguilles d'une montre) racontent les vies antérieures du Bouddha, son existence avérée (environ, de 536 à 480 av. J.-C.), puis celles des bouddhas à venir. Caractéristiques de l'art indo-javanais des IXe et Xe siècles, ces sculptures riches en détails réalistes sont un passionnant document sur la vie de cette époque.

Les bouddhas de pierre installés dans les niches adoptent l'une des cinq *mudra* – positions de mains –, qui tantôt invoquent la terre, tantôt symbolisent la compassion, la méditation, le courage ou la raison. Au-dessus de ces galeries à angles droits, trois terrasses circulaires portent 72 stupas miniatures en pierre ajourée (*dagob*). La plupart de ces reliquaires renferment une statue du Méditant. Ces trois cercles symbolisent les étapes transitoires préalables à l'accession au dixième et plus haut niveau, le royaume de la vacuité et de l'abstraction, *arupadhatu*, ici représenté par le stupa sommital de 15 m de diamètre.

Candi Pawon et Candi Mendut

Ce grand sanctuaire appartient en fait à un très vaste ensemble de bâtiments cultuels éparpillés sur plusieurs kilomètres carrés. Le plus proche, le *candi* (temple) **Pawon**, occupe une clairière ombragée, à 2 km de l'entrée principale du Borobudur. Il était sans doute l'ultime étape sur le chemin pavé de briques qui menait les pèlerins au Borobudur. En dépit des nombreuses théories avancées, le symbolisme et la fonction réelle du Pawon (qui signifie « cuisine » ou « crématorium ») restent mystérieux. Cet édifice est remar-

A gauche, restauration des bas-reliefs du Borobudur ; à droite, prière de pierre.

quable par l'harmonie de ses proportions et ses hauts-reliefs, qui sont caractéristiques de la sculpture indojavanaise des VIIIᵉ et IXᵉ siècles. Ce style dit « de Java-Centre » accordait une place éminente aux motifs humains et animaliers.

Tout proche, sur l'autre rive du confluent des deux rivières sacrées, la Progo et l'Elo, le **Candi Mendut** date de la même époque que le Borobudur. Son architecture est en tout point semblable à celle des autres temples de Java-Centre : une salle quadrangulaire élevée sur un soubassement massif et coiffée d'une pyramide à degrés. En revanche, ses sculptures le classent sans conteste parmi les monuments les plus intéressants de Java-Centre. Les grands panneaux de la façade portent des bodhisattvas (« qui est sur la voie de l'éveil »), tandis qu'à l'intérieur des bas-reliefs à sujets animaliers ou fantastiques illustrent des contes populaires. La chambre centrale contient trois statues parfaitement conservées : un bouddha assis de 3 m de haut –

Sakyamuni, le Bouddha historique – sculpté dans un seul bloc de pierre, flanqué des deux bodhisattvas Vajrapani (à gauche) et Lokesvara (à droite), chacun mesurant 2,50 m de haut. La grande statue centrale immortalise la scène du premier sermon dans le parc aux daims de Bénarès, comme l'indique la position de ses mains (*dharmacakra mudra*) et le bas-relief figurant une roue entre deux daims.

Prambanan et le Candi Loro Jonggrang

La route de Solo, qui part à l'est de Yogyakarta, traverse une plaine jonchée de ruines, au centre de laquelle (à 17 km de Yogyakarta), s'élève la petite ville de **Prambanan**.

Un panneau indique l'accès du grand sanctuaire hindouiste de **Loro Jonggrang**, ensemble de monuments considéré comme l'un des fleurons de l'art de Java-Centre. Construit au milieu du IXᵉ siècle, époque où l'hin-

A l'intérieu du Candi Mendut.

douisme remplaça le bouddhisme Mahayana comme religion d'État, ce vaste complexe compte plus de 220 temples et templions. Il est contemporain de la victoire remportée en 856 par Rakai Pikatan, monarque de la dynastie des Sanjaya, sur Balaputra, dernier souverain de la lignée des Saïlendra à régner sur le centre de Java. Défait, ce dernier s'enfuit à Sumatra, où il devint par la suite souverain de Sriwijaya.

Comme le Borobudur, Prambanan fut délaissé quelques années après son achèvement. Les travaux de restauration entamés dans les années 30 ont pris fin en 1990 pour les trois bâtiments principaux et centraux, les trois tours sanctuaires dédiées à la Trimurti hindouiste (Brahma, Shiva et Vishnou). Mais ils se prolongent dans les constructions annexes. Face aux temples des trois dieux, à l'est, trois tours plus modestes et en bon état abritaient leurs montures (ou « véhicules ») : le taureau de Shiva (Nandi, le seul encore visible), le jars de Brahma (Hamsa) et l'oiseau de Vishnou (Garuda, qui figure sur le blason de la république d'Indonésie).

C'est le plus grand des trois temples, le chef-d'œuvre dédié à Shiva, qui est localement dénommé Loro Jonggrang, du nom de la princesse légendaire qui serait à l'origine de sa construction. La tradition veut que cette princesse, courtisée par un prétendant dont elle ne voulait pas, accepta de le prendre pour époux s'il construisait un temple en une nuit. Voyant qu'il était sur le point d'aboutir, elle usa d'un subterfuge pour annoncer l'aube prématurément. Furieux, le prétendant transforma la jeune fille en pierre. Assimilée à Durga, parèdre de Shiva, sa statue occupe la chambre nord de ce temple. Celle d'Agastya, le « maître divin », siège dans la chambre sud. Ganesh, dieu à tête d'éléphant né de Shiva et de Parvati, réside lui à l'ouest, et un Shiva de 3 m de haut trône dans la pièce centrale.

D'une vigoureuse symétrie, le Loro Jonggrang surprend par la finesse des

Grâces célestes du Loro Jonggrang.

détails sculptés : lionceaux entourés d'arbres de vie grouillant d'animaux familiers et de monstres, êtres célestes, poses du Natyasastra (le manuel de danse classique indienne) et scènes du *Râmâyana*. L'été, et si l'on reste plusieurs jours à Yogya, il ne faut pas manquer les représentations nocturnes de cette épopée qui se donnent pendant quatre nuits d'affilée sur le site même du Loro Jonggrang.

Autour de Prambanan, le **Candi Sewu** (à 1 km au nord-est) et le **Candi Plaosan** (à 2 km au nord-ouest) sont deux ensembles de temples bouddhiques du IXᵉ siècle faciles d'accès et riches en statues et en bas-reliefs.

Premier site archéologique de Java-Centre, la région de Prambanan renferme de nombreux autres vestiges bouddhistes et hindouistes. Le **Candi Kalasan** (sur la route de Yogya, à la hauteur de la borne « km 14 ») et le **Candi Sambisari** (proche du village du même nom et lui aussi sur la route de Yogya) sont parmi les mieux restaurés.

Le plateau de Dieng

A quatre heures d'autocar ou de voiture de Yogyakarta (120 km), le **plateau de Dieng**, haute plaine marécageuse à 2 000 m d'altitude, centre mythique de l'île pour les Javanais, est l'un des sites archéologiques les plus fascinants de Java-Centre. Après une route de montagne qui sinue entre les terrasses chargées de cultures, la brume matinale qui se dégage dévoile huit temples hindouistes, seuls vestiges des 400 d'origine, qui s'élèvent entre les marécages, les lacs, les prés et les bois de cette ancienne caldeira.

Sur le chemin d'accès, **Wonosobo**, seule grosse localité traversée (26 km avant le plateau), propose quelques *losmen* modestes, mais bien commodes si l'on veut passer toute une journée à Dieng.

A 10 km de là, le marché de **Kejajar** réunit tous les matins les paysans de la montagne et de la plaine.

Le Merapi, le « mont de feu »

Le **Merapi** n'est pas le seul volcan d'Indonésie à porter ce nom. Mais ce monstre qui culmine à 2 911 m doit à ses fureurs d'être l'un des plus célèbres. Sa dernière éruption, en 1994, a tué 70 personnes. Proche de Yogyakarta, il a un caractère sacré, et, chaque année, des effets appartenant au sultan lui sont offerts : scène que ne fixent pas les caméras d'observation posées au bord du cratère par les volcanologues français qui, avec d'autres spécialistes, surveillent le Merapi.

On ne doit entreprendre l'ascension qu'après avoir consulté l'office de tourisme de Yogya, et il faut être accompagné d'un guide. Plusieurs chemins sont possibles, et aucun ne demande une préparation ou un équipement particulier ; il suffit de marcher cinq heures en forêt, sur un sentier escarpé. Les départs ont lieu vers 2 h du matin, ce qui permet d'assister au lever du soleil et au réveil de la plaine depuis la gueule du cratère. Ses guides expérimentés et ses quelques *losmen* font de **Selo** (village à deux heures de *bemo* de Yogya) le meilleur camp de base.

A gauche, les trois grands temples de Prambanan à droite, le Loro Jonggrang.

SOLO (SURAKARTA)

La noble **Solo**, également appelée **Surakarta**, à 65 km au nord-est de Yogya, est beaucoup moins visitée que sa très distinguée voisine. Chose incompréhensible pour bon nombre de Javanais, qui voient en Surakarta la cour la plus ancienne et la plus raffinée de Java. Il est vrai que la première impression que donne Solo peut être trompeuse : une atmosphère provinciale règne dans les artères bordées de bâtiments à deux ou trois étages un peu décatis. Cette ville est pourtant plus peuplée que Yogya, et nulle part ailleurs les libéralités des familles régnantes n'ont porté la culture et les arts à un tel degré d'achèvement.

Nonobstant les réserves émises par les souverains de Yogyakarta, le *susuhanan* (prince musulman en titre) de Surakarta peut, à juste titre, se targuer d'être l'héritier légitime du trône du royaume Mataram. En effet, en 1680, Pakubuwono II quitta la région de Yogyakarta pour s'installer avec sa cour dans la vallée du Bengawana Solo, à Kartasura. En 1742, après le sac de cette nouvelle capitale, le *susuhunan* décida de construire une capitale dans un endroit mieux protégé. Il opta, en 1745, pour le village de Solo, qui fut rebaptisé Surakarta, et la lignée de Mataram règne depuis lors sans interruption.

En vertu d'un traité signé entre les membres de cette famille, en 1755, sous les auspices des Hollandais ces derniers attribuèrent la moitié du royaume de Mataram à Mangkubumi, frère rebelle du souverain régnant. Ce dissident fonda alors Yogyakarta et prit le nom de Hamengkubowono. A la différence de cette seconde dynastie, les *susuhunan* de Surakarta demeurèrent fidèles aux Hollandais, et ce même pendant la guerre de Java. Les colonisateurs récompensèrent ce soutien, et, au XIXe siècle, plusieurs membres de la famille royale de Solo purent devenir grands propriétaires terriens et magnats de la canne à sucre. Aussi, pendant la guerre d'indé-

A gauche, superbe mais inaccessible côte javanaise; danseuse à Pura Mangkunegaran.

pendance, Surakarta ne connut-elle aucun mouvement anticolonialiste.

En fait, si Surakarta est moins connue des étrangers que Yogyakarta c'est surtout parce qu'elle est éloignée des prestigieux sites de Borobudur et de Prambanan et qu'elle a longtemps été moins bien desservie par les liaisons aériennes. Pourtant, située à une heure de train ou de voiture de Yogya, cette cité royale mérite que l'on s'y arrête, un jour au moins.

Le palais royal

Au sud-est de la Jalan Slamet Riyadi, la rue principale, le **Kraton Surakarta Hadiningrat**, ou palais royal, a été construit entre 1743 et 1746 sur les rives du Solo, fleuve le plus long de Java. Comme son homologue de Yogyakarta, il fait coïncider le centre de la ville et du royaume avec le cœur métaphysique de l'univers. Les similitudes entre ces palais sont d'ailleurs frappantes. Tous deux enclos derrière d'épais remparts, ils renferment deux

grandes esplanades, une mosquée et un complexe palatial que parcourt un réseau d'étroites ruelles. Seule différence majeure, Surakarta n'a ni avenue processionnelle, ni jardin d'agrément.

Après avoir franchi l'enceinte par la porte nord, on traverse l'esplanade principale (*alun-alun*) plantée de deux larges banians (*waringin*) royaux, pour arriver face au **Pagelaran**, pavillon des Spectacles, dont le sol de marbre et la couleur bleu pâle font une oasis de fraîcheur. Sous un grand *pendopo* repose un canon sacralisé, le Nyai Setomi, emporté comme butin par les Hollandais lors de la prise de Malacca aux Portugais, en 1641. Occupé par l'administration de l'université de Solo, le Pagelaran n'est pas ouvert au public.

Derrière cet édifice, le **Sitinggil** est le pavillon de réception. Plus en arrière, un immense portail, à l'origine entrée principale (nord) du palais, rompt la régularité de la muraille. Cette porte de cérémonie ne s'ouvre

que dans les grandes occasions, et les visiteurs doivent donc faire le tour par l'est pour suivre la visite guidée du palais et de son musée. Étant donné le caractère sacré du lieu, chaussures et photographies sont bannies.

Une large porte sculptée ouvre sur les appartements privés du *susuhunan*, qui sont agrémentés d'une cour intérieure ombragée, mais dont seule une partie est ouverte au public. La visite comprend principalement la salle du trône, vaste pièce où se déploient des colonnes richement ouvragées et dorées à la feuille, dans l'éclairage diffus qui tombe, des chandeliers de cristal suspendus aux chevrons de la charpente, sur des statues en marbre et des vases de Chine. Curiosité : la tour de méditation qui se dresse à proximité est la réplique d'un moulin hollandais.

En dépit de son état déplorable, le **musée du Kraton**, fondé en 1963, est l'un des meilleurs de Java, et les guides parlent un bon anglais. Il conserve d'anciens bronzes indo-javanais, des armes traditionnelles et trois

La salle du trône du palais de Solo.

carrosses aux formes contournées. Le plus ancien, qui est aussi le plus imposant, remonte aux années 1740 ; il avait été offert au *susuhunan* par la Compagnie hollandaise des Indes orientales. Ce musée présente aussi des figures de proue, jadis ornements des barges de parade royales. L'une d'elles, à l'image de Kyai Rajamala, géant d'une grande laideur, figurait jadis sur l'embarcation personnelle du *susuhunan*.

Après cette visite, le lacis d'étroites ruelles qui entoure le palais invite à une flânerie qui peut avoir pour but le **Sasana Mulya**, pavillon de musique et de danse de l'Académie des arts indonésiens (ASKI, à l'ouest de l'entrée principale du *kraton*). Les répétitions de gamelan, de danse traditionnelle et de *wayang kulit* sont ouvertes au public (sous réserve que celui-ci reste discret).

Le Puro Mangkunegaran

Le Pasar Triwindu, paradis du chineur.

C'est à 1 km au nord-ouest du *kraton* que la seconde branche de la famille royale de Surakarta fit bâtir son propre palais. Plus modeste, mais non moins élégant que son homologue, le **Puro Mangkunegaran** a été commencé à la fin du XVIIIᵉ siècle par Mangkunegoro Iᵉʳ ; mais sa construction ne prit vraiment fin qu'en 1866.

On accède par les portes est ou ouest dans l'enceinte du parc qui entoure le complexe. Il faut ensuite s'acquitter d'une somme symbolique au bureau d'accueil pour suivre les visites guidées (tous les jours, de 8 h 30 à 12 h). Si l'on vient un mercredi matin entre 10 h et 12 h, tout le palais résonne des répétitions de danse et de musique – auxquelles on peut librement assister.

Le vaste *pendopo* extérieur, qui servait de pavillon de réception, est, dit-on, le plus grand de Java. Tout en bois de teck, il fut assemblé selon la technique traditionnelle, c'est-à-dire sans clous. Le plafond aux tons éclatants, où figure une flamme centrale, entourée de huit figures du zodiaque indonésien, chacune rehaussée d'une cou-

leur symbolique, est particulièrement étonnant. Le gamelan exposé à l'angle sud-ouest du *pendopo* porte le nom de Kyai Kanyut Mesem, les « sourires enchanteurs ».

Le **musée**, installé dans la salle des cérémonies du palais, juste derrière le *pendopo*, abrite les collections particulières du souverain Mangkunegoro IV : parures de danse, masques de *topeng*, bijoux, anciennes pièces de monnaie javanaises et chinoises, figurines de bronze et kriss de cérémonie. La boutique du *kraton* propose en outre un bon choix d'articles traditionnels de qualité, et en particulier des batiks en soie.

Antiquités et batiks

Ville de culture, Solo est aussi un foyer commercial, spécialisé de surcroît dans les antiquités. Les nombreux marchands qui rassemblent et restaurent des meubles européens, javanais, chinois, proposent un bric-à-brac intéressant.

Le **Pasar Triwindu**, marché aux puces permanent de Solo, est établi le long d'une artère qui part juste au sud du palais Mangkunegaran (derrière les magasins d'électronique de Jalan Diponegoro). Les brocanteurs y cohabitent avec une quinzaine d'antiquaires. Il ne faut pas hésiter à marchander – tout en sachant que ces négociants ont l'habitude de vendre à une importante clientèle de marchands européens, américains ou japonais, qui achètent ici pour revendre chez eux. Même en cas de coup de cœur, il faut prendre le temps de franchir le seuil de plusieurs boutiques afin de comparer les prix.

Solo est également la ville d'Indonésie qui compte le plus grand nombre d'usines de batik. Trois d'entre elles disposent de magasins en ville, qui proposent un grand choix d'articles à des prix fixes et raisonnables. Si l'on n'y trouve pas son bonheur, il y a de nombreuses autres boutiques le long des artères principales de la cité.

Mais c'est en flânant dans les deux étages du **Pasar Klewer**, l'immense marché aux tissus de Solo, qu'on comprend vraiment pourquoi cette dernière est surnommée la « ville du batik ». Facile à trouver (un grand bâtiment en béton, derrière la grande mosquée et à côté du *kraton*), le Pasar Klewer est le type même du grand marché populaire, avec des centaines d'éventaires où les Indonésiens se fournissent en vêtements, chaussures et batiks. Selon la qualité, ces derniers peuvent coûter de 1 $ à 100 $ l'unité. Outre le batik, on peut y acheter du *lurik*, variété de cotonnades pour blouses d'apparat, et des *ikat* des Petites Iles de la Sonde.

Au nord-est de la ville, dans le quartier chinois, le **Pasar Gede** est un marché agricole très animé où les femmes vendent fruits et légumes frais, volailles et épices.

Solo est aussi un lieu de choix pour assister à une soirée de danse *wayang orang*, de *wayang kulit*, ou à un concert de gamelan, de même que pour acheter les costumes, les marionnettes et tous les instruments et accessoires associés à ces arts traditionnels.

Marionnette de cuir du « wayang kulit ».

JAVA-EST ET MADURA

D'un point de vue géographique et historique, la province orientale de Java se divise en trois régions.

La côte nord, qui comprend l'île de Madura, se distingue par ses vieux ports de commerce, foyers historiques de propagation de l'islam à Java. La seconde de ces régions correspond au cours du **Brantas**, qui serpente à travers les rizières orientales de Java, contournant les monts Arjuna, Kawi et Kelud avant de se jeter dans la mer à la hauteur de Surabaya. La vallée abonde en vestiges archéologiques : du XIe siècle au XVe siècle, elle fut le centre politique et culturel de l'île. Les grands royaumes indianisés qui s'y épanouirent – Kediri, Singosari et Mojopahit – ont légué un riche héritage architectural et artistique. Ce berceau de la civilisation javanaise est en outre renommé pour ses sites de villégiature perchés dans les hauteurs.

Le détroit de Madura vu du port de Surabaya.

Enfin, l'extrême est, du mont Bromo à la péninsule de Blambangan, est une région sauvage connue pour ses volcans grandioses et ses parcs naturels. Au XVe siècle, le conflit qui éclata entre les royaumes indianisés de l'intérieur et les nouvelles puissances islamiques de la côte aboutit à la conquête de la vallée du Brantas par ces dernières, au début du XVIe siècle. De nombreux Javanais hindouistes s'enfuirent alors vers l'est, à Blambangan et à Bali. Aujourd'hui, les Tenggers, qui habitent sur les flancs du Bromo, affirment descendre en droite ligne de ces exilés.

Surabaya, « cité des Héros »

La montée en puissance de **Surabaya** remonte à 1525, date à laquelle ses souverains, convertis à l'islam, soumirent tous les États côtiers voisins. L'opposition entre Surabaya et le royaume de Mataram, qui cherchait à s'assurer le contrôle de la partie orientale de l'île, dégénéra en longue guerre. Des chroniques hollandaises de 1620 décrivaient

Surabaya comme une formidable place forte, que protégeaient un canal et 37 km de remparts fortifiés. Pourtant, en 1625, elle dut s'incliner devant les armées de Sultan Agung, qui avaient dévasté ses rizières et détourné le cours du fleuve qui alimentait la ville en eau.

Mais, un siècle plus tard, les Hollandais étaient maîtres de Surabaya. Ils en firent rapidement le premier port de commerce des Indes néerlandaises ; l'ouverture du chemin de fer Batavia-Surabaya, à la fin du XIXe siècle, renforça encore ce rôle. La réalité actuelle est moins romanesque que celle de cette époque, immortalisée par Joseph Conrad. Une ville tentaculaire de plus de 4 millions d'habitants a remplacé la Surabaya élégante d'il y a cent ans. Seconde ville d'Indonésie et capitale de la riche province de Java-Est, elle a néanmoins cédé sa place de premier port du pays à Jakarta. Bien que très animée, cette mégalopole manque singulièrement d'attraits touristiques. Elle a été surnommée la « cité des Héros » en raison du mouvement de contestation anticolonial qui s'y développa en novembre 1945. Les rebelles furent chassés de la ville par les troupes britanniques, bien mieux armées, mais non sans infliger de rudes coups à leurs adversaires. Héritage de son passé commercial, Surabaya compte, outre 60 % de Javanais et 30 % de Madurais, d'importantes communautés d'origine chinoise, arabe (du sud de la péninsule arabique) et indienne (du Gujerat).

Visiter Surabaya en quête de pittoresque mène dans les quartiers arabes et chinois, à l'extrême nord de la ville et à la lisière de la zone portuaire. Sur la Jalan K. H. Mas Mansyur, que jalonnent les enseignes naïves des boutiques, la **mosquée Sunan Ampel** porte le nom du légendaire prosélyte musulman dont elle abrite le tombeau. Non loin, de nombreux étals proposent des étoffes tissées ou peintes à la main provenant de toutes les régions de l'île.

Plus au sud, au 2, Jalan Dukuh, le temple **Hong Tik Hian** donne tous les jours des spectacles de marionnettes chinoises du Fu-kien (*potehi*) – qui sont

Vieux entrepôts néerlandais, sur le canal Kali Mas.

destinées non au divertissement des touristes, mais à celui des dieux.

Un second temple chinois de grand intérêt se dresse non loin de là, sur la Jalan Selompretan : **Hok An Kiong**. Construit entièrement en bois au XVIIIᵉ siècle, c'est le plus ancien sanctuaire chinois de Surabaya. Il est dédié à la déesse Ma Co, protectrice des marins.

Pour gagner ce qui tient lieu de centre à la ville, il faut quitter le quartier chinois en descendant la Jalan Kembang Jepun vers l'ouest, puis traverser le **pont Rouge** (Jembatan Merah), qui enjambe le canal Kalimas, et continuer vers le sud, jusqu'au **monument aux Héros**. Banques, hôtels de luxe et boutiques jalonnent ensuite la **Jalan Tunjungan**. Sur cet axe majeur, une halte s'impose au luxueux **Majapahit Hotel** (l'ancien hôtel Oranje des années 30). Ce chef-d'œuvre Art déco a en effet été superbement restauré, et une consommation n'y coûte pas plus cher que dans un café français.

La **Jalan Pemuda**, qui donne dans l'avenue Tunjungan, s'orne d'un petit parc. Bienvenue dans la touffeur de Surabaya, cette oasis de verdure où trône une statue du roi Kertanegara (mort en 1292), fait face à l'ancienne **résidence des gouverneurs hollandai**s.

A 3 km au sud, dans un agréable quartier résidentiel, le **zoo** abrite notamment un dragon de Komodo. Dans le même quartier, le **musée Mpu Tantular** présente d'intéressantes collections historiques.

A proximité, face à la rivière qui baigne la ville et dont les berges accueillent chaque soir une multitude de *warung*, le **Centre culturel français** (10-12, Jalan Darmokali ; nombreuses activités et média francophones) occupe une ancienne résidence patricienne. Excellemment restauré, ce corps de bâtiment donne une bonne idée de la Surabaya d'autrefois.

Madura

Il suffit d'une heure de bac pour traverser le détroit de Surabaya jusqu'à Kamal, sur Madura. La bonne route

« Kerapan sapi » sur l'île de Madura.

qui fait le tour de l'île passe près des plages de la côte nord, bordée de cocotiers et de casuarinas, puis atteint, à l'extrême est, la capitale, l'ancienne ville royale de **Sumenep**. Son vieux palais abrite un musée et une bibliothèque riche en manuscrits anciens.

La route repart ensuite vers l'ouest, puis elle suit la côte sud, où le seul lieu d'hébergement est l'ensemble de bungalows hôteliers de **Camplong**, pittoresque village de pêcheurs.

Madura est célèbre pour ses courses de taureaux annuelles (*kerapan sapi*). Ces épreuves voient d'abord, entre le 15 août et le 15 septembre, des éliminatoires départager les concurrents dans toute l'île ; puis la grande finale a lieu à Pamekasan (fin de septembre). Prétexte à plusieurs jours de réjouissances populaires, ces affrontements, hauts en couleur, opposent deux taurillons somptueusement harnachés (et même maquillés !) attelés à un timon. Le conducteur, un enfant, se tient en équilibre sur ce timon et doit tordre vigoureusement la queue des bovidés

pour leur faire prendre de la vitesse, tout en maintenant l'attelage dans la bonne trajectoire, sur un parcours en terre battue d'une centaine de mètres. Mais les bêtes terminent parfois la course dans la foule. Ce sport aurait inventé dans les rizières, par des agriculteurs qui rivalisaient de vitesse au cours du labourage. Objet de tous les soins, les jeunes taureaux sont jugés sur leur aspect plus que sur leur célérité – ce qui n'empêche pas ces créatures d'habitude placides, mais dopées, avant le départ, à la bière, aux œufs et aux tisanes médicinales fortifiantes (*jamu*), de faire des pointes à 60 km/h !

Trésors archéologiques

Trowulan (à 60 km de Surabaya) est l'ancienne capitale de l'empire de Mojopahit, dont le territoire dépassait, au XIVe siècle, les frontières de l'Indonésie. De cette ville bâtie en bois et en brique ne restent que quelques vestiges peu parlants. Il faut aller au **musée** de Trowulan et au **musée Purbakala** de

A gauche, le Candi Jawi, du XIVe siècle ; à droite, bains royaux de Belahan.

Mojokerto (à 10 km, à l'est) pour découvrir la riche statuaire de cette époque. Le musée de Mojokerto possède notamment une sculpture du roi Airlangga, représenté en Vishnou chevauchant un formidable Garuda.

De Trowulan, une route mène aux anciens bains royaux du **Candi Tikus** et du **Candi Bajang Ratu**, où s'élève le **Wringin Lawang**. Ce portail monumental donnait accès à la résidence d'un des plus grands hommes de l'empire, le premier ministre Gajah Mada.

Le **cimetière de Tralaya**, à 2 km au sud de Trowulan, contient les plus anciens tombeaux musulmans de Java.

A 55 km au sud de Surabaya, **Tretes** est une célèbre station d'altitude. L'air y est frais, les nuits douces et les paysages superbes. Les hôtels vont du *losmen* au grand luxe, et les balades à cheval ou à pied vers les cascades du coin font, avec la bonne cuisine locale, un ordinaire agréable. Les plus sportifs monteront au sommet du **mont Arjuna** (3 340 m), volcan que l'on atteint en traversant de belles forêts alpines.

Autre but d'excursion, le **Welirang** domine Tretes du haut de ses 3 156 m

Comme Tretes, les stations d'altitude **Selecta** et **Batu**, sur le flanc sud de l'Arjuna, présentent le luxe requis par une clientèle de riches Surabayanais.

A 7 km en contrebas de Tretes, le sanctuaire bouddhique **Candi Jawi**, achevé vers 1300, est dédié au roi Kertanegara. Il est dominé par le **Penanggungan**. Le cône parfait de c mont lui a valu d'être tenu pour la réplique de la montagne sacrée, le Mahameru, pivot de l'univers dans la cosmogonie hindouiste. C'est pourquoi ses pentes sont parsemées d'une multitude de sanctuaires en terrasses, de grottes dévolues à la méditation et de bassins sacrés; la plupart de ces derniers se concentrent sur les versants nord et ouest. **Belahan**, le plus accessible et l'un des plus ravissants, (à 5 km au nord de Balaan, sur la route de Surabaya), est orné de statues-fontaines. Au XIᵉ siècle, il reçut les cendres du grand roi du premier empire de Mataram, Airlangga.

Le Candi Penataran.

Les environs de Malang

Au cœur d'une région de grandes plantations, à 40 km de Pandaan et 100 km de Surabaya, **Malang** est agréablement située le long du Brantas et à cheval sur des collines et des vallons. Verdoyante – ce qui est rare pour une ville indonésienne –, cette cité qui abrite un marché à l'atmosphère de souk, le **Pasar Besar**, un quartier chinois animé et plusieurs bâtiments d'époque coloniale, permet aussi d'essaimer vers de nombreux sites archéologiques.

A la sortie nord du bourg de **Singosari** (à 10 km au nord de Malang), capitale du royaume de même nom au XIIIᵉ siècle, une route étroite mène au **Candi Singosari**. Ce monument inachevé était probablement le temple funéraire du roi Kertanegara. Du palais voisin ne subsistent plus que quelques statues.

De **Blimbing**, village au sud de Malang, une route fléchée conduit à **Tumpang**, 20 km plus loin. Juste avant le marché, une petite route, sur la gauche, va au **Candi Jago**, sanctuaire

en terrasses édifié en 1268 et dont les bas-reliefs portent des scènes du théâtre d'ombres javanais.

Au sud-ouest, à 5 km, de Tumpang, l'élégant **Candi Kidal** se dresse sur un fond de cocotiers et de bananiers. Ce temple a été érigé en 1268 en l'honneur d'un roi de Singosari, Anushapati.

Le seul ensemble de temples d'envergure de la région est le **Candi Penataran**. Il est à 80 km à l'ouest Malang, à la sortie du village de **Blitar**, où le **mausolée de Sukarno**, tout en marbre et en verre, brille dans le cimetière. Construit entre 1197 et 1454 sur les versants du mont Kelud, ce temple dédié à Shiva marque une rupture avec les canons de l'art indien : il a été bâti sur le modèle des palais locaux, selon un procédé fréquent à Bali.

Volcans et parcs naturels

A l'extrémité orientale de Java se dressent trois volcans toujours en activité. Le **Bromo** (2 329 m) peut faire l'objet d'une excursion d'une journée dont les moments forts seront la traversée, à cheval, de la mer de sable qui entoure le cratère, dont on atteint aisément la crête à pied, et la rencontre des Tenggers qui habitent sur les flanc volcan. Cette ethnie d'environ 300 000 membres, présumés les derniers héritiers javanais de l'empire de Mojopahit, pratiquent un mélange d'hindouisme et d'animisme. Face au Bromo, le **Semeru** forme avec lui le **parc national Bromo-Tengger-Semeru**. A l'extrême est, le mont **Ijen-Merapi** est connu pour l'exploitation artisanale de ses gisements de soufre qui affleurent autour du lac acide, au fond du cratère. De **Sempol**, dernière localité sur les pentes du volcan, il faut compter environ cinq heures de marche (aller et retour).

Sur la côte, trois réserves se distinguent par leur cadre quasi vierge. La plus facile d'accès est celle de **Baluran**, à la pointe nord-est de Java. **Alas Purwo**, à l'extrême sud-est, est plus reculée et plus sauvage. A **Meru Betiri**, sur la côte sud, les tortues de mer géantes pondent sur le sable noir des plages, et un microclimat pluvieux a créé une jungle d'une rare densité.

A gauche, paysage lunaire du Bromo ; à droite, « banteng » buffle sauvage de la réserve Baluran.

LES ILES ORIENTALES

Après Sumatra et Java, les autres îles indonésiennes forment un ensemble éclectique. En bateau, on pourrait naviguer sans fin d'une île à l'autre : Bali et Lombok, les petites îles de la Sonde, Kalimantan (Bornéo), Sulawesi (les Célèbes), les Moluques et l'Irian Jaya (Nouvelle-Guinée). Toute une vie n'y suffirait sans doute pas.

Bali est, bien entendu, à la hauteur de sa réputation, et même largement. Certains déplorent le temps où elle était ignorée du monde, d'autres soulignent que, sans le tourisme, bien des traditions et des artisanats de l'île se seraient perdus avec le temps. Comme sa voisine Lombok, Bali est surmontée d'un volcan massif toujours en activité qui a souvent influé sur la vie et la culture des habitants.

Les petites îles de la Sonde (Nusa Tenggara) s'étendent vers l'est comme un collier de perles. Des cet archipel font partie Sumbawa, Florès, Sumba et Timor – toutes plus dépaysantes les unes que les autres. Mais c'est peut-être l'une des plus petites qui a le nom le plus évocateur : l'île de Komodo, asile du dragon (ou varan) de Komodo.

Kalimantan occupe les trois quarts de l'île de Bornéo, troisième île la plus vaste du monde (les provinces malaises de Sabah et Sarawak et le sultanat de Brunéi en occupent le dernier quart). Montagneuse et boisée, bordée de marécages côtiers, Kalimantan excède rarement 1 500 m d'altitude, avec une moyenne de moins de 300 m. Ce qui ne l'a pas empêchée de défier les Européens pendant des siècles.

Sulawesi (les îles Célèbes) a une forme bizarre, comme distordue par des accidents géologiques. Une barrière de corail borde la longue côte de l'île principale, tandis que de profondes fosses s'enfoncent sous les mers au sud.

Les puissances coloniales surnommèrent longtemps les Moluques (Maluku) les « îles aux épices » : la noix muscade et le clou de girofle étaient des produits très convoités. Cet archipel compte un millier d'îles.

L'Irian Jaya partage l'île de la Nouvelle-Guinée avec l'État de Papouasie-Nouvelle-Guinée. Comme Bornéo, la Nouvelle-Guinée est l'une des plus grandes îles du monde, séduisante et retirée. La province représente 20 % de la surface de l'Indonésie, mais seulement 1 % de sa population. L'intérieur, couvert d'épaisses forêts, est d'accès difficile. Le point culminant du pays s'y trouve, à 5 030 m.

Pages précédentes : visiter Bali et ses environs en bateau est une aventure inoubliable. Ci-contre : un aristocrate de Lombok revêtu de ses attributs.

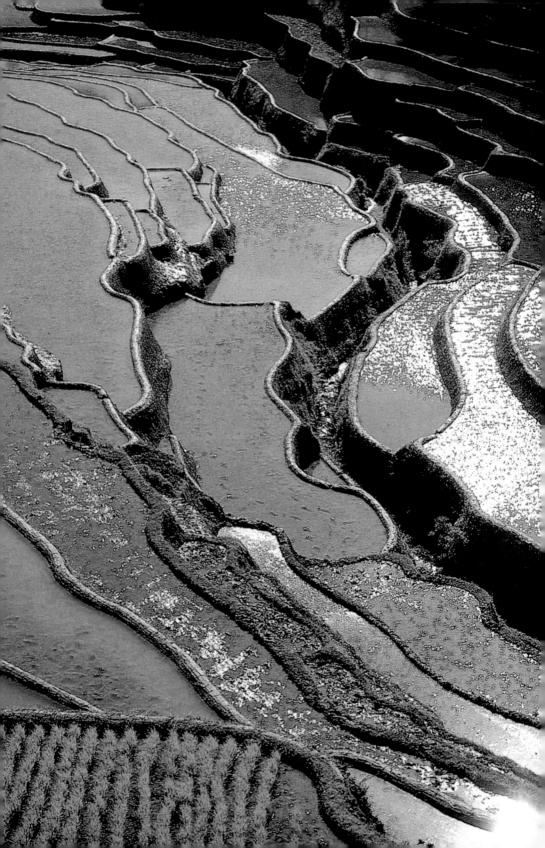

BALI

Avant tout, Bali est un chef-d'œuvre paysager, fruit de l'action concertée des hommes sur une nature prodigieusement féconde. Une chaîne volcanique orientée est-ouest, et qui culmine à plus de 3 000 m au cratère du mont Agung, forme cette île de la taille d'un département français moyen (5 632 km²). Les éruptions des siècles et des années passés ont donné des sols étonnamment fertiles, qu'arrosent avec largesse les quelque 150 cours d'eau qui dévalent les flancs des volcans.

Mysticisme et communautarisme

Au cours des âges, les Balinais ont patiemment terrassé la moindre de ces pentes, à l'exception des plus abruptes et des zones de forêt dense, pour les transformer en ces milliers de rizières suspendues qui sont devenues comme l'emblème de l'île. Pour les alimenter en eau, il a fallu mettre au point un système d'irrigation élaboré, qui est toujours régi par des coopératives paysannes, les *subak*. A l'intérieur du village (*desa*), d'autres associations (*banjar*) ont la charge de la sécurité et organisent les événements de la vie communale (mariages, festivals et, surtout, crémations funéraires). La terre a largement payé les efforts des Balinais en procurant d'abondantes récoltes qui, à leur tour, ont permis l'épanouissement d'une culture exceptionnellement riche.

Celle-ci a toujours partie liée avec le sacré et renvoie aux trois univers de la vie spirituelle balinaise : la montagne, où règne le divin ; la terre, qui est dévolue à l'humain ; et la mer, qui abrite les puissances infernales. La valeur bénéfique attachée aux montagnes fait que les volcans sont vénérés, et leurs éruptions perçues comme des punitions dues pour quelque manquement à l'ordre du divin. Ainsi la terrible explosion du mont Agung, en 1963, fut-elle attribuée au fait que, cette année-là, les autorités indonésiennes avaient abusivement voulu célébrer une fête, Eka Dasa Rudra, qui n'a lieu qu'une fois par siècle.

A cette trinité mont-terre-mer s'adjoint une vision bipolaire du monde dans laquelle le *kaja*, l'« amont », qui est synonyme de pureté, s'oppose au *kelod*, l'« aval », pôle du négatif. Cette dualité régit toutes les manifestations de l'activité humaine : architecture, médecine, rites, et jusqu'aux moindres gestes de la vie quotidienne.

Une pléiade de dieux

Si l'on s'en tient à la terminologie officielle, la majorité des 3 millions de Balinais professe l'hindouisme. La religion balinaise (Agama Bali), parfois appelée « religion de l'eau lustrale » (Agama Tirta), diffère cependant notablement du modèle indien. Certes, outre le dieu universel Sang Hyang Widi – qui permet de satisfaire au monothéisme officiel affiché par les *panca sila* –, on vénère Brahma, Vishnou et Shiva, divinités de la créa-

A gauche, rizières irriguées en terrasses ; à droite, Sanur compte de nombreux hôtels semblables à celui-ci.

tion, de la conservation et de la destruction, qui ont chacune leur temple dans les villages. S'y ajoute une kyrielle d'autres dieux, ceux des lacs, des montagnes, des mers, de la lune, des volcans, etc., ainsi que la très importante déesse du riz, Dewi Sri. Il faut aussi compter avec les déités propres à chaque village. Et même à chaque famille, puisqu'un culte est rendu aux ancêtres. Cette multitude d'immortels fournit autant de motifs de célébration ; ce qui explique pourquoi, à Bali, il n'est pas de jour sans fête ou procession.

On a souvent déduit de cette abondance de divinités que l'hindouisme balinais n'était qu'un « vernis » plaqué sur un fonds animiste. Habitée par l'homme depuis, au moins, le néolithique, l'île a accueilli, entre 4000 et 2000 ans avant notre ère, la vague de peuplement austronésienne qui a déferlé du sud de la Chine sur l'archipel. Or, cette époque s'est signalée à Bali par l'érection de temples à degrés et de mégalithes qui sont toujours le théâtre de divers rites. D'autres cultes ont pu prendre leur essor au cours de l'étape historique suivante, celle de la culture « dôngsônienne » du bronze, qui a concerné presque toute l'Indonésie actuelle et que caractérisaient d'immenses tambours de bronze. Le plus grand d'entre eux (1,60 m de diamètre) est d'ailleurs conservé à Bali, dans le temple du village de Pejeng. Cette « Lune de Pejeng » serait, selon la légende, l'une des roues du char de la déesse de la lune.

Influences indo-javanaises

L'indianisation de Bali n'est véritablement attestée qu'à la fin du IXᵉ siècle, par les inscriptions que le premier royaume hindouiste de l'île a laissées. Les rapports, de force ou de sujétion, avec Java ont marqué les siècles suivants. Belliqueuses ou non, ces relations ont durablement imprégné la civilisation balinaise. Elles se sont traduites en particulier par l'adoption de nombreux rites et mythes, ainsi que

Sur la plage de Sanur.

d'un système hiérarchique héréditaire à quatre niveaux, proche de celui des castes et toujours en vigueur.

Au XVIᵉ siècle, âge d'or culturel, Bali recouvra sa pleine souveraineté politique sous la houlette du royaume de Gelgel, qui réunifia l'île. Entre 1650, date approximative de la disparition de ce pouvoir central, et 1850, qui correspond au début de l'implantation hollandaise, plusieurs petits États indépendants se partagèrent Bali. Tous succombèrent aux coups de l'envahisseur blanc. Pour deux de ces principautés, celles de Badung (région de Denpasar) et de Klungkung (ouest), cette chute prit la forme du suicide collectif de leurs maisons royales, en 1906 et en 1908, respectivement. Fortes de plus d'un millier d'hommes, les deux cours se donnèrent la mort en même temps que les soldats néerlandais les mitraillaient.

Ces deux *puputan* (de *puput*, « fini ») ont durablement culpabilisé la métropole. Au point que celle-ci épargna ensuite à Bali les excès de la colo-nisation, s'attachant au contraire à voir en elle un conservatoire de traditions à préserver et, dès les années 20, une destination touristique. En effet, l'île était restée à l'écart des influences occidentales jusqu'aux premières années du XXᵉ siècle, et la culture indo-balinaise y était donc remarquablement vivace. Poursuivie après l'indépendance, cette politique a fait du tourisme le premier secteur productif, et de la culture balinaise, le moteur de cette lucrative activité économique.

Kuta, station internationale

Chaque année, 2 millions de visiteurs foulent la piste de l'aéroport international Ngurah Rai de Denpasar, sur l'isthme étroit qui rattache la péninsule méridionale de Bukit au reste de l'île. La grande majorité de ces amateurs de paradis tropicaux séjourne à Kuta, Sanur ou Nusa Dua. Toutes trois au sud et à proximité de Denpasar (10 km en moyenne), ces stations balnéaires bâties le long de plages

A gauche, la falaise d'Uluwatu ; à droite, pêche au filet à Nusa Dua.

concentrent le gros de l'hébergement hôtelier.

Kuta, qu'on traverse en allant de l'aéroport à Denpasar, se présente de prime abord comme une bruyante succession de restaurants chics et de boutiques branchées, d'hôtels huppés et de modestes *losmen*, de galeries d'art et d'agences de voyages. Cette agglomération, qui n'en finit pas de s'étendre et qui a englobé sa voisine **Legian**, est bien loin de la sérénité des rizières et des temples.

La réalité balinaise n'est pas absente pour autant. Il suffit par exemple de marcher sur la plage de Legian, jusqu'à l'hôtel Bali Oberoi, pour découvrir un charmant petit temple, le **Pura Petitenget**, posé entre la mer et les rizières du village de **Krobokan**. Par une étrange coïncidence, ce site occupe une place de premier plan dans l'histoire locale. En 1343, les armées de l'empire de Mojopahit parties à la conquête de Bali y établirent leur tête de pont. Au XVIe siècle, le prêtre hindouiste javanais Dang Hyang Nirartha débarqua lui aussi sur ce rivage. Ce personnage (depuis lors mythifié) s'est voué au raffermissement de la foi à Bali. Enfin, en 1597, les navires de Cornelius Van Houtman accostèrent ici, permettant le premier contact avec des Européens.

Fameuse pour ses couchers de soleil et ses vagues propices à l'apprentissage du surf, la plage de Kuta, envahie de baigneurs et de colporteurs dans la journée, est, le soir, le théâtre de spectacles de danse d'un haut niveau artistique. Les visiteurs présents lors du nouvel an balinais (*Nyepi*) pourront assister à un rituel de purification particulièrement important. Il s'agit du *melis*, qui draine des milliers de villageois porteurs d'offrandes en une procession colorée.

Farniente chic à Sanur et à Bukit

Plus cossue et plus tranquille que Kuta, **Sanur** (à 10 km au sud-est de Denpasar) et sa plage attirèrent dès les années 30 toute une faune d'ar-

A gauche, dans le musée de Denpasar ; à droite, au Puri Taman Ayun, dans le centre de l'île.

tistes et d'intellectuels, dont l'anthropologue américaine Margaret Mead, le peintre allemand Walter Spies et l'acteur Charlie Chaplin. Cette localité est devenue une pépinière d'hôtels de luxe. Certains, comme le **Tanjung Sari**, qui a reçu en 1982 le prix Aga Khan d'architecture, sont très réussis. Ils sont pour la plupart composés de bungalows éparpillés autour d'une piscine qui fait concurrence à la plage.

Protégée des courants par une barrière de corail, la plage invite à la détente. A proximité, le **musée Le Mayeur**, proche du vénérable Bali Beach Hotel, occupe l'atelier habité par ce peintre belge de 1932 à 1958.

Pour quelques milliers de *rupiah*, les pêcheurs du coin emmènent les amateurs de plongée autour des récifs de la petite île de **Lembongan**. Bien plus vaste mais fort peu touristique, sa voisine **Nusa Penida** est réputée héberger le terrible démon Jero Gede Mecaling, dont la légende est perpétuée par des marionnettes géantes. Autre île proche de Sanur, **Serangan** mérite une

visite pour ses parcs à tortues et son temple du XVIe siècle, le **Pura Sakenan**, très animé lors de son festival anniversaire.

Au sud de l'aéroport, le plateau aride de la **péninsule de Bukit** s'achève en à-pic dans la mer. Là, à l'extrémité ouest, le **Pura Luhur Uluwatu** avance ses *meru*, les tours-pagodes à plusieurs toits des temples balinais, droit au-dessus des flots qui font rage 250 m plus bas. Vertigineusement étiré sur un promontoire, ce temple frappe aussi par la sobriété de son architecture. Figurant parmi les lieux les plus sacrés de l'île, il est envahi par les processions lors du nouvel an. Les rouleaux qui s'écrasent en contrebas sont très appréciés des surfeurs.

Sur la côte ouest de la péninsule, **Nusa Dua** a été transformée depuis les années 80 en pôle touristique haut de gamme. Les établissements cinq étoiles y abondent (on y trouve notamment le village du Club Méditerranée).

La danse du Kecak, sous le temple de Tanah Lot.

Denpasar et ses environs

Première agglomération de l'île avec 250 000 habitants, **Denpasar**, chef-lieu de la préfecture de Badung, est la capitale de la province de Bali. Les rares centres d'intérêt se trouvent autour de la place centrale, l'**Alun-Alun Puputan**, qui commémore le suicide collectif de la cour royale de Badung, le 20 septembre 1906, face aux Hollandais.

Du côté ouest de la place, le **musée de Bali** date des Hollandais. Ceux-ci se sont inspirés avec bonheur de l'architecture balinaise pour édifier cet ensemble de pavillons riches de belles collections archéologiques et artisanales.

A côté, le **Pura Jagatnatha**, dédié à la divinité suprême Sang Hyang Widi, est le seul temple illustrant le monothéisme officiel.

A l'est de la place, la très commerçante **Jalan Gajah Mada** mène aux deux marchés de la ville, le **Pasar Badung** et **Kumbusari**.

Dans la direction opposée, à 500 m de l'Alun-Alun Puputan, l'agréable **centre artistique Werdi Budaya** se compose de bâtiments éparpillés dans un parc. L'été, il accueille de nombreuses manifestations culturelles, dont le festival des Arts balinais.

A 16 km à l'ouest de Denpasar, le **Pura Sada** du village de **Kapal**, hier sanctuaire de la dynastie de Mengwi, est l'un des temples les plus intéressants de la région. Bâti au XVIIIe siècle et restauré en 1950, il renferme plusieurs autels miniatures.

A quelques kilomètres au nord, le village de **Mengwi** conserve un temple-jardin, le **Pura Taman Ayun**. Entouré de douves et d'un bassin couvert de lotus, il a été créé en 1634 à l'initiative du rajah de Mengwi.

Au nord-est de cette localité, la **forêt des singes de Sangeh**, très touristique, recèle un temple du XVIIe siècle enfoui dans la jungle : le **Pura Bukit Sari**, où trône une immense statue de Garuda. Attention : les singes sacrés sont peu aimables.

Ces bandelettes de tissu qui flottent sur les rizières sont là pour effrayer les oiseaux.

Tanah Lot et Tabanan

Ses *meru* dressés sur un îlot rocheux battu par le ressac en font l'un des temples les plus photographiés de Bali.

Le **Pura Tanah Lot** occupe il est vrai une situation exceptionnelle, au bout de la plage de **Seseh**, bien après Legian et Kuta. Par la route, au départ de Mengwi, on l'atteint en retournant sur Kapal, où l'on prend la direction de Tabanan jusqu'à l'embranchement de Kediri. Là, une voie étroite qui traverse les rizières mène à Tanah Lot.

A **Tabanan**, siège d'un puissant royaume au XVIIᵉ siècle, un modeste musée est dédié au *subak*, système de coopérative agricole balinais.

Dans le hameau voisin, **Kerambitan**, on peut visiter les deux palais de la dynastie locale (le **Puri Anyar**, qui propose des soirées avec repas et danses, et le **Puri Agung Wisata**).

Plus au sud, les plages de sable noir de **Klating** et de **Pasut** restent peu connues des touristes.

Tous les temples de cette région ouest de Bali ont des sanctuaires dédiés au **mont Batukau**, deuxième sommet de l'île (2 276 m).

A Tabanan, une petite route cahoteuse grimpe au nord et mène, après une bifurcation à droite passé Wanasari, aux sources chaudes de **Yeh Panas**, puis à **Wangaya Gede**, dernier village avant le maître-temple de ce sommet, le **Pura Luhur Batukau**. Cet ensemble solitaire, perdu dans la jungle, est l'un des six temples axiaux de l'hindouisme balinais.

De retour à Wangaya Gede, la route de **Jati Luwih**, lorsqu'elle est praticable, est l'un des itinéraires les plus spectaculaires de l'île.

Le centre de Bali

Le centre est le foyer de la vie artistique de l'île. Première étape sur la route d'Ubud après Denpasar, **Batubulan** est réputé pour ses sculptures en pierre, ses antiquaires et sa danse de transe (tous les jours à 9 h 30).

Bassin de lotus à Ubud.

Le village tout proche de **Celuk** est, lui, spécialisé dans l'orfèvrerie. Après avoir franchi une rivière, la Wos, la route pénètre à **Sukawati**, naguère important royaume. Échoppes et marché en dissimulent le palais, le **Puri Sukawati**, du nom de la déesse gardienne de la tradition du théâtre d'ombres, art toujours à l'honneur dans ce bourg.

La route atteint ensuite **Batuan**, d'où la vue sur le mont Agung est spectaculaire. Les habitants sont connus pour leurs peintures, leurs tissages et leurs danses. Vers 1930, à l'instigation de Walter Spies, ils ont été les premiers à peindre des sujets profanes.

En dépit de son nom, qui signifie « or » en indonésien, **Mas**, peu après Batuan, est un autre village de maîtres-sculpteurs – mais sur bois.

Peliatan, juste avant Ubud, est célèbre pour sa troupe de danseurs qui se distingua en 1953, lors d'une tournée en Europe et en Amérique organisée à la suite du tournage du film *Road to Bali*, pour lequel le danseur et chorégraphe Mario avait inventé la danse *oleg*.

« Village des peintres », patrie d'adoption de nombreux étrangers – et ce, depuis que Walter Spies et son confrère hollandais Rudolf Bonnet s'y établirent dans les années 30 –, **Ubud**, en dépit de son extension et de son succès touristique, n'a rien perdu de son charme. Il fait bon arpenter sa grand-rue jalonnée de galeries d'art, de cafés agréables et de petits commerces traditionnels, et séjourner dans les hôtels de charme et les pimpants *losmen* disséminés dans les rizières. Le **musée des Beaux-Arts** (Musium Puri Lukisan) présente une rétrospective des genres picturaux locaux, de la fondation de l'académie Pita Maha, vers 1930, à nos jours.

Les environs d'Ubud sont riches en destinations, de la promenade de 10 mn à travers les rizières à la descente de rivière en *raft* (proposée par les agences de voyages locales). A proximité, les plus anciens vestiges de

A gauche, un sculpteur de Mas; à droite, l'entrée de la grotte de Goa Gajah.

Bali occupent une région exiguë, entre deux rivières sacrées, la Pakerisan et la Petanu.

Sur la route de Bedulu et à l'est de Peliatan, **Goa Gajah**, la « grotte de l'éléphant », à l'entrée sculptée de feuilles entrelacées, de rochers, d'animaux, de vagues et de démons, ne fut découverte qu'en 1923. Les bains mis au jour en 1954 laissent supposer qu'elle a servi d'ermitage aux premiers ascètes indo-bouddhistes de l'île. La grotte abrite trois lingas et deux statues du Bouddha du VIIIe ou IXe siècle.

Près de Goa Gajah, **Bedulu** fut la capitale de la puissante dynastie de Pejeng. Au centre de ce village, le temple **Pura Penataran Sasih** conserve la plus grande relique de l'âge du bronze en Asie du Sud-Est, la « Lune de Pejeng ». Ce tambour gravé vieux de deux mille ans, fondu d'une seule pièce, mesure 1,60 m de diamètre sur 2 m de haut. La légende raconte qu'il tomba du ciel. Mais la découverte, à Bali, d'un moule en pierre de forme analogue indique que la technique de

Gunung Kawi.

la fonte du bronze était maîtrisée depuis des temps immémoriaux.

Au nord de Bedulu, les collections du **musée Purbakala Gedong Arca** retracent 400 000 ans d'activité humaine à Bali. Plusieurs temples proches de ce musée recèlent des objets fort intéressants. Le **Pura Kebo Edan** (« temple du buffle fou ») renferme une statue de 3,60 m de haut ; et le **Pura Pusering Jagat**, « temple du nombril du monde », un navire de pierre dont les sculptures racontent comment dieux et démons barattèrent l'océan originel (la « mer de lait ») pour obtenir l'élixir de vie.

De **Pejeng**, la route grimpe au cratère du mont Batur. A mi-chemin, on rencontre deux lieux parmi les plus sacrés de l'île : **Gunung Kawi**, où des façades de temples taillées dans une falaise sont dédiées à des souverains déifiés du XIe siècle ; et **Tirta Empul**, source que le dieu Indra fit jaillir d'un rocher et qui alimente les bains de **Tampaksiring**. Au-dessus, sur une colline, s'élève le **palais de Sukarno**.

Le mont Batur et le nord

Après Bangli (au nord de Tampak-siring), la route parvient à **Penelokan**, hameau perché au sommet d'une caldeira large de 20 km. Au creux de ce bassin volcanique, le **lac Batur** s'étend sous le cône fumant du **mont Batur** (1 717 m).

De Penelokan, la route principale suit la ligne de crête ; mais une autre descend à travers les coulées de lave jusqu'à la rive ouest du lac. Des rares villages établis ici, on peut se faire conduire en bateau sur l'autre rive, chez les Bali Aga du village de **Trunyan**. Ces « Balinais originels » conservent nombre de pratiques pré-hindouistes, dont celle d'exposer leurs morts à l'air libre dans un cimetière rempli de squelettes.

Sur le chemin du retour, la source chaude sulfureuse de **Toya Bungkah** invite à un bon bain.

La route de crête mène à **Batur** et **Kintamani** (à 5 km de Penelokan), au-dessus du cratère. En 1917, une éruption détruisit Batur, faisant un millier de morts mais laissant le temple intact. Les survivants y virent un signe de bon augure et reconstruisirent. En 1926, une seconde éruption anéantit et le village et le temple, n'épargnant que le sanctuaire de Dewi Danu, déesse des eaux. Les villageois s'établirent plus haut, à Kintamani, où la route amorce une descente abrupte vers le littoral.

A **Penulisan** (5 km plus loin), la longue volée de marches visible de la route mène au **Puri Tegeh Koripan**, le plus haut sanctuaire de l'île.

La route n'interrompt sa course folle qu'à la rencontre de la mer, à **Kubutambahan** (40 km de Penulisan). Le **Pura Maduwe Karang**, temple principal de ce village, est orné de bas-reliefs aux thèmes populaires.

Seule ville de la côte nord, **Singaraja** (à 10 km de Kubutambahan) est une étape obligée pour **Lovina Beach** (6 km plus loin). Petits hôtels et *losmen* abondent le long des 7 km de cette plage de sable noir peu fréquentée où baignade, plongée et balades en mer à la rencontre des dauphins occupent les journées.

L'est de Bali

A Bali, l'est fait l'objet d'une vénération particulière : ce point cardinal symbolise en effet le royaume de Shiva, lorsque ce dieu se manifeste sous les traits de Surya, le dieu-soleil. Les mythes balinais expliquent comment les immortels fixèrent à l'est de l'île le mont Agung, pour qu'il leur serve de trône. « Nombril du monde », ce volcan est vénéré dans tous les temples de Bali, où des autels lui sont consacrés. Sur ses flancs, qui dominent toute la partie orientale de Bali, s'élève le plus sacré des sanctuaires, le Pura Besakih. Mais, avant l'indianisation de Bali, cette montagne faisait déjà l'objet d'un culte, qui a été intégré aux nombreux rites hindous.

L'est de l'île vit aussi s'épanouir les plus puissants royaumes balinais. Les cours de Gelgel au XVIe siècle, puis, au XVIIe et au XVIIIe siècles, celles de son successeur Klungkung et de Karangasem, étaient particulièrement raffinées. Les rajahs, ainsi que l'aristocra-

Le mont Batur.

tie locale, subventionnèrent des écoles de danse et de musique qui sont encore florissantes. C'est enfin la seule région où le haut dialecte aristocratique balinais serve encore largement de langue vernaculaire.

D'Ubud ou du sud, toutes les routes convergent sur **Gianyar**, grosse ville impersonnelle et pôle d'un important artisanat du textile. A côté de la place centrale, le **palais** est l'un des rares encore habités par une famille royale. Les piliers en bois savamment ouvragés, le travail de la pierre et les proportions généreuses des cours sont caractéristiques du style palatin balinais. Très animé à toute heure du jour et du soir, le **marché** propose beaucoup d'articles de bijouterie traditionnels en or, ainsi que force cochonnailles (goûter au *babi guling*, cochon de lait grillé à la balinaise).

Klungkung (à 20 km de Gianyar) est une ville dont les nombreux monuments et le marché exigent un arrêt. Dans le passé, cette ancienne capitale royale a été à la fois l'un des plus grands centres politiques de Bali et le principal refuge de la cour de Mojopahit, chassée de Java au début du XVIe siècle. Construit au XVIIIe siècle, le **palais de justice** (Bale Kerta Gosa) comporte, sur son plafond, des peintures figurant les châtiments attendant les coupables dans l'autre monde.

D'une architecture délicate et abondamment décoré de peintures minutieuses qui couvrent tout le plafond, le pavillon du **Bale Kambang** a été bâti à la même époque. Il est posté au milieu d'un étang fleuri de lotus et de nénuphars.

Besakih, le « temple mère »

Au nord de Klungkung, une route de montagne grimpe à travers les rizières. Accrochées aux flancs du mont Agung, ces dernières sont sans doute parmi les plus spectaculaires de Bali. Cette chaussée mène au saint des saints de l'hindouisme balinais, le **Pura Besakih**. Se détachant sur la masse sombre du Gunung Agung, les

A Besakih.

vastes terrasses de granit étagées et les *meru* noirs et élancés de cet ensemble qui comprend une multitude de temples représentent le sanctuaire le plus vaste et le plus important de l'île. Site sacré dès la préhistoire, Besakih est pour la première fois mentionné dans une inscription rédigée en 1007.

Depuis le xve siècle, période durant laquelle il devint le sanctuaire officiel de la dynastie de Gelgel et de ses ancêtres déifiés, c'est le « temple mère » de l'île, un grand pôle de pélerinage où toutes les déités du panthéon balinais sont représentées – même s'il est centré autour des trois grands temples dévolus à la *trimurti*, la trinité hindouiste. Épargné par l'éruption, en 1963, du Gunung Agung, il est le cadre tous les dix ans d'une cérémonie de purification qui attire presque tous les Balinais, le Panca Wali Krama. La dernière édition de cette fête a eu lieu en 1999.

La côte est et l'extrême ouest

A l'est de Klungkung, la route rejoint le littoral à **Kusamba**, village de pêcheurs bordé de marais salants, avant de longer **Goa Lawah**, la « grotte des chauves-souris ». Face à la mer, cet autre lieu saint balinais est le but de nombreuses processions.

La route secondaire qu'on trouve sur la droite, 15 km plus loin, mène à la baie et au port de **Padangbai**, d'où partent plusieurs fois par jour les bacs pour l'île voisine de Lombok. Là, on peut aussi accompagner un pêcheur pour plonger autour des **îles Gili Tepekong**.

L'étape suivante, la station balnéaire de **Candi Dasa** a perdu de son charme en raison d'un essor touristique peu respectueux d'un site fragile.

Juste avant cette localité, la piste qui s'enfonce dans les collines se termine à **Tenganan**, village de Bali Aga qui a conservé des traditions pré-hindouistes (architecture, gouvernement, religion, danses, etc.).

Au-delà de Candi Dasa, la route principale franchit un col qui surplombe une immense vallée où s'étend l'ancienne capitale du puissant royaume de Karangasem, **Amlapura** (à 25 km de Candi Dasa). Le **Puri Agung Karangasem**, demeure ancestrale des souverains, est un ensemble austère ceint d'épais murs de briques rouges. Plus éclectique, le **Puri Kanginan**, palais du dernier rajah, reflète l'éducation européenne que ce souverain avait reçue. Celui-ci fit aussi creuser les bassins de **Tirta Gangga** (à 8 km au nord), dans les collines desséchées que la route traverse pour contourner le mont Serayu et parvenir à la côte nord-est.

Là, à quelques dizaines de mètres de la **plage de Tulamben**, l'épave engloutie d'un cargo coulé en 1942 figure parmi les meilleurs sites de plongée (apnée et bouteilles) d'Indonésie : des centaines d'espèces de poissons ont pris possession du lieu. Des hôtels faits de bungalows se sont implantés le long de cette grève de sable noir, tout comme dans la localité voisine d'**Amed**, elle aussi fréquentée pour ses fonds marins. D'Amlapura ou de Tulamben, pour regagner le centre de l'île, une variante s'offre au trajet côtier : la route de l'intérieur, qui va à Klungkung en passant par Subagan, à l'est d'Amlapura, et par Sibetan.

Après ce village, l'embranchement qui mène à **Putung** offre une belle échappée entre rizières et montagnes. Au-delà de Pesangkan, la route bifurque et conduit soit à Besakih, soit à Klungkung. Dans ce dernier cas, elle traverse **Iseh**, ravissant village de montagne où le peintre Walter Spies avait élu domicile.

Peu touristique, l'extême ouest de Bali est parcouru par une route côtière qui s'achève à **Gilimanuk**, port d'embarquement pour Java-Est.

A 100 km de Denpasar, la ville de **Negara** organise entre juin et octobre des courses de taureaux analogues à celles de Madura-ce sport a d'ailleurs été introduit ici par des migrants venus de cette petite île surpeuplée.

Avant de quitter Bali, on peut encore s'aventurer dans la **réserve de Bali Barat**. Elle comprend une île très intéressante pour la plongée, **Menjangan**, accessible en bateau de Labuhan Lalang.

Ces « kala », sortes de gargouilles, signalent l'entrée des temples.

LOMBOK

Un volcan, le Rinjani, qui laisse un souvenir impérissable, une mer turquoise, des plages désertes qui succèdent à des rizières de carte postale : Lombok mérite vraiment un détour. A peine effleurée par le tourisme de masse, concentré dans la baie de Sengiggi, cette petite île est synonyme d'un vrai dépaysement, et cela avec, partout, de petits hôtels propres et sympathiques et une cuisine allégrement pimentée (*lombok* signifie d'ailleurs « piment »). Pour couronner le tout, les Sasaks, la population locale, sont d'une gentillesse qui ne le cède qu'à une émouvante timidité.

Facile à visiter avec une voiture louée sur place, Lombok s'impose donc comme un rafraîchissant complément de Bali, qui n'est qu'à 30 minutes d'avion ou 4 ou 5 heures de mer, avec les nombreux bacs quotidiens. Mieux vaut prévoir un séjour d'au moins quatre jours ; mais deux semaines sont nécessaires pour une découverte en profondeur.

Contrastes de paysages

Si l'histoire et la culture locales sont intimement liées à celles de Bali, Lombok diffère profondément de son illustre voisine. Ainsi, alors que cette dernière appartient à l'aire asiatique, Lombok est tournée vers l'ensemble australien. Entre les deux îles, le profond détroit de Lombok marque la frontière climatique et biologique entre ces deux univers.

Autre différence, les religions : en dépit de la proximité de Bali, Lombok n'est pas hindouiste, mais en majorité musulmane – avec, il est vrai, des traces tenaces d'animisme.

Au nord, le massif volcanique du mont Rinjani, second sommet indonésien, culmine à 3 726 m, alors que, au sud, des collines rocailleuses s'élèvent à 715 m d'altitude. Entre ces deux barrières naturelles, la plupart des terres arables de Lombok et la majorité de sa population occupent une large bande de terre qui va s'élargissant d'ouest en est, du détroit de Lombok à celui d'Alas, qui baigne Lombok et sa voisine Sumbawa. Abondamment arrosée par les torrents qui descendent du Rinjani, cette plaine ressemble beaucoup à Bali : de belles rizières en terrasses s'étagent sur les flancs du volcan ; et même, comme pour compléter la similitude, quelques temples hindouistes ont été érigés par des émigrés de l'île voisine.

Le contraste est puissant entre ces terres grasses et la végétation de *bush* portée par les sols calcaires du Sud. Toutefois, les quelques cours d'eau de cette région méridionale l'ont dotée de palmeraies et de cocoteraies qui, comme sur la plage de **Kuta** (à ne pas confondre avec la Kuta balinaise) par exemple, frangent une mer turquoise.

Au nord, la forêt en altitude et les parcelles cultivées se partagent les versants, tandis que le littoral présente la même alternance de paysages desséchés et luxuriants qu'au sud, avec, çà et là, de paisibles villages de pêcheurs.

A gauche, rite des offrandes, ou « oda-lan », au Pura Meru ; à droite, linga de pierre dans un temple hindouiste.

Influences balinaises

Selon d'anciennes chroniques indigènes, Lombok aurait été colonisée par des populations de l'est de Java, et les Sasaks tiendraient leur nom d'un radeau en bambou (*sesek*) utilisé pour traverser le détroit. D'après le *Nagarakertagama*, manuscrit du XIVᵉ siècle retrouvé en 1894 et principale source de renseignements sur les anciens empires de Java-Est, l'île passa sous mainmise de l'empire javanais de Mojopahit en 1365.

Au XVIIᵉ siècle, les Balinais annexèrent la plaine occidentale et des musulmans de Macassar (Sulawesi) conquirent la côte orientale. La conversion de l'aristocratie locale à l'islam remonte à cet événement. En 1677, Balinais et Sasaks réussirent à expulser les Macassar, et l'ouest de Lombok connut au XVIIIᵉ siècle un âge d'or sous l'influence balinaise. Le rajah Agung Made Gege Ngurah encouragea même une architecture et un faste qui rivalisaient avec ceux des cours de Bali. En 1849, Lombok et l'est de Bali furent unifiés sous la dynastie balinaise de Karangasem. Cette hégémonie dura moins d'un demi-siècle : en 1894, une importante expédition militaire hollandaise débarqua à Ampenan, port de la côte ouest. Aidés par les dirigeants sasaks de l'est, qui voulaient s'affranchir du joug balinais, les Hollandais se rendirent maîtres de l'île. Les combats firent de nombreuses victimes, surtout parmi les Balinais, dont les souverains et les cours se suicidèrent en masse (*puputan*). Aujourd'hui, les influences balinaises sont à peine sensibles, et seuls 10 % des 2 millions d'habitants observent encore les traditions et les rites hindouistes.

Les environs de Mataram

Les trois villes de Lombok : Ampenan, Mataram et Cakranegara (pas plus de 100 000 habitants au total), forment une conurbation à l'ouest de la plaine centrale. Ici se concentrent les princi-

Kuta Beach bien moins fréquentée que son homonyme balinaise.

paux sites historiques, dans un rayon de 15 km autour de Cakranegara, l'ancienne capitale royale. Jadis port principal de Lombok, **Ampenan** n'est guère plus qu'un appontement en bois délabré sur lequel s'alignent des entrepôts déserts. Seul le **Musée maritime** a gardé la mémoire du glorieux passé de la cité. L'office du tourisme, au n° 70 de Jalan Langka, donne le programme des festivals de l'île.

Mataram, capitale de la province de Nusa Tenggara Timur (les petites îles occidentales de la Sonde), qui comprend Lombok et Sumbawa, est une de ces grosses villes moyennes comme l'Indonésie en compte tant, mélange de bâtiments administratifs et de maisons sans grâce. Elle compte plusieurs banques, des hôtels de toute catégorie, un supermarché et une pléthore de restaurants.

Cakranegara, ancienne capitale royale, à quelques kilomètres à l'est de Mataram, est restée la principale ville marchande de Lombok. Dans le quartier arabe, particulièrement animé, on peut acheter des sarongs en coton à carreaux multicolores. Le quartier balinais, au nord, de l'autre côté de la rivière Ancar, recèle de splendides maisons construites dans le style propre aux Balinais de Lombok.

Le **Pura Meru**, temple central des hindouistes de Lombok, surplombe le carrefour principal de la ville. Il fut construit en 1720 par le rajah balinais Agung Made Gege Ngurah, afin d'unifier les diverses factions hindoues de l'île, qui disposent ici de 33 sanctuaires, un par communauté. Les trois cours symbolisent le *tri loka*, les trois divisions du cosmos hindou. Dans la cour, trois pagodes représentent la trinité hindouiste. Face à ce sanctuaire, un bassin couvert de lys entoure un pavillon qu'on atteint en franchissant le plan d'eau sur un passage de pierres. C'est le jardin royal, le **Puri Mayura**, qui fut aménagé en 1744. Le pavillon central, le **Bale Kambang**, servait autrefois de palais de justice et de salle de réunions pour les seigneurs de Lombok. C'est ici que le commandant de

A gauche, spectacle de Kecodak à Tanjung; à droite, le Pura Meru.

l'expédition militaire hollandaise de 1894 fut tué avec toute sa garnison. Le **palais royal**, derrière le Taman Mayura, est plus modeste : un bungalow mi-hollandais, mi-balinais qu'entoure une douve remplie d'eau. C'est à présent un musée qui expose de vieilles photographies et divers autres souvenirs des temps coloniaux.

Plusieurs trajets d'excursion partent de Mataram et d'Ampenan. À 7 km au sud de Mataram, des sanctuaires blancs étincellent sur l'affleurement rocheux du **mont Pengsong**. On accède à ces temples par 360 marches qui grimpent entre de vieux banians où jouent les singes-gardiens du lieu.

D'Ampenan, une petite route part vers le nord et traverse des cocoteraies avant d'arriver au temple de **Batu Bolong**, bâti sur un rocher fouetté par les vagues. On peut ensuite gagner la station balnéaire de **Senggigi Beach**. Le Sheraton et autres hôtels de luxe, ainsi que bon nombre de *losmen*, se sont implantés sous les cocotiers, sur une baie de sable blond à la courbe parfaite.

L'étape suivante est **Bangsal**, petit port du bourg de **Pamenang**. Une autre route dessert cette localité au départ de Mataram et traverse une forêt d'altitude où les singes viennent observer les touristes. Bangsal est le port d'embarquement pour **Gili Air**, **Gili Meno** et **Gili Trawangan**, trois îles magiques où des bungalows très bon marché sont disséminés entre plage et cocotiers. Elles ont aussi des fonds marins remarquables et très faciles d'accès : les poissons, de toutes formes et couleurs, évoluent à 3 m du rivage.

Narmada, Suranadi et Tetebatu

De petites mosquées blanches émaillent les rizières en terrasses entre Cakranegara et **Narmada** (petite ville à 10 km à l'est de Mataram). Le marché, le plus grand de l'île, regorge de paniers, de poteries et autres trésors de l'artisanat local. Surplombant ce bourg, un promontoire artificiel porte le palais d'été réalisé par le roi de Karangasem à la fin du XIXᵉ siècle. Un vaste jardin en terrasses descend en pente raide dans une vallée, tandis que bassins et fontaines agrémentent un ensemble de pavillons balinais et de cours savamment imbriqués.

Les sources sacrées du temple de **Suranadi**, à 7 km au nord de Narmada, drainent des pèlerins hindouistes de Lombok et de Bali. Comme les eaux de Tampaksiring à Bali, celles de Suranadi (du nom du fleuve qui traverse le nirvana) servent lors de rituels importants. La légende locale dit que ces sources ont été créées par le saint Niratha, qui fit jaillir l'eau en enfonçant cinq fois son bâton dans le sol. On peut s'arrêter, dans un ancien jardin d'agrément royal, à l'hôtel Suranadi, pour sa piscine d'eau de source et son excellent restaurant. De là, des chemins grimpent dans les villages de montagne, où les maisons traditionnelles sur pilotis occupent de petites clairières au cœur de la forêt.

Sur la route qui mène sur la côte est, on aura avantage à faire un détour par la station climatique de **Tetebatu**, au centre de l'île, au milieu de rizières

Narmada.

d'un vert éclatant. Les nuits y sont fraîches et les hôtels-restaurants charmants. Une halte à **Sukarare** permet de voir les femmes tisser des *ikat* et des *lambung*.

Plus au sud, à 50 km de Mataram, **Kuta** est un village isolé sur une plage magnifique, l'une des plus belles d'Indonésie. Ce site étant promis à un essor touristique, mieux vaut en jouir au plus vite.

Sur la route de Mataram à Kuta, le village sasak de **Rambitan**, avec ses maisons en pierre à toits de chaume, est l'un des plus authentiques de l'île.

Le Rinjani, volcan grandiose

Le lac de caldeira du mont Rinjani.

Révéré par les Sasaks, le **Rinjani** est un lieu de pèlerinage. Son ascension peut être l'une des plus extraordinaires en Indonésie. Attention, cette marche difficile ne peut s'entreprendre que pendant la saison sèche (d'avril à octobre). Il faut lui consacrer quatre jours si l'on veut atteindre le sommet, à 3 726 m d'altitude, deux si l'on se contente du **Segara Anak**, lac qui occupe le fond du cratère effondré, et un seul si l'on s'arrête à la crête qui surplombe cette caldeira. Mais c'est un volcan actif, la prudence s'impose.

L'approche la plus aisée se fait par le village de **Senaru**, au-dessus de Bayan (à une demi-journée en *bemo* de Mataram). Là, après une balade jusqu'à la cascade voisine, on peut dormir dans un des bungalows du *losmen*. Le patron propose les services d'un guide-porteur, indispensable pour passer la nuit au bord du lac (où l'on se baigne sans danger dans une eau très chaude), ou atteindre le sommet. Il fournit aussi tout l'équipement nécessaire (tentes, vivres, etc.).

Enfin, sur la côte nord, le petit port de **Labuhan Lombok** et son unique *losmen*, tout en bungalows éparpillés sous les arbres, invitent au farniente. Au large, de très beaux fonds marins, sont faciles à explorer avec l'aide des pêcheurs du coin, qui capturent d'énormes langoustes.

LES PETITES ILES DE LA SONDE

Après Bali la voluptueuse et Lombok la secrète, les îles orientales, de Sumbawa à Timor, sont encore peu touchées par le tourisme. Moins riches en sites d'intérêt historique, elles abondent en paysages saisissants et sont dotées de puissants particularismes culturels.

Géographiquement regroupées avec Bali et Lombok sous l'appellation de petites îles de la Sonde, ces îles ont été divisées en deux provinces administratives. Celle de Nusa Tenggara Barat (« îles occidentales du Sud-Est ») rassemble Lombok et Sumbawa. La province de Nusa Tenggara Timur (« îles orientales du Sud-Est ») regroupe toutes les autres, de Komodo, l'île du fameux « dragon », à la moitié ouest de Timor – dont la partie orientale, ancienne colonie portugaise annexée par l'Indonésie en 1976, a accédé à l'indépendance en septembre 1999 à la suite d'un référendum.

Entre Asie et Australie

Cet ensemble d'îles s'organise autour de deux plissements géologiques. L'un, non volcanique, a donné, au sud, Sumba, Sawu, Roti et Timor. Siège d'une intense activité éruptive, l'autre a fait émerger d'une mer profonde Sumbawa, Florès et un chapelet d'îles de taille inférieure.

A la limite de la ligne Wallace, faille sous-marine qui s'étire du détroit de Lombok à Sulawesi (les Célèbes) et marque la limite entre peuplement indo-malais et souche mélanésienne, ce chapelet d'îles forme une région de transition entre la faune et la flore eurasiatiques et les espèces australiennes. D'ailleurs, plus on va vers l'est, plus le climat devient sec, sous l'action des vents brûlants qui soufflent du continent australien. La mousson du nord-ouest, chargée d'humidité, déclenche des pluies intermittentes du début de novembre jusqu'à la fin de mars. Mais les années

Pages précédentes : cavaliers de Sumba. A gauche, tissages de Sumbawa ; à droite, jeune danseuse de la même île.

sans pluies ne sont pas rares à Sumba ou à Timor.

La population se compose d'une mosaïque d'ethnies et il est difficile de retracer l'évolution du peuplement de ces petites îles qui furent, bien avant notre ère, balayées par des vagues migratoires successives venues du Pacifique et de la mer de Chine méridionale.

Cependant, de longue date pauvre et peu peuplé, cet archipel dans l'archipel n'a jamais fait l'objet de conquêtes. Seules ses forêts aux essences rares (teck, santal) ont permis l'émergence de petits royaumes côtiers et commerçants, puis attiré les marchands étrangers. Au XIVe siècle, la mainmise de l'empire Mojopahit de Java prenait la forme d'une hégémonie plus commerciale que politique. Aux musulmans, implantés aux XVe et XVIe siècles, succédèrent au XVIe siècle les Portugais, qui furent les premiers Européens à aborder Florès, en 1512. A cette même époque arriva la première vague de missionnaires, qui sont

à l'origine d'importantes communautés chrétiennes, dont la pratique religieuse reste cependant marquée par les rites et les croyances antérieures. Les Hollandais se désintéressèrent de ces îles, qui ne tombèrent vraiment dans leur giron qu'au début du XXᵉ siècle, à l'issue d'une campagne militaire.

En dépit d'un effort d'équipement (routes, ports, écoles, etc.) et d'assimilation poursuivi par la république d'Indonésie, nombre d'insulaires vivent encore largement en dessous du niveau de vie en vigueur à Java, mais gardent une culture très riche.

Sumbawa, fleur volcanique au milieu des mers

Plus vaste que Bali et Lombok réunies, l'île de **Sumbawa** doit son relief tourmenté à de violentes éruptions volcaniques. Celle du **Tambora**, en 1815, fut l'une des plus puissantes de l'histoire. Sumbawa compte à peine 1 million d'habitants, paysans ou pêcheurs pour la plupart, et en majorité musulmans.

La bonne route qui la parcourt de bout en bout traverse montagnes arides et plantations ou bien musarde au fil d'une côte ourlée de baies et de plages.

Peu de touristes s'attardent à **Sumbawa Besar**, deuxième ville de l'île (30 000 habitants) et point de chute pour les voyageurs arrivant de Lombok (de Labuhan Lombok, il y a trois bacs par jour ; la Merpati assure en outre quatre vols par semaine au départ de Denpasar et de Mataram). Pourtant, on peut y admirer l'ancienne résidence des sultans, le **Dalem Loka**, entièrement construite en bois vers 1885, et dont le **musée** abrite des *pusaka*, emblèmes sacrés du pouvoir. Sur le port, les artisans construisent de grands vaisseaux avec des outils rudimentaires.

On peut louer un bateau pour se rendre sur l'**île-réserve de Pulau Moyo** (trois heures de mer, il faut demander un permis de visite au PHPA, Jalan

La mission catholique de Lela, dans le sud de Florès.

Garuda). Cerfs, sangliers et autres cochons sauvages prospèrent sur cette île, dont les plongeurs apprécieront les beaux fonds coralliens.

Près de Sumbawa Besar (à 15 km), c'est à une balade archéologique qu'invitent le village de **Bati Tering** et ses environs parsemés de mégalithes. Ces pierres levées ont certainement été érigées par des hommes du néolithique.

De Sumbawa Besar, on peut aussi atteindre le cratèrc du **Gunung Tambora** en se faisant déposer par un bateau à **Pekat**. En 1815, l'explosion de ce volcan projeta 150 km³ de nuées ardentes formées de solides et de liquides en combustion, un record absolu. Le Tambora y perdit 1 250 m, pour culminer à 2 851 m et former une caldeira de 11 km de circonférence. Aux 12 000 victimes dues à l'éruption s'ajoutèrent 80 000 morts de famine, les cendres ayant anéanti toutes les cultures. La crise économique qui vit le prix du blé doubler en Europe lui est aussi imputée : la poussière crachée par le cratère entraîna un été désastreux. Quand on arrive à la caldeira béante (après une journée de marche), on a une vue spectaculaire sur l'île et les mers alentour.

Première ville de Sumbawa avec ses 40 000 habitants, **Bima** (à 8 h de route de Sumbawa Besar) présente peu d'intérêt. Le palais bâti dans les années 30 expose les attributs royaux des sultans locaux (kriss aux manches d'or et d'ivoire incrustés de diamants, pierres précieuses, etc.).

Après 50 km sur une belle route, on arrive à **Sape**, à l'extrémité orientale de l'île, où un bac assure une liaison trois fois par semaine avec Komodo. Il est possible de louer un minibus avec chauffeur pour découvrir les petits villages côtiers des environs, dont les plages de sable blanc, l'eau cristalline et les cocotiers ont de quoi enchanter.

Komodo, île des dragons

Au milieu du détroit qui sépare Sumbawa de Florès, **Komodo** n'est

Le marché de Sape, tout à l'est de Sumbawa, d'où partent les bacs pour Komodo.

qu'un ensemble de collines desséchées et de champs brûlés. Pourtant, 30 000 visiteurs s'y rendent chaque année en bateau – seul moyen d'accès –, à partir de Sape ou de Labuhanbajo (sur l'île de Florès) pour observer le seigneur des lieux, un reptile carnivore de 3 m de long. Découvert par les Européens en 1911 seulement, le dragon de Komodo (*Varanus komodoensis*; *ora* pour les locaux) est un proche parent des tyrannosaures de l'ère secondaire (il a les mêmes dents crénelées), l'un des dinosauriens qui régnaient sur la terre il y a cent millions d'années.

Les jours de cette espèce ne sont pas en danger. Le recensement effectué en 1995 par les services du parc national de Komodo en a dénombré 1 678 individus, nombre important pour la superficie réduite de l'île : 30 km sur 15 km. Un millier d'autres subsistent sur l'île voisine de **Rinca**. Il est vrai qu'un varan femelle pond une dizaine d'œufs par an. Mais il lui arrive souvent de manger quelques-uns de ses petits.

Depuis 1994, il n'est plus nécessaire de sacrifier une chèvre pour attirer ces charognards. Le personnel du parc se charge d'emmener les visiteurs en divers points d'observation. Même si ceux-ci sont dûment grillagés, il faut rester prudent. Armé de griffes puissantes et capable d'atteindre des pointes de vitesse de 30 km/h, le dragon de Komodo peut mordre un homme tombé à terre.

Après la visite, louer un bateau pour l'**île de Lasa**, face au village de Komodo, permettra de plonger dans de superbes fonds marins.

Sumba, rites ancestraux et culture mégalithique

Sans intérêt stratégique et dépourvue d'épices, longtemps évitée en raison de ses cannibales et de ses cavaliers impétueux, l'île de **Sumba** a largement échappé aux influences indienne et musulmane, puis occidentale, comme à la modernisation contemporaine. Conséquence de cet isolement, ses 600 000 habitants sont restés en grande majorité fidèles au culte des ancêtres (*merapu*) et ont gardé de nombreux rites archaïques qui font de Sumba l'une des destinations les plus fascinantes de l'archipel.

Des régions sèches de l'Est aux luxuriantes montagnes de l'Ouest, une route bitumée coupe cette grande île (300 km sur 80 km). Cette voie unique se faufile tour à tour entre des monts desséchés, au fond de vallées fertiles et dans de profondes forêts. Elle permet d'essaimer vers les villages jonchés de tombeaux géants en forme de dolmen, et dont les maisons sur pilotis gardent, au sommet de leurs toits de palme effilés, les souvenirs laissés par les ancêtres. Et elle s'achève sur les plages du littoral oriental. Là, dans quelques villages, des cavaliers armés de lances se chargent et s'affrontent une fois l'an en un spectaculaire combat rituel propre à Sumba, le *pasola*. L'île jouit aussi d'une solide réputation pour ses *hinggi*, variété d'*ikat,* patiemment teints et tissés à la main.

A l'est et sur la côte septentrionale, **Waingapu** est le principal port d'en-

Le dragon de Komoa peut dépasser 3 m de lon

trée maritime et aérien (la Merpati a plusieurs vols directs par semaine depuis Denpasar et Bima).

A la sortie de cette grande ville moderne et sans charme, le village de **Praliu** est un gros centre de production de ces étoffes, réservées aux hommes, mais filées et teintes par les femmes.

Les occasions de voir confectionner et d'acheter des *ikat* ne manquent pas dans cette région qui fourmille de métiers à tisser. C'est notamment le cas sur la côte, à **Ende**, beau village traditionnel à 60 km de Waingapu, qui possède par ailleurs de nombreux tombeaux mégalithiques ornés de sculptures, et dans les environs de **Baing** (40 km plus loin), localité qui voit en outre passer, de novembre à mai, de nombreux surfeurs australiens en route pour la belle **plage de Kalala** (à 5 km).

De Waingapu à **Waitabula**, seconde ville sumbanaise, dans l'ouest de l'île, la route passe par de nombreux villages à mégalithes. Les plus impres-

sionnants, faits de pierres de plusieurs dizaines de tonnes, s'élèvent dans les environs d'**Anakalang**, où il faut s'arrêter le samedi (jour de marché).

Près de **Waikabubak**, chef-lieu de Sumba-Ouest (à 25 km d'Anakalang), les hameaux de **Kadung Tana**, **Hatu Karagate**, **Bulu Puka Mila** et **Tarung** possèdent aussi de ces tombeaux géants, qui sont l'objet d'un culte.

Mais **Sodan**, à 25 km au sud-ouest de Waikabubak, non loin de Lamboya, est peut-être le village le plus intéressant de Sumba-Ouest en raison de la cérémonie majeure qui célèbre la nouvelle année lunaire.

Cette région est aussi celle des *pasola*, qui ont lieu en février à **Lamboya** et à **Bondokodi**, à la pointe occidentale de l'île, et, en mars, à **Gaura** et à **Hanokaka**, quelques jours après la pleine lune et en prélude aux semailles.

Spectacles dignes des tournois du Moyen Age, mais mobilisant des centaines de cavaliers, ces joutes rituelles coïncident avec l'arrivée, sur le rivage,

Dragon de Komodo en position de guet.

de myriades de vers marins, les *nyale*, dont le nombre et les couleurs présagent de l'abondance des moissons. Parfois mortel, en dépit des limites imposées par Jakarta, le *pasola* reflète les guerres que se livraient par le passé les petits royaumes de Sumba.

La **plage de Rua**, à 21 km au sud de Waikabubak, est une bonne base où se reposer entre deux *pasola*.

Florès

A 85 % catholique, **Florès** est, après Bali, l'autre exception religieuse de l'archipel. En majorité d'ascendance mélanésienne, la population a commencé à vénérer la sainte Trinité quand les Portugais, au milieu du XVIe siècle, ont fait du *Cabo das Flores* (le « cap des fleurs ») une escale sur la route de l'île du bois de santal, Timor. Même après que, au milieu du XIXe siècle, les Hollandais eurent supplanté les Lusitaniens, le catholicisme a progressé, et les ordres missionnaires sont aujourd'hui actifs à Florès.

Mais ces quatre siècles de christianisation n'ont pas complètement effacé les croyances ancestrales. Sacrifices de purification, combats rituels, cultes rendus aux *nitu*, les divinités des volcans, des bois, des roches, ou aux mégalithes gardiens de l'esprit des ancêtres : les pratiques animistes coexistent avec la dévotion à Marie, son Fils et tous les saints, rendue dans 4 000 églises et chapelles (pour 1,5 million d'habitants). Ces cérémonies traditionnelles confèrent un attrait de plus à une île qui en regorge.

Le caractère montagneux de cette terre tout en longueur et hérissée de volcans (dont 14 en activité) rend les déplacements si laborieux qu'un séjour ne saurait être inférieur à une semaine pour bien la parcourir.

Labuhanbajo

Si Florès mesure 375 km de long, traverser Florès, plus grande île des Nusa Tenggara, par la route, exige au moins deux jours (plus encore à la saison

Hameau traditionnel à Sumba.

humide, de novembre à avril). Il faut en compter au moins six avec les principaux arrêts, que ce soit en voiture ou en autocar. Car on dépasse rarement les 30 km/h sur cette voie étroite et qui n'est bitumée qu'en partie. Ouverte par les Hollandais en 1912, elle se résume à 670 km de lacets qui sinuent dans la forêt vierge, longent la mer ou escaladent les pentes volcaniques.

Gage de rencontres avec des rites hauts en couleur comme de paysages intacts, ce périple commence face à l'île de Komodo, à **Labuhanbajo**, ancien « port des Bajos », les « gitans de la mer ». Les Bajos sont une ethnie malaise dont les membres vivent en permanence à bord de leurs embarcations et qui a essaimé du golfe du Bengale aux Philippines.

Second port pour le conservatoire des varans (à quatre heures de bateau), avec Sape, à Sumbawa, et point d'arrivée des bacs en provenance de ces deux îles, ce village de pêcheurs a vu se multiplier les *losmen* et les organisateurs d'« aventures chez les dragons ». Son aéroport reçoit les vols de la Merpati en provenance de Denpasar et de Lombok, avec une escale à Bima. Cette compagnie dessert en outre les principales villes de Florès (Ruteng, Bajawa, Ende, Maumere et Larantuka) à partir de Labuhanbajo.

La côte, très découpée, comporte de belles plages où l'on peut se délasser en sirotant le lait d'une noix de coco fraîchement coupée. Celle de **Pade** (à 2 km de Labuhanbajo), connue pour ses beaux couchers de soleil, et celle de **Waicicu** (à 5 km) sont les plus faciles à dénicher.

Pour la plongée, il suffit de s'adresser aux pêcheurs et aux hôteliers : ils connaissent tous les massifs coralliens des îles avoisinantes et louent des bateaux.

A terre et à proximité de Labuhanbajo, il faut signaler deux étonnantes curiosités naturelles : **Batu Cermin**, grotte envahie de racines (à 5 km de Labuhanbajo), et la **forêt pétrifié**, 10 km plus loin.

A gauche, un tel ikat demande près de six mois de labeur ; à droite, mégalithe sculpté de Sumba.

De Labuhanbajo à Ruteng

S'il ne fallait faire qu'une portion de la route transflorésienne, ce serait celle-ci : les 140 km qui séparent Labuhanbajo de Ruteng (sept heures de voiture). Le ruban de bitume traverse l'épaisse forêt accrochée aux pentes, redescend dans des vallées sculptées par les cultures en terrasses, enjambe des crêtes volcaniques décharnées et des gorges étroites pour arriver à **Ruteng**.

Enchâssée sous de vertes collines couvertes de rizières, la bourgade est piquée de blancs clochers qu'écrase la masse du **Mandasawu**, le volcan voisin (2 350 m).

Cette petite ville commerçante édifiée à 1 700 m d'altitude est la « capitale » du **pays mangarrai**. Les Mangarrais sont une ethnie d'origine malaise qui occupe le tiers occidental de Florès, la région la plus peuplée de cette île.

En grande majorité catholique, cette ethnie conserve de nombreuses pratiques antérieures au christianisme. En particulier le *caci*, combat rituel spectaculaire que l'on peut voir à Ruteng et dans les villages, jusqu'à Bajawa, à l'occasion de la célébration des fêtes de l'indépendance (le 17 août) ou bien pendant les mariages. Coiffés d'un *ikat* que prolongent deux cornes en tissu et protégés par des boucliers en cuir de buffle, deux guerriers-sorciers s'affrontent, l'un brandissant un fouet, l'autre armé d'un bâton, dans le vacarme des gongs, des incantations et des tambours. Le sang versé a valeur d'hommage aux ancêtres, et les protagonistes exhibent avec fierté leurs blessures, le tout sous le regard bonhomme des missionnaires du coin, qui n'hésitent pas à bénir les agapes qui terminent ces duels. En fait, les confessions religieuses ne combattent pas les vieilles croyances à Florès ; elles préfèrent mettre leurs efforts au service de l'amélioration des conditions de vie, construire écoles, dispensaires, ateliers et encourager l'économie locale.

Scène d'un « pasola ».

A Bajawa et chez les Nghadas

La halte suivante, **Bajawa** (à 130 km par une bonne route, il faut cinq heures de voyage), et sa région sont la patrie des Nghadas. Cette ethnie, catholique et matrilinéaire (les biens sont transmis de femme en femme) maintient nombre de traits culturels propres.

Dans les villages, les mégalithes sculptés, érigés depuis la nuit des temps et dédiés aux ancêtres, côtoient chapelles et autels, tandis que les fêtes chrétiennes donnent lieu à d'étonnants mélanges de rites. Le passage tardif de cette région centrale sous la domination hollandaise explique peut-être la pérennité de ces traditions. Le pays bajawa, tout comme le district voisin d'Ende, n'a en effet été vraiment soumis qu'en 1907-1908, à l'issue d'une campagne militaire.

Jouant à saute-volcan entre mer et montagne, la route de Ruteng à Bajawa est comme un long balcon sinueux qui domine des paysages mémorables.

Après **Wairana**, village blotti sous les bananiers et les bambous, **Almere** (ou Aymeri) possède un remarquable ensemble de mégalithes éparpillés face à l'océan.

La route entame ensuite la montée des flancs de l'**Inarié**, volcan éteint de 2 131 m, pour aboutir à **Bajawa**.

Bonne base de départ pour visiter les villages nghadas des alentours, cette petite ville d'altitude (1 000 m) célèbre à Pâques une messe mâtinée de manifestations d'origine païenne. Maha Kudus, tel est son nom, voit une horde d'hommes conduire, sabre au clair, une procession de villageois dansant et chantant qui portent la sainte Croix en procession d'un bout à l'autre de la ville. Cet événement, dont le calendrier traditionnel fixe la date, est suivi d'une chasse au cerf. Celle-ci a lieu dans le nord de Bajawa, autour du village de So'a. Les interdits sexuels respectés avant et après cette traque (les rapports sexuels sont défendus aux jeunes mariés) laissent supposer qu'il s'agit d'un rite de fertilité. Bien d'autres traditions entourent les mariages. Ainsi, de même que dans d'autres régions de Florès, une union, même consacrée par l'Église, ne peut être consommée que si le père de la mariée a reçu les cadeaux (étoffes, chevaux, buffles, etc.) prévus par la coutume, et qui varient selon le rang des familles.

Les rites propitiatoires qui accompagnent la construction d'une maison ou les grands moments du cycle de la vie humaine et agricole (récoltes, baptêmes, décès, etc.) donnent lieu à des sacrifices d'animaux (buffles, porcs). Accomplis dans un grand déchaînement de tambourinades, de danses et de prières, ils précèdent un repas collectif. L'étranger de passage peut être invité à le partager avec les convives nghadas, tous catholiques et qui vont à la messe tous les dimanches.

Bena, Langa et So'a

Se promener dans les villages traditionnels de Bena, Langa et So'a, les plus faciles d'accès, peut donner l'oc-

École coranique de filles.

casion de participer à de telles réjouissances, notamment en janvier et février, période de fêtes.

Considéré comme le plus typique de ces trois villages, **Bena**, à 20 km de Bajawa, sur les pentes de l'Inarié, se compose d'une longue esplanade fermée sur trois côtés par des maisons à toits de palmes et occupée en son milieu par une plate-forme hérissée de mégalithes. A l'entrée, on remarque ces espèces de totems que sont les *nghadu* et les *bhaga*. Ces piliers sont surmontés d'une hutte qui porte une ombrelle (symbole masculin) dans le premier cas et une minuscule maison (symbole féminin) dans le second. Ces poteaux rattachés au culte des ancêtres sont régulièrement remplacés, lors des récoltes par exemple, et on peut y voir gravés aussi bien des figures chrétiennes que des symboles de la cosmogonie locale. En particulier des serpents, traditionnellement tenus pour des intercesseurs entre le monde des *nitu*, les esprits, et celui des vivants.

Si l'on arrive assez tôt à Bena, on peut envisager de faire l'ascension de l'**Inarié**, qui exige cinq heures de marche.

Moins pittoresque que Bena, **Langa** n'est qu'à 8 km de Bajawa.

A 15 km au nord, **So'a** possède des mégalithes et des totems ainsi que d'agréables sources d'eau chaude où il fait bon se tremper après des heures de marche.

Ende, port musulman

Environ 125 km d'une assez bonne route (cinq heures de voiture ou de minibus) séparent Bajawa d'**Ende**, grosse bourgade qui a souffert du tremblement de terre survenu à Florès en 1992.

Ce port écrasé de soleil et blotti sous les volcans se distingue par ses mosquées et sa population, où dominent les non-Mélanésiens. Si Florès semble n'avoir intéressé que vaguement les grands royaumes pré-islamiques de Java (Mojopahit, qui inté-

Canon portugais à Florès.

gra dans sa sphère d'influence cette escale sur la route des épices, n'a laissé aucun vestige notable), la présence portugaise déclencha plus tard la réaction des puissances musulmanes de l'archipel. Ainsi, en 1664, le sultanat de Macassar s'empara d'Ende. Les immigrés venus par la suite de Sulawesi en firent une enclave islamisée.

Les Hollandais, à qui les Portugais laissèrent en 1859 leurs derniers comptoirs à Florès, à condition qu'ils apportent leur soutien à l'Église catholique, bombardèrent par deux fois Ende. Mais ils ne réussirent à s'imposer véritablement, dans cette région comme ailleurs, qu'en 1907-1908, après avoir maté une importante rébellion. Leur victoire ouvrit toute l'île aux missionnaires catholiques, actifs à Florès au XXᵉ siècle.

Ende, où Ahmed Sukarno fut exilé en 1936 (sa maison se visite), compte en outre de bons hôtels et une excellente cuisine chinoise, agréable variante en regard de la cuisine locale à base de manioc.

A gauche, guerrier-sorcier de Florès ; à droite, procession pascale à Larantuka.

Du port, on peut se rendre sur une petite île où subsistent les ruines d'un fortin portugais et, à 20 km sur la route de Bajawa, au lieu-dit **Penggajawa**, sur une étrange plage de galets bleus.

Le Kelimutu, volcan mystique

Site de trois lacs de cratère colorés, le **Kelimutu** (1 634 m), à quelques heures au nord-est d'Ende par la route de Maumere, qui traverse des paysages sublimes, est à la fois l'un des volcans les plus impressionnants d'Indonésie et l'un des plus faciles à gravir : une route carrossable conduit au pied des cratères. Les lacs, séparés les uns des autres par d'étroites arêtes rocheuses, changent souvent de teinte (rouge sombre ou noir, bleu turquoise ou vert émeraude). Aucune théorie scientifique n'explique ces variations. Le peuple Lio croit, quant à lui, que ces eaux contiennent les âmes des défunts.

On peut séjourner dans les *losmen* et les hôtels du village de **Moni**, d'où

part la voie qui mène aux cratères, pour essaimer aux alentours, dans les villages lios.

Mieux vaut circuler en camion et à pied, les pistes étant très difficiles, pour se rendre dans les hameaux qui s'égrènent jusqu'à **Jopu**, puis continuer vers **Nggela**, le village de l'*ikat*, et **Wolowaru**. On rejoint la route de Maumere dans cctte dcrnièrc localité, qui est spécialisée dans les textiles.

D'Ende à Maumere (150 km, mais sept heures de route), la route coupe l'île en diagonale et rejoint la côte nord. En 1992, cette région a été dévastée par un tremblement de terre et par le raz de marée qui l'a suivi. On a dénombré 2 000 victimes pour la seule Maumere, qui fut reconstruite avec le concours de l'armée. Son aéroport reçoit les vols de la Merpati en provenance de Denpasar, Bima, Ujung Pandang et Kupang (capitale de Timor-Ouest).

Dotée d'un port et d'un marché très colorés, **Maumere** connaît une certaine aisance. Par ses investissements dans la filière agricole, l'Église catholique est un acteur clef de ce développement.

Le **Sea World Club**, ensemble de bungalows au bord de la mer, géré par des religieux et dont les bénéfices alimentent l'aide aux enfants défavorisés, est le bon endroit où faire escale. Les fonds coralliens du littoral sont aussi éclatants de vie et de couleurs qu'aux îles Banda.

A 30 km, le village côtier de **Sikka** eut, au début du XVIIᵉ siècle, un rajah qui s'en fut à Malacca, alors portugaise, en revint catholique et convertit tout son petit peuple, qui est resté chrétien.

La dernière épreuve du voyage tient aux 10 h de route poudreuse nécessaires pour parcourir les 110 km de Maumere à **Larantuka**, à l'extrémité est de Florès. Au milieu du XVIᵉ siècle, les Portugais fondèrent dans cet avant-poste de leur possession timoraise la première mission catholique de Florès.

En face, sur l'**île de Solor**, ils élevèrent en 1566 un fort qui a résisté à

Deux des trois lacs de Kelimutu, à Florès.

l'épreuve du temps et qui se visite. A Pâques, la procession de la semaine sainte donne à Larantuka des allures de Séville tropicale. Toute la nuit, une Vierge noire est promenée dans la ville et suivie par quatre hommes tout de blanc vêtus et coiffés d'un chapeau pointu de couleur rouge, qui transportent un reliquaire caché sous un drap, et dont nul ne connaît le contenu. Selon la légende, qui oserait l'ouvrir serait foudroyé sur-le-champ.

A l'est de Florès

Larantuka est le point de départ pour les îles à l'est de Florès. Explorer cette région dépourvue d'équipements touristiques exige des trésors de temps et de patience – mais les transports maritimes sont très bon marché.

Proche de Solor, **Lembata** (60 000 habitants) est l'île des chasseurs de baleines au harpon. Aussi appelée **Lomblen**, elle est également accessible en avion de Larantuka, par un vol hebdomadaire de la Merpati qui atterrit dans la capitale **Lewoleba**, gros bourg côtier assoupi sous les cocotiers.

Menacée par la concurrence nippone, et en dépit de l'interdiction mondiale prononcée en 1987, cette pêche artisanale à la baleine ne concerne plus en fait que le seul village de **Lamalera** (au sud de l'île, à plusieurs heures de route ou de mer de Lewoleba), à raison d'une dizaine de prises par an. Entre avril et août, les cétacés descendent vers l'Australie, et on peut donc encore voir les hommes, à bord de canots à fond plat, lancer leurs harpons sur cet animal qui pèse dans les 150 t. Celui-ci s'épuise ensuite en tractant la baleinière. Une fois ramené à terre, il est débité en grands quartiers qui sont mis à sécher au soleil (puanteur garantie). Lembata est aussi réputée pour ses somptueux *ikat*.

Couvertes d'une végétation dense et habitées par des populations musulmanes sur les côtes et d'origine papoue à l'intérieur des terres, les îles de **Pantar** et d'**Alor**, plus à l'est, sont

La pêche à la baleine au harpon à Lembata.

connues pour leurs tambours de bronze (les *moko*, qui servaient traditionnellement de dot), semblables à ceux laissés voici 2 000 ans dans toute l'Asie du Sud-Est par la culture dôngsônienne.

Timor

La plus grande des petites îles de la Sonde (30 000 km²) n'est plus vantée pour le bois de santal qui y poussait en abondance et suscitait l'appétit des marchands chinois, javanais, musulmans, puis portugais et hollandais. Mais cette bande de terre aride et rocailleuse (résultat de la coupe effrénée du santal au cours des siècles) a eu les honneurs de la presse internationale sous la rubrique « droits de l'homme ».

Partagée en 1904 entre La Haye, qui s'en attribua la moitié ouest, et Lisbonne, récipiendaire de l'autre partie, Timor devint, à l'indépendance, mi-indonésienne, mi-portugaise. Après la révolution des Œillets, en 1974, le Portugal mit fin à quatre siècles et demi de présence dans cette lointaine colonie. Un mouvement d'inspiration marxiste, le Fretilin (Front révolutionnaire pour un Timor oriental indépendant), s'empara des commandes. Il n'en fallut pas plus pour déclencher l'intervention de Jakarta, en décembre 1975.

Annexée en 1976 pour devenir la vingt-septième province du pays, Timor-Timur (« Timor-Est »), la terre des Tetums (l'ethnie locale, de souche malaise), connut ensuite treize ans d'une « sale » guerre qui fit 200 000 morts, soit le sixième de la population. L'attribution en 1996 du prix Nobel de la paix à Mgr Carlos Belo, archevêque de Dili, et M. José Ramos Horta, porte-parole de la cause indépendantiste, ranima l'intérêt international. Dans la tourmente qui suivit la chute de Suharto, le président Habibie, contre l'avis des militaires, y organisa un référendum en septembre 1999. Le résultat sans appel en faveur de l'indépendance donna lieu à un début de guerre civile fomenté par les milices locales soutenues par l'armée indonésienne. Ce n'est qu'avec une intense pression de la communauté internationale et l'envoi de soldats par l'ONU qu'on arrêta le massacre. Placé sous autorité internationale, le Timor-Oriental entreprit une amorce de reconstruction et un grand nombre des 260 000 Timorais-Orientaux qui avaient été forcés de gagner la partie occidentale de l'île en 1999 furent rapatriés. Finalement, le 19 mai 2002, le Timor-Oriental proclama son indépendance, devenant le « 192ᵉ État de la planète », mais aussi le pays le plus pauvre d'Asie.

Site de l'unique huilerie de santal de Timor, la capitale de **Timor-Ouest, Kupang**, est une ville moderne de 500 000 habitants (un vol bihebdomadaire de la Merpati la relie à Darwin en Australie). A 30 mn de bateau, **l'île de Semau** avec ses bungalows est un paradis pour la plongée. Près de **Camplong**, une petite réserve donne l'occasion d'observer le *Cerrus timorensis* (cerf de Timor) dans son cadre naturel.

La capitale du **Timor-Oriental, Dili**, est reliée par avion à Kupang. La ville garde de nombreux traits portugais, en particulier dans l'architecture. De belles plages ourlent la côte jusqu'à **Baukau**, à 100 km.

A gauche, visage et costume de Timor-Ouest ; à droite, bracelets de Florès.

KALIMANTAN

Jungles épaisses et marécages, chasseurs de têtes et fleuves géants, nombre d'images exotiques sont associées à **Kalimantan**, l'immense territoire indonésien de **Bornéo**. Pourtant, cette région n'est plus une terre nimbée de mystère ; depuis une trentaine d'années, elle est en effet devenue un eldorado économique, un pays de richesses infinies où tout reste à faire.

En effet, les immenses réserves de pétrole, de gaz naturel, de bois et de diamants (Kalimantan signifie « fleuve aux diamants ») ont favorisé un vif essor économique. Celui-ci ne s'est pas déroulé sans excès. Soumise aux coupes des compagnies forestières, aux défrichements pour les plantations et aux brûlis des cultivateurs semi-itinérants, la forêt de Kalimantan est en danger. En 1982-1983, un gigantesque incendie a ainsi anéanti quelque 35 000 km² de forêt – superficie supérieure à celle de la Belgique.

En outre, la politique indonésienne de transmigration a fait venir de nombreux colons de Java, de Bali ou de Sulawesi – ce qui a pu entraîner des émeutes interethniques, comme à Sampit ou Pontaniak en 2001. Conséquence de cette mise en valeur, Kalimantan fournit une bonne partie des exportations indonésiennes.

Des vols quotidiens, au départ des grandes villes côtières (dotées d'hôtels de luxe et d'excellents restaurants), relient cette région excentrée au reste de l'archipel. Que les explorateurs se rassurent : ils n'auront aucun mal à visiter des villages dayaks ou à observer des orangs-outangs dans la jungle.

Fleuves, forêts et hauts sommets

Presque aussi vaste que la France, avec 539 400 km², et très peu peuplée (10 millions d'habitants), Kalimantan occupe le sud et l'est de Bornéo, soit à peu près les trois quarts de l'île (la troisième du monde par la taille). Elle représente ainsi 28 % du territoire indonésien, pour seulement 5 % de la population. Le nord et l'ouest de Bornéo sont occupés par les États malais de Sabah et de Sarawak, ainsi que par le richissime sultanat pétrolier de Bruneï.

Du point de vue géologique, Bornéo est l'une des plus vieilles terres émergées de l'archipel. Mais, au contraire de la plupart des autres îles de la région, il n'y a aucun volcan. En son centre s'élève une chaîne montagneuse qui culmine au mont Kinabalu (au Sabah), à 4 101 m. Côté indonésien, le sommet le plus élevé est le **Raya** (2 278 m), au centre, dans la chaîne des monts Schwaner.

L'île géante est couverte de forêts denses et humides que sillonnent de nombreux fleuves. Rares sont les routes qui partent des côtes vers l'intérieur : ces cours d'eau, très longs et navigables sur des centaines de kilomètres, sont bien souvent les seules voies de communication et, hormis les avions, qui atterrissent dans les coins les plus reculés, bateaux ou pirogues sont les seuls moyens de transport. Grâce à ces fleuves, Bornéo s'agran-

Pages précédentes: la forêt équatoriale de Kalimantan. À gauche, un orang-outang, l'un des hôtes de la jungle de Kalimantan ; à droite, orchidées du parc naturel de Kersik Luwai.

dit : de gigantesques quantités de
limons et de roches sont régulièrement
arrachées aux montagnes, charriées
sur des kilomètres et déversées par de
vastes embouchures dans les mers,
formant de nouvelles terres qui
repoussent le littoral. Ces plaines
côtières constamment inondées comportent d'impénétrables mangroves
impropres à l'agriculture.

Peuplée depuis 40 000 ans

Les peuplements humains les plus
anciens de Bornéo remontent, au
moins, à 40 000 ans avant notre ère.
Principalement identifiés à partir du
matériel archéologique fourni par la
grotte de Niah, au Sarawak, ils concernent des représentants de l'espèce
humaine actuelle (*Homo sapiens*). De
type australoïde, ces premiers occupants ne sont pas les ancêtres directs
des populations dayaks et punan qui
vivent dans l'intérieur des terres.
Celles-ci, selon le même scénario de
peuplement qu'à Java ou à Sumatra,

descendent des migrants austronésiens. Arrivés entre 4 000 et 2 000 ans
avant notre ère, après avoir quitté leur
berceau, situé en Chine du Sud, ces
derniers ont essaimé sur le littoral et le
long des fleuves, où ils ont introduit
l'agriculture. Les autochtones australoïdes semblent avoir été complètement assimilés.

Au début de l'ère chrétienne, les
peuples de Bornéo ont probablement
connu d'importantes transformations
et pris place sur la carte du négoce
international. Même si la grande île
n'a encore livré aucun tambour de
bronze de type Dông Sôn, à l'inverse
des autres régions sud-est asiatiques,
la métallurgie du fer et de l'airain, qui
fait alors son apparition, a probablement été importée de Chine ou
d'Inde, voire du Vietnam. Des céramiques chinoises très anciennes ont
ainsi été découvertes à plusieurs
endroits, de même que des pièces de
monnaie de la Rome impériale.
L'attrait des produits de l'intérieur
(bois, résines et autres produits de la

*Dayak de
Kalimanta*
*sur une
illustration
hollandaise*

forêt, pierres et métaux précieux, épices, etc.), joint à la position centrale de l'île en Asie du Sud-Est, explique ces échanges.

Ceux-ci ont entraîné la fondation de ports à l'embouchure des fleuves, où se sont fixées des populations très diverses, malaise, chinoise, arabe ; et ce, dès avant l'ère chrétienne et jusqu'à nos jours. Ces arrivants ont peu à peu, mais pas complètement, refoulé les Dayaks et les Punans.

Des terres convoitées

C'est par ce même canal commercial que les grands courants de civilisation régionaux ont touché Kalimantan. La preuve la plus ancienne de l'indianisation de l'archipel sont ainsi des inscriptions sur pierre en caractères sanscrits. Elles sont datées d'entre les IVe et Ve siècles de notre ère et proviennent de Muarakaman, non loin de Samarinda (cst de Kalimantan).

De même, ces ports côtiers furent intégrés à la sphère d'influence de l'empire javanais de Mojopahit, avant d'être islamisés aux XVe et XVIe siècles. De petits sultanats indépendants devinrent alors des places commerçantes actives, gouvernées par des Malais ou même des aventuriers proche-orientaux. Ces principautés postées au bord des fleuves ont duré jusqu'aux année 1900.

Actifs sur les côtes dès le début du XVIe siècle, Portugais, Hollandais, Anglais et Espagnols se disputèrent au siècle suivant ce qui deviendrait Kalimantan. Vers 1830, les Pays-Bas avaient atteint leur but en s'attachant par toute une série de traités les petits sultanats côtiers. Leur domination prit fin avec l'occupation japonaise, de 1942 à 1945.

L'intégration de Kalimantan à l'Indonésie ne rencontra que de faibles velléités sécessionnistes de la part des Dayaks. Ces derniers sont aujourd'hui confrontés à la politique de peuplement et de mise en valeur économique menée, sans ménagement, par Jakarta.

Le bourg dayak de Tanjungisui.

Kaltim, la terre du grand fleuve

Des quatre provinces qui composent Kalimantan, Kalimantan Timur (Kalimantan-Est, souvent abrégé en Kaltim) est celle qui attire le plus de touristes. Elle doit cette faveur au Mahakam. Long de plus de 700 km et navigable sur la plus grande partie de son cours, ce grand fleuve permet en effet de se rendre loin à l'intérieur des terres, chez les Dayaks et les Punans.

La population, qui ne dépasse pas les 2 millions d'habitants, se compose cependant en majorité de colons javanais. Elle se concentre le long des côtes, dans les villes portuaires, comme Samarinda, la capitale, Pontianak, ou Bontang, qui doivent leur expansion et leur industrialisation à d'abondantes ressources naturelles (pétrole, gaz, bois, or, charbon, caoutchouc, cacao, poivre, huile de palme). Mais celles-ci sont encore peu exploitées dans ce territoire de 211 000 km², vaste comme l'Angleterre et l'Écosse réunies et à 80 % couvert de forêt.

Villes industrielles

Difficile d'éviter **Balikpapan** : cette grosse ville de 500 000 habitants, baignée par le détroit de Macassar, est aussi le principal port d'entrée, aérien et maritime, de la province. Centre de l'industrie pétrolière à Kalimantan, elle ne présente guère d'intérêt touristique. Mais, même pour atterrir à Samarinda, point de départ pour la remontée du Mahakam, il faut y faire escale. Ce sera l'occasion de goûter son atmosphère de ville-champignon, où la présence de forts contingents d'employés occidentaux explique la prolifération des complexes résidentiels, bars, restaurants et hôtels haut de gamme.

À 60 km en amont de l'embouchure du Mahakam et à 115 km de Balikpapan (liaisons régulières et bon marché en autocar et en avion), **Samarinda** (300 000 habitants) n'est guère plus séduisante. Un tour à la **grande mosquée** (Masjid Raya) et un autre au marché suffisent à en épuiser les

Balikpapa

charmes. Faire, le matin, une promenade en barque sur le Mahakam permet de constater à quel point l'exploitation de la forêt est ici une activité majeure : les rives sont jalonnées de scieries et d'usines de contreplaqué (dont l'Indonésie est le premier exportateur du monde).

En bateau sur le Mahakam

A l'instar des autres fleuves de la grande île, le **Mahakam** a longtemps été le seul moyen de communication avec les localités côtières pour les populations dayaks de l'intérieur. Il reste la première artère commerciale locale. Les bateaux de passagers (caboteurs dans la première partie du parcours, jusqu'à Long Iram, longues barques couvertes et motorisées au-delà) permettent de pénétrer loin en territoire dayak.

On peut se restaurer et coucher (location de matelas et petit restaurant de bord) sur les navires qui font le trajet Samarinda-Long Iram, en deux à trois jours de navigation. Au-delà de Long Iram, l'aventure commence : voyager dans ces régions exige beaucoup de temps ou d'argent, et une bonne condition physique. Pour les plus pressés, les avions de la Merpati et d'autres compagnies atterrissent dans les plus grosses bourgades.

Première halte importante sur le fleuve, **Tenggarong** (qu'on peut aussi atteindre par la route, à une trentaine de kilomètres de Samarinda) a été fondée voici près de deux siècles. En 1945, elle abritait encore la cour du sultan de Kutai. Son palais est devenu le **musée Mulawarman**, où l'on peut admirer une belle collection de céramiques chinoises, de bijoux royaux et d'objets dayaks.

En amont et à environ 12 h de navigation, **Kotabangun** est l'ultime étape où l'on peut coucher dans un hôtel de type occidental.

A 4 h de bateau de cette localité, le village dayak de **Muara Muntai** est le point de départ pour les **lacs Jempang** et **Semayang**.

Samarinda.

On loue facilement des bateaux à moteur pour aller sur la rive sud du Jempang, au village dayak banuaq de **Tanjungisui** (ou Tanjung Isuy, à trois heures de Muara Muntai et à une journée de Samarinda).

Agréable, la traversée s'effectue avec une escorte de dauphins d'eau douce. Mais Tanjungisui est l'une des destinations les plus touristiques de Kaltim, le rendez-vous de tous les voyagistes de Samarinda et d'ailleurs, et la traditionnelle danse de bienvenue n'existe que pour les visiteurs. En outre, l'authenticité de ce village est plutôt douteuse : les « longues maisons » dayaks sont pour la plupart récentes, et elles abritent soit des colons javanais, soit des hébergements pour les touristes.

En pays dayak

Melak, à dix heures de bateau de Muara Muntai et à 400 km de la côte, est la première vraie halte chez les Dayaks (en l'occurrence les Tanjungs).

De ce bourg, des pistes mènent dans la **réserve de Kersik Luwai**, célèbre pour ses orchidées sauvages.

Il faut ensuite compter 7 h pour arriver au village de **Long Iram**, à la frontière du haut pays dayak. Au-delà, les rapides rendent le Mahakam impraticable sur plusieurs kilomètres pour la plupart des embarcations.

Si le niveau du fleuve le permet (c'est le cas entre septembre et décembre), les gros bateaux peuvent parvenir, en six heures, à **Long Bangun**, accessible aussi en avion. Le voyage dans ce bout du monde vaut la peine, car, dans les villages des environs, les Dayaks Kenyahs ont conservé bien vivante leur culture – grâce, notamment, à l'Église catholique, ici dominante, qui encourage les traditions.

Pour remonter plus avant le cours du Mahakam, il ne reste plus alors qu'une alternative. Il faut louer un puissant hors-bord ou bien prendre l'avion de Samarinda à **Data Dawai**, au-delà des rapides (se renseigner auprès de la Merpati).

Le bois est l'une des nombreuses richesses naturelles d' Kalimantar

Au-delà de Long Bangun, la région dite de l'**Apo Kayan**, où le Mahakam prend sa source et où serpente un autre grand fleuve, le **Kayan**, est le cœur du pays dayak kenyah. A moins d'entreprendre une expédition de plusieurs semaines, seul l'avion permet d'atteindre cette région isolée où même le strict nécessaire (savon, huile, médicaments de base) fait défaut. Les Kenyahs vivent encore dans de « longues maisons », et leur art éblouissant s'épanouit dans les sculptures et les parures du moindre village.

Le parc national de Kutai

Le **parc national de Kutai** permet de voir de près de nombreux animaux, des orangs-outangs en particulier. Tout proche de l'équateur, le port gazier de **Bontang** est la porte d'entrée de cette immense réserve riche d'une faune et d'une flore très variées, et qui s'étend sur 200 000 ha couverts de forêt.

A environ 80 km au nord de Samarinda, à laquelle elle est reliée par une route bitumée, cette agglomération où vivent les ouvriers de la pétrochimie locale est aussi desservie par l'avion, depuis Balikpapan. Pour visiter la réserve – totalement dépourvue d'infrastructures touristiques –, il faut l'autorisation du PHPA, Jalan Kesuma Bangsa, à Samarinda. L'accès se fait par la route (pendant la saison sèche) ou en bateau (2 h à 8 h selon le type d'embarcation).

La côte nord-est

A l'embouchure de la Berau – où Joseph Conrad a situé *Lord Jim* – la petite ville portuaire de **Tanjung Redep** a été la capitale d'un royaume prospère gouverné par des souverains autonomes du XIVe siècle à 1960. Deux anciens palais, le **Kraton Sambaliung** et le **Kraton Gunung Tambur**, hébergent chacun un petit musée.

A 3 h de bateau de Tanjung Redep, l'île de **Derawan** est réputée pour ses fonds coralliens où évoluent des dugongs et des tortues.

anjarmasin.

LES DAYAKS, HOMMES DE LA FORÊT

Hôtes millénaires de la forêt vierge, les Dayaks vivent sur les berges des fleuves. Leurs « longues maisons » en bois sur pilotis abritent plusieurs dizaines de familles sous un même toit, avec un « appartement » pour chacune d'elles, et une salle commune où couchent les hommes célibataires et les invités. La largeur de ces édifices atteint 20 m, la longueur parfois dix fois plus ; la galerie extérieure qui court dans toute la longueur sert de couloir de circulation et d'espace public.

Chasseurs, pêcheurs, cueilleurs, les Dayaks cultivent aussi le riz, sur champs secs ou irrigués, ou se régalent de sagou, fécule qu'ils extraient de certains palmiers. Les terres appartiennent à la communauté ; guérisseurs et chamans président à des rites ancestraux ; l'artisanat est d'un graphisme élaboré et les langues possèdent des monuments de littérature orale. Comme leurs ancêtres chasseurs de têtes – ces macabres tro-

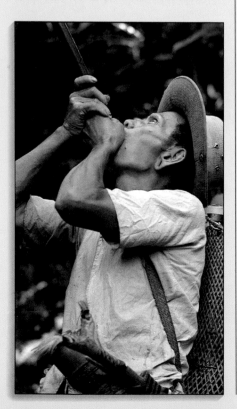

phées faisaient l'objet de culte – les Dayaks sont d'infatigables marcheurs rompus à tous les pièges de la jungle et de redoutables chasseurs au corps tatoué, armés de lances et de sarbacanes. Entre vie communautaire en autarcie et vie en accord avec la nature, les Dayaks ont nourri les imaginations occidentales, tout comme ils ont fasciné les explorateurs et inspiré les romanciers, de Joseph Conrad à Pierre Schoendoerffer.

Leur origine reste imprécise. Les premières traces d'hommes à Bornéo remontent à 40 000 ans av. J.-C. Au II millénaire avant notre ère, les populations austronésiennes venues du sud de la Chine – celles-là mêmes qui ont peuplé Java et les autres îles indonésiennes – ont fait souche dans la grande île, absorbant en partie ces premiers occupants. On n'en sait guère plus.

Les Dayaks ne sont pas une entité unique : leur nom est celui que les Malais et les autres habitants des côtes de Bornéo, en majorité musulmans, ont donné aux « païens » de l'intérieur ; il recouvre en fait des centaines d'ethnies dont les cultures, les langues, les organisations économiques et sociales diffèrent. La vie en forêt, la sédentarité et l'agriculture sont leurs seuls points communs.

Kalimantan abrite aussi quelques milliers de nomades, les Punans. Leur mode de vie actuel correspond-il à ce qui attira les explorateurs ? Il n'y a plus de têtes coupées que dans les musées, et les derniers chasseurs de têtes ont l'âge des anciens de 1914-1918.

Les « longues maisons » n'ont pas disparu, mais les autorités indonésiennes « encouragent » l'habitat individuel en villages. La forêt recule, ravagée par l'exploitation forestière, les planteurs, la colonisation agricole javanaise et les incendies. Les produits de grande consommation et les objets industriels ont atteint les coins les plus reculés. Enfin, les Dayaks sont minoritaires à Kalimantan (entre le quart et le tiers des 12 millions d'habitants) comme dans tout Bornéo. Mais leur situation n'est pas désespérée : un mouvement de retour aux traditions se dessine, et les Dayaks ne se sont pas, loin s'en faut, « clochardisés ». Et il y a encore de « longues maisons » à découvrir, où partager l'hospitalité de ces coureurs de forêt – comme autrefois, et sans risquer sa tête.

Plus au nord, **Tarakan** fut le théâtre du débarquement des Alliés à Bornéo en 1944 : la plage et la jungle en conservent des traces. La Merpati fait tous les jours l'aller et retour entre Balikpapan, Samarinda et cette île pétrolière d'où on peut gagner le Sabah.

Banjarmasin

La plus petite des quatre provinces, Kalimantan Selatan (Kalimantan-Sud), ou « Kalsel », est aussi, avec ses 3 millions d'habitants, la plus densément peuplée. Elle fut la base des Dayaks Banjars, dont les actes de piraterie ont défrayé la chronique maritime des siècles passés et lui ont valu d'être rasée par les Hollandais au début du XVIIe siècle. Sa capitale, **Banjarmasin** (450 000 habitants), est en fait la seule ville de Kalimantan qui mérite vraiment d'être visitée.

Au confluent de la Martapura et du Barito, cette cité fluviale en partie bâtie sur l'eau doit son charme aux canaux et aux bras de rivière qui s'insinuent partout. On y circule principalement sur l'eau, toujours d'un rouge sombre dû aux tourbières traversées par le Barito (environ le quart des terres de Kalsel est fait de tourbières et de marécages), grâce aux *klotok*. Ce mot désigne à la fois les navettes fluviales et les taxis d'eau, qui s'aventurent aussi en amont et en aval, le long des fleuves qui arrosent l'agglomération. Centre économique d'une province au développement rapide, Banjarmasin est en outre bien pourvue en hôtels.

Le **marché flottant de Kuin** commence à 5 h du matin pour prendre fin à 9 h. En 20 mn de *klotok* depuis le centre, on est au cœur de cette cité mouvante qui a connu plus de quatre siècles d'activité, monde de parfums, de couleurs et de sourires, où les chalands se déplacent en canoë d'un bateau vendeur à un autre, dans un ballet incessant.

Non loin du marché flottant, l'île de **Kembang** accueille sur 60 ha de

A gauche, la sarbacane est la principale arme de chasse des Dayaks ; à droite, un pont en pays dayak.

réserve une importante population de nasiques. De nombreux membres de la considérable communauté sino-indonésienne de Banjarmasin viennent leur déposer de la nourriture : nourrir ces singes à long nez serait faire œuvre pie. On peut aussi voir des nasiques en liberté sur une seconde île-réserve, **Kaget**, à 10 km en aval et à 30 mn en bateau-taxi.

Après une visite à l'immense **mosquée Sabilal Muhtadin** (Banjarmasin est un foyer de piété musulmane), la balade en *klotok* peut se prolonger jusqu'au **chantier naval** où les Bugis de Sulawesi, qui trouvent en abondance à Kalimantan le bois d'œuvre qui fait défaut dans leur région d'origine, fabriquent leurs goélettes. Pour s'y rendre, il faut remonter la Martapura et dépasser les **docks de Trisakti**, reconnaissables aux gros navires qui s'y amarrent. Dans le même coin, un **marché aux poissons** nocturne et le quartier « chaud » de **Bagau** bruissent d'une activité fébrile. Banjarmasin est en outre le premier marché de pierres précieuses de toute l'Indonésie (notamment de diamants).

Mieux vaut cependant les acheter moins cher à **Martapura**, sur la rivière du même nom, à 50 km par la route. Près de cette grosse ville, le village de **Cempaka** est une vraie mine à ciel ouvert, où des centaines de candidats à la fortune creusent le sol avec des moyens de fortune, en quête de pierres.

Plus au nord et sur les contreforts des **monts Meratus**, à partir de **Kandangan** (à 150 km de Banjarmasin), la région de **Loksado** (45 km) compte de nombreux villages dayaks traditionnels, à découvrir par les sentiers qui traversent la forêt ou en descendant les rivières en *raft* (activité proposée par les agences de voyages de Banjarmasin).

Kalimantan Tengah (Kalteng)

Baignée par la mer de Java et arrosée par plusieurs grands fleuves, **Kalteng** (Kalimantan-Centre) couvre une

Graphisme élaboré d'un bouclier dayak.

superficie de 150 000 km² boisée en quasi-totalité. Très peu peuplée (1,7 million d'habitants), Kalteng est le pays des Dayaks. Sous la férule du chef Tjilik Riwut, ceux de cette région ont même combattu Jakarta les armes à la main, dans les années 50, pour obtenir le statut de province indépendante et échapper au joug de la très islamique Banjarmasin. Sukarno leur a donné gain de cause en 1956.

Des fêtes somptuaires

Les Dayaks Ngajus, qui prédominent ici aux côtés des Ot Danums et des Ma'anyan Ot Siangs, ont dans l'ensemble conservé leur religion traditionnelle, culte des ancêtres mêlé d'animisme connu sous le nom de *kaharingan*. Les rites funéraires (*tiwah*), qu'accompagnent des sacrifices d'animaux, sont particulièrement spectaculaires. Ils peuvent durer un mois et représenter une telle dépense que, souvent, les familles célèbrent des funérailles collectives.

Il n'existe pas d'autre possibilité que l'avion, ou bien la remontée du Kahayan, pour atteindre **Palangkaraya**, capitale de Kalteng et grosse ville de 100 000 habitants. Les hôtels bon marché et la plupart des magasins se concentrent dans le quartier de **Pahandut**, sur l'emplacement du village originel. Le **Musée provincial**, non loin du marché (**Pasar Kahayan**), illustre divers aspects de la vie des Dayak.

Pour partager cette vie, il suffit de prendre le bateau qui quitte chaque jour Palangkaraya pour **Teweh**, sur le cours supérieur du Kahayan. De là, il faut louer une embarcation à moteur pour débarquer à **Tumbangmirih**. C'est là que commencent les terres des Dayaks Ot Danums, dont les « longues maisons » ponctuent le cours du fleuve et des rivières qui le rejoignent.

Tumbangmaharoi, dernier gros village sur le Kahayan, ou **Tumbangkorik**, sur un affluent, sont deux destinations de balade assez faciles d'accès. Plus difficile à atteindre, la réserve de

Artisanat dayak.

Tanjung Puting (péninsule au sud-ouest de la province) a pour attraction majeure le **camp de Leakey**, où des orangs-outangs élevés en captivité apprennent la vie en forêt.

Pour y parvenir, il faut d'abord aller à **Pangkalanbu** en avion. Après avoir obtenu l'indispensable permis de visite auprès de l'administration locale, il faut ensuite prendre une piste jusqu'au village de **Kumai**. Là, on louera une barque couverte qui servira à la fois de poste d'observation et de chambre, Tanjung Puting n'ayant aucun lieu d'hébergement.

Kalimantan Barat (Kalbar)

Partageant une frontière avec l'État malaisien de Sarawak, **Kalimantan Barat** (Kalimantan-Ouest) est une vaste région de 146 000 km², toute en terres basses et drainées par le plus long fleuve indonésien, le **Kapuas** (1 140 km). Très peu touristique, cette province forestière et agricole a connu au début de 1997 de graves troubles qui ont opposé les Dayaks aux colons musulmans originaires de l'île de Madura (à l'est de Java, face à Surabaya), et fait de nombreux morts.

À 4 km de l'équateur et près de l'embouchure du Kapuas, **Pontianak**, la capitale (250 000 habitants), a été fondée en 1771 par un négociant venu de l'actuelle Arabie saoudite. Elle est reliée par des vols directs à Singapour et à la capitale du Sarawak, Kuching (qui est à environ 300 km par la route). Sillonnée de voies d'eau, Pontianak a pour principales attractions un **musée historique**, un **marché flottant** pittoresque et l'**Istana Qadariyah**, ancien palais du marchand qui l'a fondé.

Une bonne route côtière part vers le nord et atteint **Singkawang** (à 140 km de Pontianak), après des kilomètres de cocoteraies bordées de belles plages. Comme ses nombreux temples l'indiquent, cette région abrite l'une des plus importantes communautés sino-indonésiennes du pays. Celle-ci descend des chercheurs d'or venus de l'empire du Milieu dans les premières décennies du XIXᵉ siècle.

Au nord-est, le palais décrépit de **Sambas** a conservé l'atmosphère du repaire de pirates que ce petit sultanat était autrefois. Spécialité du lieu, les *kain sambas* sont de somptueuses étoffes tissées à la main et mêlées de fil d'or et d'argent.

Le **Kapuas**, qui se jette dans la mer au sud de Pontianak, est navigable sur plus de 900 km et dans des conditions de confort encore rudimentaires.

À trois jours de bateau de Pontianak, **Sintang** est aussi accessible en voiture et en avion.

Les itinéraires envisageables à partir de cette localité suivent le cours d'un affluent du Kapuas, la **Melawi**, pour aller en direction des **monts Schwaner**.

On peut aussi remonter le **Kapuas** : après une semaine de navigation à partir de Sintang, ou bien en avion, les plus intrépides débarqueront à **Putussibau**, dernière halte sur le fleuve, à l'aplomb des **monts Müller**.

Aller plus loin ne peut s'envisager sans un guide et sans une bonne préparation.

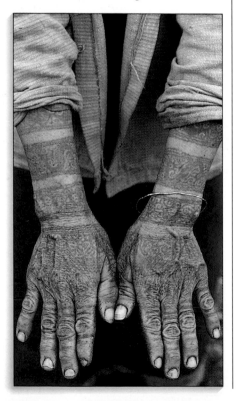

A gauche, le tatouage fait partie des traditions des Dayaks ; à droite, hameau dayak récent : les unités d'habitation familiales ont remplacé les « longues maisons ».

SULAWESI (CÉLÈBES)

Cette île équatoriale déployée comme une orchidée entre Bornéo et les Moluques regorge de merveilles naturelles. Elle est en outre la terre de trois ethnies aux cultures parmi les plus fascinantes de l'archipel, les Bugis, les Macassars et les Torajas.

Les 15 millions d'habitants de Sulawesi (les anciennes Célèbes) parlent près de 40 langues et forment une population hétérogène. Ces particularismes n'ont rien d'étonnant : l'éclatement en quatre péninsules et le relief compartimenté rendent les contacts difficiles. Hérissées de pitons abrupts et couverts de forêt, séparées par de profondes failles océaniques, ces péninsules sont si différentes que les premiers Européens qui cabotèrent le long des côtes crurent avoir découvert un archipel.

L'ensemble est très montagneux, avec des massifs déchiquetés qui culminent à 3 505 m au sommet du **Katopasa** et des hauts plateaux perchés à plus de 500 m. Mais seules les extrémités nord-est et sud-ouest – les régions des Minahasas et des Macassars – sont volcaniques.

Dans le Nord, les îles de **Sangihe** et de **Talaud** forment un pont naturel avec les Philippines, tandis que les archipels orientaux de **Banggai** et de **Sula** relient Sulawesi aux Moluques. Kalimantan, à l'ouest, et les petites îles de la Sonde, au sud, ne sont qu'à quelques jours de voile.

Ancienne escale commerciale

Des mégalithes, des sarcophages et d'autres vestiges récemment découverts sur la côte ouest attestent une occupation humaine qui remonte, au moins, au néolithique. Dans le sud, des bronzes des IVe et Ve siècles prouvent la présence du bouddhisme et de l'hindouisme dès cette époque. Les nombreux ports naturels de la côte ont en outre été, pendant plus d'un millénaire, des escales sur la route maritime des Moluques, les îles aux épices.

Les États côtiers du sud se sont officiellement convertis à l'islam au XVIIe siècle. Mais les récits traditionnels affirment qu'ils ont commercé avec les royaumes musulmans de la côte nord de Java dès les années 1500. A la même époque, Ternate, petit sultanat de l'archipel voisin des Moluques, connaissait un vif essor, et il attira tout le nord et l'est de Sulawesi dans son orbite. A la fin du XVIe siècle, l'île comptait une dizaine de grands ports où les marchands chinois, indiens, siamois, malais, javanais et portugais échangeaient des biens manufacturés contre les clous de girofle, les noix muscades, les perles, l'or, le cuivre et le camphre des îles orientales.

Les premiers visiteurs occidentaux furent, bien sûr, les Portugais. Dix ans après leur conquête de Malacca, en 1511, des caravelles qui faisaient voile vers Ternate vinrent se briser contre un promontoire rocheux, sur la côte nord. Derechef, les naufragés lusitaniens baptisèrent cette pointe d'un nom qui allait désigner toute l'île jus-

Pages précédentes, paysage de Sulawesi. A gauche, maison bugis sur pilotis ; à droite, ce casque rappelle le passé colonial portugais.

qu'à l'indépendance indonésienne : *Pontos dos Celebes*, « cap mal famé ».

Au XVIIᵉ siècle, les Hollandais mirent fin aux rivalités qui opposaient les diverses puissances commerciales implantées aux Célèbes en chassant purement et simplement tous leurs concurrents, européens comme asiatiques. Selon une technique éprouvée, ils cherchèrent à imposer aux puissants sultanats du Sud des traités garantissant aux marchands d'Amsterdam le monopole commercial des épices. En 1666-1667, une flotte de bâtiments hollandais et bugis parvint à vaincre les armées du sultan macassar de Gowa, mettant ainsi un terme à la « contrebande » de ces précieuses denrées. Toutefois, les Hollandais ne conquirent vraiment l'île dans sa totalité qu'au début du XXᵉ siècle, après une offensive victorieuse contre les Torajas.

Entre 1942 et 1945, les Japonais l'occupèrent, comme tout le reste de l'archipel. Les régions côtières du sud, musulmanes, ainsi que l'intérieur des terres et le Nord, largement christianisés, connurent après l'indépendance des poussées indépendantistes qui n'ont pris fin qu'au milieu des années 60.

Riches cultures et terres sauvages

Des paysages tourmentés et des peuples étonnants font le charme de **Sulawesi-Sud**, province qui est en passe de devenir l'une des premières destinations touristiques en Indonésie. La diversité géographique a engendré des styles de vie très différents parmi les 8,4 millions d'habitants (5 millions de Bugis, 2,5 millions de Macassars, 500 000 Mandars et 400 000 Torajas). Avec 134 habitants au kilomètre carré, cette province de 62 500 km² (deux fois la Belgique) est assez densément peuplée. La côte, très découpée, abrite de nombreux ports naturels. De même que les plaines, ils sont habités depuis des siècles par d'habiles navigateurs, qui se doublent de charpentiers de marine hors pair : les Bugis, les Macas-

Goélette bugis en mer de Java

sars et les Mandars, qui ont repoussé les premiers occupants de l'île dans les montagnes. Bien que de cultures similaires, ces ethnies parlent des langues différentes.

Les Macassars vivaient à l'origine autour de Macassar (ancienne Ujung Pandang), aujourd'hui en majorité bugis. Quant aux Bugis, entre les XIIᵉ et XVᵉ siècles, ils constituèrent des royaumes dont le plus important, Gowa, comptait au milieu du XVIᵉ siècle parmi les puissances marchandes de l'est de l'archipel. En 1605, le roi de Gowa se convertit à l'islam ; et, après avoir soumis le royaume de Bone, en 1611, il propagea l'islam dans tout le sud des Célèbes. Bien que les royaumes bugis aient été ensuite soumis par les Hollandais, leur rayonnement toucha tout le monde malais. En effet, jusqu'aux années 1900, des Bugis fondèrent des sultanats dans la péninsule malaise, à Bornéo, dans l'archipel de Riau, dans les petites îles de la Sonde. Aujourd'hui, on les retrouve même dans le sud de l'Irian Jaya. Leur

Les bateaux bugis sont construits sans plan.

dynamisme leur a permis de s'adapter au monde moderne et de contribuer au développement économique de leur région. Leur caractère volontaire, leur franc-parler et leur fierté sont souvent peu appréciés des touristes, qui préfèrent les Torajas.

Macassar (Ujung Pandang)

Capitale provinciale et première ville de Sulawesi (1 million d'âmes), **Ujung Pandang**, qui a retrouvé son ancien nom, **Macassar**, est une cité moderne. Comme toutes les métropoles indonésiennes, elle a grandi trop vite : la splendeur de l'époque coloniale a disparu sous l'anarchie urbaine. En 1667, après avoir conquis le royaume de Gowa, les Hollandais fondèrent ici un comptoir fortifié qu'ils baptisèrent Macassar. Le nom Ujung Pandang (« pointe des pandanus ») fut remis en vigueur après l'indépendance. Il suffit d'une heure d'avion depuis Bali (trois vols Merpati par semaine), et de deux depuis Jakarta (deux vols quotidiens,

avec la même compagnie), pour atterrir à l'aéroport Hasanuddin.

Face à la mer, le **fort Rotterdam** est l'une des plus belles forteresses bataves encore debout en Indonésie. Construit sur les fondations d'une des onze citadelles du royaume de Gowa, il abrite le **musée provincial** et le **conservatoire de musique et de danse** (on peut assister aux répétitions). Son donjon aux pierres moussues garda enfermé pendant vingt-sept ans le prince Diponegoro de Yogyakarta (1785-1855), âme de la « guerre de Java » (1825-1830). Exilé pour avoir défié à la fois les Hollandais et sa royale famille, ce dernier mourut ici et fut inhumé au centre de la ville, là où passe aujourd'hui la rue qui porte son nom. Sa tombe est un lieu de recueillement pour les Indonésiens.

Parallèle au port, l'industrieuse **Jalan Sulawesi** mérite d'être parcourue pour ses trois temples chinois et son ambiance. L'ancienne résidence du Hollandais C. L. Bundt (15, Jalan Mochtar Lufti), peut valoir le détour pour son jardin, sa collection de coquillages et d'orchidées rares.

En fin d'après-midi, il fait bon flâner sur le **port de Paotere**, à l'extrémité nord de la ville, où les goélettes (*pinisi*) bugis viennent jeter l'ancre. A la même heure, le front de mer est fréquentée par les familles, les amoureux et les vendeurs ambulants.

A 10 km au sud, **Sungguminassa**, ancienne capitale du sultanat de Tallo, conserve un palais tout en bois qui abrite le **musée Ballompoa**. On peut demander à voir le trésor royal, qui comprend une couronne en or de 15,4 kg sertie de pierres précieuses.

A proximité reposent les rois de Gowa, notamment le sultan Hasanuddin (1629-1670). Non loin de l'enceinte de ce cimetière, on remarque la pierre de **Tomanurung**, sur laquelle les souverains de Gowa étaient jadis couronnés.

L'extrême sud

Malino est l'endroit idéal pour échapper à la canicule de la plaine d'Ujung Pandang. Cette villégiature sereine, à 71 km à l'est de la capitale, se cache dans une pinède, à 760 m d'altitude. On y déguste de savoureux jus de *markisa* (« fruits de la passion »), et l'on se baigne sous la cascade de **Takapala** (à 4 km au sud).

De Malino, une route mène à **Sinjai** (120 km), sur la côte est, au bord de la **baie de Bone**.

De là, une voie côtière traverse des paysages spectaculaires et longe des précipices vertigineux jusqu'à **Bira**, à la pointe du **cap Lasa**. A peine effleuré par le tourisme, Bira mérite de rester à l'écart des grandes transhumances : cocotiers qui se balancent sur des plages de sable blanc, ballet des pirogues sur l'eau verte et transparente ; tout, ici, fleure bon un exotisme sans pacotille.

De plus, à 20 km, le village de **Maru Masa** offre un spectacle inouï : un chantier de marine où les Bugis fabriquent leurs bateaux selon des méthodes ancestrales et sans l'aide d'un plan. Les troncs de teck sont débités en planches, puis assemblés

Les grottes de Laeng Pataere.

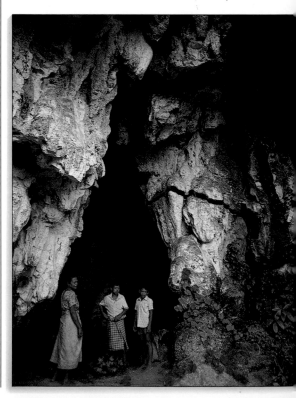

avec des chevilles en bois. Les voiles sont parfois encore faites de fibres de bananiers et d'ananas renforcées par des fils de coton et de soie. Du choix de l'arbre à la mise à l'eau, toutes les phases de la construction – qui s'étale sur six mois –, s'accompagnent de rites propitiatoires. Pouvant peser 300 t, les *pinisi*, de même que les *bago*, plus légers, sont instables à vide. Mais, une fois chargées, ces embarcations se montrent fiables et parcourent comme jadis les mers de l'archipel.

La route côtière ramène à Ujung Pandang (200 km) par Bulukumba, Bantaeng, Jeneponto et Takalar, villages qui apparaissent dans des textes chinois du XIVe siècle. A 20 km avant la capitale provinciale, la plage de **Barongbong** est bondée le week-end.

D'Ujung Pandang à Pare Pare

De nombreux bacs relient les ports de Sulawesi.

Une autre route de montagne, longue de 180 km, relie Ujung Pandang à Watampone. On peut aussi s'y rendre par le littoral, depuis Bira (150 km).

Le premier itinéraire passe, à 40 km d'Ujung Pandang, près de la **cascade de Bantimurung**. Les matins d'été, des centaines de papillons multicolores volettent autour de cette chute d'eau de 15 m. A proximité, les **grottes de Leang-Leang** recèlent des peintures rupestres vieilles de 5 000 ans.

La route traverse ensuite la station climatique de **Camba**, où, au nord, une voie secondaire mène au cimetière sacré d'**Ujunglamuru**, dernier séjour des premiers souverains musulmans du royaume bugis de Bone.

Après la **vallée du Walanae**, la descente dans la plaine littorale mène à **Watampone**. Dans cette ancienne capitale du royaume de Bone, le promeneur se dirigera vers les remarquables demeures qui alignent leurs tympans à multiples parties dans le **quartier bugis**. Ces triangles se composent de trois, cinq ou sept parties, selon le rang social des occupants, le tympan à neuf parties étant réservé aux rois. Au **musée Lapawawoi**, les bijoux des rois de Bone et la copie du

traité de Bungaya (1667), par lequel les Hollandais mirent fin au règne du sultan Hasanuddin, sont montrés à la demande des visiteurs. Le matin, le retour des pêcheurs et l'activité du chantier naval confèrent au port un cachet traditionnel. En ville, les boutiques proposent de chatoyantes étoffes de coton et de soie ainsi que des nattes en fibres végétales, principales spécialités artisanales locales.

Toujours au rayon des textiles, la grosse bourgade de **Sengkang** s'est acquis grâce à ses soieries faites à la main une réputation telle qu'on la considère le « centre », à Sulawesi, de cette activité. Siège autrefois d'un petit royaume bugis, cette localité s'étend à 70 km au nord de Watampone, sur la route de Rapang et à quelques kilomètres du **lac Tempe**. En eau de novembre à mars seulement, ce plan d'eau naturel, ainsi que le **lac Sidereng** voisin, fournissent la population locale en poissons, et les visiteurs en destinations de promenades en barque (villages lacustres, berges boi-

sées, etc.). A peu près à mi-chemin entre Bira et Rantepao, Sengkang peut être une étape agréable sur la route qui mène en pays toraja.

Plus au nord, le nœud routier de **Pangkajene** invite à gagner soit Rantepao, soit le port de Pare Parc, sur le littoral occidental de la péninsule, à 155 km au nord d'Ujung Pandang.

Dans une baie magnifique, **Pare Pare** était jadis le site du puissant royaume marchand de Supa. Ce dernier était un carrefour entre l'intérieur, Ujung Pandang, et les ports du royaume mandar, établi sur le pourtour de la **baie de Mandar**. Aussi bons navigateurs et bâtisseurs de navires que les Bugis, avec lesquels on les confond souvent, les Mandars ont leurs propres ateliers de marine, autour de **Balangnipa**.

Chez les Torajas

Bien des voyageurs ne se rendent à Sulawesi que pour visiter cette région,

Plus beaux les uns que les autres, les papillons de Sulawesi inspirent même des coiffes.

où les Français (20 000 par an) forment, de loin, le premier contingent de touristes. Des rites funéraires étonnants, les rizières en terrasses vertes sous le cercle des montagnes couvertes de jungle, une architecture inchangée depuis des siècles et des villages accueillants justifient cette préférence.

Pour les personnes pressées, un vol quotidien de la Merpati relie en 55 mn Ujung Pandang au petit aéroport Tanah Toraja (« pays toraja ») de Makale, le chef-lieu, à 17 km au sud de Rantepao, capitale économique et cœur du pays toraja. L'avion, un Casa 2 à hélices, ne peut embarquer que 12 passagers. Mais emprunter la voie des airs, c'est se priver de la lente progression par la côte, puis à travers les rizières et les montagnes, qui permet de mieux apprécier l'insolite de la civilisation toraja. Certes, la route est longue : il faut 8 heures de conduite ou de *bemo* pour couvrir les 310 km qui séparent Ujung Pandang de Makale. De Watampone (à environ 200 km), on comptera six bonnes heures.

A partir d'**Enrekang**, dernière grosse localité bugis, sur le cours inférieur du Sadang, la route remonte une vallée étroite qui va s'élargissant à partir de Kasoli. Le pays toraja s'offre bientôt aux regards : une ondulation de rizières accidentée et piquée de villages, qui s'étage de 800 m à 1 500 m ; verte citadelle enfermée derrière de hauts pitons coiffés de jungle.

C'est la haute **vallée du Sadang**, le domaine des quelque 400 000 Torajas. Comme les Papous d'Irian Jaya ou les Dayaks de Bornéo, les Torajas font partie de ces ethnies installées depuis des millénaires dans l'archipel, et que des envahisseurs successifs ont repoussées dans les montagnes. Leur nom, qui signifie « gens du haut » (de la montagne), leur a été donné par les populations du littoral. Eux préfèrent traduire par « peuple venu de là-haut » (le nord de l'Asie) et croient à la thèse, mise en doute par les ethnologues, d'origines continentales. Une manière, peut-être, d'affirmer leur différence par rapport à leurs voisins, ces

Coucher de soleil sur le détroit de Macassar.

Bugis, Macassars et autres Mandars, qui furent les envahisseurs d'hier. Et qui sont aujourd'hui des compatriotes musulmans, alors que les Torajas, à l'instar d'autres minorités (Minahasas de Sulawesi-Nord, Ambonais, Sino-Indonésiens) sont à 85 % chrétiens. La foi des Hollandais a été introduite ici à partir de la fin du XIXᵉ siècle, par des missionnaires principalement protestants.

Mais ni le pasteur, ni le colon néerlandais qui, à partir de 1906, ont réformé le système toraja des castes, ni le pouvoir central indonésien, qui, soucieux de conformité avec les *panca sila*, a tenté d'assimiler la religion toraja, l'*aluk to dolo*, à l'hindouisme balinais, ne sont parvenus à modifier notablement la culture locale. La hiérarchie sociale d'hier transparaît maintenant dans l'écart de fortune et de statut qui distingue les aristocrates du tout-venant. Les coûteux sacrifices de buffles associés aux rites funéraires ont échappé aux tentatives de limitation des dépenses imaginées à Jakarta.

Les combats de coqs, bien qu'interdits, font toujours les délices des Torajas, de même que le *sisemba*, art martial qui n'autorise que l'usage des pieds. Et l'offensive générale du béton en Indonésie s'est cassé les dents contre une somptueuse architecture traditionnelle en bois.

Porcs, buffles et funérailles

Arriver le matin, lors du marché, à **Makale** (première localité importante traversée et chef-lieu du district) permet de plonger d'emblée dans la culture toraja et de constater que le buffle y occupe une place éminente. Un anneau d'osier dans les naseaux, les ruminants sont conduits à la longe par les enfants. Ceux qui ont une robe blanche ont le plus de valeur. Non qu'ils soient plus dociles dans la rizière. Mais les buffles ont partie liée avec l'au-delà, et les spécimens albinos sont tenus pour de meilleurs véhicules vers le monde des âmes, le *puya*, où s'opère la réincarnation.

Dénués d'une pareille aura, les cochons, noirs ou roses, suspendus les quatre sabots en l'air à une perche de bambou, sont, eux, de la viande de boucherie. Sur les étals disposés à même le sol, les femmes, la bouche gonflée et rougie par la chique de bétel, vendent aussi le riz, le maïs, le sagou, les cannes à sucre, les piments, la girofle, les noix muscades, les bananes, les mangues, le tabac et le café qui poussent sur les riches terres gagnées sur la forêt.

Tout près du marché, une haute falaise calcaire percée de cavités attire le regard. Certaines de ces ouvertures sont closes par une porte et renferment un cercueil. D'autres forment des balcons d'où des poupées alignées contemplent de leurs yeux peints le vert pays toraja. Ce sont les *tau tau*, les effigies des morts. Taillées dans le bois dur du cœur du jaquier, elles tendent la main droite pour implorer les vivants et lèvent la gauche, pour les bénir. Ces tombes rupestres (*liang*) sont l'aboutissement de rites funéraires torajas complexes qui ont pour objet de faire atteindre au défunt le

Le hameau de Ke'te.

puya. Mais il s'écoule souvent plusieurs mois, parfois des années, entre la mort clinique et l'inhumation dans la roche, qui est la reconnaissance sociale du décès. Délai qui s'explique par le coût élevé des funérailles.

En attendant, le mort, qui n'est considéré que comme « malade », est embaumé et gardé, la tête à l'ouest, sous le toit du *tongkonan*, cercle de demeures qui forme les villages torajas. Là, on lui rend visite comme s'il était toujours vivant.

Fête collective

Lorsque l'argent est réuni, les cérémonies des morts (*rambu solo*) peuvent commencer. Dirigées par un officiant, le *tombablu*, elles durent de trois à huit jours et ont le plus souvent lieu après la moisson, entre août et octobre. La famille du défunt héberge des dizaines et des dizaines d'invités, logés dans des pavillons en bambou construits exprès pour l'événement, autour de l'aire hérissée de menhirs

dévolue au rite (*rante*), dont dispose chaque village. Tous, hôtes et convives, se doivent d'échanger cadeaux et offrandes (toujours bien accueillis, les touristes remettent vivres, argent ou cigarettes).

Ces obligations représentent déjà d'importantes dépenses. Mais, pour la famille organisatrice, les frais sont lourdement augmentés par le sacrifice des buffles « psychopompes », ces intermédiaires entre les vivants et les morts, qui ont, croient les Torajas, précédé l'homme sur la terre. Avant cette mise à mort, le premier jour, on fait s'affronter en de spectaculaires combats, front contre front, ces nobles animaux. Ils n'en finiront pas moins immolés d'un coup de sabre, et le plus souvent en grand nombre. Le sang, recueilli dans des tubes en bambou, et la viande seront ensuite cuisinés et servis aux invités.

Chez les nobles, ces hécatombes peuvent atteindre 200 buffles. Ce qui représente, à 1 million de *rupiah* pièce (un albinos peut valoir dix fois plus),

Autre exemple d'architecture toraja.

l'équivalent de 440 000 F – soit près de soixante-quinze fois le revenu annuel indonésien moyen. L'endettement et la pauvreté qui résultent de cette pratique ne l'empêchent pas de se perpétuer ; mais ils expliquent peut-être pourquoi 250 000 Torajas ont choisi de vivre loin de leur beau pays.

Le défunt est ensuite mis en bière, dans un cercueil en santal que l'on dépose au-dessus du grenier familial. Pendant ce temps, un catafalque (*lakkian*), qui reproduit le plus souvent la maison toraja traditionnelle, ainsi que, pour les nobles, un *tau tau*, sont érigés sur l'aire funéraire. Puis le cercueil est déposé dans le catafalque, et on procède à la distribution de la viande, selon le rang des convives. Tous les hôtes forment alors un cercle et psalmodient la nuit durant prières et mélopées funèbres. Le mort est désormais officiellement décédé.

Le lendemain matin, on tue encore d'autres buffles et des porcs. L'aprèsmidi, les villageois en cortège promènent le cercueil dans les villages voisins. Le soir venu, une nouvelle veillée les rassemble autour du défunt. Le dernier jour, une procession qui réunit les seuls convives conduit ce défunt à sa dernière demeure, la niche creusée dans la falaise, où on le hisse en montant sur des échelles en bambou. De là, son âme ira rejoindre le royaume des ancêtres déifiés (*deata*). Le *tau tau* vêtu des habits du défunt scrutera pour toujours les verts paysages du pays toraja.

Somptueuse architecture

La concentration de ces fêtes des morts durant l'été fait que quelques journées suffisent souvent pour en voir une. Après ces rites, l'architecture, inchangée depuis des siècles, est le second objectif touristique.

Les villages torajas se composent de maisons en bois posées sur des pilotis et disposées en cercle (*tongkonan*). Leurs toits incurvés évoquent la carène d'un bateau ou une paire de cornes de buffle. Les chants rituels

Au second jour des funérailles, le cercueil est promené de village en village.

comparent ces demeures aux bateaux qui amenèrent les ancêtres des Torajas à Sulawesi. Mais les ethnologues y voient la preuve de la culture maritime des Torajas, antérieurement à leur reflux vers les hautes terres.

Les charpentes sont faites de milliers de tiges de bambous fendues en deux dans le sens de la longueur, imbriquées et couvertes de chaume de riz. Les murs sont constitués de panneaux en bois sculptés et peints de motifs géométriques, où dominent le blanc, le rouge, le jaune et le noir, les quatre couleurs sacrées. L'avancée du toit s'appuie sur un pilier en teck auquel sont accrochées les cornes des buffles abattus au cours des cérémonies funèbres. Leur nombre traduit la richesse et le statut du propriétaire.

Fête chinoise du Toapekong (ou Tai Pei Kong), dans le Nord.

En face de ces habitations, les greniers à riz (*lumbung*) dénotent le même souci d'harmonie et d'esthétique. L'espace laissé libre fait office de place, et la pierre sacrée ou le banian qui s'élève à proximité tiennent lieu d'autel.

Une région facile à explorer

Installés à l'origine dans les hauteurs, pour des raisons stratégiques, les Torajas ont été amenés par le colonisateur hollandais, puis par l'État indonésien, à bâtir sur les plateaux ou dans les vallées les plus accessibles. Pour le même motif de contrôle par le pouvoir, les villages ne sont plus protégés par des murs de pierres mais ceints de palissades de bambou. Conséquence de ces regroupements : la majorité des villages sont faciles d'accès, à pied pour les plus proches, en véhicule tout-terrain pour les autres.

Le bourg de **Rantepao** (à 18 km au nord de Makale), capitale économique de la région et principal centre touristique, compte de nombreux hôtels, du plus simple à l'adresse de charme. C'est une bonne base pour découvrir, dans un rayon de 5 km à 50 km, les hameaux et les villages torajas. Moins fréquentée par les tours-opérateurs, Makale permet aussi de se promener de village en village.

Les tombes rupestres les plus proches sont creusées dans la falaise de **Londa**, à 2 km de la grand-route de Makale à Rantepao.

Les tombes suspendues de **Lemo**, à 5 km de Rantepao, comme celles de la colline située derrière le village de **Ke'te**, sont impressionnantes du fait de la taille grandeur nature des *tau tau*.

Les belles maisons du coquet village de **Palawa**, à 9 km de Rantepao, valent le détour, de même que celles de presque tous les villages au nord et à l'est de Rantepao.

Les voyageurs qui disposent d'un peu de temps pourront s'aventurer plus profondément à l'intérieur des terres pour découvrir d'autres facettes de la vie locale. Une excursion de 80 km vers l'ouest jusqu'à **Mamasa**, ou une escapade de 120 km au nord vers **Rongkong** – connu pour ses tissages –, en passant par le superbe village de **Nanggala** aux 14 greniers, révéleront des splendeurs moins connues.

Mamasa possède notamment des maisons encore plus spectaculaires que celles des environs de Rantepao, et les villageois, qui travaillent le cuivre, font des bijoux qui semblent inspirés par l'art de la période « dông-sônienne ».

Lacs de montagne

A 60 km à l'est de Rantepao, **Palopo** était jadis le port du plus ancien État bugis, le royaume de Luwu. Foyer de commerce actif, dont l'économie repose sur l'huile de palme produite dans les nombreuses plantations de la plaine littorale, cette ville est une étape vers les lacs d'altitude de **Matana** et de **Towuti**.

Au nord de la baie de Bone, ces plans d'eau s'étendent en contre-haut de **Malili**. Au bord du **lac de Matana**, la cité minière de **Saroako** abrite la principale entreprise locale, la Compagnie internationale du nickel (INCO). Celle-ci ouvre parfois aux visiteurs sa base de loisirs (voile, ski nautique). Près de Saroako, les berges sont creusées d'anciennes grottes

Danse guerrière du nord de Sulawesi.

funéraires accessibles en bateau. Plus au sud, le grand **lac de Towuti** est au cœur d'une profonde forêt.

Sulawesi-Nord

Lorsqu'on vient du pays toraja, Palopo est aussi le point de départ pour les fonds marins – et parmi les plus beaux du monde – et les paysages de la très volcanique province de Sulawesi-Nord. Cette dernière occupe la majeure partie de la péninsule la plus septentrionale, cet étroit bras de terre arqué entre mer des Moluques et mer de Célèbes. Sur ces côtes se fit, au début du XVIe siècle, le tout premier contact entre des Européens et un peuple de l'archipel, les Minahasas.

Ces derniers sont établis dans la moitié orientale de Sulawesi-Nord. Ils sont issus des populations austronésiennes qui ont migré de la Chine du Sud vers l'Asie du Sud-Est plusieurs millénaires avant notre ère. Convertis très tôt, d'abord au catholicisme par les Portugais et par les Espagnols, venus des Philippines, puis au protestantisme par les Hollandais, qui s'imposèrent ici à la fin du XVIIe siècle, les Minahasas sont en majorité chrétiens. Si la culture traditionnelle ne subsiste que dans des danses, comme le *cakalele*, ancienne ronde des guerriers avant la bataille, la campagne permet, l'été, d'assister à des fêtes plus authentiques, telles que le Mapalus. Cette réjouissance agreste dure plusieurs jours entrecoupés de danses et de ripailles où l'on boit force *saguer* (vin de palme).

Curieux de l'étranger et considérés comme les plus « occidentalisés » des Indonésiens, les Minahasas sont d'un contact facile. Ils jouissent d'un niveau de vie plus élevé que la moyenne indonésienne, et leur région et sa capitale, Manado, affichent les meilleurs taux de scolarisation et de médicalisation du pays. Il est vrai que Sulawesi-Nord, petite province (27 515 km², soit 1,5 % du territoire national) à l'échelle indonésienne, et ses 3,5 millions d'habitants bénéficient, à la fois, d'eaux poissonneuses, de terres fertiles, d'une situation de carrefour géographique et d'un patrimoine touristique digne d'envie – et protégé avec soin.

Jardin d'éden sous-marin

Moderne, **Manado** (300 000 habitants), la capitale de Sulawesi-Nord, s'élève à l'extrémité de la péninsule, à 1 500 km de Rantepao et de Palopo. Achevée en 1994, la portion Palu-Gorontalo de la route transsulawesienne permet d'accomplir ce périple en trois jours (au moins). Il faudrait envisager le double pour apprécier la beauté des paysages, en particulier ceux du **lac Poso**, à 250 km de Palopo, et les fonds coralliens de **Tanjung Karang** près de **Palu**, mais cette région a connu de graves troubles intercommunautaires jusqu'à la fin de l'année 2001 et il faut donc se renseigner sur la situation.

La route suit ensuite le littoral de l'immense **baie de Tomini**. Si l'on préfère l'avion, l'aéroport international Sam Ratulangi de Manado (à 13 km du centre) reçoit des vols quotidiens de Jakarta et de Bali (avec la Garuda, *via* Ujung Pandang, et la Merpati, *via*

La carriole à cheval est un moyen de transport encore très répandu à Sulawesi.

Ujung Pandang ainsi que Palu et Gorontalo). Il y a aussi une liaison aérienne directe assurée deux fois par semaine par Silk Air entre Singapour et Manado, sacrée « Mecque » mondiale de la plongée sous-marine.

Il faut aller chercher les sites de plongée à seulement une heure de bateau de la ville, dans la **réserve sous-marine de Bunaken**. Même avec un masque et un tuba (location sur place), c'est fantastique. Des milliers de poissons différents évoluent autour des massifs coralliens, dans une eau en permanence à 28° C. Avec des bouteilles, c'est l'apothéose : la visibilité est totale jusqu'à 30 m de profondeur, là où commencent les « tombants » qui descendent 1 000 m plus bas. Pour bien apprécier Bunaken, il faut passer au moins deux jours sur cette île, où l'on couche et mange sur la plage, pour l'équivalent de quelques dizaines de francs, dans de modestes *losmen*.

Cela dit, toutes les îles entourées d'atolls qui parsèment la baie sont de vrais paradis pour les plongeurs. C'est notamment le cas de **Manado Tua**, qui abrite en outre un beau lac de cratère.

Paysages volcaniques, lacs de montagne noyés dans la forêt et vergers de girofliers ou de cocotiers : les environs terrestres de Manado, ville elle-même sans grand charme, à l'exception du marché de **Ranotana**, sont peut-être les plus spectaculaires de l'île.

A l'est, dans le port de **Bitung** (à 55 km de Manado), on peut louer un bateau pour le village de Batuputih, porte d'entrée de la **réserve naturelle de Tangkoko-Batuangus**. On visite ce sanctuaire animalier avec le permis délivré par le PPA (l'administration des parcs) de Manado.

Au sud, le cimetière de la charmante ville d'**Airmadidi** (à 12 km de Manado) renferme d'intéressants sarcophages (*waruga*) en pierre sculptée. Au début du XXᵉ siècle, les Minahasas se servaient encore de ces cercueils.

Un peu plus loin, **Tomohon** marque l'entrée dans une région de plantations de girofliers qui s'étend jusqu'à **Tondano** (à 40 km de Manado).

Tout proche de cette petite ville que précède un parc-musée émaillé de *waruga* à bas-reliefs de 1,50 m de haut, le **lac de Tondano** est un des berceaux de la civilisation minahasa. On a excavé sur sa rive, à **Paso**, un site préhistorique vieux de 7 500 ans.

Plusieurs bourgades intéressantes jalonnent le pourtour du lac. **Remboken** est connue pour ses céramiques et ses sources chaudes. **Kolongan** et **Kawangkoan**, à la pointe sud du lac, organisent d'étonnantes courses de charrues tirées par des buffles. Au sud-ouest, près de **Langowan**, un panneau indique la direction de **Watung Pinabetengan**, ancien mégalithe couvert de hiéroglyphes restés hermétiques, où des héros traditionnels païens seraient encore adorés.

Au sud de Manado, la route côtière qui mène à Amurong est jalonnée de villages de pêcheurs. Certains, comme **Malalayang** et **Tanahwangko**, connaissent un début d'essor touristique.

Entouré de collines, le petit port d'**Amurong** est la porte d'accès au sud du pays minahasa et à la région de **Gorontalo** (une journée de route).

La **réserve du mont Ambang**, près de **Kotamobagu** (à 220 km de Manado), invite à se promener entre forêts alpines, lacs et plantations de caféiers.

Dans les environs, à 7 km du village d'Imandi, le hameau de **Bali Agung** est peuplé d'immigrés balinais.

Sulawesi-Sud-Est

Peu visitée, cette province conjugue absence d'infrastructures touristiques et authenticité maximale. Hormis l'avion, le seul moyen d'accès est le bac de Watampone à **Kolaka**.

Une bonne route coupe ensuite la péninsule jusqu'à **Kendari**, capitale provinciale. Son *kraton* plusieurs fois centenaire, érigé sur la colline qui surplombe la ville, offre une vue splendide sur la mer de Banda.

Se rendre en bateau sur l'**île de Butung** (Buton) fera vivre une croisière de 12 heures, dans le dédale des détroits qui séparent les innombrables îles qui bordent l'extrémité méridionale de la péninsule. Le trajet se fait avec des bancs de dauphins pour escorte.

Tombes rupestres torajas. Une effigie de bois, sculptée à l'image du défunt, est placée dans une niche creusée très haut dans la falaise, à côté du caveau familial : les morts veillent ainsi sur le village

LES MOLUQUES, « ILES AUX ÉPICES »

Entre Sulawesi et l'Irian Jaya, l'archipel des Moluques offre un autre aspect de la diversité indonésienne. Très peu industrielisé, il fut longtemps décrit comme un paradis sur terre, tant pour ses beautés naturelles que pour sa douceur de vivre, à l'ombre des girofliers et des muscadiers qui firent la fortune de ces « îles aux épices ». A partir de 1999 cependant, celles-ci ont défrayé la chronique et ont été le théâtre de violents conflits interreligieux. Un accord de paix a été signé en février 2002, mais son application est contestée par divers groupes ; il est donc impéraif de se renseigner sur l'évolution de la situation.

Saveurs tropicales

Jardins coralliens baignés par des eaux toujours chaudes, forêts impénétrables, volcans, plages désertes, goyaviers, manguiers et cocotiers lourds de fruits : une terre et une mer pareillement généreuses et préservées leur donnent une saveur de paradis tropical. Peu peuplées – ce qui change agréablement des concentrations humaines de Java ou de Bali –, les Moluques comptent à peine 2 millions d'habitants pour 85 000 km² de terres émergées et 765 000 km² de mer.

Ce millier d'îles et d'îlots s'égrène sur environ 1 200 km du nord au sud, à quelque 2 300 km de Jakarta. La compagnie maritime nationale, la Pelni, dessert les îles principales, tout comme les compagnies aériennes intérieures (la Merpati assure les vols les plus fréquents et dessert les coins les plus reculés). Les deux principaux aéroports sont celui de Ternate, au nord, et celui d'Ambon (Amboine), au sud.

Cet éloignement est d'autant plus prometteur de dépaysement qu'on touche, ici, à la Mélanésie. La faune, la végétation, les cultures, tout atteste qu'on est entre deux mondes, entre les îles de la Sonde et l'océan Pacifique. Leur passé donne un cachet supplémentaire à ces îles oubliées.

A gauche, un natif des îles Tanimbar, à l'extrême sud des Moluques ; à droite, la récolte des noix muscades dans l'archipel des Banda, d'où cette épice est originaire.

Iles mythiques

Vieux fortins portugais et hollandais postés face à la mer, églises anciennes et riches demeures bâties par les planteurs, de nombreux vestiges racontent au passant l'étonnant destin de ces « îles des rois », *djazirat al-muluk*. Tel était en effet le nom sous lequel les navigateurs arabes – premiers visiteurs étrangers, ici comme ailleurs – les connaissaient. Il a donné le mot « Moluques » et l'indonésien Maluku.

Ces îles devaient leur réputation, de même que leur fortune, à deux épices. La première est le clou de girofle, bourgeon séché de la fleur du giroflier. Cet arbre ne poussait qu'à Ternate et à Tidore – deux îles volcaniques de 40 km², à l'ouest de Halmahera –, et sur trois petites îles voisines (Moti, Mare et Makian). Connu en Chine dès le IIIe siècle avant notre ère, employé par les embaumeurs égyptiens, le clou de girofle a très tôt fait de ces bouts de terre très grands comme des cantons français le siège d'une intense activité

commerciale, puis de puissants pouvoirs politiques. Aux XVᵉ et XVIᵉ siècles, les sultanats concurrents de Ternate et Tidore étendirent ainsi leur influence sur des centaines de kilomètres à la ronde.

A 500 km au sud, l'archipel des Banda s'étend dans la mer de même nom. Cette dizaine d'îlots luxuriants, dont la superficie totale n'excède pas 30 km², possédait une autre source de richesse exclusive : le muscadier. Cet arbre touffu porte deux produits qui valaient autrefois leur pesant d'or : la graine, la noix muscade, et le péricarpe qui l'entoure, le macis, fine résille rouge et charnue à la saveur piquante.

Domination hollandaise

Fréquentés par les marchands chinois, arabes, indiens, javanais, ces deux groupes d'îles finirent par tomber dans l'escarcelle des Européens, à l'issue de la grande course aux épices qui mena Colomb aux Antilles et, trente ans plus tard, lors du premier tour du monde sur mer, l'expédition de Magellan dans le Pacifique et aux Moluques. Au XVIᵉ siècle, les puissances européennes se disputèrent la maîtrise de ces confins extrême-orientaux. Les Hollandais l'emportèrent au début du siècle suivant et imposèrent leur monopole sur le clou de girofle et la noix muscade, dont ils rendirent la culture obligatoire. Ils s'assurèrent ainsi d'énormes bénéfices, mais attisèrent la convoitise de leurs concurrents.

Exporter des muscadiers ou des girofliers en contrebande avait beau être puni de mort, d'audacieux aventuriers ne tardèrent pas à dérober ces trésors. Au XVIIIᵉ siècle, des graines germaient dans les colonies britanniques et françaises. Le botaniste Pierre Poivre fut le premier à acclimater le muscadier hors des Moluques, sur l'île de France (l'île Maurice), dans les années 1770. Ces épices perdirent alors de leur valeur, et les Hollandais mirent fin en 1863 à l'obligation de les cultiver.

*Mosquée
près
d'Ambon.*

Ambon

Curieux destin que celui de cette petite île de 760 km² ancrée à peu près au centre des Moluques, et formée de deux péninsules qui lui donnent l'allure d'une pince de crabe. Comme écrasée par sa grande voisine, Ceram, dix fois plus vaste, elle est cependant la capitale de la province de Maluku et la plus peuplée de ses îles, avec environ 400 000 habitants.

Pauvre en épices, elle entra pourtant dans l'histoire européenne en 1546, lorsque le célèbre missionnaire jésuite saint François Xavier retrouva sur l'une de ses plages, entre les pinces d'un crabe, un crucifix qui lui avait échappé non loin de là, au plus fort d'une tempête.

Une trentaine d'années plus tard, les Portugais choisirent la baie où s'élève sa capitale, Kota Ambon (Ambonville), pour bâtir une forteresse. Les Hollandais les en délogèrent en 1665, puis firent d'Ambon leur centre administratif aux Moluques et y déve-

Vue du port d'Ambon.

loppèrent la culture intensive du giroflier.

Devenue ainsi, et pour près de trois siècles, la plaque tournante des échanges régionaux, l'île luxuriante attira de nombreux émigrants, javanais, arabes et chinois notamment, dont on reconnaît les traits chez les habitants de la ville. Les nombreux temples et églises qui la parsèment reflètent un autre processus apparu avec la colonisation : la christianisation, aujourd'hui prolongée par les ordres missionnaires locaux. La population est en effet largement protestante et catholique ; tandis que les Moluques comptent autant de chrétiens que de musulmans.

Mélanésiens et non malais, différents des Javanais par l'origine comme par la religion, les Ambonais s'opposèrent à l'idéal unitaire de la république d'Indonésie. En dépit de la poigne de fer avec laquelle les Hollandais avaient gouverné les Moluques, ils préféraient ces derniers aux dirigeants, en majorité javanais, du nouvel État.

Ce rejet prit forme dans l'éphémère république des Moluques du Sud, fondée en 1950 et écrasée dans le sang par l'armée indonésienne la même année. Plusieurs dizaines de milliers de Moluquois prirent alors le chemin des Pays-Bas, animant sous le ciel de ce royaume un mouvement indépendantiste qui se fit remarquer dans les années 1970 par une sanglante prise d'otages dans un train.

Aujourd'hui, Ambon ne mérite plus son nom de *manise* (la « sucrée », la « douce ») : les affrontements intercommunautaires qui touchent les Moluques depuis la chute du régime Suharto ont pris à Ambon une tournure particulièrement tragique, faisant au moins 1 800 morts pour la seule année 1999. Début 2002, un accord de paix a été signé entre les différentes factions, mais son suivi reste incertain. Il donc recommandé aux voyageurs d'éviter la région.

La ville d'Ambon

Reconstruite après les bombardements alliés de la Seconde Guerre mondiale, **Kota Ambon** est une grosse agglomération « moderne » où vivent 270 000 habitants. A l'étroit entre sa rade et d'abruptes collines, elle jure par son encombrement et la saleté de ses rues sur le paysage de l'île. Mais son climat agréable et ses quelques centres d'intérêt méritent qu'on s'y arrête.

On retrouve très vite son chemin dans les deux quartiers qui rassemblent la majorité des hôtels et des restaurants, et qui s'organisent autour de la **Jalan Wam Reawaru**, très centrale et proche des banques, et de la **Jalan Pantai Merdeka**. Cette dernière artère débouche, près du port, sur le **marché** (il donne sur le terminal des minibus et des autocars qui assurent les liaisons avec toutes les localités de l'île). En deux parties, l'une couverte et l'autre à ciel ouvert, ce *pasar* devrait se visiter à la nuit tombée, lorsque les femmes des pêcheurs vendent à la lueur de lampes à gaz les poissons fumés du jour, servis dans une feuille de bananier avec une sauce pimentée.

De là, on peut se rendre dans le centre à pied ou en cyclo-pousse, en passant devant la statue de Thomas Matulessy, dit Pattimura (Jalan Slamet Rijadi, sur l'esplanade Lapangan Merdeka). Artisan d'une révolte manquée contre les Hollandais en 1817, ce natif de l'île voisine de Saparua fut exécuté ici même. Face à la statue de ce héros national, le **fort Victoria** (Benteng Victoria), à moitié en ruine et difficile à dénicher sous les cahutes adossées à la muraille, a été construit par les Portugais en 1575.

A l'angle sud-ouest de l'esplanade, l'office du tourisme (Dinas Pariwisata, dans le Kantor Gubernor, bâtiment de l'administration provinciale, sur Jalan Sultan Harun) est bien pourvu en brochures de toutes sortes, qui permettent de découvrir les moindres recoins de la ville.

Plus bas, entre le poste de police et une station de taxi, les rues Sam Ratulangi et A. J. Patti regorgent de boutiques. Dans les bazars et les épiceries, des Chinois impassibles ven-

Cueillette des clous de girofle.

dent moult chinoiseries en coquillages ou en nacre, des perles – spécialité des Moluques –, etc. Au bout de la Jalan Patti, la **mosquée Jami** fournit un bon sujet photographique avec ses minarets verts coiffés de bulbes métalliques.

A l'extrême sud de la ville, sur la colline de Taman Makmur, les collections du **musée Siwalima** (à 3 km du terminal des *bemo*) présentent les peuples et les cultures des Moluques.

Plages, plongée et nature

Deux jours suffisent pour découvrir cette île ceinte de bonnes routes côtières où circulent *bemo* et taxis.

Dans les environs immédiats d'Ambon-ville, l'éminence verdoyante du **Sirimau** (900 m environ) se gravit à pied ou par la route, pour atteindre, à 400 m d'altitude, le village de **Soya** (à 6 km d'Ambon). Face à la vieille église, construite par les Portugais en 1817, l'ancienne demeure du rajah d'Ambon, riche en souvenirs, est en général ouverte au public. Soya possède aussi l'un des *baileo* (ensemble de mégalithes servant autrefois de lieu de réunion) les mieux préservés de l'île.

Le sentier qui part à gauche de l'église conduit au sommet du Sirimau, d'où l'on a une belle vue sur la mer et où l'on peut voir un mégalithe tenu par les insulaires pour un « trône des ancêtres ». Des vestiges analogues existent dans les hameaux voisins (**Ema**, **Kilang**, **Naku**, **Hatalai**).

Toujours à proximité de Kota Ambon, la partie ouest de la **péninsule de Leitimor**, sur laquelle s'élève la ville, possède de belles plages entre les villages de **Latuhalat** et de **Namalatu** (16 km, par une route très pittoresque). On parvient à ces petites criques égrenées le long d'une mer transparente et à une centaine de mètres de la route, en cheminant entre les cocotiers, les jaquiers, les pamplemoussiers, les goyaviers et les palmiers des jardins villageois. Comme les fonds sous-marins sont intéressants, il

A Ambon, comme dans les îles du Pacifique, conques et autres coquillages enrichissent la palette des instruments de musique.

est bon de savoir que l'**Ambon Dive Center** (au bord de la route) loue et vend masques, palmes et tubas.

La péninsule d'Hitu

Après Soya et Leitimor, on peut consacrer la seconde journée à l'autre péninsule, **Hitu**. La route part cette fois-ci vers l'est.

A la sortie de la ville, elle passe tout près du cimetière militaire (**Commonwealth War Cemetery**) où reposent les soldats alliés tombés contre les Japonais et où l'on rencontre souvent des anciens combattants.

A 5 km d'Ambon, à **Galala**, les bacs traversent le bras de mer, large ici de quelques centaines de mètres, qui sépare les deux péninsules. En face, une autre route mène à l'**aéroport Pattimura** (à 37 km et 45 mn de voiture d'Ambon).

Après Galala, on traverse une succession de villages où quelques hôtels se sont implantés, pour arriver à Passo, dans l'isthme étroit qui relie Leitimor à Hitu. Puis la route suit les contours d'une baie bordée de sable gris et passe le long des plages de **Waitaniri**, **Natsepa** et **Suli** (à 25 km d'Ambon), où de petits restaurants montent la garde au-dessus des flots.

A 10 km à l'est, la bourgade musulmane de **Tulehu** possède des sources d'eau chaude où il fait bon se détendre.

A 5 km au nord, **Waai** mérite doublement un arrêt : pour son bassin où prospèrent des anguilles sacrées et parce que l'on peut facilement y trouver un pêcheur prêt, moyennant quelques milliers de *rupiah*, à emmener le touriste plonger autour des coraux de la petite **île de Pombo**. Waai est aussi le port d'embarquement pour les îles voisines d'Haraku, Saparua et Ceram.

Encore 10 km, et la route carrossable longe la belle plage d'**Honimua**, avant de finir à **Liang**, petite localité d'où l'on peut rallier Ceram en bac.

Un troisième circuit part de **Passo**, emprunte la route de l'aéroport sur

Danse folklorique d'Ambon.

5 km, puis bifurque à droite pour suivre la route de montagne qui franchit la péninsule et aboutit à **Hitu**.

De ce port d'où partent les bateaux pour le port de Piru, sur Ceram, on parvient, à 20 km à l'ouest, aux villages jumeaux de **Hila** et **Kaitetu**. On découvrira dans le premier la charmante **église Immanuel**, élevée en 1780, et dans le second la **mosquée Wapauwe**. Considérée comme la plus ancienne de l'île, elle date de 1414.

Les ruines du **fort Amsterdam**, tout proche, construit au XVIIe siècle, font face à la mer.

Îles d'aventure

Gunung Api, le « mont de feu », des îles Banda, culmine à 656 m, face au bourg de Bandaneira.

Les îles à l'est d'Ambon – **Haruku**, Saparua et Ceram– sont méconnues, et pas seulement des touristes : couverte de forêts, avec un point culminant à 3 027 m, la grande **île de Ceram** est en majeure partie inexplorée. Les bacs qui quittent deux fois par jour le terminal de Waai, à Ambon, desservent ces trois destinations. Pour l'équi-

valent de quelques centaines de francs, on peut aussi se rendre à Ceram en avion : la Merpati relie deux fois par semaine Ambon à **Amahai**, sa capitale.

Il faut aller à **Saparua** un mercredi ou un samedi, jours de marché à **Kota Saparua**, point d'arrivée des bacs.

Les plantations de girofliers et de muscadiers, la localité d'**Ouw**, village de potiers à 9 km au sud-est de Kota Saparua, ainsi que les restes du **fort Duurstede**, arraché aux Hollandais en 1817 par le héros national Pattimura, sont les principaux attraits de cette île.

Très peu équipée pour le tourisme, pauvre en routes, **Ceram** demande du temps. On peut se contenter de deux jours pour les jolies plages de la côte sud et pour le village très pittoresque – car en partie lacustre – de **Sawai**, sur la côte nord.

L'archipel des Banda

Une heure de vol au départ d'Ambon, dans un C 212 de la Merpati, seule

compagnie à desservir cet archipel, et le Gunung Api, le « mont de feu », apparaît. Parfois, lorsqu'il vente trop, le coucou à hélices où 12 passagers tiennent en se serrant doit rebrousser chemin. C'est que la piste d'atterrissage est grande comme un mouchoir de poche et s'arrête juste à côté de l'eau : on a vu des avions poussés par une rafale faire la culbute dans la mer de Banda, fosse marine qui descend à 7 360 m de profondeur. Mais, par beau temps, l'appareil, qui semble aller percuter le volcan, vire sur l'aile, survole le bras de mer qui sépare le volcan de **Bandaneira** et vient se poser sur le tarmac qui coupe cette île en deux.

Y aller n'est pas facile (Bandaneira, île la plus peuplée et port d'entrée aérien et maritime, est à 130 km au sud-est d'Ambon) mais peu cher, que ce soit en avion ou en bateau, et cela en vaut la peine. Bienvenue dans les **Banda**, îles sans banque (mais les commerçants chinois changent les chèques de voyage des imprévoyants), sans office de tourisme (mais la population locale pallie cette absence), où l'on doit compter en tout et pour tout dix voitures, contre des centaines de pirogues et autres esquifs.

Bandaneira, c'est une grand-rue que bordent les demeures à véranda des planteurs d'antan, les *perkeniers*, avec une vieille église hollandaise et un modeste temple chinois, qui vient buter contre la mosquée, à l'orée du port ; c'est aussi un fort restauré, **Benteng Belgica**, posté au-dessus de massifs d'hibiscus et qui domine la bourgade. Sans oublier de petits *losmen* bien tenus, face à la mer et au volcan, avec des terrasses d'où l'on plonge dans une eau transparente. Chaque jour, de nouvelles promenades en mer permettent de pénétrer dans des jardins de corail et d'autres fonds marins qui ne demandent qu'un masque et un tuba (tous les *losmen* en louent).

Ici et là, des plantations de muscadiers racontent la triste histoire de cet archipel à la population décimée, entre 1619 et 1621, par les Hollandais,

Les Moluques sont parsemées de fortins hollandais en ruine, comme celui-ci, le fort Nassau sur Bandaneira

qui s'approprièrent ainsi toute la production et le commerce de la noix muscade. Une nature abondante fait déborder les tables de bananes, de poissons frais et de langoustes (vendues l'équivalent de 30 F le kilo)... Bandaneira est un endroit que l'on aimerait garder pour soi.

Un archipel préservé

Si presque toutes les possibilités d'hébergement se concentrent sur cette île, les excursions en mer, que l'on organise facilement en louant une barque à moteur sur place, permettent de découvrir les autres joyaux de cet archipel.

L'ascnesion du **Gunung Api** exige trois heures de marche éprouvante. Le flanc ouest de ce volcan, dont la dernière éruption remonte à 1988, plonge dans un magnifique jardin de corail peuplé d'une infinité de poissons.

Au sortir du chenal qui le sépare de Bandaneira, on se baigne dans une eau claire avant de s'assoupir à l'ombre des cocotiers de la petite **île de Keraka**.

Juste derrière Bandaneira, à **Lontar**, *alias* Banda Besar, la plus grande île de l'archipel, un fortin hollandais perdu dans la verdure et les bougainvilliers, des plages secrètes, des sites de plongée à couper le souffle et la plantation de muscadiers de M. Van der Broeke ont de quoi séduire les plus blasés.

Il en va de même d'**Ai** et **Hatta**, plus lointaines (plus d'une heure de bateau), et de **Run**, que les Hollandais échangèrent avec les Anglais contre une île américaine alors dénommée la Nouvelle-Amsterdam, et qui devait devenir Manhattan !

Par chance, un enfant du pays influent et conscient du patrimoine naturel ct historique que représentent les Banda, l'hôtelier Dès Alwi, veille à la sauvegarde de cet archipel. On lui doit la préservation des maisons de l'époque coloniale, exceptionnelle en Indonésie. L'une d'elles abrite un musée. Deux autres eurent pour loca-

L'île de Morotai a été le théâtre de rudes combats durant le dernier conflit mondial.

taires Sutan Sjahrir et Mohammed Hatta, vice-président et premier ministre de la république d'Indonésie à sa fondation. Exilés en 1936 par les Hollandais, ils revinrent à Java en 1942. Cinq jeunes insulaires les avaient suivis, et Dès Alwi en faisait partie.

Dans le sud-est de la mer de Banda, trois autres archipels, **Kai**, **Aru** et **Tanimbar**, sont desservis par les vols réguliers de la Merpati et par la Pelni (compagnie nationale de transport maritime), mais se rendre dans ces îles marécageuses est une véritable aventure qui demande du temps.

Le nord des Moluques

Ternate et **Tidore**, îles volcaniques jumelles qui furent durant des siècles le centre de production du clou de girofle, s'élèvent le long de la côte occidentale de Halmahera. Leurs sultans respectifs commercèrent dès le début du XVIe siècle avec les Portugais et furent soumis par les Hollandais au siècle suivant.

Devenue le premier pôle économique et le premier port du nord des Moluques, Ternate est desservie par avion depuis Jakarta, Surabaya, Manado et Ambon. Mais il est fortement déconseillé de s'y rendre, de même que dans les autres îles de la région, les troubles intercommunautaires y étant particulièrement violents.

L'ancien **palais du sultan** et le **fort Orange**, construit en 1607, sont les principales attractions de **Ternate-ville** (80 000 habitants). Dans cette agglomération, de nombreuses mosquées confirment la réputation d'islamisme fervent faite au nord des Moluques. La route côtière longue de 45 km qui fait le tour de l'île permet d'accéder à plusieurs sites naturels et historiques : plages de sable noir et nombreux lacs, forteresses portugaises ou hollandaises semées au fil du littoral, curiosités comme le plus vieux giroflier du monde – 360 ans et 600 kg de clous par an – et les noires coulées de lave laissées par la dernière éruption, en 1983, du **Gunung Gamalama**.

A 20 minutes en bateau de Ternate, **Tidore** se distingue par le charme des rues aux maisons blanchies à la chaux de **Soa-Siu**, sa capitale. Un marché traditionnel a lieu tous les dimanches à **Rum**, le port d'arrivée.

Montagneuse et très boisée, excentrée et dotée d'une seule route carrossable, **Halmahera** ne se laisse pas découvrir facilement. D'autant que cette île, la plus vaste des Moluques, est formée de quatre péninsules très allongées, qui s'étirent sur une distance maximale de 400 km. En revanche, on l'atteint facilement en bateau, depuis Ternate : un détroit de 8 km sépare l'ancien sultanat de sa voisine.

La Merpati relie Ternate à **Kao** et à **Galela** (dans la péninsule nord), ainsi qu'à l'île voisine et septentrionale de **Morotai** (qui fut le quartier général des Alliés lors de l'offensive contre le Japon, en 1944).

Entre Galela et Kao, les plages et les villages aborigènes de la **baie de Kao** sont les sites les plus accessibles de cette île, qui compte une trentaine de tribus d'ethnie papoue.

A gauche, banquet offert par le sultan de Tidore à des marchands européens au XVIe siècle ; à droite, la richesse des îles Banda, les noix muscades, ici fraîches et encore gainées de leur macis.

L'IRIAN JAYA

Moitié occidentale et indonésienne de l'île de Nouvelle-Guinée, l'Irian Jaya est l'un des derniers véritables espaces sauvages de la planète. Gigantesque – 415 000 km^2 –, il ne compte que 2 millions d'habitants et affiche la plus faible densité humaine de l'archipel (de l'ordre de 5 habitants au kilomètre carré). Aux trois quarts recouvert de forêt tropicale, il abrite des populations qui vivent encore comme à l'âge de la pierre et dont l'art a influencé les mouvements artistiques européens du début du XXe siècle.

Promesse de retour aux premiers âges de l'humanité et une nature vierge, l'Irian Jaya n'est pourtant pas un paradis; la forêt abrite des hôtes dangereux et les Papous revendiquant l'indépendance de leur territoire, la prudence s'impose pour tout séjour dans la région.

Dépaysement absolu

D'une majesté exceptionnelle, la nature y est aussi d'une grande diversité, du fait de la variété des climats. L'immense forêt est le domaine des oiseaux de paradis, des perroquets des casoars et de plus de 2 000 espèces d'orchidées. Des fleuves aux méandres infinis la traversent pour aller se jeter dans l'océan par des embouchures marécageuses infestées de crocodiles. Mais les plages sont nombreuses, et les sites de plongée réputés.

A 400 km au sud de l'équateur, les neiges éternelles coiffent une longue chaîne de montagnes qui culmine à plus de 5 000 m, au **Puncak Jaya** (ou Jayawijaya, ex-mont Carstensz, ex-pic Sukarno, 5 030 m), le plus haut sommet entre l'Himalaya et la cordillère des Andes. Au pied de ces montagnes, de vertes vallées et des lacs évoquent plus les Alpes que le Pacifique. Dans le centre, les randonneurs découvrent des villages fleuris dans la vallée du Baliem, chez les Papous de l'ethnie Dani. A l'extrême sud-est, près de Merauke, la savane domine en revan-

che une région qui connaît six mois de saison sèche et reçoit quatre fois moins de précipitations que le Nord, où il pleut presque toute l'année (6 000 mm par an).

L'avion, premier moyen de transport local, permet de se rendre dans les coins les plus reculés : la Merpati dessert 39 destinations dans la province. Les vols réguliers assurés par cette compagnie, par la Garuda et par les autres transporteurs aériens nationaux, relient les villes principales (d'ouest en est, Sorong, Biak et Jayapura, la capitale de la province) à Java, Bali, Sulawesi et Ambon.

Une province sous tutelle

L'Irian Jaya est entrée dans le giron de Jakarta bien après l'indépendance, en 1963, à la suite d'une décision des Nations unies qui donnait à Jakarta mandat sur cette terre alors néerlandaise. Plutôt musclée, la «lutte pour la libération de l'Irian» a été conduite par le futur président, le général

Pages précédentes : de nombreux lacs émaillent les hautes terres de l'Irian Jaya ; à gauche, la chute d'eau de Warsa, sur l'île de Biak : un saut de plus de 15 m ! ; à droite, habitant de la petite île de Numfor, près de Biak.

Suharto. L'intégration a été officialisée en 1969 par un référendum qui n'a concerné qu'un millier de personnes sur les 650 000 habitants d'alors.

Rebaptisé Irian Jaya (*irian*, « climat torride » dans une des langues locales, et *jaya*, « victorieux » en indonésien), ce territoire agrandissait de façon notable la superficie terrestre de l'Indonésie dont il représente un peu plus du cinquième. Surtout, il augmentait considérablement ses ressources naturelles. Pétrole et gaz, or et cuivre – dans le sud, sur les contreforts du Puncak Jaya, la société américaine Freeport exploite le plus gros gisement d'or du monde, dans la mine de Grasberg –, quantité d'autres minerais, d'abondantes ressources forestières et pélagiques : l'Irian Jaya avait de quoi susciter les convoitises. Mais ce patrimoine écologique se réduit dangereusement, au rythme d'une exploitation à échelle industrielle.

Enfin, les terres en grande partie vierges ainsi acquises allaient pouvoir recevoir en nombre les immigrants amenés des autres îles dans le cadre de la politique nationale de transmigration. A la fin du XXe siècle, il y aurait quelque 170 000 transmigrés officiels en Irian Jaya, auxquels il faut ajouter quelque 700 000 Irianais (migrants «spontanés» et personnel administratif indonésien). Ces nouveaux venus se concentrent à certains endroits, où ils forment la majorité de la population : à Wamena, chef-lieu de la vallée du Baliem, Moluquois et Javanais dominent ; à Merauke, on croise plus de Bugis (ethnie de Sulawesi) que de Papous.

Les Papous, peuple oublié

La population d'origine, en règle générale d'ascendance austronésienne dans les régions littorales et papoue à l'intérieur, n'a guère pu s'opposer à cette mainmise. Premiers occupants, les Papous (du malais *papua*, « homme noir aux cheveux crépus »), qui sont présents depuis 60 000 ans, ont abandonné leur mode de vie traditionnel et sont manœuvres dans les mines et les plantations ou bien occupent des emplois urbains au bas de l'échelle. Ils multiplient les handicaps : trop peu nombreux (un million tout au plus), ils sont aussi trop clairsemés et trop divisés. Signe de cette atomisation, il existe 250 langues en Irian Jaya, qui correspondent à autant de tribus. Et on compte 800 idiomes dans toute l'île de Nouvelle Guinée – ce qui représenterait, selon les spécialistes, 15 % du stock linguistique de l'humanité, pour 0,1 % de la population mondiale.

Leurs cousins et voisins de Papouasie-Nouvelle-Guinée ne sont guère en mesure de contrer Jakarta. Ce pays, indépendant depuis 1975 seulement, après avoir été divisé entre l'Allemagne au nord et la couronne britannique au sud, puis être passé sous protectorat australien, ne compte que 3 millions d'habitants et a lui même bien du mal à maintenir son unité nationale. Cependant, depuis la chute de Suharto, la ferveur indépendantiste s'est réveillée chez les Papous d'Indonésie. Déjà, dans les années 90, un petit groupement indépendantiste, le

Papou des régions intérieures.

Mouvement papou de libération (Organisasi Papua Merdeka, OPM), s'était fait remarquer par des enlèvements, dont les victimes, des cadres occidentaux, ont jusqu'ici toujours été relâchées. En mars 1996, des milliers de Papous armés d'arcs et de flèches avaient en outre manifesté à Timika contre les sociétés minières.

Au début de l'année 2000, le président Wahid, sensible à ce climat, a redonné à l'Irian Jaya (nom donné par Suharto) le nom de Papouasie (Papua), et autorisé un Congrès papou. Une loi d'autonomie étendue a été promulguée à la fin de l'année 2001, mais les revendications demeurent.

Premiers pas en Irian Jaya

Outre Jayapura, la capitale provinciale, on aborde en général l'Irian Jaya par Biak ou par Sorong. Au large de la côte nord-ouest, **l'île de Biak** (Pulau Biak) est, à l'instar de Jakarta et Bali, un « port d'entrée officiel » en Indonésie. Ce qui veut dire que l'on y délivre automatiquement le visa touristique de deux mois et qu'elle dispose d'un aéroport international (les vols de la Garuda en direction ou en provenance des États-Unis y font escale). Théâtre en 1944 d'une rude bataille entre les Alliés et les Japonais, Biak garde des cicatrices et des épaves de la Seconde Guerre mondiale. Importante base navale et pôle pétrolier, elle devrait connaître un rapide essor touristique.

Les trois routes qui rayonnent à partir de la capitale (elle aussi dénommée Biak) facilitent la visite. La première traverse d'agréables paysages côtiers pour arriver à **Bosnik**, à 20 km à l'est. Dans ce port de pêche, qui était le chef-lieu de l'île au temps des Hollandais, on trouve sans peine des bateaux pour aller plonger dans le petit **archipel des Padaido** (essayer en premier les deux **îles Ruebas**, à environ une heure de barque à moteur).

À l'opposé de Bosnik, à 35 km à l'ouest de Biak, la seconde route mène à **Wardo**, village où il faut s'arrêter pour remonter la rivière, en canoë et,

Le port de Jayapura, la capitale locale, témoigne de l'importance économique de la Papouasie pour Indonésie.

avec les habitants du lieu, jusqu'aux **chutes de Wapsdori**.

La troisième route coupe la partie orientale de l'île pour suivre ensuite la côte nord jusqu'à **Sorondiweri** (à 100 km de Biak), port d'accès à la **réserve de Supiori**.

A mi-chemin, à partir de **Korim**, cet itinéraire longe une autre réserve, celle de **Biak-Nord**, et traverse des paysages tropicaux typiquement mélanésiens, avec leurs villages de huttes perchés sur des collines. Outre la belle **plage de Korim**, une halte s'impose à **Warsa**, pour aller sauter avec les enfants du village du haut de la cascade.

A l'extrémité occidentale de la péninsule en forme de tête d'oiseau (les Néerlandais l'appelaient d'ailleurs ainsi, « Vogelkop ») qui termine, à l'ouest, l'Irian Jaya, **Sorong** est une grosse ville pétrolière sans intérêt.

A l'autre bout de la « tête d'oiseau », entre de vertes collines et la mer, **Manokwari**, première capitale des Hollandais en Nouvelle-Guinée, a plus de charme. Les petites îles qui émergent de sa baie, la **réserve de Gunung Meja**, les villages de la côte et les lacs des **monts Arfak** (accessibles par avion) peuvent justifier quelques jours dans cette région assez peuplée, et qui regroupe plusieurs ethnies (Papous, Chinois, Philippins notamment, ainsi que des Javanais, des Bugis, des Moluquois installés ici par le programme de transmigration).

Jayapura

Sur la côte nord, à 3 520 km de Jakarta, tout près de la frontière avec la Papouasie-Nouvelle-Guinée, **Jayapura**, l'ancienne Hollandia, est la première ville d'Irian Jaya (100 000 habitants). Comme à Biak ou à Sorong, on y compte plus d'immigrés javanais, balinais, bugis, etc., que de Papous ou de descendants des populations austronésiennes établies sur ce littoral vers 2000 av. J.-C. Grosse ville coincée dans sa vallée qui dégringole vers la mer, Jayapura a néanmoins des airs

Dans les basses terres du Sud, entre Amamapare et Tembagapura, l'exploitation de la mine de Freeport a nécessité de coûteuses infrastructures.

pimpants. Les bâtiments laissés par les Néerlandais, ses véritables fondateurs, convergent vers les eaux bleues d'un port bien entretenu, sous un balcon de vertes collines. De ces hauteurs qui forment un amphithéâtre impressionnant, on a une vue extraordinaire. En 1944, le général MacArthur y avait d'ailleurs installé le quartier général des forces alliées du Pacifique Sud. Mais la chaleur étouffante qui règne ici rend le séjour éprouvant.

Malheureusement, Jayapura est un arrêt obligatoire pour se rendre dans les villages danis de la vallée du Baliem, près de **Wamena**, dans la chaîne de montagnes du Sud. En effet, c'est ici qu'est délivrée la *surat jalan* (« lettre de route », qui équivaut à un permis de visite) indispensable pour se déplacer à l'intérieur des terres (renseignements auprès du poste de police central, près de l'hôtel Matoa, dans le centre de la ville). Les bureaux de la Merpati, qui dessert Wamena plusieurs fois par jour, sont tout proches (et il n'y a pas d'autre moyen de trans

Les Asmats habitent les zones marécageuses de la côte sud.

port que l'avion pour Wamena, située à un mois de marche de Jayapura).

Autour de Jayapura

Si, pour une raison quelconque (attente d'une place libre dans un vol pour Wamena, retard dans l'obtention de la *surat jalan*), on était contraint de passer un jour ou deux dans l'ancienne Hollandia, pas d'inquiétude : les environs ne manquent pas d'attraits.

A 40 km (une heure de route environ), le **lac de Sentani** et ses villages sur pilotis sont des destinations inévitables, d'autant que l'aéroport de Jayapura a été construit sur sa rive nord, près de la bourgade de même nom. On peut louer des barques motorisées pour sillonner ses eaux calmes et aller sur la petite **île d'Apayo**, où vit une tribu qui compte de nombreux et talentueux sculpteurs et potiers.

Sur l'autre rive du lac, le petit **musée ethnographique** (Loka Budaya) d'**Abepura** n'est qu'à 10 km de la capitale provinciale. Un second musée,

consacré comme celui-ci aux traditions de tout l'Irian Jaya, existe à **Waena** (à 20 km).

La baie de Jayapura se distingue par de très belles plages, en majorité situées à l'est, aux alentours d'**Hamadi** (à 5 km). Voisine de ce village de pêcheurs, la plage du débarquement allié d'avril 1944 conserve quelques carcasses de chars détruits lors de cette victoire. A l'ouest, la plage de **Bestiji** accueillait le quartier général de MacArthur.

Une vallée du néolithique

C'est l'un des derniers endroits au monde où l'homme se sert de haches de pierre : la **vallée du Baliem**, la patrie des Danis, à 45 mn de vol de Jayapura (la Merpati assure la liaison jusqu'à 4 fois par jour, en Twin Otter et en Fokker F-500, de bons avions).

L'arrivée est stupéfiante. On se sent un peu comme l'explorateur américain qui, en 1938, découvrit les Danis en survolant le Baliem pour la première

fois. Après avoir survolé l'impénétrable mangrove côtière, puis les contreforts boisés des montagnes dont les sommets disparaissent dans les brumes, on découvre un autre monde. Une verte vallée apparaît, entièrement défrichée et cultivée avec soin, piquée de huttes en chaume et sillonnée de cours d'eau.

Après l'atterrissage, au sortir de l'aérodrome de Wamena, les premiers Danis sont là. C'est comme dans un vieux livre de voyage. En dépit de l'altitude (1 700 m) et du froid (la nuit, la température ne dépasse pas 5° C), les hommes vont presque nus, arborant de longs étuis péniens tubulaires (*koteka*) en courge séchée, sous des maillots élimés, et divers objets (stylos, os, etc.) fichés dans le nez et le lobe des oreilles. Les femmes portent des pagnes en feuillage, et, autour de leur tête, leur omniprésent sac en liane tressée, qui sert à tout (transport de bébés, de porcelets, de légumes, etc.). Quelque 180 000 Danis vivent dans cette vallée de 72 km de long. Ils exploitent depuis des millénaires une terre marécageuse rendue fertile grâce à une technique agricole sophistiquée : les patates douces (première culture vivrière) sont plantées sur des levées de terre entourées de canaux ; ainsi la différence de niveau évite-t-elle aux tubercules de pourrir lors des pluies.

Tous les villages sont reliés par des sentiers ou des pistes plus ou moins carrossables à **Wamena**, seule ville et unique endroit où trouver hôtels, banque, poste et commissariat (où il faut présenter sa *surat jalan).* Les objectifs d'excursion sont innombrables, de la marche de deux heures aux randonnées de plusieurs jours. Dans ce dernier cas, il est indispensable de se faire aider d'un guide et de porteurs. Dans les hameaux, on peut coucher moyennant finance dans les missions protestantes et catholiques, et parfois dans des *losmen* sommaires. Il faut se hâter d'aller dans la vallée du Baliem : inchangé depuis 30 000 ans, le mode de vie des Danis pourrait bien basculer avec le prochain achèvement de la route transirianaise nord-sud, de Jayapura à Merauke par Wamena.

A gauche, arcs et flèches, de même que les haches de pierre, sont toujours en usage chez les Danis ; à droite, l'artisanat irianais est riche en couleurs.

INFORMATIONS PRATIQUES

PRÉPARATIFS ET FORMALITÉS DE DÉPART

Passeport et visa

Il faut un passeport dont la durée de validité dépasse d'au moins 6 mois la date d'arrivée et un billet de retour. Les ressortissants des pays des l'Union européenne, de Suisse et du Canada ont droit à un séjour de 2 mois sans visa à condition d'arriver par les points d'entrée officiels : les ports et aéroports de Medan, Pekanbaru, Padang, Batam, Jatarta, Surabaya, Bali, Balikpapan Pontianak, Manado, Ambon, Kupang et Biak. Pour prolonger le séjour, il suffit de se rendre dans un pays voisin, où l'ambassade indonésienne délivrera facilement une prorogation de 2 mois. Pour rester plus de 4 mois, il faut un visa « visiteur » valable 4 semaines et renouvelable 5 fois. Pour les visas d'affaires, la norme est d'un mois (prorogation de 2 mois). Mieux vaut donc, dans la plupart des cas, opter pour le séjour touristique de 2 mois.

Le *surat jalan* est une « lettre de route » qui donne accès à des régions soumises à un régime spécial, en raison de leur éloignement, de leur archaïsme, ou pour d'autres motifs. Elle est notamment requise pour le pays badui (Java-Ouest) et la vallée du Baliem (Irian Jaya).
Markas Besar Kepolisian Republik Indonesia
Jl. Trunojoyo, Kebayoran Baru, Jakarta
Ailleurs, s'adresser à la police de la capitale provinciale.

Monnaie et devises

La *rupiah* (IDR) n'étant pas convertible, il convient de ne pas changer de sommes trop élevées. La commission que les banques prélèvent est moindre que celle des officines de change. A titre indicatif, en mai 2002, le taux de change tournait autour de 8 300 *rupiah* pour 1 € (8 800 IDR pour 1 $).

Facile à Jakarta et à Bali, le change requiert un peu de temps dans les petites villes, où les employés ne connaissent pas toujours les coupures européennes. Mieux vaut se munir de dollars en billets neufs.

A Jakarta, Surabaya, Denpasar, les distributeurs automatiques des principales banques locales et étrangères délivrent des rupiah aux détenteurs de cartes à puce. Dans les plus petites villes, on retire de l'argent aux guichets de certaines banques sur présentation de sa carte bancaire et de son passeport.

Grands magasins, hôtels, antiquaires, boutiques de souvenirs, agences de voyages et loueurs de voitures acceptent en général ce moyen de paiement. Les achats et retraits faits avec la carte sont convertis en dollars avant d'être débités : on subit donc deux opérations de change.

La conversion des chèques de voyage (de préférence en dollars) auprès des banques et des agents de change ne pose aucun problème.
EXIM
32, av. Hoche, 75008 Paris, tél. 01 42 89 31 31
Banque indonésienne à Paris.

● **Banques étrangères à Jakarta**

American Express Bank
Jl. H. R. Rasuna Said, Blok X-1, Kav. 03, tél. (021) 521 60 00
Citibank Landmark Centre
Jl. Jend. Sudirman, tél. (021) 571 20 07
Crédit commercial de France
Wisma Antara, Jl. Medan Merdeka Selatan, 17 tél. (021) 384 14 70
Crédit du Nord
Hôtel Borobudur, Jl Lapangan Banteng, tél. (021) 384 21 36
Crédit Lyonnais
Lippo Life Bldg, Jl. H. R. Rasana Said tél. (021) 520 78 48

● **Grandes banques locales privées**

Bank Bali
Jl. Hayam Wuruk, 84-85, tél. (021) 649 80 06
Bank Central Asia (BCA)
Jl Sudirman, 22-23, tél. (021) 571 00 50
Bank Danamon
Jl. Kebon Sirih, 15, tél. (021) 380 48 00
Bank Duta
Jl. Kebon Sirih, 12, tél. (021) 380 09 00

Santé

Peu de risques de maladies infectieuses graves. La diarrhée frappe presque tous ceux qui n'ont pas l'habitude de la cuisine asiatique, et disparaît au bout de deux ou trois jours de traitement à l'Imodium et à l'Intetrix (il n'y a pas de prévention antidiarrhéique ; certains voient dans la doxycycline une panacée, mais c'est un antibiotique puissant, prescrit notamment contre les maladies parasitaires et le choléra !).

L'eau et les glaçons des grands hôtels de Java et de Bali ne présentent aucun danger. Ailleurs, surtout dans les villages et les campagnes, les 15 mn d'ébullition, la pastille d'hydrochlonazone ou le filtre s'imposent, ou la bouteille d'eau minérale capsulée qu'on trouve presque partout. A la montagne, on peut boire l'eau de source. La même prudence s'impose avec les fruits et légumes.

Le soleil peut être traître sous l'équateur, même quand les rayons semblent filtrés par une couche nuageuse.

Une assurance soins et rapatriement est incluse dans les abonnements à certaines cartes bancaires.

Dans les grandes villes, les équipements et le personnel de santé sont convenables. A Jakarta, certains grands hôtels ont leur propre antenne médicale, et on trouve des cliniques modernes. Il faut obtenir de son centre de sécurité sociale le formulaire qui permet le remboursement des soins et l'achat de médicaments hors de l'Union européenne et emporter ses ordonnances.

Aucun vaccin n'est exigé, sauf si l'on vient d'une région infestée par la fièvre jaune. Mais il est préférable d'être vacciné contre le choléra, l'hépatite A, la typhoïde, la paratyphoïde et le tétanos. Il est nécessaire de suivre un traitement préventif antipaludéen, qui doit commencer plusieurs semaines avant le départ et continuer après le retour.

La trousse médicale de base contient des médicaments antiémétiques et antidiarrhéiques, de l'aspirine et un antimoustiques.

British Medical Scheme
Setiabudi Bldg, Rasuna Said, 11, Jakarta
SOS Medica
Jl. Prapanca, Jakarta
Pertamina Hospitals
Jl. Kyai Maja Kebayoran Baru, Jakarta
Avec une antenne à Pondok Indah et à Cempaka Putih.

Sécurité

Les risques de vol à la tire sont moindres que dans les villes occidentales, mais des précautions sont nécessaires. Les pickpockets sévissent, surtout dans les autobus et les trains. En autocar, quand les bagages sont sur le toit, conserver avec soi les objets de valeur, de même que dans le train. Dans les *losmen* bon marché, ne pas laisser d'objets de valeur dans la chambre. Garder son passeport sur soi (en faire une copie pour les démarches administratives).

Vêtements et accessoires à emporter

Un chandail, un imperméable et de bonnes chaussures de marche. Certains grands magasins de Jakarta et Surabaya ont des rayons spécialisés. Si les vêtements d'été (batiks, tee-shirts, etc.) sont bon marché sur place, les lunettes de soleil et les crèmes solaires sont très chères. On trouve partout des pellicules de fabrication locale (photographies en couleurs et diapositives). Des sachets de dessiccatif garantiront le matériel contre l'humidité.

Consulats d'Indonésie

Belgique
- Bredalaan 842-844, 2170 Anvers
tél. (02) 036 45 00 23
- 2, pl. du Champ-de-Mars, 1050 Bruxelles,
tél. (02) 511 65 70

Canada
- University Avenue, 425, 9th Floor, Toronto, Ontario MSG IT6, tél. (416) 59164 81, 59164 62, fax (416) 591 6613
- West Georgia Street, 1455, 2nd Floor, Vancouver, B. C., V6G 2T3, tél. (604) 682 88 55, fax (604) 662 83 96
France
25, bd Carmagnole, 13008 Marseille,
tél. 04 91 71 34 35

Ambassades d'Indonésie

Belgique et Luxembourg
Avenue de Tervueren 294,1150 Bruxelles,
tél. (02) 771 17 76, 771 20 14, fax (02) 771 22 91
Canada
Maclaren Street, 287, PO. Box 430, Terminal A, K1N 8VS, Ottawa, Ontario, K2P OL9,
tél. (613) 236 74 03-74 04-74 05,
fax (613) 563 28 58
France
47-49, rue Cortambert, 75116 Paris,
tél. 01 45 03 07 60, fax 01 45 04 50 32
Suisse
Elfenauweg, 5l, PO. Box 270, 3006 Berne,
tél. (031) 44 09 83 et 85

ALLER EN INDONÉSIE

En avion

Pour promouvoir sa propre flotte aérienne, l'Indonésie a longtemps pratiqué une politique protectionniste. L'essor du tourisme et la place croissante de Jakarta dans le Sud-Est asiatique ont entraîné une levée de ces restrictions.

Huit aéroports accueillent des vols internationaux, Jakarta et Denpasar (Bali) restant les principaux. Ils sont aussi les plaques tournantes du trafic intérieur, assuré par plusieurs compagnies locales (Merpati, Bouraq et Mandala). L'aéroport Sukarno-Hatta de Jakarta est moderne et spacieux. Les formalités d'entrée et de sortie ont été allégées, mais les services (change, information, location de voitures, téléphone, etc.) ne sont pas à la hauteur.

De Sukarno-Hatta au centre-ville, le taxi est ce qu'il y a de plus commode. La course, qui comprend le péage autoroutier, se paie au départ. Elle dure 1 h ou plus, selon la circulation. Beaucoup moins chers, les autobus partent toutes les 20 mn.

Des taxes d'aéroport en sus du prix du billet sont perçues sur les vols internationaux et intérieurs. Les bagages sont radiographiés à l'entrée et les bagages à main soumis à un second contrôle à l'embarquement.

● **Agences Garuda à l'étranger**

France
- 75, av. des Champs-Élysées, 75008 Paris,
tél. 01 44 95 15 55, fax 01 40 75 00 52
- Le Marivaux, 11-13, rue Condillac, 33000
Bordeaux, tél. 05 56 51 33 61, fax 05 56 51 31 91
- Espace Cordeliers, 2, rue Président-Carnot,
69002 Lyon, tél. 04 78 38 10 10, fax 04 78 42 07 58
- Park Hôtel, 6, av. de Suède, 06502 Nice,
tél. 04 93 82 00 31, fax 04 93 88 35 56
Belgique
Galerie Porte Louise 203, 4ᵉ ét., 1050 Bruxelles,
tél. (02) 512 30 90, fax (02) 511 49 61
Suisse
- Bureau de voyage (GSA), Ariens, gare de
Cornavin, Genève, tél. (031) 98 21 21
Canada
- W. Georgia St., 1040, Ste 930, BC V6E 4H1,
Vancouver, tél. (604) 681 70 34, fax (604) 681 59 80
- Wynford Heights Crescent, 45, Suite 1804,
Don Mills, OT M3C 1L3, Toronto,
tél. (416) 441 14 48, fax (416) 441 14 69

● **Liaisons directes entre l'Europe et Jakarta**

Air France
40, av. George V, 75008 Paris, tél. 01 44 08 22 22
British Airways
12, rue de Castiglione, 75001 Paris, tél. 08 02 80 29 02
Gulf Air
23, rue Vernet, 75008 Paris, tél. 01 49 52 41 41
KLM
36, av. de l'Opéra, 75002 Paris, tél. 01 44 56 18 12
Kuwait Airways
93, av. des Champs-Élysées, 75008 Paris,
tél. 01 47 20 75 15
Lufthansa
21, rue Royale, 75008 Paris, tél. 01 42 65 37 35
Malaysia Airlines System (MAS)
12, bd des Capucines, 75009 Paris, tél 01 44 51 64 20
Saudia Arabian Airlines
34, av. George V, 75008 Paris, tél. 01 53 67 50 50
Singapore Airlines
43, rue Boissière, 75016 Paris, tél. 01 45 53 85 00

● **Compagnies aériennes à Jakarta**

Air Canada
PT. Aviamas Megabuana, r.-d.-c., Chase Plaza,
Jl. Jend. Sudirman Kav., 21, tél. 570 16 66
Air France
Summitmas Tower, 9ᵉ ét., Jl. Jend. Sudirman, 61,
tél. 520 22 63, 520 22 62
American Airlines
PT. Aerojasa Perikasa, BDN Bldg 5,
Jl. M. H. Thamrin, tél. 32 56 00, 32 57 28, 32 57 92
British Airways
Wisma Metropolitan I, 10ᵉ ét., Jl. Jend. Sudirman,
tél. 521 15 00

Continental Airlines-Eastern Airlines
PT. Golden Air Transport, r.-d.-c. du BDN Annex
Bldg, Jl. M. H. Thamrin, 5, tél. 33 44 17, 33 44 18
Delta Airlines
Tirta, Jakarta Jati Ltd., Hotel Indonesia,
Jl. M. H. Thamrin, tél. 32 00 08, ext. 149
KLM Royal Dutch Airlines
Plaza Indonesia, Jl. M. H. Thamrin, tél. 252 67 40
Lufthansa
Panin Centre Bldg, Jl. Jend. Sudirman, tél. 570 20 05
Malaysia Airlines System (MAS)
Hotel Indonesia, Jl. M. H. Thamrin, tél. 522 96 82
Qantas Airways
BDN Bldg, Jl. M. H. Thamrin, tél. 320 02 77
Sabena
Hotel Borobudur Inter-Continental, Jl. Lapangan
Banteng Selatan, tél. 37 19 15, 37 20 39
Singapore Airlines
Chase Plaza, r.-d.-c., Jl. Jend Sudirman,
tél. 520 68 81, 570 44 22
Swissair
Hotel Borobudur Inter-Continental,
Jl. Lapangan Banteng Selatan, tél. 37 36 08
Thai International
BDN Bldg, Jl. M. H. Thamrin, tél. 31 40 67
United Airlines
PT. Samudra Indonesia Dirgantara, tél. 570 75 20
UTA
Tél. 520 22 62

En bateau

Les bâtiments de la Pelni, compagnie maritime
nationale, sillonnent l'archipel et vont jusqu'à
Singapour.

De Singapour, on peut aussi rejoindre en 6 h l'île
de Tanjung Pinang à bord d'un petit transporteur à
moteur. Les départs, fréquents, ont en général lieu
le matin. A Tanjung Pinang, on embarque sur le
KM Tamponas de la Pelni, qui atteint Tanjung
Priok, le port de Jakarta, après 2 jours de traversée. Expérience inoubliable à laquelle les formalités douanières ajouteront une note d'exotisme.

Le parfum d'aventure est encore plus enivrant à
bord d'un des milliers de voiliers bugis qui croisent
dans les mers de l'archipel. A Jakarta, on négocie
directement avec les commandants des navires
amarrés aux alentours de Pasar Ikan.

L'Indonésie est au programme de la plupart des
grandes compagnies de croisières, qui font en
général escale à Singapour ou en partent. Dans la
catégorie luxe, on trouve le *Mermoz*, de la société
Paquet, le *Pearl of Scandinavia*, affrété par Mansfield Travel, et l'*Europa* de la compagnie alleman-
de Hapag Lloyd.
Mansfield Travel
Singapore, tél. (65) 737 96 88
Hapag Lloyd
Paris, tél. 01 44 94 20 40

Pelni
- Jl. Gajah Mada, 14, Jakarta,
tél. (021) 33 33 07, 36 16 35, fax (021) 34 56 05
- Jl. Pintu Air, 1, Jakarta, tél. (021) 35 83 98
- Jl. Pahlawan. 20, Surabaya, tél. 210 41
- 50 Telok Blangah Road, 02-02, Citiport Centre,
Singapore 049, tél. (65) 272 68 11, 271 51 59

Agences de voyages

Asia
1, rue Dante, 75005 Paris, tél. 01 44 41 50 10,
fax 01 44 41 50 20
Et aussi à Lyon, Marseille et Nice. Croisières, circuits et séjours à Sumatra. Java, Bali, dans les petites îles de la Sonde, à Bornéo et en Irian Jaya.
Asika
26, rue Milton. 75009 Paris, tél. 01 42 80 41 11,
fax 01 42 80 41 12
Circuits organisés et voyages individuels à composer soi-même.
Explorator
16, rue de la Banque, 75002 Paris,
tél. 01 53 45 85 85, fax 01 42 60 80 00
Circuits originaux à Java (trekking, île de Madura) et dans les petites îles de la Sonde.
FRAM Voyages
-128, rue de Rivoli, 75001 Paris,
tél. 01 40 26 30 31
-1, rue Lapeyrouse, 31000 Toulouse,
tél. 05 62 15 16 17
Un bon circuit pour un premier contact avec l'Indonésie.
Jet Tours
Dans les agences de voyages. Bali en profondeur et dans les meilleurs hôtels, et aussi Java et Sulawesi.
Kuoni
40, rue de Saint-Pétersbourg, 75008 Paris,
tél. 01 42 82 04 02
Et à Bordeaux, Grenoble, Lille, Lyon, Mulhouse, Nice et Strasbourg. Des «classiques» : Java, Bali, Sumatra, Komodo, Sulawesi, avec hôtels de luxe.
Les Orientalistes
36, rue des Bourdonnais, 75001 Paris,
tél. 01 40 26 14 31, fax 01 42 21 45 48
Voyages à orientation culturelle.
Look Voyage
Dans les agences de voyages. Les circuits Lumières de Bali et Lumières d'Indonésie ont fait leurs preuves.
Nouvelles Frontières
87, bd de Grenelle, 75015 Paris, tél. 01 41 41 58 58
Circuits individuels ou en groupe, croisières, trekking. Avec des destinations peu courues (îles Mentawai) et des couplées comme Thaïlande-Bali.
Peuples du Monde
10, rue de Montmorency, 75003 Paris,
tél. 01 42 72 50 36, fax 01 42 72 31 74

La passion du contact avec les populations locales et le goût des sentiers vraiment peu battus. Avec des circuits forts en découvertes : Irian Jaya et Célèbes, traversée de Sulawesi, Siberut et pays minangkabau (Sumatra).
Terres d'aventure
5. rue Saint-Victor, 75005 Paris, tél. 01 55 73 77 77
Le voyage à pied. Au programme : Bali, Lombok, Java-Est, un couplé Nias-Siberut, le pays toraja et la vallée du Baliem (Irian Jaya).
Uniclam
46, rue Monge, 75005 Paris, tél. 01 43 25 21 18,
fax 01 43 25 99 02
Circuits en groupe à Bali et à Java.
Voyageurs en Indonésie
45 rue Sainte-Anne, 75001 Paris,
tél 01 42 86 17 00, fax 01 42 96 40 04

A SAVOIR SUR PLACE

Fuseaux horaires

L'Indonésie s'étend sur trois fuseaux horaires. A Jakarta, il faut ajouter 7 h à l'heure de Greenwich, soit 6 h de plus qu'à Paris l'hiver et 5 h l'été. Quand il est midi à Java et à Sumatra, il est 13 h à Kalimantan, Sulawesi, Bali, Lombok et dans les petites îles de la Sonde, et 14 h aux Moluques et en Irian Jaya.

Climat

Étiré sur 5 000 km entre la péninsule indochinoise et l'Australie, l'archipel indonésien, traversé par l'équateur, appartient à la zone tropicale. Comprises entre 25 °C et 30 °C, les températures sont stables toute l'année. Le taux d'humidité va de 65 % à 95 %.

La saison sèche (mi-avril à mi-octobre) est plus marquée dans l'est et le centre de Java, les petites îles de la Sonde, le sud de Sulawesi et des Moluques, ainsi qu'en Irian Jaya. La saison humide, l'autre moitié de l'année, est plus affirmée à Sumatra, à Kalimantan, dans l'ouest de Java, le nord de Sulawesi et des Moluques. Les pluies y sont abondantes mais intermittentes, précédées et suivies d'un ciel dégagé. Dans les hauteurs, la température baisse de 0,6 °C tous les 100 m, ce qui explique la douceur du climat montagnard et la présence de nombreuses stations d'altitude. Néanmoins, la nuit, il fait froid près des sommets.

Institutions et vie politique

Pendant plus de 30 ans, le président Suharto a été à la tête d'un régime présidentiel fort, voire autoritaire. Parvenu au pouvoir en 1965, il a été président de la république d'Indonésie à partir de 1967. Candidat unique réélu en mars 1998 pour la septième fois consécutive, le général Suharto a dû démissionner face à de violentes émeutes et à la défection de l'armée : le 21 mai 1998, le vice-président Habibie lui succédait. En novembre 1999, Abdurrahman Wahid, alias Gus Dur, chef du PKB (parti musulman), a été élu président de la république par l'Assemblée consultative du peuple ; il a été remplacé par Megawati Sukarnoputri en juillet 2001.

Depuis la réforme de janvier 1999, l'Assemblée consultative du peuple se compose des 500 membres de la Chambre des représentants et de 200 délégués désignés dont 135 représentants de régions. La Chambre des représentants est formée de 462 élus au suffrage universel et de 38 militaires nommés. L'Assemblée est donc composée de 34 % de membres désignés, contre 60 % sous le régime de Suharto. Ce dernier avait autorisé seulement trois partis politiques : le Golkar (émanation du pouvoir), le PPP (parti d'union pour le développement, d'origine musulmane,) et le PDI-P (parti démocratique d'Indonésie). Dès juin 1998, le président Habibie légalisa le multipartisme ; depuis, nombre de partis nouveaux se sont créés et l'on vit s'affronter 48 partis aux élections législatives de juin 1999, premières élections libres depuis 1955. Après de longues années de censure, la liberté de la presse apparaît désormais acquise.

L'idéologie du régime repose sur les cinq principes fondamentaux du *panca sila*, définis en 1945 : croyance en un dieu unique, humanisme, unité nationale, démocratie et justice sociale.

Économie

Sous la présidence de Suharto, l'Indonésie a connu trois décennies de croissance vigoureuse. Mais en 1997, elle a été atteinte de plein fouet par la crise économique frappant l'ensemble de l'Asie. Dès le début de l'année 2000, les signes de reprise étaient néanmoins encourageants.

Comme ailleurs en Asie du Sud-Est, la croissance s'est d'abord appuyée sur les exportations de matières premières, puis, à partir des années 1980, sur celles de produits manufacturés et sur les investissements étrangers. Ces derniers ont atteint 30 milliards de dollars en 1996, chiffre qui faisait de l'Indonésie l'un des tout premiers récipiendaires mondiaux de financements extérieurs. La croissance a permis de multiplier le revenu annuel par 14, pour le porter à environ 1 000 $. La misère a globalement diminué (13,5 % de la population vivant en dessous du seuil de pauvreté contre 60 % en 1965), tandis que l'espérance de vie atteignait la moyenne mondiale ; l'élévation du niveau de vie a fait apparaître une classe moyenne évaluée à 20 millions de personnes.

Passée la crise de 1997-1998, le taux de croissance est redevenu légèrement positif (+ 1 % en 1999 contre - 13,7 % en 1998), le rythme des licenciements a fortement diminué (le chômage a atteint un taux record de 30 % fin 1998), et on a noté un redémarrage dans le secteur des services, après une série de banqueroutes. Reste à savoir si l'Indonésie pourra, comme l'affirmait Suharto, rejoindre le club des nouveaux pays industrialisés (NPI) d'ici 2019. De nombreux problèmes structurels, apparus du temps de la croissance, restent à résoudre : accroissement des inégalités, énorme dette extérieure, surexploitation des ressources naturelles, déforestation, urbanisation anarchique, pollution…

Us et coutumes

Les Indonésiens sont amicaux et courtois. Chaque groupe ethnique a ses coutumes, mais tous ont en commun la recherche d'une vie harmonieuse, sans conflits avec les autres, qui a pour revers le conformisme. Plutôt que de contrarier leur interlocuteur en disant non, les Indonésiens donneront ce qu'ils croient être la réponse souhaitée, ou répondront : « peut-être », « pas encore », ou simplement « moins », formules qui sont autant de « non » de courtoisie. Il peut en résulter des quiproquos : des rendez-vous sont fixés dans le seul but de ne pas déplaire, mais l'interlocuteur peut ne jamais venir, ou bien avoir trois heures de retard. L'expression *jam karet*, à la lettre le « temps élastique », résume ce rapport au temps. Les fonctionnaires et tout ceux qui portent un uniforme sont habitués à être entourés de respect, de même que les aînés, et le sens de la hiérarchie est prononcé.

Ne pas s'emporter en public, même si l'avion prévu à midi ne part que le lendemain. Ne pas s'habiller en rouge, couleur de la colère. Ne pas donner, recevoir ou manger avec la main gauche réservée à la toilette intime (que les gauchers se rassurent, la tolérance existe). A table, ne pas commencer à boire ou manger avant d'y être invité, et ne vider son verre ou son assiette que si l'on désire être resservi. Attendre de s'être vu offrir un rafraîchissement avant de partir, sans quoi l'hôte se vexerait. Ne pas montrer du doigt, ni mettre les poings sur les hanches, ni toucher la tête d'un enfant ou d'un adulte. En position assise, ramener les jambes sous soi pour ne pas gêner son interlocuteur. Porter des tenues strictes dans les lieux de culte (surtout à Bali), et se déchausser sur le seuil des mosquées. Dans les sites touristiques et sur les parkings, avoir sur soi de la monnaie pour les gardiens, dont c'est la seule source de revenu. En période de ramadan, éviter de manger, de boire et de fumer dans les rues.

Le premier acte d'un rendez-vous d'affaires (qui a rarement lieu au jour et à l'heure initialement prévus) : l'échange des cartes de visite. Il se double d'un énoncé précis du poste occupé. Les cadres sont attachés aux signes extérieurs de réussite : costume, cravate, Rolex. Il ne faut pas se laisser abuser par l'aspect détendu (table basse, rafraîchissements, etc.) de l'entretien, ni être déconcerté par le grand nombre de collaborateurs dont l'interlocuteur s'entoure : il est rare que les Indonésiens reçoivent seul à seul. Ne pas aborder le sujet d'emblée, surtout si l'on est demandeur ; commencer par des politesses et amener l'interlocuteur indonésien à ouvrir lui-même l'entretien. Se faire cornaquer par un Indonésien qui connaît l'autre partie peut être d'un grand secours : les relations ouvrent toutes les portes, et l'on préfère le contact direct à la lettre ou au téléphone.

Les petits cadeaux (par exemple, des parfums français) et parfois les gros, font partie des usages. Enfin, il faut se souvenir que l'établissement d'un lien de confiance prime sur la démonstration des compétences, et que les Indonésiens sont aussi décontenancés par nous que nous par eux.

Heures d'ouverture

La journée des Javanais commence dès le lever du soleil et la nuit tombe vers 18 h.

En général, les bureaux ouvrent du lundi au jeudi de 8 h à 16 h ou de 9 h à 17 h, avec une longue interruption pour le déjeuner, et le vendredi de 8 h à 11 h. Certains bureaux ouvrent le samedi de 8 h à 11 h.

Les administrations accueillent le public de 8 h à 15 h du lundi au jeudi, de 8 h à 11 h le vendredi, et de 8 h à 14 h le samedi.

Les banques sont ouvertes entre 8 h et 15 h du lundi au vendredi, et de 8 h à 13 h le samedi.

Les magasins, ouverts 6 jours par semaine, ont des horaires variables mais ferment presque toujours entre 14 h et 16 h, sauf dans les centres commerciaux, où l'on peut parfois faire ses achats jusqu'à 21 h.

Jours fériés

L'Indonésie célèbre de nombreuses fêtes islamiques, mais aussi celles des religions chrétienne et hindouiste. Les dates varient d'une année sur l'autre quand elles se réfèrent aux calendriers musulman, javanais, ou balinais.

L'*Indonesia Calendar of Events*, disponible dans les agences Garuda, les ambassades et les offices du tourisme, indique les jours fériés et les événements importants.

Offices du tourisme

Directement dépendante du ministère, la Direction générale du tourisme (DGT), basée à Jakarta, a un réseau d'agences dans les principaux sites touristiques, les Kanwil Depparpostel. Cha-

que province a son propre office du tourisme, appelé Diparda (bureau provincial du tourisme) ou Bapparda (agence pour le tourisme provincial).

Indonesia Tourist Promotion Office
Wiessenhuttenplatz, 17, 60329 Francfort, tél. (49-69) 23 36 77, fax (49-69) 23 08 40
Indonesia Tourist Promotion Office
Wilshire Boulevard, 3457, Los Angeles, CA 90010 USA, tél. (1-213) 387 20 78, fax (1-213) 380 48 76

● **Jakarta**

Direction générale du tourisme
Jl. Kramat Raya, 81, P.O. Box 409, tél. (022) 310 31 17, fax (022) 310 11 46
Kanwil V Depparpostel DKI Jakarta
Jl. K. H. Abdurrohim, Kuningan Barat, Jakarta 12710, tél. (022) 51 17 42, 51 17 28 16, 51 09 68
Diparda DKI Jakarta
Jl. Abdurrohim, Kuningan Barat, Jakarta 12710, tél. (022) 51 10 70, 51 17 38, 51 13 69

● **Java-Centre**

Kanwil VII Depparpostel Jawa Tengah
Jl. K. H. Ahmad Dahlan, 2, Semarang 50241, tél. (0291) 31 80 21
Diparda Tk. I Jawa Tengah
Jl. Imam Bonjol, 209, Semarang 50133, tél. (0291) 51 09 24

● **Yogyakarta**

Kanwil VIII Depparpostel D.l. Yogyakarta
Jl. Adisucipto, 7-8, P.O. Box 003, Yogyakarta 87899, tél. (0274) 51 50
Diparda D.l. Yogyakarta
Jl. Malioboro, 14, Yogyakarta 55271, tél. 35 43, 28 12

● **Java-Ouest**

Kanwil VI Depparpostel Jawa Barat
Jl. K. H. Penghulu Hasan Mustafa, Bandung 40263, tél. (022) 70 56 74, 70 54 17
Diparda Tk. I Jawa Barat
Jl. Cipaganti, 151-153, Bandung, tél. 814 90, 562 02

● **Java-Est**

Kanwil VI Depparpostel Jawa Timur
Jl. Jend. A. Yani, 242-244, Surabaya 60235, tél. (031) 81 53 12
Diparda Tk. I Jawa Timur
Jl. Darmokali, 35, Surabaya, tél. (031) 57 54 48

Ambassades et consulats

Ambassade de France
Jl. M. H. Thamrin, 20, Jakarta Pusat, tél. 314 28 07
Agence consulaire de France à Bandung
Jl. Purnawarman, 32, tél. (022) 44 58 64
Agence consulaire de France à Yogyakarta
Institut franco-indonésien, Jl. Sagan, 1, tél. 56 65 20

Agence consulaire de France à Surabaya
Jl. Darmokali, 10, tél. (031) 57 86 39
Ambassade de Belgique
Wisma BCA, 15ᵉ ét., Jl. Jend. Sudirman Kav. 22-23,
Jakarta 12920, tél. (022) 571 05 10
Ambassade de Suisse
Jl. H. R. Rasuna Said Block X 2-3, Kuningan,
Jakarta 12950, tél.(022) 525 60 61
Ambassade du Canada
Wisma Metropolitan I, 5ᵉ ét., Jl. Jend. Sudirman
Kav. 29, Jakarta 12920, tél. (022) 525 07 09

Courant électrique

L'intensité est de 220 V, sauf dans certains villages
reculés encore alimentés en 110 V. Un adaptateur
est utile, les prises étant aux normes américaines.

COMMENT SE DÉPLACER

En avion

Merpati, filiale de Garuda, assurera peu à peu tous
les vols intérieurs. Les compagnies Bouraq,
Mandala et Sempati, se partagent le reste du marché. Garuda, Merpati et Sempati disposent d'appareils récents et offrent un service de qualité. Quelle
que soit la compagnie, réservation et confirmation
sont simples et fiables. L'été, pour éviter les sur-
réservations, mieux vaut confirmer deux fois.

On peut payer les billets d'avion par carte bancaire dans les agences de voyages ou auprès des
compagnies. Les prix sont trois fois moindres
qu'en Europe. La carte internationale d'étudiant
donne des réductions. Les billets pour les vols intérieurs achetés dans le pays de départ sont souvent
plus chers, sauf avec le *pass* qui permet de faire de
nombreux trajets à un prix intéressant.

● **Agences Garuda**

Jakarta
- Wisma Dharmala Sakti, Jl. Sudirman, 32,
tél. (021) 570 61 06, 570 61 55
- Hotel Indonesia, Jl. M. H. Thamrin,
tél. (021) 310 05 68
- Borobudur Inter-Continental Hotel, Jl. Lapangan
Banteng Selatan, tél. (021) 36 00 33, 35 99 01
- BDN Bldg, Jl. M. H. Thamrin, 5,
tél. (021) 33 44 25, 33 44 29, 33 44 34, 33 44 30
Yogyakarta
Jl. Mataram, 60X, tél. (0274) 626 64
Bandung
Jl. Asia-Afrika, 73, tél. (022) 514 96

● **Agences Merpati**

Ambon
Jl. A. Yani, 19, tél. (0911) 524 81

Balikpapan
Jl. Surdiman, 22, tél. (0542) 223 80
Bandaneira
Jl. Nusantara, 32, tél. (0910) 210 40
Bandung
Jl. Asia Afrika, 73, tél. (022) 420 12 26
Banjarmasin
Jl. Hasanuddin Hm 31A, tél. (0511) 527 30
Batam
Joddoh Square Blok A n°1, tél. (0778) 457 288
Denpasar (Bali)
Jl. Melati, 57, tél. (0361) 261 238
Jakarta
- Jl. Angkasa, Blok B/15 Kav. 2/3,
tél. (021) 425 86 79
- Aéroport Sukarno-Hatta, tél. (021) 550 18 85
Jayapura
Jl. A. Yani, 15, tél. (0967) 331 111
Kuching (Malaisie)
8 Temple Street, tél. (082) 246 688
Manado
Jl. Surdiman, 132, tél. (0431) 640 28
Medan
Jl. B. Katamso, 72-122, tél. (061) 514 102
Padang
Jl. Sudirman, 2, tél. (0751) 320 10
Rantepao
Jl. Pao Rora, tél. (0423) 214 85
Surabaya
Jl. Raya Darmo, 3, tél. (031) 588 111, 586 40
Ujung Pandang
Jl. Gunung Bawakareang, 109, tél. (0411) 442 474
Yogyakarta
Jl. Sudirman, 63, tél. (0274) 668 89
Wamena
Jl.Trikora, 41, tél. (0969) 310 80
Singapour
c/o Satria Travel Service, PTE 9 Penang Road,
tél. 335 25 58, 338 27 67

● **Agences Bouraq**

Jakarta
Jl. Angkasa, 1-3, tél. (021) 629 53 64/88, 659 53 26/98
Bandung
Jl. Cihampelas, 27, tél. (022) 43 78 96, 43 87 95

● **Agence Mandala**

Jakarta
Jl. Garuda, 76, P.O. Box 3706, Jakarta Pusat,
tél. (021) 420 66 45

En autocar

C'est le principal moyen de transport. Climatisés
(l'air conditionné est toujours réglé à fond), plus
rapides, plus ponctuels et moins chers que le train,
ils roulent la plupart du temps de nuit. Les plus
chers font le voyage d'une traite, avec distribution

Terminal de Grogol
Tél. 59 22 74
Dans l'ouest de la ville. Autocars pour Sumatra et la côte occidentale de java.
Terminal de Kampung Rambutan
Au sud-est, près de l'embranchement qui conduit à l'ancien aéroport d'Halim. Autocars pour le sud, Bogor et Bandung notamment.
Terminal de Pulo Gadung
Jl. Bekasi Timur Raya/Jl. Perintis Kemerdekaan, tél. 489 37 42
Dans l'est. Autocars pour le centre et l'est de Java.

Minibus et taxis interurbains sont le mode de transport idéal pour les villes peu éloignées comme Bogor, Bandung ou Cirebon. Ils prennent et déposent les passagers à l'endroit de leur choix, pour un prix équivalent à celui du train et à peine supérieur à celui des autocars climatisés. Même les petits *losmen* font les réservations.
« 4848 » Inter-City taxis
Jl, Prapatan, 34, tél. 34 80 48, 36 44 88
Media
Jl. Johan, 15, tél. 34 36 43
Metro
Jl, Koni, 2C, tél. 67 45 85, 67 40 00
Parahangan
Jl. R. H. Wahid Hasyim, 13, tél. 33 61 55, 32 55 39, 33 34 34

Comment se déplacer

Taxi et transports individuels sont de loin les plus pratiques, à des prix raisonnables. Les taxis sont nombreux près des hôtels et s'arrêtent quand on les hèle. Aux heures de pointe ou quand il pleut, il est parfois difficile d'en trouver un. On peut commander des taxis par téléphone, solution conseillée si l'on doit, par exemple, se rendre à l'aéroport. S'assurer que le compteur marche et qu'il est bien à zéro lorsqu'on monte. On peut louer un taxi à l'heure si l'on fait de nombreux arrêts. Le pourboire tend à se généraliser, d'autant que les chauffeurs ont rarement la monnaie. De la trentaine de compagnies privées, la Bluebird (bleue) est parmi les plus fiables.

Les *bajaj*, triporteurs à moteur qui circulent en grand nombre, sont idéaux pour les petits trajets. À l'origine destinée au transport des marchandises, la cabine a été aménagée pour accueillir deux passagers. On les reconnaît à leur couleur orangée sombre. Le tarif, modique, se négocie à l'avance.

On peut louer un véhicule chez Avis, Hertz ou dans une compagnie locale ainsi que dans la plupart des grands hôtels. Les tarifs sont cependant assez élevés et le chauffeur est imposé. Des tarifs à l'heure où à la journée sont négociables pour les déplacements urbains. Pour un circuit à l'extérieur de la ville, le prix est fixé à l'avance.

Avis
Jl, Diponegoro, 25, tél. 33 19 74, 33 29 00
Bluebird Taxi
Jl.H. O. S. Cokroaminoto, 107, tél. 32 56 07, 33 34 61, 33 34 85
Hertz
Jl. Teuku Cik Ditiro, 11E, tél. 33 26 10, 33 27 39
Multi Sri
Jl. Diponegoro, 25, tél. 33 44 95
National Car Rental
Jl. M. H. Thamrin, 10, Kartika Plaza Hotel, tél. 33 34 23

Les autobus, bringuebalants et pétaradants, surpeuplés, chauds... sont un cauchemar urbain, mais les tarifs défient toute concurrence 700 *rupiah* le trajet ! Le parc s'est amélioré, mais monter et descendre est toujours périlleux car les chauffeurs ne s'arrêtent jamais complètement. Les voleurs à la tire y sévissent souvent.

Le centre d'information touristique de Jalan Thamrin (dans le bâtiment du Jakarta Theatre) distribue un plan des lignes.

Où loger

L'essentiel du développement hôtelier s'est porté sur les grands établissements de luxe. Les hôtels à petits prix et les *losmen* ne manquent pas, mais les places sont rares.

● **Grand luxe**

Borobudur Inter-Continental Hotel*****
Jl. Lapangan Banteng Selatan, PO. Box 329, Jakarta, tél. 380 55 55, 370 333, fax 35 97 41
860 chambres, grande piscine, nombreuses installations sportives et situation très centrale.
Grand Hyatt Jakarta Hotel*****
Jl. M . H. Thamrin, 28-30, Jakarta, tél. 33 55 51, fax 33 43 21
447 chambres et une bien belle piscine, au-dessus du centre commercial Sogo, le plus chic de la ville.
Hotel Indonesia*****
Jl. M. H. Thamrin, Jakarta Pusat, tél. 314 00 08, fax 230 10 07
600 chambres, une institution, à côté du Grand Hyatt.
Hyatt Aryaduta Jakarta Hotel*****
Jl. Prapatan, 44-46, PO. Box 3287, Jakarta Pusat, tél. 37 60 08, fax 34 98 36
331 chambres, près de la place Merdeka. L'un des meilleurs de Jakarta, excellent restaurant italien.
Jakarta Hilton International Hotel*****
Jl. Jend. Gatot Subroto, PO. Box 3315, Jakarta Selatan, tél. 570 36 00, 58 79 81, fax 573 30 89
617 chambres, près du palais des Congrès, ce qui lui vaut, ainsi qu'à ses neuf restaurants, d'être très fréquenté. Nombreuses installations sportives.

Mandarin Oriental Hotel*****
Jl. M. H. Thamrin, P.O. Box 3392, Jakarta,
tél. 32 13 07, fax 32 46 69
459 chambres, luxe asiatique et nombreux restaurants.

Le Méridien Jakarta Hotel*****
Jl. Jend. Sudirman Kav., 18-20, Jakarta Pusat,
tél. 571 14 14, fax 571 16 33
265 chambres, près du boulevard Thamrin. Avec son bar en bambou qui sert de vrais expressos au bord de la piscine, havre au cœur de Jl. Sudirman.

Sahid Jaya Hotel & Tower
Jl. Jend. Sudirman, 86, P.O. Box 41, Jakarta Pusat,
tél. 570 44 44, fax 573 31 68
750 chambres, l'un des plus grands hôtels de la ville, très central.

Shangri-La Hotel*****
Jl. Jend. Sudirman Kav., 1, Jakarta Pusat,
tél. 570 74 40, fax 570 35 30
669 chambres, tour de 32 étages, restaurants français et asiatiques.

● **Luxe**

Ancol Travelodge****
Jl. Lodan Timur, 7, Jakarta Utara 14430,
tél. 640 56 41, fax 640 52 62
309 chambres.

Citra-Land Hotel****
Jl. S. Parman, P.O. Box 6282, Jakarta Barat,
tél. 566 06 40, fax 568 16 16
330 chambres.

Le Cristal Hotel****
Jl. Taragong Raya, 17, Pondok Indah, Jakarta Selatan 12430, tél. 750 70 50, fax 750 71 10
328 chambres.

Jayakarta Tower Hotel****
Jl. Hayam Wuruk, 126, P.O. Box 803,
Jakarta Pusat, tél. 62 44 08, fax 649 67 60
425 chambres.

Kartika Chandra Hotel****
Jl. Jend. Gatot Subroto, Jakarta, tél. 525 10 08,
fax 520 42 38
146 chambres. Au sud, dans une jungle immobilière, il détonne par son architecture emphatique.

President Hotel****
Jl. M. H. Thamrin, 59, Jakarta Pusat, tél. 32 05 08,
fax 333 11 22
315 chambres. Restaurants japonais.

Sari Pan Pacific Hotel****
Jl. M. H. Thamrin, 6, P.O. Box 3138, Jakarta Pusat,
tél. 312 37 07, fax 312 36 50
500 chambres. Bien situé, salon de thé et pâtisserie renommés.

● **Intermédiaire**

Hôtels deux et trois étoiles, en général avec piscine et restaurant, chambres climatisées avec salle de bains. Sélection non exhaustive d'établissements bien placés aux prestations correctes.

Cikini Sofyan Hotel***
Jl. Cikini Raya, 79, Jakarta Pusat, tél. 314 06 95,
fax 310 04 32
115 chambres.

City Hotel***
Jl. Medan, Glodok, 1, Jakarta Barat, tél. 629 70 08,
fax 649 73 74
200 chambres.

Garden Hotel***
Jl. Kemang Raya, Kebayoran Baru, P.O. Box 12730 KBY, Jakarta Selatan, tél. 799 58 08, fax 798 97 63
113 chambres.

Grand Hotel Paripurna**
Jl. Hayam Wuruk, 25-26, tél. 35 42 91, fax 37 63 11
64 chambres.

Ibis Kemayoran Hotel***
Jl. Bungur Besar, 79-81, tél. 421 01 11, fax 421 14 58
132 chambres. Chaîne française Ibis.

Interhouse Hotel**
Jl. Melawai Raya, 1820, P.O. Box 128,
Kebayoran Baru, Jakarta, tél. 71 64 08
130 chambres. Au cœur du Blok M.

Kartika Plaza Hotel***
Jl. M. H. Thamrin, 10, P.O. Box 2081,
Jakarta Pusat, tél. 314 10 08, fax 322 54 70
270 chambres.

Kebayoran Inn**
Jl. Senayan, 87, Kebayoran Baru, Jakarta Selatan,
tél. 739 10 01, fax 739 89 26
61 chambres. Cadre calme et résidentiel.

Kemang Hotel***
Jl. Kemang Raya Kebayoran Baru, P.O. Box 163,
KBY, Jakarta Selatan, tél. 799 32 08, fax 799 36 20
100 chambres.

Marco Polo Hotel**
Jl. Teuku Cik Ditiro, 19, Jakarta Pusat, tél. 32 54 09,
fax 32 76 17
235 chambres.

Grand Menteng Hotel***
Jl. Matraman Raya, 21, Jakarta Timur, tél. 858 08 93
132 chambres. Les trois hôtels Menteng ont un bon rapport qualité/prix.

Menteng I Hotel**
Jl. Gondangdia Lama, 28 Jakarta Pusat, tél. 32 52 08
71 chambres. Dans le quartier résidentiel de Cikini, a la faveur des voyageurs en raison de sa situation et de ses prix. Petits déjeuners excellents et piscine.

Menteng II Hotel**
Jl. Cikini Raya, 105, Jakarta Pusat, tél. 32 55 40
70 chambres.

Metropole Hotel**
Jl. Pintu Besar Selatan, 39, Jakarta Barat,
tél. 691 19 21, fax 690 77 85
80 chambres.

Orchid Palace Hotel***
Jl. Letjend. S. Parman, Slipi. P.O. Box 2791,
Jakarta Barat, tél. 568 29 11, fax 568 45 84
80 chambres.

Putri Duyung Cottage***
Taman Impian Jaya Ancol, Jakarta Utara,
tél. 68 01 08, fax 68 36 14
124 chambres.
Sabang Metropolitan***
Jl. Haji Agus Salim, 11, P.O. Box 2725,
Jakarta Pusat, tél. 35 40 31, fax 37 26 42
130 chambres à prix abordables. Au cœur du quartier des hôtels de luxe et des centres commerciaux.
Setiabudi Palace Hotel**
Jl. Setia Budi Raya, 24, P.O. Box 3548,
Jakarta Pusat, tél. 51 46 40, fax 51 46 51
41 chambres.
Surya Baru Hotel**
Jl. Batu Ceper, 11A, Jakarta Pusat, tél. 36 81 08,
fax 380 84 39
32 chambres.
Transaera Hotel**
Jl. Merdeka Timur, 16, P.O. Box 3380,
Jakarta Pusat, tél. 35 13 73
50 chambres.
Wisata International Hotel
Jl. M. H. Thamrin, P.O. Box 2457, Jakarta Pusat,
tél. 230 04 06, fax 32 45 97
181 chambres.

● **Économique**

Jalan Jaksa est le lieu de rendez-vous des routards (en majorité anglo-saxons). L'ambiance des *losmen* et des restaurants fleure bon les années 70. Les hôtels de cette rue et des environs (Jalan Kebon Sirih, Wahid Hasyim, etc.) se valent à peu près.
Bali International
Jl. K. H. Wahid Hasyim, 116, tél. 33 49 67
Borneo Hotel
Jl. Kebon Sirih Barat Dalam, 35, tél. 32 00 95
Djody Hotel
Jl. Jaksa, 35, tél. 32 17 32
Tranquille, on peut le préférer au trop connu et médiocre Wisma Delima.
Jusran Hotel
Jl. Kebon Sirih Barat VI, 9, tél. 32 07 73
Pondok Soedibyo
Jl. Kebon Sirih, 23, Jakarta
Royal Hotel
Jl. Juanda, 14, Jakarta, tél. 34 88 94
60 chambres.
Srivijaya Hotel
Jl. Veteran, 1, Jakarta, tél. 37 04 09
106 chambres.
Wisma Delima
Jl. Jaksa, 5
Wisma Esther
Jl. Matraman Rayu, 113

Se restaurer

Des marchés ambulants (*kaki lima*, « cinq pattes » : celles du vendeur, les roues et le pied de l'étal), qui débitent crêpes, soupes et assiettes de riz accompagné de viande, aux grands hôtels, on trouve toutes les catégories d'établissements et toutes les traditions culinaires indonésiennes.

Les *warung* installés dans la rue qui sépare le grand magasin Sarinah de l'ambassade de France sont une bonne introduction à la cuisine locale. On y mange au coude à coude avec les cadres et les employés de ce quartier d'affaires, sur de longues tables recouvertes de toile cirée. Les plats sont préparés sous les yeux des clients et le débit important est une garantie de fraîcheur.

La cuisine javanaise se divise en quatre catégories : sudanaise (ouest), centre-javanaise, est-javanaise et maduraise. Celle de Sunda, raffinée, est réputée pour ses carpes grillées (*ikan mas bakar*), son poulet grillé (*ayam bakar*), ses crevettes mijotées dans du lait de noix de coco (*udang pancet*) et ses calamars (*cumicumi*). Autre spécialité sudanaise : la salade de légumes accompagnée d'une sauce au piment et de pâte de crevette (*lalap/sambal cobek*).

Le poulet frit et le *gudeg* figurent en bonne place dans les repas de Java-Centre. Les savoureux poulets javanais sont bouillis dans un riche mélange d'épices et de lait de noix de coco puis plongés dans l'huile bouillante. Spécialité de Yogyakarta, le *gudeg* est un morceau de jacquier mijoté dans un mélange de pulpe et de lait de noix de coco, accompagné de piment et servi avec du buffle bouilli, des morceaux de poulet et des œufs.

Java-Est et Madura sont réputés pour leurs potages, notamment le savoureux *soto madura* (poulet épicé, avec un bouillon de vermicelle ou de riz), et pour les *sate* (brochettes de poulet, de mouton et parfois d'agneau) servis avec une couche de sauce pimentée à base de cacahuètes.

La cuisine sumatranaise, réputée relevée, est bien représentée. Dans ces établissements, reconnaissables à leurs vitrines où les plats sont exposés, les mets sont déposés froids sur la table, et l'on ne paie que ceux qu'on a mangés ou entamés.

La cuisine padang, encore plus relevée, est particulièrement variée.

Les innombrables fruits se mangent le plus souvent en dehors des repas ou sous forme d'une salade de fruits verts nappée de piments, le *rujak*.
Ayam Bulungan
Jl. Bulungan, 64, tél. 77 20 05
Poulet frit et *gudeg* de Java-Centre.
Ayam Goreng Monas
Jl. Silang Monas, tél. 36 37 56
Poulet frit et *gudeg* de Java-Centre.
Ayam Goreng Pemuda
Jl. Tomang Raya, 32
Ayam Goreng Ratu
Jl. Hayam Wuruk, 81, tél. 629 21 63
Ayam Goreng Mbok Berek
Jl. Prof. Supomo, 14, tél. 829 47 52

Ayam Goreng Mardun
Jl. Mangga Besar VIII, 78C, tél. 629 02 29
Athitya Loka
*Satriamandala Museum, Jl. Jend. Gatot Subroto,
tél. 51 61 02*
Gudeg Bu Tjitro
Jl. Cikajang, 80, tél. 71 32 02
Handayani
Jl. Abdul Muis, 35E, tél. 37 36 14
Jawa Tengah
Jl. Pemuda, tél. 88 41 97
Jawa Timur
Jl. Jend. A. Yani, 67, tél. 884 97
Kadipolo
Jl. Panglima Polim Raya, tél. 71 07 39
Lingkung Lembur
Jl. Jend. A. Yani, 2
Natrabu
Jl. H. Agus Salim, 9A, tél. 37 17 09
Oasis
Jl. Raden Saleh, 45, tél. 34 78 19
Pujasera 1
Jl. Mangga Besar, 65, tél. 659 24 45
Pujasera 2
Gedung Depnaker, Jl. Gatot Subroto
Regina's
Jl. Melawai Raya, 71, tél. 73 28 13
Rice Bowl
*Wisma Nusantara Bldg, 30ᵉ ét., Jl. M. H. Thamrin,
tél. 33 78 13*
Salero Bagindo
- Jl. Panglima Polim, 107, tél. 77 27 13
- Jl. Kebon Sirih, 79, tél. 310 30 47
Sari Kuring
- Jl. Silang Monas Timur, 88, tél. 35 29 72
- Jl. Matraman Raya, 69, tél. 88 19 68
- Jl. Batuceper, 55A, tél. 34 15 42
Sari Madu
Jl. Paglima Polim IX, tél. 739 04 47
Senayan Satay House
- Jl. Kebon Sirih, 31A, tél. 32 62 39
- Jl. Pakubuwono VI, 6, tél. 71 58 21
- Jl. Tanah Abang, 11-76, tél. 34 72 70
- Jl. H. O. S. Cokroaminoto, 78, tél. 34 42 48
Sinar Medan
Jl. Sabang
Spécialités d'Aceh (extrême nord de Sumatra).

● **Fruits de mer**

Naguère confinés aux ruelles du quartier portuaire et aux *warung* de Jalan Pecenongan, au nord de Medan Merdeka, les restaurants de fruits de mer ont essaimé dans toute la ville.
Casablanca
Kuningan Plaza, Jl. Rasuna Said Kav. C, 11-14
King Prawn
*Bank Pacific Bldg, Jl. Jend. Sudirman Kav., 7-8,
tél. 570 58 19*

Mina restaurant
*Sahid Jaya Hotel, Jl. Jend. Sudirman, 86,
tél. 58 41 51*
Perahu Bugis, Horison Hotel
Ancol, tél. 68 00 08
Sanur
Jl. Ir. H. Juanda III, 31
Sari Kuring
Jl. Batu Ceper, 55A, tél. 34 15 42
Yun Njan
Jl. Batu Ceper, 69, tél. 36 40 63, 36 44 34

● **Cuisine chinoise**

Elle dépasse en qualité celle des restaurants occidentaux. Les meilleurs sont dans les quartiers de Glodok et Kota et dans le centre. Impossible d'échapper au *mie bakso*, potage de nouilles agrémenté de légumes et de boulettes de viande.
Albatros
Jl. Raya Pantai Mutiara, tél. 669 71 46
Angke Restaurant
Jl. Mangga Besar, 32, tél. 629 72 54
Bakmie Gajah Mada
- Jl. Gajah Mada, 92, tél. 629 46 89
- Jl. Melawai Vl, 25, tél. 77 39 75
Bakso Super
Jl. Gajah Mada, Gajah Mada Plaza Lt., 1
Bakmie Naga
Jl. Melawai IV, 43, Jl. Matraman Raya
Bakmie Summer Palace
Jl. Cikini Raya, 60B, tél. 32 16 53
Blue Ocean
Jl. Hayam Wuruk, 5, tél. 36 66 50
Brilliant Palace
Jl. Ir. H. Juanda, 17, tél. 36 08 13
Cahaya Kota
Jl. K. H. Wahid Hasyim, 9, tél. 35 30 15
Chopstick
Jl. Persahabatan Timur, 1
Dragon City
*Lippo Plaza Podium Block, r.-d.-c.,
Jl. Jend. Sudirman Kav., 25, tél. 522 19 33*
Dragon Gate
Jl. Ir. H. Juanda, 19, tél. 36 08 13, 36 06 19
Fajar
*Golden Truly Supermarket, Jl. Suryopranoto, 8A,
tél. 35 66 09*
Flamingo
Hai Lai Bldg, 2ᵉ ét., Ancol, tél. 68 00 28
Furama
Jl. Hayam Wuruk, 72, tél. 63 25 99, 63 63 72
Istana Naga
Jl. Jend. Gatot Subroto, tél. 51 18 09
Jade Garden
Jl. Blora, 5, tél. 33 49 28, 33 30 84
Jumbo
Jl. Hayam Wuruk, 100, tél. 639 10 81
Kingdom
Taman Impian Jaya Ancol, tél. 68 17 78

Moon Palace
Jl. Melawai VIII, 15A, tél. 71 17 65
Nelayan
Hai Lai Bldg, Ancol
Oriental
Jl. Hayam Wuruk, 120, tél. 629 33 40
Palace
Gajah Mada Plaza, Jl. Gajah Mada, 1926,
tél. 35 77 25
Paramount
Jl. Blora, 35, Jl. Teuku Cik Ditiro, tél. 35 31 11
President Restaurant
Jl. Gajah Mada, 186, tél. 629 00 08
Sim Yan
Gajah Mada Pl., Jl. Gajah Mada, 1926, tél. 35 36 55
Sky Room Permai
Duta Merlin, Jl. Gajah Mada, 305, tél. 37 22 25
Summer Palace
Tedja Buana Bldg, 7ᵉ ét., Jl. Menteng Raya, 29,
tél. 33 29 89
Ratu Bahari
Jl. Batuceper, 59, tél. 37 09 18

● **Cuisine européenne**

Rarement excellente, elle est servie dans tous les
hôtels de luxe. Les nostalgiques de la cuisine française ont leurs habitudes au Petit Bistrot de Rima
Melati, au Café de Paris ou dans les restaurants du
Mandarin, de l'Hyatt et du Méridien. Le chef fran-
çais du Coffee Shop (Sari Pacific Hotel), idéal
pour un brunch ou un petit déjeuner, fait les
meilleurs pains et croissants de la ville. Les grands
hôtels proposent un petit déjeuner continental.
Arts & Curios
Jl. Kebon Binatang III, 8A, tél. 83 28 79
Près du TIM, même genre que l'Oasis, moins cher
mais avec moins de charme.
The Black Angus
Jl. H. O. S. Cokroaminoto, 86A, tél. 33 15 51
La Bodega
Jl. Terogong Raya, Cilandak, tél. 76 77 98
Cafe Expresso
Jl. Kemang Raya, 3A, tél. 79 77 54
Café de Paris
Jl. Kapten Tendean, 5
Casablanca
Kuningan Plaza, Jl. Rasuna Said Kav. C, 11-14
tél. 51 48 00
The Club Room
Mandarin Hotel, Jl. M. H. Thamrin, tél. 35 91 41
East West Barbeque
Lina Bldg, 6ᵉ ét., Jl. H. R. Rasuna Said Kuningan,
tél. 58 22 83
Le Fonda
Jl. Ir. H. Juanda, 4B, tél. 36 53 90
Front Page
Wisma Antara Bldg, Jl. Merdeka Selatan,
tél. 34 80 45

Gandy Steak House
- Jl. Gajah Mada, 82A, tél. 62 21 27
- Jl. Melawai VIII, 2, tél. 77 43 37
- Jl. H. O. S. Cokroaminoto, tél. 33 32 92
The George & Dragon
Jl. Teluk Betung, 32, tél. 32 56 25
The Green Pub
- Jakarta Theatre Bldg, Jl. M. H. Thamrin, 9,
tél. 35 93 32
- Setiabudi Bldg, Jl. H. R. Rasuna Said Kuningan,
tél. 35 65 59
Memories
Wisma Indocement, r.-d.-c., Jl. Jend. Sudirman,
tél. 578 10 08
Oasis
Jl. Raden Saleh, 47, tél. 32 63 97
Demeure coloniale néerlandaise où l'on sert
d'excellents *rijstafel*, sous les palmiers d'un ravis-
sant jardin. Possède son propre orchestre *batak*.
Orleans
Jl. Adityawarman, 67, tél. 71 56 95
The Palm Beach
Prince Centre Bldg, Jl. Jend. Sudirman, tél. 58 66 83
Pete's Club
Gunung Sewu Bldg, Jl. Jend. Gatot Subroto,
tél. 51 54 78
Le Petit Bistro
Jl. K. H. Wahid Hasyim, 75, tél. 36 42 72
Pinocchio
Wisma Metropolitan I, r.-d.-c., Jl. Jend. Sudirman,
tél. 51 47 36
Pizzaria
Hilton Hotel, Jl. Jend. Gatot Subroto, tél. 58 30 51
Ponderosa
- Wisma Antara, Jl. Merdeka Selatan, tél. 34 80 45
- S. Widjojo Centre, Jl. Jend. Sudirman, tél. 58 38 23
- Centre Point Bldg, Jl. Jend. Gatot Subroto,
tél. 578 04 80
- Arthakoka Bldg, Jl. Jend. Sudirman, tél. 58 32 80
Excellentes viandes rouges.
Raffles Tavern
Ratu Plaza, 3ᵉ ét., Jl. Jend. Sudirman, tél. 71 18 94
Shakey's Pizza
Jl. Bulungan, 8, Kebayoran Baru, tél. 77 02 88
The Swiss Inn
Arthakoka Bldg, Jl. Jend. Sudirman, 2, tél. 58 32 80
The Thistle Bar & Restaurant
Wisma Metropolitan, 18ᵉ ét., Jl. Jend. Sudirman,
tél. 58 47 36
Toba Rotisserie
Borobudur Inter-Continental Hotel, tél. 578 16 59

● **Restaurants japonais**

Les restaurants japonais et coréens sont présents
dans la plupart des grands hôtels. Pour l'Indonésie,
les prix sont assez élevés. Jakarta compte aussi des
établissements indiens, vietnamiens et thaïlandais.
Asuka
Central Plaza Bldg, Jl. Jend. Sudirman, tél. 51 16 08

Chikuyo Tei
Sunmitmas Tower, r. -d. -c., Jl. Jend. Sudirman Kav., 61, tél. 58 82 20
Chikara Tei
Mid Plaza, JI, Jend. Sudirman Kav., 10-11, tél. 58 63 69
Furusatu
Sari Pacific Hotel, JI. M, H. Thamrin, tél. 32 37 07
Ginza Benkay
President Hotel, tél. 32 05 08
Jakarta New Hama
Ratu Plaza, 4ᵉ ét., JI. Jend. Sudirman, tél. 71 18 95
Jakarta Nippon Kan
Jakarta Hilton, tél. 58 61 11
Jakarta Okoh
Horison Hotel, tél. 68 00 08, ext. 111 et 129
Kasuga
Prince Centre Bldg, Jl. Jend. Sudirman, 34, tél. 58 60 97
Keio
Borobudur Inter-Continental, Jl.. Lepangan Banteng Selatan, tél. 37 01 08
Kanpachi
Central Plaza Bldg, Jl. Jend. Sudirman, 47, tél. 520 75 88
Kobe
Wisma Dewan Press Bldg, 3ᵉ ét., Jl. Kebon Sirih,32, tél. 35 20 30
Ogayawa
Prince Centre Bldg, 1ʳ ét., JI. Jend. Sudirman, 304, tél. 58 48 85
Sagano
JI. Mahakam 1, 2, tél, 77 28 64
Shima
Hyatt Aryaduta Hotel, 17ᵉ ét., Jl Prapatan, 44-46, tél. 37 60 08
Shogun
JI. Gajah Mada, 77, tél. 63 77 99
Takano
JI. Cikini Raya, 58C, tél. 33 75 50
Tokyo Garden
Lippo Life Bldg, JI. H. R. Rasuna Said Kuningan, tél. 51 78 28
Yakiniku Daidomon
BBD Plaza, 30ᵉ ét., JI. Imam Bonjol, tél. 32 07 75
Yamato
Panin Bank Centre, JI. Jend. Sudirman, tél. 71 27 03, 71 07 57
Yamazato
Hotel Indonesia, Jl. Thamrin, tél. 32 38 75

● **Restaurants coréens**

Arirang
Jl. Gereja Theresia, 1, tél. 310 01 51
Daewon
JI. Sunan Kalijaga, 65, tél. 71 32 66, 71 70 97
Korean Garden
JI. Teluk Betung, 33, tél. 32 25 44

Korean International
JI. Melawai VI, 3 (Blok M), Kebayoran, tél. 71 37 76
Korean Tower
Bank Bumi Daya (BBD Tower), 30ᵉ ét., JI. Imam Bonjol, 61, tél. 32 01 12
New Korean Bouse
Kuningan Plaza North Tower, JI. Rasuna Said, tél. 51 38 00
Seoul House
Jl. Teluk Betung, 38, tél. 32 18 17

● **Restaurants indiens**

The Orient Express
Wijaya Grand Centre B H, 37-39, JI. Darmawangsa Raya, tél. 720 68 18
Mutu Curry
Jl. Tanah Abang Timur, 14, tél. 380 52 33

● **Restaurant vietnamien**

Peregu
Jl. Sunan Kalijaga, 64-65, tél. 77 48 92

● **Restaurants thaïlandais**

D'jit Pochana
Kehutanan Bldg, r.-d.-c., JI. Jend. Gatot Subroto, tél. 58 17 84
Siam Garden
Wisma Hayam Wuruk, 3ᵉ ét., JI. Hayam Wuruk, 8, tél. 35 83 00

Achats

Jakarta n'est pas encore un paradis, des bonnes affaires, comme Singapour, mais l'allégement des taxes à l'importation, la libéralisation du commerce, les bas salaires et les facilités consenties aux investisseurs étrangers ont attiré à Java des industriels étrangers de l'habillement, de la chaussure et des articles de sport.

On y trouve également de l'électronique et de l'informatique.

● **Batik**

Quantité d'échoppes vendent des articles de bonne qualité, en particulier les boutiques de la rue Palatehan 1, dans le centre commercial Blok M.
Amri
JI. Utan Kayu, 66E
La meilleure adresse pour les peintures sur batik.
Batik Berdikari
JI. Masjid Pal VII, Palmerah Barat, tél. 32 36 63
Le plus large choix de Jakarta, en particulier imprimés à la machine. On peut visiter les ateliers.
Batik Hajadi
Jl. Palmerah Utara, 46, tél. 54 06 56, 54 05 84

Batik Keris
Jl. Cokroaminoto
Batik Mira
Jl. M.P.R. Raya, 22, tél. 76 11 38
Batik Semar
Jl. Tomang Raya, 54, tél. 59 35 14
Batik Wijaya
Jl. H. Agus Salim, tél. 33 78 91
Danar Hadi
Jl. Raden Saleh, 1A, tél. 34 23 90, 34 37 12
Originaire de Solo, spécialisé dans les batiks *tulis*, les robes et chemises en batik. Plus intéressant que la GKBI.
GKBI (Coopérative gouvernementale)
Jl. Jend. Sudirman, 28, tél. 58 10 22
Hayadi
Jl. Palmerah Utara, 46, tél. 548 05 84
On peut visiter les ateliers.
Iwan Tirta
- *Jl. Panarukan, 25, tél. 33 31 22*
- *Jl. Kemang Raya Kay. 1*
- *Kebayoran Baru, Jakarta Selatan, tél. 799 82 49*
Célèbre styliste de haute couture.
Keris Gallery
Jl. HOS Cokroaminoto, 87-89, Jakarta Pusat, tél. 32 69 93, 33 45 16
Ratu Plaza
Jl. Jend. Sudirman, r.-d.-c., tél 71 15 79
Royal Batik Shop
Jl. Palatehan I, 41, tél. 77 35 99
Semar
- *Jl. Tomang Raya, 54, tél. 59 35 14*
- *Jl. Hang Lekir II, tél. 77 18 49*
- *Sarinah, 4ᵉ ét., Jl. M. H. Thamrin*
Sidomukti
Jl. Prof. Dr. Saharjo, tél. 829 12 71
Srikandi
- *Jl. Melawai VI, 6A, tél. 73 66 04*
- *Jl. Cikini Raya, 90, tél. 35 44 46*
Aéroport Sukarno-Hatta
Terminal A, tél. 550 70 92

● **Artisanat et antiquités**

A part les meubles en rotin, Jakarta n'a guère d'artisanat, mais elle est le premier débouché de l'archipel. Les prix s'en ressentent, mais le choix aussi. Le rayon artisanat des grands magasins Sarinah (surtout celui de Kebayoran) regorge de paniers en fibres végétales des îles de la Sonde, de mobilier en rotin, de sandalettes en cuir, de batiks, de velours, de sculptures, de poteries...

Le « marché de l'art » (Pasar Seni) du parc d'attractions d'Ancol donne un aperçu de la peinture et de la sculpture. Les antiquaires des rues Kebon Sirih Timur Dalam et Majapahit dans le centre, ainsi que ceux de Jalan Palatehan, à Kebayoran Baru, vendent aussi de l'artisanat. A l'instar d'Irian Art, il y a des enseignes spécialisées dans l'art primitif et l'artisanat « ethnique ».

On trouve des antiquités un peu partout, mais certaines rues concentrent de nombreux magasins. Sur Jalan Kebon Sirih Timur Dalam, près de Jalan Jaksa, les boutiques encombrées vendent de vieux meubles, des tissus anciens, des porcelaines, des masques et des poupées. Toujours dans ce quartier, à quelques minutes à pied du Sarinah, Jalan Agus Salim compte de nombreuses boutiques.

Jalan Surabaya, près de Jalan Diponegoro, est le marché d'antiquités le plus connu mais aussi le plus surfait. Une trentaine d'échoppes vendent des objets papous (Irian Jaya), des calendriers bataks (Sumatra) et toutes sortes de pièces à l'origine incertaine (les copies abondent).

La rue Palatehan I a vu se multiplier les galeries et les boutiques chic (Djelita, Maison Young, Urip, Pura, Pigura, Royal, Tony's, Oet's), fréquentées par la communauté étrangère et les riches Jakartanais.

Alex Papadimitriou
Jl. Pasuruan, 3
Mobilier de l'époque hollandaise, antiquités.
Arjuna Craft Shop
Jl. Majapahit, 16A, tél. 34 42 51
Statuaire.
Bali Art & Curio
Jl. Kebon Sirih Timur Dalam, 42, tél. 32 22 51
Bandung Art Shop
Jl. Pasar Baru, 18, tél. 36 27 22
Banka Tin-Artshop
Jl. K. H. Wahid Hasyim, 178, tél. 33 35 26
Spécialisé dans les articles en étain.
Bima Arts & Curios
Jl. Kebon Sirih Timur Dalam, 257
Djelita Art Shop
Jl. Palatehan I, 37, tél. 77 03 47
Peintures, statues, batiks.
Djody Art & Curio
- *Jl. Kebon Sirih Timur Dalam, 42, tél. 34 77 30*
- *Borobudur Inter-Continental Hotel,*
Jl. Lapangan Banteng Selatan, tél. 37 01 08
Statues, peintures, textile.
Garuda NV
Jl. Majapahit, 12, tél. 34 27 12
Statues.
Hadiprana Gallery
Jl. Palatehan I, 38, tél. 77 10 23
Indonesia Bazaar
Jakarta Hilton Hotel, Jl. Jend. Gatot Subroto, tél. 570 36 00
Irian Art and Gift Shop
Jl. Pasar Baru, 16, tél. 34 34 22
Art primitif, batiks, argent, cuir.
Jakarta Handicraft Centre
Jl. Pekalongan, 12A, tél. 33 81 57
Artisanat.
Johan Art Curio
Jl. H. Agus Salim, 59A, tél. 33 60 23
Porcelaines chinoises et statues. A la bonne habitude de rembourser les clients qui changent d'avis.

King's Gallery
- *Jl. H. Agus Salim, 5, tél. 32 33 16*
- *Jl. K. H. Hasyim Ashari, 36, tél. 34 56 02*
Lee Cheong WV
Jl. Majapahit, 32, tél. 34 85 70
Lindungan Store
Jl. II. Agus Salim, 48, tél. 34 28 19
Lucky Art Shop
Jl. Ciputat Raya, 2, tél. 74 27 74
Made Handicraft
Jl. Pegangsaan Timur, 2
Magasin L'Art
Jl. Cikini Raya, 71
Majapahit Art & Shop
Jl. Melawai III, 4, Blok M, Kebayoran Baru, tél. 71 58 79
Naini's Fine Arts
Jl. Palatehan I, 20, Kebayoran Baru
Pigura Art & Gift Shop
Jl. Palatehan I, 41, Kebayoran Baru, tél. 77 11 43
Statues, peinture, batik, textile.
Pura Art Shop
Jl. Palatehan I, 43, tél. 77 31 73
Rama Art Curio & Antiques
Jl. Kebon Sirih Dalam, 5-BE, tél. 32 59 83
Ramayana
Jl. Ir. H. Juanda, 14A
Srirupa Shop
Jl. Pekalongan, 16
Mobilier de l'époque hollandaise.
Tony's Gallery
Jl. Palatehan I, 31, Kebayoran Baru
Urip Store
Jl. Palatehan I, 40, Kebayoran Baru

● **Bijouteries**

Nombre de joailliers conçoivent et réalisent sur place des pièces en or, en argent ou serties de pierres. Les prix sont plus élevés qu'à Bali ou à Kota Gede, mais on trouve des travaux plus inventifs et mieux finis : diamants de Bornéo, améthystes, perles naturelles, opales noires de Java… montés sur des bagues, des bracelets, des broches, des colliers, etc. Jakarta tient aussi le premier rang pour le filigranage et le repoussage des métaux. Vérifier le cours officiel de l'or et de l'argent permet de marchander en connaissance de cause le prix de la conception et du façonnage. Les meilleures bijouteries sont dans les grands hôtels.
Ana Gold
Gajah Mada Plaza, 1F-39, Jl. Gajah Mada, tél. 34 14 37
Christian Diamond Jewellery
Ratu Plaza, G35-36, Jl. Jend. Sudirman, tél. 71 18 19
Dinasty Collection
Ratu Plaza, G8B, Jl. Jend. Sudirman, tél. 71 18 15
F. Spiro Jewellers
Jakarta Hilton Hotel, tél. 58 74 41

Jay's Jewellery
Shopping Arcade, Mandarin Oriental Hotel, Jl. M. H. Thamrin, tél. 32 13 97
Joyce Spiro Jewellery
Shopping Arcade, Hotel Sari Pacific, Jl. M. H. Thamrin, tél. 32 37 07
Judith Tumbelaka
Jl. H. Agus Salim, 94, tél. 34 82 52
Kevin's Jewellery
Jakarta Hilton Hotel
Linda Spiro Jewellery
Shopping Arcade, Borobudur Inter-Continental, Jl. Lapangan Banteng Selatan, tél. 37 01 98
Olislaeger Jewellers
Jl. Ir. H. Juanda II, tél. 34 18 50
Pelangi Jewellery
Jakarta Hilton Hotel, tél. 58 79 81
Pelangi Opal & Jewellery Centre
Jl. R.S. Fatmawati, 42, Cilandak, tél. 760 15 23
SCL Jewellery
Gajah Mada Plaza, 1F-45, Jl. Gajah Mada, tél. 34 64 52
Sesotya
Sahid Jaya Hotel
Sri Sadono
Hotel Indonesia

● **Peinture**

La peinture indonésienne compte trois catégories : traditionnelle, moderne et commerciale. Les artistes les plus importants exposent à la galerie Duta ou dans leur propre galerie, comme celle d'Adam Lay. La presse locale en langue anglaise (*Jakarta Post*) donne la liste des expositions et le programme du TIM (centre culturel de Jakarta).

On trouve des peintures traditionnelles, notamment balinaises, dans les boutiques de souvenirs et chez les antiquaires. Taman Suropati, dans le quartier des ambassades, est le royaume du kitsch. Le marché de l'art d'Ancol (Pasar Seni) propose des œuvres inégales, mais certaines dignes d'intérêt. Jalan Veteran, près de la grande poste, est le rendez-vous des portraitistes et des caricaturistes.
Adam's Gallery
Sari Pacific Shopping Arcade
Duta Fine Arts Gallery
Jl Kemang Utara, 63
Haris Art Gallery
Jl. Cipete, 41, Kebayoran Baru, tél. 76 68 60
Oet's Hallmark
Jl. Palatehan I, 32-33, Kebayoran Baru, tél. 71 36 32

● **Centres commerciaux**

Climatisés, pavés de marbre, ils vendent les grandes marques du prêt-à-porter, des cosmétiques ou de la chaussure (souvent de fabrication locale). Ils sont plus chers que les ruelles et les marchés. La fin d'après-midi est le meilleur moment pour le lèche-vitrines. L'immense emporium de Blok M, à

Kebayoran Baru, et Pasar Baru, au nord-est de Medan Merdeka, sont les deux plus intéressants.

Aldiron Plaza
Jl, Melawai, Kebayoran Baru
Duta Merlin Shopping Centre
Jl. Gajah Mada
Gajah Mada Plaza
Jl. Gajah Mada, 19-26
Glodok Plaza
Jl. Pinangsia
Glodok Shopping Centre
Quartier chinois de Glodok
Electronique.
Hayam Plaza
Jl. Hayam Wuruk
Pasar Senen
Jl. Pasar Senen
Textiles, appareils électriques, prêt-à-porter, etc.
Jalan Sabang
Près de Jl. Agus Salim
Matahari Department Store
- *Ratu Plaza Shopping Centre, 3ᵉ ét., Blok M, 11, Melawai IV*
- *Pasar Senen, 1ᵉ ét.Pasar Baru*
- *Zone commerciale de Jatinegara*
Numéro un de la grande distribution. On peut faire de bonnes affaires.
Pasar Baru
Plusieurs immeubles de boutiques, où l'on trouve de tout (textiles, prêt-à-porter).
Pasar Raya (Sarinah Jaya)
Jl. Iskandarsyah, 2, tél. 73 01 71
Pasar Tanah Abang
Près du Sarinah
Textiles et batiks.
Ramayana Department Store
- *Pasar Senen, 21ᵉ ét., tél. 35 36 77*
- *Blok M, Jl. Melawai IV, 27, tél. 77 25 95*
- *Jl. Agus Salim, 22, tél. 33 77 13*
Ratu Plaza
Jl. Jend. Sudirman, Senayan
Supermarché, boutiques de vêtements, d'électronique, de souvenirs, restaurants, une bonne librairie et un cinéma.
Sarinah Department Store
Jl. M. H. Thamrin, 11, tél. 32 74 25
Récemment rénové, c'est le plus ancien et le plus central.
Tomang Plaza
Jl. Kyai Tapa

Vie nocturne

● **Spectacles**

A l'exception des spectacles dominicaux de Taman Mini Indonesia Indah (théâtre et danse) et du musée du Wayang (spectacles de marionnettes de 10 h à midi), la vie culturelle se passe surtout la nuit. La capitale accueille des spectacles de tout l'archipel et des artistes du monde entier.

La radio d'État (RRI) retransmet en direct et en public, depuis ses studios de Jalan Medan Merdeka Barat, des représentations de *wayang* et des concerts classiques par des formations indonésiennes. Téléphoner à RRI pour connaître le programme et les conditions d'admission.

De grands hôtels, comme le Borobudur et le Hilton, organisent des spectacles (danses, concert, théâtre) et, dans certains restaurants, on peut assister à des concerts de musique traditionnelle.

Le marché de l'art (Pasar Seni) du parc d'attractions d'Ancol (10 km du centre) propose deux ou trois spectacles nocturnes en plein air par semaine, à l'issue desquels on peut déambuler entre les éventaires des peintres et des artisans. De petits cafés proposent bière fraîche et soupe aux nouilles.

Taman Ismail Marzuki
Jl. Cikini Raya, 73, Menteng
La plus grande institution culturelle de Jakarta : théâtre traditionnel ou moderne, jazz ou *gamelan*, cinéma indonésien ou étranger, danse classique indonésienne ou marionnettes. C'est en même temps un centre d'enseignement des arts. Ambiance détendue, le public et les artistes sont avides d'échanges avec les étrangers de passage. De petits restaurants sont installés le long des allées. Pour les dates des manifestations, se renseigner auprès des hôtels et dans la presse locale en langue anglaise, qui donnent aussi des informations sur la programmation du Gedung Kesenian.

Gedung Kesenian
Jl. Pos/Jl. Kesenian
Artistes indonésiens et étrangers.
Wayang Orang Bharata Theatre
Jl. Pasar Senen, 15
Représentations de *wayang orang* très bonne qualité de 20 h à 23 h. Le public se compose presque seulement de Javanais venus en famille.

La plupart des centres culturels étrangers programment des spectacles locaux et de leur pays (concerts, théâtre, cinéma...)
British Council
Widjojo Centre, Jl. Jend. Sudirman, 56
Centre culturel français (CCF)
Jl. Salemba Raya, 25, tél. 88 22 84
Erasmus Huis
Jl. H. R. Rasuna Said
Goethe Institut
Jl. Matraman Raya, 23
Indonesia-America Friendship Society
Jl. Pramuka Kav. 30,
tél. 881-241, 883-536, 883-867

● Cinéma

Les complexes multisalles avec grand écran et air conditionné se sont multipliés. Ils projettent surtout des films étrangers (États-Unis, Hong Kong). Dans les petits cinémas de quartier, le spectacle est dans la salle autant que sur l'écran. Les films indonésiens sont en général des comédies bon enfant, mais certains sont de véritables chroniques sociales ou prennent pour thème un événement historique.

● Bars et boîtes de nuit

La vie nocturne est intense : bars, boîtes de nuit, scène rock et *dangdut* (la variété locale) sont en plein essor. Dans les boîtes de nuit, expatriés et touristes côtoient la jeunesse dorée indonésienne, sur fond de musique techno ou disco. La mode change vite, mais le Pitstop et l'Oriental Club (Hilton), aux prix élevés, attirent toujours beaucoup de monde. Moins cher et plus décontracté, le Tanamur, la plus ancienne boîte de nuit d'Asie du Sud-Est, accueille une clientèle hétéroclite, de même que les nombreux établissements nocturnes du parc de loisir d'Ancol. Celle de l'hôtel Bali International a les faveurs des *rambut panjang* (« cheveux longs ») et des jeunes touristes qui résident dans le quartier (Jalan Jaksa est toute proche).

Les Occidentaux se retrouvent dans les bars de Jalan Palatehan ou de Blok M. les hôtels Mandarin et le Hyatt proposent aussi des soirées jazz.

Au programme dans les boîtes de nuit et les bars chinois des rues Gajah Mada et Hayam Wuruk (Blue Ocean, Sky Room, Paramount ou Tropicana) : cuisine chinoise et rengaines langoureuses susurrées par des chanteurs de charme taïwanais.

Blue Moon
Jl. Gajah Mada, 37, tél. 639 40 08
Blue Note
Atria Square, Jl. Jend. Sudirman Kav. 334,
tél. 573 2883
Blue Ocean
Jl. Hayam Wuruk, 5, tél. 36 66 50, 36 11 94
Ebony
Kuningan Plaza, Jl. H. R. Rasuna Said
Executive Club Le Mirage
Hotel Said Jaya, tél. 68 70 31
Executive Club
Garden Hotel, tél. 79 58 08
Green Pub Rest & Bar
Jakarta Theatre Bldg, tél. 35 93 32
Soirées animées par des orchestres de jazz et de *country*. Rendez-vous des Occidentaux.
Hotmen Bar Diskotik
Hotel Menteng, tél. 32 52 08
Rendez-vous des Européens.
Jaya Pub
Jaya Bldg, Jl. M. H. Thamrin, 12, tél. 32 75 08
Piano-bar agréable où commencer la soirée.

L.C.C.
Jl. Silang Monas, tél. 35 35 25
Manhattan Disco
Jl. Pantai Indah, Copacobana Bldg, Ancol
Metropolis Dine and Dance
Niaga Tower, Jl. Jend. Sudirman, tél. 2505-5713
Marcopolo
Jl. Cik Ditiro, tél. 32 66 79
News cafe
Setiabudi, Jl. H. R. Rasuna Said, tél. 525-7378
New Flamingo
Taman Impian Jaya Ancol, tél. 68 32 27
New Oriental Diskotik
Hotel Hilton, tél. 830 51
Nirwana Supper Club
Hotel Indonesia, Jl. M. H. Thamrin,
tél. 32 00 08, 32 20 08
Artistes de cabaret européens et australiens.
Permata
Bakrie Bldg, Jl. H. R. Rasuna Said
Pete's Place
Jl. Gatot Subroto
Piano-bar agréable où commencer la soirée.
Pink Panther
Hotel Bali Inter-Continental, tél. 33 49 67
Pitstop Diskotik
Hotel Sari Pacific, tél. 32 37 07
Sea Side
Taman Impian Jaya Ancol, tél. 68 15 12
Shamrock
Jl. Pantai Indah, Taman Impian Jaya Ancol,
tél. 68 30 05
Stardust
Jayakarta Tower Hotel, tél. 629 44 08
Tanamur
Jl. Tanah Abang Timur, 14, tél. 35 39 47
The Grand Palace
Jl. Gajah Mada, 19-26, tél. 35 42 03
Zanzibar Cafe
Victoria 2F, Jl. Sultan Hasanuddin,
Kebayoran Baru, tél. 725-5527

ILES SERIBU

Ce chapelet d'îles aux plages de sable blanc piquées de palmiers est un paradis de la plongée et du farniente, fréquenté le week-end. Meilleure période : de mai à septembre, en saison sèche, lorsque les fonds sont clairs et les vents calmes.

Quatre groupes d'îles sont plus fréquentés que les autres. Le premier, à 3 km de la capitale, comprend Onrus, Kelor, Kahyangan, Air (Ayer), Bidadari (ou Sakit), Bokor, Damar et Rambut. Onrus, autrefois port de carénage de la VOC, vit Cook y faire réparer l'*Endeavour* en 1770. L'île, de même que ses voisines Kelor et Kahyangan, conserve les restes d'un fort hollandais. A 30 mn d'Ancol, Air (ou Ayer) a des bungalows en bord de plage. Pulau Bidadari (« île de la créature céleste ») abritait une colonie de lépreux. Sur Damar, un phare guide les avions dans leur approche de Jakarta. Rambut est une réserve d'oiseaux (hérons, cigognes, cormorans, et oiseaux de mer de mars à juillet).

A 100 km de Jakarta, Pantara Timur et Pantara Barat comptent des hôtels de luxe ; l'hébergement est plus rustique (bungalows sous les cocotiers) à Pelangi (alias Tondan Barat), qui possède des courts de tennis et un restaurant sur l'eau, et surtout sur sa voisine Papa Theo, plébiscitée par les plongeurs, ainsi que Piniki, isolée à l'est.

Proches des précédentes, les trois îles Putri et Pulau Melinjo sont devenues des centres de plongée privés, luxueux sur les premières, plus accessible sur la seconde.

Aller aux îles Seribu

En bateau à moteur de la marina d'Ancol (parc de loisirs du même nom, dans le nord de Jakarta), tous les matins vers 7 h 30. Pour Onrus et ses voisines, 30 mn de traversée, pour Rambut, 1 h, pour Puteri et Melinjo, 3 h. Un bac part vers 7 h de Tanjung Priok (quai Sanggar Bahari) et dessert les îles plus proches (retour dans l'après-midi). Une vedette, du quai Kartika Bahari, dessert les plus lointaines (Kotok, Putri, Malinjo, Pelangi, Papa Theo, Pantara *alias* Hantu).

En avion, avec Pulau Seribu Paradise, société en charge du développement touristique de l'archipel.
Pulau Seribu Paradise
Setiabudi Bldg 1, r.-d.-c., bloc C1, tél. (021) 517 803

Où loger

Papa Theo
Jl. M. H. Thamrin, Jakarta Pusat, tél. (021) 320 807
Pulau Air (ou Ayer)
Pt. Sarotamu Bumi Perkasa, Jl. Ir. H. Juanda III, 6, Jakarta 10120, tél. (021) 384 2031
Pulau Bidadari
c/o Marina Ancol, Taman Impian Jaya Ancol, Jakarta 14430, tél. (021) 680 048, fax (021) 690 3028
Pulau Pantara (Pulau Hantu)
Pt. Pantara Wisata Jaya, Hotel Borobudur, Jl. Lapangan Banteng Selatan, tél. (021) 370 108
Pulau Pelangi, **Pulau Putri**, **Pulau Melinjo**
Pt. Pulau Seribu Paradise, Jl. KH. Wahid Hasyim 69, Jakarta 10350, tél. (021) 335 535, fax (021) 384 85 33
Pulau Rambut et **Pulau Bokor**
P. H. P. A. Dinas Kehutanan, DKI Jakarta, Jl. Rasuna Said, Kuningan, tél. (021) 520 14 22
Pulau Sepa
Thousand Islands Resort and Diving Centre, Jl. Kali Besar Barat 29, Jakarta 11230, tél. (021) 690 59 35

BANTEN ET LA CÔTE OUEST

Au programme, pour une escapade d'une semaine dans cette région ignorée (à tort) des touristes : Banten, ancienne capitale du poivre, le célèbre Krakatau et le parc national d'Ujung Kulon, refuge des derniers rhinocéros de Java.

Juste avant d'arriver à **Banten**, on voit, à droite de la chaussée et au milieu des rizières, la tombe de Maulana Yusuf, troisième souverain du lieu. Après un pont et un virage à gauche apparaît la grand-place de Banten, avec la grande mosquée et son minaret blanc, et les vestiges du Surosawan, le palais des sultans, au sud. Au XVIᵉ siècle, une épaisse muraille entourait la ville et son port. Elle protégeait le Surosawan et les quartiers résidentiels, commerçants et populeux, où se côtoyaient les peuples des mers du Sud et les premiers Européens de passage. Détruit en 1810, ce palais n'est plus que décombres, mais des fouilles ont mis au jour un système d'alimentation en eau qui reliait les bains et le jardin d'agrément du sultan au Tasik Ardi, vaste lac artificiel. Au nord-ouest de la grand-place, les ruines du fort hollandais de Speelwijk (1682) et le vieux cimetière européen de Banten sont voisins du Wan-de Yuan, l'un des plus anciens et des plus grands temples chinois de Java, placé sous le patronage de Kuan-yin, dont la fête attire des milliers de fidèles.

Les îles désertes (Sertung, Panjang, Anak Krakatau et Rakata) qui forment l'ensemble volcanique du **Krakatau** sont accessibles de Labuhan et d'Anyer. Traversée en bateau de pêche ou en vedette (beaucoup plus cher). Réservation possible par les hôtels de la côte ouest, mais on peut négocier directement sur le port. Les îles ne comportent ni point d'eau ni restaurants. Partir tôt le matin évite de souffrir de la chaleur pendant les 5 h de traversée. Les bateaux accostent en général à la pointe est de l'Anak Krakatau. Excursion déconseillée à la saison des pluies (mer trop agitée).

Le **parc national d'Ujung Kulon** (786 km²) occupe plusieurs petites îles et les terrains marécageux de la péninsule du même nom. Il abrite les derniers rhinocéros unicornes de Java, gibbons, buffles sauvages, panthères, etc. Accès terrestre, de Taman Jaya : 2 jours. Par la mer, de Labuhan : 5 h. Hébergement : gîtes du parc, îles d'Handeleum et de Peucang (apporter sa nourriture). La visite nécessite une autorisation du PPA de Labuhan ou de son antenne de Bogor. Les hôtels de la côte peuvent faire les démarches nécessaires (prévoir un peu de temps) et organiser la traversée jusqu'à la péninsule – à condition qu'on réside chez eux.

Des agences de Jakarta organisent des circuits complets côte ouest-Ujung Kulon-Krakatau. La literie, les ustensiles de cuisine et même le cuisinier sont compris dans le circuit, mais pas la nourriture. Outre les provisions (boîtes de conserve, riz, boissons, etc.), vendues à Labuhan, il faut prévoir une moustiquaire et un antimoustiques. Une trousse pour premiers soins, du matériel de camping et des draps s'imposent pour ceux qui souhaitent faire de la randonnée.

Une fois à Labuhan, même si l'on est déjà en possession du permis, il faut se rendre au bureau du PPA pour réserver bateau et bungalow et, éventuellement, en profiter pour payer les prestations des guides du parc (cuisiniers, guides, bateau, etc.). Si leur vedette est immobilisée, les fonctionnaires du PPA aident les touristes à négocier la traversée avec les pêcheurs, car c'est assez cher.

Il est bon de fixer le jour et l'heure du retour, pour s'assurer que le bateau sera ponctuel au rendez-vous. Mieux vaut aussi négocier à l'avance un détour par le Krakatau, si l'on souhaite s'y rendre. En cas d'arrivée tardive à Labuhan, on peut passer la nuit dans un des hôtels de Carita. Les possibilités d'hébergement dans le parc sont réduites. Le pavillon à deux étages installé sur l'île d'Handeleum (à 5 h de Labuhan) a 8 places. Les bungalows de l'île de Peucang, plus confortables, en ont 16. Ces deux îles abritent des colonies de macaques, de daims, de lézards, etc., et une flore tropicale. Le personnel, qui réside sur place, loue des bateaux à moteur pour rejoindre la péninsule et remonter les rivières du parc, mais mieux vaut se faire confirmer au préalable cette possibilité par le PPA, à Labuhan.

PPA de Bogor
Jl. Juanda, 9
A côté du jardin botanique, du lundi au samedi de 8 h à 13 h. Se munir de son passeport. Réservations pour les bungalows du parc.
Vayatour
Jl. Batu Tulis, 38, Jakarta Pusat 10120, tél. (021) 380 02 02
Croisière haut de gamme de trois jours avec pêche en eau profonde dans les parages du parc.
Direction générale du tourisme
Jl. Kramat Raya, 41, P.O. Box 409, tél. 310 31 52, fax 310 11 46
Brochure sur la flore et la faune d'Ujung Kulon.

Aller à Banten

Le plus simple est de louer une voiture ou d'affréter un taxi à Jakarta (prix un peu plus élevé pour les plages d'Anyer et de Carita que pour Banten). De Serang, à 90 km à l'ouest de Jakarta, une route conduit à Banten (10 km).

Sinon, autocars toutes les heures du terminal de Grogol pour Labuhan (5 h de trajet), *via* Serang et Pandeglang, où l'on prend un *colt* jusqu'à la côte.

La voie express Jakarta (gare de Tanah Abang)-Merak met les tranquilles stations balnéaires de la côte occidentale à 3 h de la capitale. On peut descendre à Cilegon et finir le trajet en *colt*.

Où loger

Serang ne compte que quelques *losmen*; Cilegon et les stations balnéaires (Anyer, Labuhan, Merak) sont mieux équipées.
Anyer Beach Motel
Jl. Raya Karang Bolong, Anyer, tél. (0254) 81 376
30 chambres. Réservations à Jakarta : *Gedung Patra, Jl. Gatot Subroto, Kav. 32-34, tél. (021) 510 322*
Carita Krakatau Beach Hotel
Jl. Raya Carita, Labuhan, tél. (0254) 813 76
150 chambres.
Guest-House Krakatau Steel
Kompleks P.T. Krakatau Steel, Kota Baja, Cilegon
Mambruk Beach Resort
Jl. Raya Bolong, Anyer, tél. (0254) 601 602
Merak Beach Hotel
Jl. Raya Merak 65, Merak, tél. (0254) 71 450
30 chambres. A Jakarta : *tél. 367 838*
Selat Sunda Wisata Cottage
Cibenda, Carita Beach, Labuhan
Réservations : *Jl. Panglima Polim Raya 21, Kebayoran Baru, Jakarta, tél. (021) 714 683*

BOGOR

Outre son jardin botanique, Bogor est l'une des dernières villes de Java où voir une fonderie de gamelan (Jl. Pancasan). Au moins deux raisons de s'attarder dans cette ville à 60 km de Jakarta et au climat plus agréable que celui de la capitale.

Mi-port de pêche, mi-station balnéaire, **Pelabuhanratu** est un havre de paix à 90 km de Bogor, sur une côte tour à tour sablonneuse et rocheuse. En taxi, il faut 4 h de Jakarta (150 km) et 3 h de Bogor. En autocar, départs du terminal de Cililitan (Jakarta) ou de celui de Ciawi (Bogor); descendre au croisement de Cibadak, avant Sukabumi, puis prendre un *colt* pour Pelabuhanratu (40 km).

Cianjur, **Cibodas** et **Puncak**, avec leurs sources thermales, leurs montagnes et leurs plantations, ont une tradition touristique qui remonte au début du xxe siècle.

Le **jardin botanique de Cibodas** (annexe de celui de Bogor) renferme des espèces alpines. La montée au parc national **du mont Gunung Gede** demande 6 h (à mi-chemin, sentier pour la cascade de Cibeureum). Après la descente, coucher à Cibodas ou à Cipanas. Il faut 2 h de voiture de Jakarta au col du Puncak et à Cibodas. Les taxis interurbains Jakarta-Bandung (notamment la compagnie « 4848 ») prennent cette route et peuvent déposer les passagers à Cipanas, à 7 km de Cibodas.

Aller à Bogor

De Jakarta, le taxi est une bonne solution pour qui souhaite seulement visiter le jardin botanique. Pour rester plus longtemps, on peut louer une voiture ou un minibus. Les autocars partent du terminal de Cililitan (sud de la ville). Les plus rapides sont les express « Jl. Tol Jagorawi-Bogor », qui font le trajet en 1 h et déposent les passagers au terminal de Ciawi, à l'entrée sud de Bogor. Un minibus, qui passe devant le Kebun Raya, permet de rejoindre le centre.

Le train de banlieue Jabotabek (Jakarta-Bogor-Tanggerang-Bekasi) part des gares de Gambir, Pegangsaan et Mangarai, à Jakarta. L'ambiance est folklorique et le trajet interminable, mais le prix du billet dérisoire.

Où loger

● **Bogor**

Pangrango Hotel*
Jl. Pangrango, 23, tél. (0251) 314 060
75 chambres.
Parama Hotel*
Jl. Raya Puncak km. 32, tél. (0251) 47 28
32 chambres.

● **Pelabuhanratu**

Samudra Beach Hotel****
Jl. Raya, Pelabuhanratu, tél. (0268) 410 23,
fax (0268) 384 06 01
106 chambres. Réservation à Jakarta : *Hotel Indonesia, tél. (021) 314 00 08*
Pondok Dewata Seaside**
Jl Kencana, Pelabuhanratu, tél. (0254) 410 226
36 chambres. Réservation à Jakarta : *tél. (021) 77 24 26*
Bayu Amrta
Pelabuhanratu
12 chambres.
Karangsari
Pelabuhanratu

● **Cianjur**

Nombreux établissements de qualité, à tous les prix. Pour louer un pavillon (la plupart sont libres en semaine), il suffit de se renseigner sur place. Encore plus économique : l'auberge de jeunesse de Cibodas.
Bukit Raya Permai***
Jl. Raya, 219, Cipanas, Cianjur, tél. (0251) 25 05
244 chambres.
Puncak Pass Hotel**
Jl. Raya Puncak, Sindanglaya, Cianjur,
tél. (0255) 31 21 80
45 chambres.

Tunas Kembang*
Jl. Raya, Cipanas, Cianjur, tél. (0255) 27 56
51 chambres.
USSU International
Jl. Raya, Cisarua, Bogor, 4499 Gadog
180 chambres.
Wisma Remaja Youth Hostel
Kebon Raya Cibodas, Pacet, Cianjur

BANDUNG

Bandung a trois facettes : capitale technologique de Java (industrie aéronautique, universités), haut lieu de la culture sundanaise et cité aux beaux restes d'architecture coloniale, au climat frais.

Le massif du Priangan (ou Parahyangan, ou Prianger), entre Bogor et Bandung, offre de nombreuses possibilités d'excursions : le volcan **Tangkuban Prahu**, avec ses trois cratères, les sources chaudes de **Ciater**, le village maraîcher de **Lembang**, les cascades de **Maribaya**. Toutes ces destinations, à moins de 1 h au nord de Bandung, sont accessibles en voiture de location ou en *colt*. Le plus luxueux des nombreux hôtels du Priangan est le Panorama Panghegar (réservation auprès de l'hôtel Panghegar, à Bandung), entre Lembang (16 km de Bandung) et le Tangkuban Prahu.
Office de tourisme
Jl. Cipaganti 151-153, tél. (022) 814 90

Aller à Bandung

Il y a de nombreux vols entre Jakarta et Bandung, mais la proximité des deux villes et la beauté des paysages montagneux traversés rendent le recours à l'avion superflu. Le Parahyangan Express fait le trajet 17 fois par jour, en 3 h. Départs de la gare de Gambir, à Jakarta, de 5 h à 21 h 30.

Pour un prix équivalent à celui du train, les taxis collectifs interurbains font le voyage en 4 h et déposent les clients à l'endroit de leur choix.

Les autocars express climatisés s'arrêtent partout, mais ils sont meilleur marché. Les autocars basés à Bandung (terminal de Cililitan, dans le sud de Jakarta) sont encore moins chers.

A Bandung même, on a le choix entre les *bemo* et les autobus (plans de circulation disponibles dans les hôtels et à l'office de tourisme).

Les taxis avec compteur sont moins nombreux qu'à Jakarta.
Compagnie « 4848 »
Jl. Suniaraja Timur, 14

Où loger

Les nombreux *losmen* du quartier de la gare ont la préférence des petits budgets, mais, dans la même catégorie de prix, l'auberge de jeunesse Wisma Gelanggang et le Sakadarna sont mieux tenus.

Jayakarta Suite Hotel**
Jl. Ir. H. Juanda, 390, tél. (022) 250 58 88, fax (022) 250 53 88
138 chambres.

Savoy Homann**
Jl. Asia-Afrika, 112, tél. (022) 43 22 44, fax (022) 43 61 87
153 chambres. Architecture Art déco.

Sheraton Inn Bandung**
Jl. Ir. H. Juanda, 390, tél. (022) 250 03 03, fax (022) 250 03 01
112 chambres.

Grand Hotel Preanger**
Jl. Asia-Afrika, 81, tél. (022) 43 06 82, fax (022) 43 00 34
193 chambres.

Istana Hotel***
Jl. Lembang, 44, tél. (022) 44 68 71, fax (022) 43 27 37
54 chambres.

Panghegar Hotel***
Jl. Merdeka, 2, tél. (022) 420 63 50, fax (022) 43 15 83
201 chambres.

Cisitu Guest-House**
Jl. Cisitu, 45B, tél. (022) 250 24 20
43 chambres.

Arjuna Plaza Hotel*
Jl. Ciumbulleuit, 152, tél. (022) 231 328
30 chambres.

Braga Hotel*
Jl. Braga, 8, tél. (022) 420 46 85
67 chambres.

Brawijaya
Jl. Pungkur, 28

Dago
Jl. Ir. H. Juanda, 21

Gania Plaza
Jl. Bungsu, 30

International
Jl. Veteran, 32

Melati Baru
Jl. Kebonjati, 24

Sadakarna
Jl. Gedung Jati, 34

Wisma Gelanggang Generasi Muda
Jl. Merdeka, 64

Se restaurer

● Cuisine sudanaise

Babakar Siliwangi
Jl. Siliwangi, 7
Sous le campus de l'ITB, l'une des meilleures adresses de la ville. On y mange en plein air, sur des plates-formes de bambou dressées au-dessus de rizières et de bassins à poissons. Carpe grillée

(*ikan mas bakar*), poulet rôti (*ayam pangang*), poisson mijoté dans du lait de noix de coco et des épices et servi enveloppé dans une feuille de bananier (*ikan mas pepes*), soupe de légumes (*sayur asem*), etc.

Bale Kambang
Jl. Bungur, 2

Ponyo
Jl. Malabar

● Cuisine européenne

Tizi
Jl. Hegarmanak, 14
Tout près de l'ITB, au débouché de Jalan Ir. H. Juanda. Spécialités allemandes et pâtisseries au milieu d'un jardin.

Sukarasa Steak & Egg
Jl. Tamplong, 52
Carte française, mais les prix sont élevés.

Cafe Venezia
Jl. Sukajadi, 205
Apprécié des étrangers.

Coffee Shop
Jl. Asia-Afrika
En face de l'hôtel Kumala Panghegar.

Sidewalk Café
Savoy Homann Hotel
Atmosphère années 50.

Braga Permai
Jl. Braga, 58
Cuisine européenne, ainsi que des glaces, des yaourts et quelques plats indonésiens.

Dago Teahouse
University
Clientèle d'étudiants et de touristes venus apprécier le panorama.

● Restaurants chinois

Queen
Jl. Dalem Kaum, 79
Près de l'*alun-alun*.

Tjoen Kie
Jl. Jend. Sudirman, 62-64

Trio Restaurant
Trio Hotel, Jl. Gardujati, 55-61

Enfin, des dizaines de *kaki lima* et de *warung* sont installés dans les rues, notamment sur l'avenue Asia-Afrika et près de la gare.

Achats

Large choix de vannerie (paniers, nattes et mille autres objets) provenant des environs de Tasikmalaya, sur la route de Yogya. Bandung est aussi réputée pour ses marionnettes de *wayang golek*, anciennes ou récentes.

La meilleure adresse pour les *angklung* (instrument à percussion en bambou typiquement soundanais) est la boutique Pak Udjo's Saung Angklung, à la périphérie est de la ville (concerts l'après-midi).

La plupart des magasins de chaussures proposent des articles en cuir de bonne facture. Certains artisans réalisent des modèles sur mesure pour un prix défiant toute concurrence.

Les principaux magasins de souvenirs sont sur Jalan Braga, où sont également installées plusieurs librairies.

Les céramiques sont en général de bonne qualité, notamment les imitations de poteries chinoises anciennes fabriquées dans le village de Plered (en direction du nord, après Lembang).

Balai Penelitian Keramik
Jl. A. Yani, 390
Centre de recherche sur la céramique où l'on peut assister, le matin, aux étapes de fabrication et acheter des articles. Le bâtiment abrite aussi l'Institut du textile.

CIREBON

Atmosphère provinciale, lourdes goélettes amarrées dans le port, vieux palais décatis et temples chinois or et rouge : cette grosse bourgade à 260 km de Jakarta mérite un crochet.

On trouve beaucoup de batiks dans les boutiques du centre. Pour des créations de haute qualité, une seule adresse : la boutique-atelier (on peut assister à toutes les phases de la fabrication) Masina, à Trusmi (route de Bandung jusqu'à Weru, à 10 km du centre de Cirebon, puis tourner à droite et suivre sur 1 km les enseignes « Masina »). Autres achats possibles : les masques de *topeng* et les fixés-sous-verre de Palimanan et Gegesik (au nord-ouest de Cirebon).

Aller à Cirebon

En avion, de Jakarta, c'est la Merpati qui assure les vols.

Le Bima Express et le Mutiara, deux trains de première classe avec voitures climatisées, relient les deux villes en 3 h tous les jours (départ de la gare de Kota, en milieu d'après-midi). Deux trains de seconde classe, non climatisés, assurent aussi la liaison, le Gunung Jati le matin (gare de Pasar Senen) et le Senja Utama le soir (gare de Gambir).

Cirebon est à 4 h de route de Jakarta et 3 h de Bandung. De Jakarta, on a le choix entre les *colt* (de 6 h à 16 h tous les jours) et les autocars (en fin d'après-midi, du terminal de Pulo Gadung). De Bandung, en autocar (de 18 h à 20 h, de la gare routière de Cicaheum).

On se déplace à pied ou en cyclo-pousse : tous les centres d'intérêt sont dans un rayon de 2 km autour du quartier des hôtels. Pour Trusmi, avec les autobus locaux ou les *bemo*.

Où loger

Patrajasa Hotel Cirebon*
Jl. Tuparev, 11, tél. (0231) 209 796,
fax (0231) 207 696
53 chambres.
Cirebon Plaza**
Jl. Kartini, 58, tél. (0231) 202 061, fax (0231) 204 258
34 chambres.
Asia Hotel
Jl. Kalibaru Selatan, 15

Où se restaurer

Cirebon est réputé pour ses fruits de mer. La cafétéria du supermarché Hero propose en outre une grande variété de mets et de desserts indonésiens bon marché et préparés sur place.

Maxim's
Jl. Bahagia, 45-47
Fruits de mer à la chinoise.
Sinar Budi
Jl. Karang Getus, 20
Saveurs épicées d'une roborative cuisine *padang* adoucie par de délicieux jus de fruits frais pressés.

PEKALONGAN

La « ville du batik » n'est qu'à 3 h ou 4 h de Cirebon en autocar ou en *colt*, et à 2 h de Semarang. Ensuite, cyclo-pousse et marche à pied suffisent.

Où loger

Istana Hotel**
Jl. Gajah Mada, 23-25, tél. (0285) 23 581
48 chambres.
Hayam Wuruk Hotel*
Jl. Hayam Wuruk, 154, tél. (0285) 228 23
51 chambres.

Se restaurer

Remaja
Jl. Dr. Cipto, 20
Serba Ada
Jl. Hayam Wuruk, 125
Ces deux restaurants servent la meilleure cuisine chinoise de la ville. On peut aussi déjeuner à la cafétéria près de l'*alun-alun*.
Pâtisserie Purimas
Jl. Hayam Wuruk
Pain, glaces et gâteaux

Bunani
Jl. Tirto
A 2 km de la ville. Spécialités javanaises et vaste choix de fruits de mer.

Achats

Des batiks, bien sûr. En commençant par les boutiques des rues Hayam Wuruk et Hasanuddin, dans le centre, puis chez les fabricants.
Tobal Batik
Jl. Teratai, 24
Spécialisé dans l'exportation, créations au goût occidental.
Ahmad Yahya
Jl. Pesindon, 221
Vend jusqu'à New York.
Achmad Saïd
Jl. Bandung, 43
Autre grand nom du batik, diffusé sous le label « Zaky ».
Jane Hendramartono
Jl. Blimbing, 36
Son batik *tuli est e*xposé au musée du Textile de Washington.
Oey Soe Tjoen
Jl. Raya, 104
Suit la voie ouverte dans les années 30 par Eliza van Zuylen, dans sa maison-atelier de Kedungwuni, au sud de Pekalongan, et dont l'adresse est connue des collectionneurs.

SEMARANG

Cette grande ville portuaire est la cinquième agglomération indonésienne. Elle conserve de nombreux temples chinois.

Le *colt* est le moyen de transport le plus commode pour visiter **Demak**, **Kudus**, **Jepara**, **Rembang** et **Lasem**, petites villes à l'est de Semarang. Ils partent de la gare routière centrale à l'angle des rues M. T. Harvono et H. Agus Salim. Les autocars partent de l'autre terminal, face à cette gare routière.

Aller à Semarang

La Merpati assure 8 liaisons aériennes par jour avec Jakarta (on peut se rendre à l'aéroport Sukarno-Hatta sans réserver). La Mandala assure plusieurs vols quotidiens à partir de Jakarta, de même que la Bouraq, qui relie aussi Semarang à Kalimantan et Sulawesi. Aéroport à 5 km à l'ouest de la ville.

Le train express climatisé Mutiara Utara quitte la gare de Kota (Jakarta) à 16 h 30 et arrive à Semarang à 1 h 15. Le train de seconde classe Senja Utama fait aussi le trajet de nuit.

De Bandung, la seule liaison directe par la route est l'autocar.

En revanche, de Cirebon, de Pekalongan, de Yogya ou de Solo, la solution la plus confortable est de prendre l'un des nombreux *colt* qui vont à Semarang.

Où loger

Graha Santika Hotel**
Jl. Pandanaran, 116-120, tél. (024) 413 115
125 chambres.
Metro Grand Park Hotel*
Jl. H. Agus Salim, 2-4, tél. (024) 547 371, fax (2024) 510 863
91 chambres.
Telomoyo Hotel**
Jl. Gajah Mada, 138, tél. (024) 545 3436
72 chambres.
Candi Baru Hotel*
Jl. Rinjani, 21, tél. (024) 315 272
23 chambres.
Candi Indah Hotel*
Jl. Dr. Wahidin, 112, tél. (024) 312 912
30 chambres.
Green Guest-House
Jl. Kesambi, 7, Candi Baru, tél. (024) 312 528
20 chambres.

● **Autour de Semarang**

Kudus Asri Jaya Hotel**
Jl. AKBP R. Ali Kusumadya, Kudus, tél. (0291) 224 49
74 chambres.
Kalingga Star Hotel*
Jl. Dr. Sutomo, 16, Jepara, tél. (0291) 910 54
52 chambres.
Kurnia*
Jl. Tondonegoro, 12, Pati, tél. (0291) 811 33
46 chambres.
Merdeka Hotel*
Jl. Diponegoro, 69, Pati, tél. (0291) 811 06
44 chambres.
Notosari Permai Hotel*
Jl. Kepodang, 12, Kudus, tél. (0291) 212 45
39 chambres.
Air Mancur
Jl. Pemuda, 70, Kudus
Anna
Jl. Jend. Sudirman, 36, Pati
Menno Jap Inn
Jl. Diponegoro, 40/B, Jepara
Mulia
Jl. Kol. Sunandar, 17, Pati
Pati
Jl. Jend. Sudirman, 60, Pati
Pesanggrahan Colo-Gunung Muria
Jl. Sunan Muria, Colo, Kudus

Où se restaurer

Il y a d'excellents restaurants chinois. Derrière le temple Tay Kak Sie, les restaurants de la ruelle Lombok servent une bonne cuisine traditionnelle. Les trottoirs de Jalan Depok, dans le prolongement de Jalan Gajah Mada, sont envahis le soir par les marchands ambulants. Les produits, achetés le matin même, sont toujours de première fraîcheur.

Pringgading
Jl. Pringgading, 54, tél. (0291) 28 89 73

Gajah Mada
Jl. Gajah Mada, 43, tél. (0291) 237 53

Warna Sari
Jl. Gajah Mada
Les étals de ce complexe proposent une grande variété de mets indonésiens et chinois à des prix modiques, préparés sous les yeux des clients.

Lembur Kuring
Jl. Gajah Mada
Cuisine sudanaise. Carpe grillée (*ikan mas bakar*) et poulet frit (*ayam goreng*).

Sate Ponorogo
Jl. Gajah Mada, 107, tél. 206 37
Cuisine sudanaise. Excellentes brochettes (*sate*).

Toko Oen
Jl. Pemuda, 52, tél. 216 83
Une institution, carte digne de l'époque coloniale. A côté des plats hollandais comme les *schnitzel* au paprika, les *uitsmyter au roastbeef* et les *biefstuk complet*, figurent des glaces (sorbets et cassates) des pâtisseries, des biscuits et des plats chinois

Achats

Ahadi
Jl. Gajah Mada
Artisanat.

Cendrawasih
Jl. Gajah Mada, 66A
Batik.

Mustika
Jl. Pemuda
Artisanat.

Toko Panjang
Jl. Widoharjo, 31
Artisanat.

Vie culturelle

Semarang abrite plusieurs salles de théâtre et compte plus de troupes que n'importe quelle autre ville javanaise.

Ngesti Pandowo
Jl. Pemuda, 116
Spectacles de *ketoprak* le lundi et le jeudi, et de *wayang orang* les autres jours.

Sri Wanito
Jl. Dr. Dipto

YOGYAKARTA

Longtemps simple étape sur la route de Bali, la capitale culturelle de Java est devenue destination à part entière. Le charme des promenades entre palais et marchés, la proximité de Borobudur et de Prambanan, le dynamisme des arts et de l'artisanat traditionnel expliquent cette faveur.

Jalan Malioboro coupe la ville du sud au nord, du *kraton* au monument Tugu, à l'angle des avenues Sudirman et Diponegoro. Au nord, Jalan Malioboro est prolongée par Jalan Mangkubumi et, au sud, par Jalan A. Yani. Une voie ferrée la coupe, non loin de la gare. Jalan Pasar Kembang, le long de la voie ferrée, a vu disparaître ses prostituées au profit d'hôtels et de boutiques fréquentés par les routards, dans les ruelles qui mènent à Jalan Sosrowijayan, plus au sud. Les quartiers chic s'étendent à l'est de Jalan Malioboro, de l'autre côté de la rivière. Le campus de l'université Gajah Mada, l'une des plus prestigieuses d'Indonésie, est à moins de 2 km au nord. Au nord-est du centre, parallèle à la voie de chemin de fer, Jalan Solo est devenue l'une des rues les plus animées, au point de concurrencer Jalan Malioboro. Elle compte de nombreux magasins (matériel et accessoires photo graphiques notamment), des restaurants et hôtels.

Office de tourisme
Jl. Malioboro, 14, tél. (0274) 56 44 02

Après la visite de **Prambanan**, une demi-journée suffit pour découvrir, à pied et en voiture, les temples les plus importants parmi les dizaines qui entourent le grand sanctuaire sivaïste.

Le **Candi Sewu**, bouddhiste, à 1 km au nord de Prambanan, se compose d'un grand monument central et de 240 templions. On estime qu'il a été achevé vers 850, juste avant Prambanan.

A 1 km à l'est de Sewu, **Plaosan**, bouddhiste, du milieu du IXe siècle, consistait à l'origine en deux grands temples rectangulaires à deux étages, entourés de sanctuaires mineurs. Les vestiges du palais du dernier souverain bouddhiste de la dynastie des Saïlendra, le Candi Ratu Boko, dentellent une crête, à 1,6 km au sud de Prambanan.

Quatre autres temples sont visibles sur le chemin du retour. Isolé dans une mer de bananiers et de cocotiers, le **Candi Sari** est de la même famille que Plaosan. Peut-être ancien monastère, attribué aux Saïlendra et daté de la fin du VIIIe siècle, il a une suite de 36 panneaux sculptés de nymphes et de rois-dragons et un toit surchargé.

Visible de la route, le **Candi Kalasan**, bouddhiste, date sans doute de 778. Son portique sud présente un énorme kala.

Enfin, au nord, le petit **Candi Sambisari** a été découvert en 1966, dans une rizière, sous 5 m de glèbe. Les sculptures, en majorité inachevées, laissent supposer qu'il a été enseveli par une éruption volcanique avant d'avoir été terminé.

Kota Gede, village des argentiers, fut fondé en 1579 par Senopati, premier roi de la dynastie de Mataram, dont la tombe est dans le petit cimetière, à 500 m du marché. A l'extérieur, une bâtisse aux murs chaulés renferme une grande pierre noire et polie : trône de Senopati, table sacrificielle ou objet d'un culte préislamique ? Les pierres jaunes voisines alimentent aussi les conjectures.

La **nécropole d'Imogiri** est sur la route de Parangtritis, à 20 km au sud de Yogya, au sommet d'une colline entaillée par un escalier de 345 marches. Depuis Sultan Agung, en 1645, presque tous les princes de la maison de Mataram et les membres des familles royales de Yogyakarta et de Solo ont été enterrés ici. Cette nécropole est devenue un lieu de pèlerinage. Les pierres tombales sont réparties dans les trois cours qu'on découvre au débouché de l'escalier. Dans chaqune d'elles, des courettes renferment les tombeaux des princes. Seules ces dernières sont ouvertes au public, le lundi de 10 h à 15 h et le vendredi de 13 h 30 à 15 h, à condition d'avoir revêtu le costume de cour javanais (location sur place).

Parangtritis est une plage à 27 km de Yogya. Les premiers souverains de Mataram entretenaient une relation charnelle avec Nyai Loro Kidul, divinité de l'océan. Les cours centre-javanaises perpétuent le souvenir de ce mariage par des cérémonies qui ont lieu chaque année (la date varie). Il n'y a rien d'autre à voir, et c'est là le charme de Parangtritis, à part des dunes de sable gris-noir rongées par l'océan, des falaises battues par les vagues, la vie paisible du village et des *losmen* bon marché.

La dernière éruption du **Merapi**, en 1994, a fait des dizaines de victimes. Il arrive que l'ascension soit interdite. Se rendre en autocar ou en *bemo* au hameau de Selo (2 h de Yogya), centre local du tourisme volcanologique. Le départ a lieu vers 1 h, avec un guide qui va avec vous jusqu'au cratère, à 2 911 m, où l'on arrive à l'aube. Faute de faire l'ascension, reste l'observatoire de Kaliurang, où l'on peut aller en autocar et en *bemo*.

Le plateau volcanique de **Dieng**, « lieu des esprits », à 2 000 m d'altitude et à 3 h de route de Yogya, est semé de temples et de lacs, au sommet d'une montagne nimbée de brumes. Prévoir une journée pour l'aller et le retour. Des nombreux temples hindouistes du VIIIᵉ siècle, qui ont pris bien après des noms des héros et des héroïnes du Mahâbhârata, seuls 8 on été restaurés, au centre d'un terrain aplani, sur un sol qui semble ferme mais est en fait marécageux (il était drainé par des tunnels qui se prolongeaient sous les collines voisines). L'atmosphère mystérieuse de ce lieu est encore plus sensible dans les chemins à travers bois qui mènent au Telaga Warna (lac aux couleurs changeantes) et au Telaga Pengilon (« lac du miroir »). Les environs sont truffés de grottes où des Javanais viennent méditer. Autocars et *colt* mènent à Wonosobo (à partir de la gare routière de Jalan Veteran, ou des agences de *colt* sur Jalan Diponegoro). Là, il suffit de monter dans le premier *bemo* qui va à Dieng. Quelques *losmen* et un restaurant font face aux temples. Pour un confort moins sommaire, on peut passer la nuit à Wonosobo.

Bhima
Jl. A. Yani, 5, Wonosobo
Jawa Tengah
Jl. A. Yani, 45, Wonosobo
Merdeka
Jl. Sindoro, 2, Wonosobo
Wonosobo Nirwana
Jl. Tanggung, 18, Wonosobo

Aller à Yogyakarta

Plusieurs vols quotidiens Merpati et Garuda au départ de Jakarta (Sukarno-Hatta). L'aéroport Adisucipto est sur Jalan Solo, à quelques kilomètres à l'est de la ville. La plupart des hôtels, même les petites pensions de Jalan Prawirotaman, acceptent d'aller chercher leurs clients à l'aéroport. Le trajet en taxi est bien moins cher qu'à Jakarta. On peut aussi aller à pied jusqu'à la voie principale qui passe devant l'aéroport et prendre un minibus.

Le train Bima Express fait chaque jour le trajet Jakarta-Yogyakarta-Surabaya et retour. Il a les couchettes les plus confortables des chemins de fer javanais (cabines climatisées à trois places), mais il part de Jakarta (Kota) vers 16 h et arrive 10 h plus tard, en pleine nuit. L'aller simple vaut trois fois moins cher que le billet d'avion. Le Senja Utama et le Senja Yogya, trains de deuxième classe, sont meilleur marché mais plus lents et non climatisés. Le Fajar possède une seule voiture climatisée, en classe affaires. Il quitte la gare de Gambir à l'aube et arrive à Yogya en fin d'après-midi.

Les autocars roulent la nuit. Yogyakarta est à 9 h de Jakarta et à 6 h de Bandung. Pour un prix à peine supérieur, les autobus Mercedes sont climatisés. De Semarang, de Solo ou des villes voisines, mieux vaut emprunter les minibus, qui roulent le jour, pour un prix modique. La nouvelle gare routière est dans le sud-est, Jalan Veteran. On peut acheter ses tickets et monter dans l'autocar dans Jalan Sosrowijayan (près de Jalan Malioboro). La plupart des agences de location de *colt* sont sur Jalan Diponegoro, à l'ouest du monument Tugu.

Comment se déplacer

Les taxis avec compteur sont de plus en plus nombreux, mais si l'on circule beaucoup, il est plus pratique de louer leurs services ou ceux d'un minibus à l'heure. Prix et durée de la course (minimum 2 h) sont à fixer à l'avance. C'est une bonne solution pour se rendre à Borobudur, Prambanan, Parangtritis et au plateau de Dieng. Les taxis acceptent 4 passagers et les minibus peuvent en prendre 9.

Les cyclo-pousse (*becak*) qui s'agglutinent autour du *kraton* et sur Jalan Malioboro sont le moyen de transport le plus pratique pour les courtes distances. On peut aussi les louer à l'heure ou à la demi-journée. Les prix restent peu élevés (marchandage de rigueur).

Autre possibilité pour parcourir la région : les charrettes à cheval (*andong*, ou *dokar*) qui stationnent à côté de la poste (Jl. Senopati) et au bord des routes secondaires. On peut aller ainsi jusqu'à Kota Gede (5 km), voire Imogiri (20 km) ou Parangtritis.

Les autobus (Mercedes orange) circulent jusqu'à 20 h et font huit circuits différents. Les camionnettes converties en minibus sont plus pratiques pour les courtes distances. Le tarif est le même quel que soit le parcours.

Pour aller à Borobudur (41 km), Prambanan (17 km) ou Parangtritis (27 km) en transports en commun, il suffit d'étudier la carte et de ne pas hésiter à interroger les autres passagers. Même si l'on écorche les noms de lieu, on finit par savoir où l'on doit s'arrêter ou prendre la correspondance.

Circuits organisés et agences de voyages

De nombreuses agences proposent des circuits complets, comprenant une journée de découverte de la ville en autobus, avec spectacle de *wayang*, visite du Taman Sari, du palais et d'une manufacture de batik, ainsi que des excursions à Borobudur, Dieng et Prambanan, pour un prix modique. Les agences de voyages et l'office du tourisme s'occupent aussi des locations de voiture avec guide.

Dewada Sakti
Puri Artha Hotel, jl. Cenderawasih, 9, tél. (0274) 566 429, fax. (0274) 562 765

Intan Pelangi
Jl. Malioboro, 18, tél. (0274) 562 895, fax. (0274) 565 279
Propose un circuit d'une journée en autocar, à Dieng et Borobudur, en compagnie d'un guide.

Natrabu
Tambakbayan TB II, 27, Jl. Adisucipto, km 7, tél. & fax (0274) 514 516

Nitour
Jl. K. H. Ahmad Dahlan, 71, tél. (0274) 375 165, fax. (0274) 376 350

Pacto Travel, Royal Holiday
Ambarrukmo Palace Hotel, Jl. Adisucipto, km 5, tél. (0274) 566488

Sri Rama
Gondok Arcade APH, Jl. Adisucipto, km 5, tél. (0274) 566 488, fax 0274) 562 803

Vista Express
Garuda Hotel, Jl. Malioboro, 72, tél. (0274) 566 353
Vivere Alam
Jl. Parangtritis, 98, tél. (0274) 375 623

Où loger

Ambarrukmo Palace Hotel**
Jl. Adisucipto, km 5, P.O. Box 10, tél. (0274) 566 488
265 chambres.
Mutiara Hotel*
Jl. Malioboro, 18, P.O. Box 87, tél. (0274) 563 814
125 chambres.
Natour Garuda Hotel**
Jl. Malioboro, 60, tél. (0274) 566 353
238 chambres.
Puri Artha Cottages*
Jl. Cendrawasih, 9, tél. (0254) 563 288
78 chambres.
Sahid Garden**
Jl. Babarsari, tél. (0274) 587 078
137 chambres.
Sri Wedari*
Jl. Adisucipto, km 7, tél. (0274) 588 288
70 chambres.
Airlangga
Jl. Parangtritis, 4, tél. (0274) 378 044
30 chambres.
Arjuna Plaza
Jl. Mangkubumi, 4, tél. (0274) 586 682
24 chambres.
Duta Guest-House
Jl. Prawirotaman
15 chambres.
Gajah Mada Guest-House
Jl. Bulaksumur, Kampus Universitas Gajah Mada, tél. 884 61, 886 88, ext. 625
20 chambres.
Indraloka Homestay
Jl. Cik Ditiro, 11
40 chambres. L'agence Indraloka propose des chambres en pension complète dans des familles parlant anglais ou hollandais.

Les pensions de Jalan Prawirotaman sont d'anciennes maisons individuelles. Elles pratiquent des tarifs comparables. Les chambres sont calmes, propres et confortables, certaines climatisées. Les nombreux petits hôtels autour de Jalan Pasar Kembang, Jalan Sosrowijayan et dans les ruelles attenantes sont encore meilleur marché.
Home Sweet
Gang Sosrowijayan, 1

Où se restaurer

Nyonya Suharti
Aussi connu sous le nom Ayam Goreng « Mbok Berek ». À 7 km à l'est de Yogya, sur la route de l'aéroport, juste après l'hôtel Ambarrukmo.

Nyonya Suharti prépare son célèbre poulet frit en le faisant bouillir, puis macérer dans du lait de noix de coco épicé, avant de le frire. Il est servi croustillant avec une sauce pimentée, légèrement sucrée et avec une pleine assiette de riz blanc et parfois agrémenté de *petai* (sorte de graines de haricot très parfumées) et de feuilles de salade.

Sina Budi Restaurant
Jl. Mangkubumi, 41
A 500 m au nord de la voie ferrée, à gauche en face du cinéma. Lieu de culte des amateurs de *nasi padang*. Excellents *opor* (cervelle de mouton marinée, servie froide), *rendang* (ragoût de bœuf épicé) et *gulai ayam* (poulet au curry), accompagnés de pommes frites épicées (*kentang goreng*).

Le *gudeg*, plat typique de la région, comprend du riz blanc servi avec un ragoût de fruit de jacquier vert bouilli (*nangka muda*), un morceau de poulet, un œuf, du lait de noix de coco et des haricots rouges à la sauce pimentée, le tout agrémenté de couenne de buffle bouillie (*sambal kulit*). La plupart des restaurants de Yogya servent également ce plat, en particulier ceux au nord du Taman Sari, sur le côté est de Jalan Ngasem.

Juminten
Jl. Asem Gede, 22
Juste au nord de Jl. Diponegoro.

Bu Citro
Jl. Adisucipto
Face à l'aéroport.

Pesta Perak
Jl. Tentara Raykat Mataram, 8
Bon buffet indonésien traditionnel, accueille souvent des groupes de touristes.

● Cuisine européenne

La plupart des restaurants de Jalan Malioboro et des ruelles attenantes proposent une carte dans le style de Kuta Beach (la station balnéaire balinaise) : jus de fruits, yaourts, sandwiches, assiettes végétariennes, desserts, glaces et autres plats occidentaux.

Legian Garden
Jl. Malioboro
Pour un prix abordable, excellents plats indonésiens mais aussi des biftecks, côtelettes, poissons frits, ainsi que des avocats aux fruits de mer, des épis de maïs au yaourt et de la soupe de crabe.

Suparman
Gang Sosrowijayan, 1
Dans une ruelle parallèle à Jalan Malioboro, entre Jalan Pasar Kembang et Jalan Sosrowijayan. Très bon marché, la plus fréquentée de ces gargotes.

● Restaurants chinois

Tiong San
Jl. Gandekan, 29
Un pâté de maison à l'est de l'avenue Malioboro. Prisé par la communauté chinoise locale.

Moro Senang
Jl. Solo, 55
Bonne adresse près du supermarché Miroto.

Sintawang
Jl. Magelang, 9
Le meilleur, au nord de Jalan Diponegoro, excellents fruits de mer.

Achats

En dépit de la qualité médiocre de la plupart des objets-souvenirs, Yogya a la réputation d'être un paradis des bonnes affaires. Un peu d'obstination et un coût un peu supérieur permettent de dénicher de petits trésors d'artisanat.

● Batik

Les circuits des agences de voyages comprennent presque toujours la visite d'un atelier de batik de Jalan Tirtodipuran, dans le Sud. On assiste aux étapes de fabrication, avant d'être convié dans la boutique attenante. La plupart des batiks sont réalisés au tampon (*cap*) et non à la main (*tulis*). Les métrages sont cependant de bonne dimension et certains batiks imprimés sur du coton épais peuvent faire de parfaits rideaux ou tissus d'ameublement.

Batik Juwita
Jl. A. Yani 64
Batik Plentong
Jl. Tirtodipuran, 29
Batik Sumiharjo
Jl. Mandkuyudan, 15A
Batik Surya Kencana
Jl. Ngadinegaran MJ VII
Batik Tirto
Jl. Panembahan, 56
Batik Winotosastro
Jl. Tirtodipuran, 54
Toko Terang Bulan
Jl. A. Yani, 76
A côté du marché central. Un des meilleurs choix de batiks *tulis*, dans la pure tradition javanaise, de Java-Centre. Prix fixes mais abordables.

Une visite dans les boutiques-ateliers des artistes locaux s'impose, en particulier ceux de Kuswadji, Amri, Sapto Hudoyo et Bambang Oetoro. Ils organisent des stages d'une semaine d'initiation au batik. Nombre de peintres installés dans des studios au Taman Sari utilisent la technique du batik. La galerie Lod, à l'extrémité ouest du *kampung* mérite une visite.

Agus
Jl. Taman Siswa Mg III, 102
Amri Gallery
Jl. Gampingan, 6
Bambang Oetoro
Jl. Taman Siswa, 55

Direx Gallery
Jl. Solo
Gallery Lod
Taman Sari
Kabul Gallery
Jl. Timoho, 29A
Kuswadji K.
Jl. Alun-Alun Utara, Pojok Barat Daya
Sapto Hudoyo
Jl. Solo, Km 9, Maguwo

● **Argenterie**

Centre de travail de l'argent, la bourgade de Kota Gede est englobée dans les faubourgs sud-est de Yogya. On peut fouiner librement dans les ateliers. Les deux adresses les plus connues sont Asri Silver et Tom's Silver. On peut faire faire des pièces sur commande, à partir d'un croquis ou d'un original. Les prix dépendent de la quantité et de la pureté du métal (80 % à 92,5 % en moyenne). Dans les boutiques de Yogya, notamment chez Sri Moeljo, on trouve presque toute la production de Kota Gede.
Ansor's Silver
Jl. Tegalgendu, 28
Asri Silver
Jl. Mondorakan, 5A
Bagus & Co
Jl. Mondorakan, 252
Narti's Silver
Jl. Tegalgendu, 22
Tom's Silver
Jl. Ngaksi Gondo

● **Maroquinerie**

La production artisanale en cuir de buffle est abondante et diverse : valises, serviettes, sandales, ceintures, porte-monnaie, étuis, coffrets... Elle gagne lentement en qualité, mais souffre d'un tannage rudimentaire. En dépit d'une belle couleur chamois, le cuir est rude et épais, et les coutures, fermoirs et charnières en étain ou en cuivre ne résistent pas à un long usage. Jalan Malioboro et les rues alentour fourmillent de maroquiniers.
La peau de buffle sert aussi à fabriquer les marionnettes du *wayang kulit*. Le cuir très fin et translucide non tanné ressemble à un parchemin.
Aris Handicraft
Jl. Kauman, 14
Benir Setiyo
Lingkungan Industri Magwohardo
Ledgar
Jl. Mataram DN I/370
Marionnettes de bonne qualité.
Moeljosoehardjo
Jl. Taman Sari, 37B
Swasthigita
Jl. Ngadinegaran MD 7, 50
Marionnettes de bonne qualité.

Toko Setia
Jl. Malioboro, 79 et 165
Yami
Hotel Ambarrukmo
Adresse d'exception. La plus grande partie de la production est exportée, mais la boutique a toujours en rayon quelques beaux échantillons.

● **Antiquités**

Yogya a beaucoup d'antiquaires, mais moins que Solo, et les prix sont plus abordables et le choix plus vaste. Presque tous les vendeurs de batiks et de souvenirs ont des rayons spécialisés dans l'ancien. Les boutiques sont le long de Jalan Tirtodipuran et de Jalan Malioboro, autour de l'hôtel Ambarrukmo et du *kraton*. On trouve du mobilier chinois et hollandais, des porcelaines de l'Annam et de Chine, des statuettes bouddhistes et hindouistes, et, bien sûr, marionnettes, masques et accessoires décoratifs des arts et coutumes javanais. A regarder de près aussi, les supports en bois sculpté des instruments du gamelan et les bronzes figurant les divinités hindouistes ou le Bouddha.
Ardianto
Jl. Megelan, km 5,8
Asmopawiro
Jl. Letjend. Haryono, 20
Edi Store
Jl. Malioboro, 13A
Ganeda Art Shop
Jl. Abdul Rahman, 69
Ken Dedes
Jl. Sultan Agung
La Galerie
Jl. Kota Gede, Kota Gede
Pusaka Art Shop
Jl. Taman Garuda, 22
Seni Jaya Art Shop
Jl. Taman Garuda, 11

● **Peinture**

Seule la galerie Direx, non loin de l'hôtel Ambarrukmo, vend les œuvres d'Affandi, le grand peintre indonésien disparu en 1990. Son vaste atelier-galerie, en face, au bord de la Solo, est devenu le premier musée privé permanent d'Indonésie en 1973. On peut y voir les toiles d'autres peintres, notamment celles de sa fille Kartika. Un peu plus bas, en direction du centre, une pancarte signale l'entrée de la galerie de Nyoman Gunarsa.
Nyoman Gunarsa
Jl. Wulung, 43, tél. 643 30
Outre ses propres œuvres, ce peintre d'origine balinaise expose le meilleur de l'art pictural contemporain de Yogya.
Cementi Modern Art Gallery
Jl. Ngadisuyan
Près de l'*alun-alun kidul*. Œuvres de jeunes artistes indonésiens. Ce panorama des tendances les plus

récentes pourra être complété par une visite à l'ASRI, l'académie des Beaux-Arts de Yogyakarta, la meilleure institution de ce type en Indonésie.

● **Masques et marionnettes**

Depuis un demi-siècle, Pak Warno Waskito, vieux sage timide et autodidacte aux doigts de fée, façonne des masques et des marionnettes pour les *dalang* et les acteurs. On parvient à son atelier par la route de Bantul, au sud de Yogya, puis en tournant à droite au km 7,6. Sa maison se trouve 300 m plus loin, à gauche.

● **Poterie**

Toujours sur la route de Bantul, au km 6,5 (là où le chemin de fer coupe la voie), un chemin vicinal à gauche conduit à Kasongan, 1 km plus loin. C'est dans ce village de potiers que se fabriquent pots, jarres, récipients et sculptures colorés en forme de coq, d'éléphant et d'animaux mythiques qu'on voit dans les boutiques, en particulier autour de Pasar Ngasem. Les artisans travaillent aussi à la commande et peuvent exécuter des pièces complexes à partir d'un simple croquis.

Spectacles

Impossible de séjourner dans la capitale culturelle de Java sans assister à un concert, un ballet, ou une représentation de *wayang*. Nombre de spectacles sont organisés pour les touristes, ce qui ne préjuge pas de leur qualité, mais il leur manque le public javanais, et les versions sont abrégées et adaptées au goût des étrangers.

Le gamelan accompagne danses et représentations théâtrales : il suffit de consulter, ci-dessous, la liste des lieux de spectacle. Des répétitions en public ont lieu le lundi et le mercredi de 10 h 30 à midi au *kraton*, et la plupart des hôtels de luxe proposent des concerts. Le *wayang kulit*, théâtre d'ombres, commence vers 21 h et prend fin le lendemain à l'aube. De nombreuses institutions proposent des séances plus courtes.

Agastya
Jl. Gedong Kiwo M. D. III/237
Tous les jours sauf le vendredi, de 15 h à 17 h.
Musée Sono Budoyo
Jl. Trikora
Vendredi et samedi en soirée.
Ambar Budaya
Dans le centre artisanal qui fait face à l'hôtel Ambarrukmo, les lundi, mercredi et vendredi, 9 h 30 à 10 h 30.
Sasana Hinggil
Alun Alun Selatan
Sur la place, au sud du *kraton*, tous les seconds samedis du mois, 21 h à 5 h 30.

L'usage des *wayang golek*, marionnettes en bois sculpté en ronde-bosse, est moins répandu à Yogya qu'à Java-Est. Mise en scène, jeux et voix ressemblent à ceux du *wayang kulit*.

Agastya
Jl. Gedong Kiwo M. D. III/237
Tous les samedis de 15 h à 17 h.
Nitour
Jl. Kh. A. Dahlan, 71, tél. (0274) 375 165
Tous les jours sauf les samedi et dimanche, 11 h à 13 h.

De mai à octobre, et sauf en période de ramadan, l'inoubliable ballet du Râmâyana se produit les soirs de pleine lune, de 19 h à 21 h, sur le site de Prambanan. Toute l'année, outre le palais, plusieurs organismes proposent de la danse.

Théâtre Purowisata
Jl. Brigjen Katamso, tél. (0274) 374 089
Les dimanche, mardi, jeudi et samedi, 20 h à 21 h 30. Organise aussi ateliers (une journée) et stages (une semaine) d'initiation aux arts javanais de la scène.
Théâtre Trimurti
Prambana
Mardi, mercredi et jeudi, de 18 h 30 à 22 h.
Dalem Pujokusuman
Jl. Katamso
Lundi, mercredi et vendredi, de 20 h à 22 h.
Académie nationale de danse (ASTI)
Jl. Colombo
Tendances contemporaines de la danse classique.
Taman Hiburan Rakyat (THR)
Jl. Katamso
Wayang orang (théâtre dansé).

SOLO (SURAKARTA)

L'autre cité palatine de Java souffre de la concurrence de Yogyakarta, dont seulement 60 km la séparent. Pourtant, son *kraton*, ses musées, ses nombreux antiquaires et des traditions culturelles vivaces lui permettent de soutenir la comparaison.

Jalan Slamet Riyadi, axe principal de Solo, d'est en ouest, prolonge la route de Yogya. A son extrémité est, le monument Tugu fait face à l'*alun-alun* (place centrale) et à l'enceinte du *kraton*. La poste, les bâtiments officiels, les banques, les téléphones publics et le grand marché (Pasar Gede) sont tous à proximité, de même que les hôtels, les restaurants et les boutiques.

La plupart des sites intéressants se concentrent autour des deux palais, le Kasusuhunan et le Mangkunegaran. Jalan Secoyudan, parallèle à Jalan Slamet Riyadi, est la principale artère commerçante. Les agences de voyages sont entre ces deux axes, dans la rue Yos Sudarso.

Aller à Solo

Nombreux vols à partir de Jakarta, de Surabaya et de Bandung avec Garuda et la Merpati.

Tous les trains pour Yogyakarta s'arrêtent à Solo.

Par la route, de Yogya, le plus simple est de réserver une place dans un *colt* express auprès de n'importe quelle agence de voyages de Jalan Diponegoro. Les départs ont lieu toute la journée, toutes les 30 mn, et le client est déposé où il le souhaite. Pour moitié moins cher, on peut prendre un autocar ou un minibus directement sur Jalan Sudirman ou sur Jalan Solo, mais le voyage est plus long et moins confortable. La location d'un véhicule peut être une bonne solution, surtout pour un aller et retour dans la journée.

À pied ou en cyclo-pousse (*becak*), les tarifs sont les mêmes qu'à Yogya : dérisoires.

Presque toutes les compagnies d'autobus ont un bureau sur Jalan Veteran, dans le sud.

Gare routière
Jl. Parman-Tendean-Haryono

Où loger

Cakra Hotel***
Jl. Slamet Riyadi, 171, tél. (0271) 458 47
52 chambres.

Kusuma Sahid Prince Hotel****
Jl. Sugiyopranoto, 22, tél. (0271) 463 56
97 chambres.

Mangkunegaran Palace Hotel**
Jl. Puro Mangkunegaran, tél. (0271) 356 83
42 chambres.

Sahid Solo Hotel**
Jl. Gajah Mada, 104, tél. (0271) 458 89
40 chambres.

Solo Inn***
Jl. Slamet Riyadi, 366, tél. (0271) 460 75
32 chambres.

Dana Hotel*
Jl. Slamet Riyadi, 286, tél. (0271) 711 976
46 chambres.

Indah Jaya*
Jl. Hasanudin, 116-118, tél. (0271) 715 444
45 chambres.

Trio Hotel
Jl. Urip Sumoharjo, 33, tél. (0271) 328 47

Où se restaurer

La spécialité de Solo est le *serabi*, pâtisserie vendue le soir par les petits marchands de Jalan Slamet Riyadi.

Sari
Jl. Slamet Riyadi, 351
À 3 km du centre, le meilleur restaurant javanais de la ville. *Nasi liwet* (plat typique de Solo à base de riz cuit dans du lait de noix de coco, avec sa garniture), poulet frit et divers types de *pepes* (crevettes, champignons ou poisson épicés et cuits au four ou à la vapeur dans une feuille de bananier).

Timlo Solo
Jl. Urip Sumoharjo, 106
Cuisine raffinée à côté des classiques poulet frit, *pecel* (légumes cuits à l'eau et nappés de sauce de cacahuètes), *nasi gudeg* (la spécialité de Yogya) et *nasi kuning* (riz au safran), servis avec du *tahu* (pâté de soja), du *tempe* (la même chose fermentée) et de la noix de coco râpée.

Tojoyo
Jl. Kepunton Kulon, 77
Poulet frit. Service rapide, mais ouvert seulement de 18 h à 21 h.

Orient
Jl. Slamet Riyadi, 341A
Cuisine chinoise de qualité : bœuf en lamelles à cuire sur une plaque, porc et poisson à la sauce aigre-douce ou au caramel, soupe de crabe ou d'ailerons de requin au maïs, brocolis aux haricots noirs (*kailan tausi*). Spécialité, l'*ayam rebus* : poulet cuit à l'étouffée avec un hachis d'oignons, d'ail et de gingembre.

Centrum
Jl. Kratonan, 151
Carte variée : rouleaux au crabe (*sosis kepiting*), crevettes cuites au beurre (*udang goreng mentega*), poisson aux petits légumes salés (*ikan sayur asin*), pinces de crabe frites (*kepit kepiting*).

Ramayana
Jl. Ronggowarsito, 2
Face à l'hôtel Kusuma Sahid. Brochettes au mouton et au poulet, spécialités chinoises, notamment des épinards frits (*kangkong*) et des pigeons rôtis (*burung dara goreng*).

Segar Ayem
Jl. Secoyudan
Face au marché des batiks, non loin du *kraton* Kasusuhunan. Excellents jus de fruits et cuisine javanaise à base de *gado-gado*, *pecel* et de *nasi rames*.

Bakso Taman Sari
Jl. Gatot Subroto, 42C
Entre les rues Secoyudan et Slamet Riyadi. Nouilles chinoises et jus de fruits glacés.

Andalas
Jl. Ronggowarsito
Face au Mangkunegaran Palace Hotel. Le meilleur restaurant *padang* de Solo.

Achats

● Batik

Solo est l'autre « cité du batik ». De nombreux fabricants sont installés derrière la grande mosquée, autour de Pasar Klewer.

Batik Danar Hadi
Jl. Dr. Rajiman
Chemises en batik et *kain* (tissus) de qualité.
Batik Keris
Jl. Yos. Sudarso, 37
Produits milieu de gamme.
Batik Semar
Atelier : *Jl. Pasar Nongko, 132*. Succursale : *Jl. Slamet Riyadi, 76*
Articles imprimés (jupes, chemises, chemisiers, etc.) bon marché.
K.R.T. Hardjonegoro
Jl. Kratonan, 101
L'un des plus célèbres créateurs de Java vit à Solo où il possède sa propre manufacture. Il vend la plus grande partie de sa production à Jakarta, mais son atelier mérite le détour.
Sidomulyo (Ibu Bei Siswosugiarto)
Jl. Dawung Wetan R.T. 53-54
Au sud de la ville. Les plus beaux batik *tulis* de Solo, mais prix en conséquence.

● **Antiquités**

Ouverte tous les jours, la brocante de Pasar Triwindu compte des centaines d'éventaires dans un bâtiment à deux étages, près de Jalan Diponegoro. Les vendeurs proposent souvent une visite complémentaire dans les stocks qu'ils conservent chez eux et chez les restaurateurs d'antiquités de la ville.

Les antiquaires de Jalan Slamet Riyadi et Jalan Urip Sumarharjo vendent moins de faux que ceux de Pasar Triwindu. Leurs boutiques recèlent des trésors et le marchandage est, comme toujours, de rigueur.
Eka Hartono
Jl. Dawung Tengah, 11-38
Mertojo « Sing Pellet »
Jl. Kepatihan, 31
Mirah Delima
Jl. Kemasan R.T. XI
Parto Art
Jl. Slamet Riyadi, 103
Singo Widodo
Jl. Urip Sumoharjo, 117
Trisno Batik & Art Shop
Jl. Bayangkara, 2

● **Kriss**

A Komplang, au nord, on peut assister à la fabrication de ces poignards aux propriétés magiques.
Pak Suranto Atmosaputro
Jl. Kestalan III, 21
Non loin de la radio d'État (RRI), mine de renseignements sur les kriss.
Busana Jawi
Jl. Teuku Umar
Spécimens bon marché.

● **«Wayang»**

Les figurines de *wayang kulit* de Manyaran (35 km au sud de Solo) sont réputées dans tout Java. De Solo, on peut s'y rendre en *colt* mais il faut changer de véhicule à Wonogiri. Les artisans sont organisés en coopérative et vendent leurs travaux à des prix fixes, en général abordables. Les figurines les plus chères sont les *gunungan* (pièce en forme d'arbre de vie qui ouvre les représentations de *wayang*), parfois décorées à la feuille d'or.

On peut aussi s'adresser directement aux *dalang*, la plupart d'entre eux confectionnant des poupées à leurs heures perdues.
Pak Soetrisno
Tél. (0271) 52 60
Essayer de contacter ce célèbre *dalang*, héritier d'une lignée de marionnettistes, à son bureau à l'université de Solo, où il enseigne son art.
Pak Parto
Pajang Kampung Sogaten, R.T. 27, RK IV
Immédiatement à l'ouest de Solo, l'atelier de ce maître vaut aussi le détour. Il faut sortir de la ville par la route principale et continuer pendant 4 km, puis tourner à gauche juste après un pont, sur une piste en terre.

Un autre grand *dalang* vend parfois des poupées, il s'agit de **Pak Anom Suroto**, qui vit dans une allée du centre, près de l'hôtel Cakra.

● **Gamelan**

Pak Tentrem Sarwanto
Jl. Ngepung R.T.2-RK1, Semanggi
Au sud de la ville. Sa famille a fourni les cours princières pendant des générations. Ensembles complets et instruments à l'unité. La fabrication, à laquelle on peut assister, est immuable : soufflets manœuvrés à la main, forges au charbon de bois de teck et outils rudimentaires.

Spectacles

L'une des meilleures troupes de *wayang orang* de Java se produit tous les soirs sauf le dimanche au parc d'attractions (Taman Sriwedari).
Taman Sriwedari
Jl. Slamet Riyadi
Le Taman Hiburan Bale Kambang, l'autre parc d'attractions, au nord-ouest de la ville, abrite deux salles de théâtre, le Sri Mulat et le Ketoprak. La première propose chaque soir des comédies bouffonnes telles que *Le Grand Méchant Dracula* ou *Le Gigolo*. Dans un autre registre, la seconde présente les drames du Ketoprak, théâtre populaire inspiré de contes et de légendes. Le Taman Hiburan comprend plusieurs restaurants en plein air, des billards et une salle de projection vidéo. Spectacles tous les soirs à 20 h, à 10 h le dimanche.

SURABAYA

La deuxième ville d'Indonésie (plus de 3 millions d'habitants) manque de centres d'intérêt marquants. En revanche, sa région, Java-Est, regorge de sites naturels et historiques de premier ordre.

Office de tourisme
Jl. Darmokali, 35
Brochures et un *calendar of events*, notamment les finales des courses de taureaux de Madura (d'août à septembre) et les ballets du Râmâyana, à Pandaan (de juin à novembre).

Le **parc national de Baluran** est à la pointe nord-est : *bush*, forêt dense et prairies dominés par le volcan Baluran, et de belles plages. A 5 h ou 6 h de route de Bali (bac de Gilimanuk à Banyuwangi, puis 40 km) ou de Surabaya (250 km). Hébergement : à Bekol (gîte).

Le **parc national Bromo-Tengger-Semeru**, région volcanique de l'est, à la beauté tour à tour luxuriante et austère, compte beaucoup d'hôtels et de restaurants. Classique balade à cheval à la caldeira du Bromo et rencontres avec le peuple des Tenggers. Le tout à 4 h de Surabaya.

Tretes est à 15 km et 1 h de route au sud de Surabaya. A Pandaan, une petite route de montagne qui part vers l'ouest mène à cette charmante station d'altitude. De Surabaya, on peut louer un taxi ou un minibus. Plus économiques, les autocars et les minibus collectifs qui vont à Malang s'arrêtent à Pandaan, où l'on prend l'un des nombreux *colt* et *ojek* (moto-taxi) pour Tretes.

Natour Bath Hotel*
Jl. Pesunggrahan, 2, Tretes, tél. 811 61
50 chambres.
Tanjung Plaza**
Jl. Wilis, 7, Tretes, tél. 811 02, 811 73
62 chambres.
Digahaya Indah
Jl. Ijen, 5, Tretes, tél. 819 32
12 chambres.
Pelita
Jl. Wilis, Tretes, 19-21, tél. 818 02
Tretes Raya
Jl. Malabar, 166, Tretes, tél. 819 02

Aller à Surabaya

Des lignes aériennes régulières desservent Surabaya depuis presque toutes les grandes villes indonésiennes, et la Merpati assure chaque jour une dizaine d'allers et retours avec Jakarta. La capitale de Java-Est est l'escale obligée pour la plupart des vols en direction du nord et de l'est de l'archipel. L'aéroport de Juanda est au sud, à 15 km, sur la route de Malang et Tretes (qu'on peut rejoindre sans passer par Surabaya si l'on arrive en avion).

Bon nombre des trains qui traversent Java aboutissent à Surabaya. Il y a trois gares : Pasar Turi, Semut (aussi Kota) et Gubeng, la plus proche du quartier des hôtels.

D'innombrables autocars arrivent et partent des trois principales gares routières. Les correspondances sont rapides. La gare routière de Joyoboyo est au sud de la ville, à 2 km de Jalan Tunjungan, en face du zoo. La plupart des compagnies d'autobus (comme Elthera) ont des agences près de Jalan Basuki Rachmat.

La compagnie maritime nationale Pelni assure des liaisons régulières entre Surabaya et les grandes villes de l'archipel.

Comment se déplacer

De l'aéroport, le taxi est la meilleure solution pour rejoindre Surabaya. En ville, ils sont légion (la plupart avec compteur). On peut louer un véhicule à l'heure, à l'aéroport ou auprès d'un hôtel.

Les autobus municipaux et les minibus (*bemo*) traversent la ville du nord au sud et convergent vers le terminal de Joyoboyo. Les trajets les plus courants suivent une direction sud-nord, entre Joyoboyo et la vieille ville, *via* le centre et les grands hôtels : axe Jembatan Merah-Tunjungan-Joyoboyo et axe Jembatan Merah-Diponegoro-Joyoboyo. Les réceptionnistes des hôtels sont une bonne source de renseignements.

La plupart des agences de voyages organisent sur commande des circuits en taxi ou en minibus et avec guide, dans tout Java-Est. L'office de tourisme peut mettre sur pied des courses de taureaux et des danses de transe.

Kapasan Oriental Express
Jl. Kapasan, 183A, tél. (031) 31 46 44
Natrabu
Jl. Dinoyo, 40, tél. (031) 685 13
Suman Tours
Jl. Yos Sudarso, 17, tél. (031) 51 04 17

Où loger

Hyatt Regency Surabaya***
Jl. Basuki Rachmat, 124-128, tél. (031) 511 234,
fax (031) 512 038
268 chambres.
Mojopahit Hotel***
Jl. Tunjungan, 45, tél. (031) 433 51, fax (031) 519 865
106 chambres.
Altea Hotel Mirama*
Jl. Raya Darmo, 68-76, tél. (031) 582 501,
fax (031) 571 943
105 chambres.
Elmi International Hotel*
Jl. Panglima Sudirman, 42-44, tél. (031) 522 571,
fax (031) 515 615
140 chambres.

Garden Hotel*
Jl. Pemuda, 21, tél. (031) 52 10 01, fax (031) 511 838
100 chambres.
Radison Plaza Suite ***
Jl. Pemuda, 31-37, tél. (031) 51 68 33,
fax (031) 51 63 93
230 chambres.
Shangri-la Hotel*
Jl. Mayjen. Sungkono, 120, tél. (031) 58 03 33
389 chambres.
Ramayana Hotel**
Jl. Basuki Rachmad, 67-69, tél. (031) 463 21,
fax (031) 51 65 27
100 chambres.
Bamboe Denn-Transito Inn
Jl. Pemuda, 19, tél. (031) 403 33
Cendana Hotel
Jl. K.B.P.M. Duryat, 6, tél. (031) 422 51
23 chambres.
Lasmana Hotel
Jl. Bintoro, 16, tél. (031) 671 52
54 chambres.
Olympic Hotel
Jl. Urip Sumoharjo, 65-67, tél. (031) 432 15
22 chambres.
Pregolan Hotel
Jl. Pregolan Bunder, 11-15, tél. (031) 412 51
25 chambres.
Royal Hotel
Jl. Panglima Sudirman, 68, tél. (031) 435 47
Sarkies Hotel
Jl. Embong Malang 7-11, tél. (031) 445 14
51 chambres.
Wisma Ganeça
Jl. Sumatra, 34A

Où se restaurer

Kiet Wan Kie
Jl. Kembang Jepun, 51
Ainsi que la petite gargote en face du New Grand Park Hotel (*Jl. Samudra*), très bonne cuisine, en particulier des poissons frais.
Satellite Garden
Jl. Raya Kupang Baru, 17
Référence pour les fruits de mer.
Bibi & Baba
Jl. Tunjungan, 76
Considéré comme le meilleur restaurant indonésien de Surabaya.
Taman Sari Indah
Jl. Taman Apsari, 5
En face de l'imposante statue de Joko Dolog, à côté du bureau de poste. Excellents *pepes* et *sate* dans un cadre soigné.

Le centre commercial Tunjungan Plaza compte de très bons établissements, notamment coréens, comme le Korean Tower. On y déguste du poisson frais dans une salle climatisée qui surplombe la ville. Au marché traditionnel installé dans un vaste bâtiment près du Tunjungan Plaza, on peut se rassasier de glaces, de *sate* et de *martabak*.

Les Indonésiens d'origine chinoise, nombreux à Surabaya, ont ouvert quantité de restaurants.
Bima Garden
Jl. Pahlawan, 102
Spécialités de Hong Kong, telles que les *dim sum* (bouchées à la vapeur).
Mandarin
Jl. Genteng Kali, 93
Avec le suivant, les plus fameuses salles de banquet de la ville ; tous deux le long de la rivière.
Phoenix
Jl. Genteng Kali, 15
Hoover
Centre commercial Wijaya, 2ᵉ ét.
Oriental
Jl. T.A.I.S. Nasution, 37

Achats

Dans les luxueux centres commerciaux de Jalan Tunjungan ou au Wijaya Shopping Centre, les appareils photos, les magnétophones et l'électronique sont à des prix très intéressants.

Pour les tissus et les batiks, les ruelles aux allures de médina qui entourent la mosquée de Sunan Ampel, dans le nord de la ville, sont l'occasion d'une agréable promenade. On y trouve des parfums, des épices, de l'encens, des tapis de prières.

Nombre de boutiques d'antiquaires autrefois à proximité de l'hôtel Hyatt, sur Jalan Basuki Rachmat, ont été démolies. Dans le quartier, on peut néanmoins dénicher de l'artisanat ancien ou moderne.
Kundadas
Jl. Tunjungan, 97
Sarinah
Jl. Tunjungan, 7
Rochim
Jalan Raya Darmo, 27
Beaux coffres madurais, tout comme le suivant.
Bangun
Jalan Raya Darmo, 5

Spectacles

Des représentations de *wayang orang*, *ludruk* et *ketoprak* se donnent tous les soirs dans les deux théâtres du parc d'attractions Taman Hiburan Rakyat.
Taman Hiburan Rakyat
Jl. Kusuma Bangsa
Une étonnante troupe de travestis interprète d'hilarantes comédies de Sri Mulat. Les spectacles débutent à 20 h et les billets sont bon marché.

De juin à novembre, le premier et le troisième samedi de chaque mois, le site de Pandaan (à 45 km au sud, sur la route de Malang) accueille des représentations de *sendratari*, forme javanaise un peu kitsch de théâtre dansé, à ciel ouvert, dans l'amphithéâtre Candra Wilwatikta.

L'office du tourisme fournit des informations sur les manifestations culturelles, notamment les *kuda kepang*, où les danseurs entrent en transe. Il donne aussi le programme des courses de taureaux de Madura. Les principales épreuves ont lieu tous les mois au stade de Bangkalan (à 16 km de Kamal, où les bacs en provenance de Surabaya accostent).

MALANG

Le long de la Brantas, au milieu de collines et de vallons, Malang a gardé une atmosphère paisible et provinciale.

La station d'altitude de **Batu** et sa voisine **Selekta**, à 23 km à l'ouest, datent de l'époque coloniale. De nombreux pavillons, *losmen* et hôtels avec piscine y ont été construits ces dernières années, notamment le vaste ensemble Songgoriti, à la sortie de Batu, sur la route principale. A Selekta, on peut loger dans de vieux bungalows de l'époque hollandaise, pour un prix abordable.

Asida Hotel**
Jl. Panglima Sudirman, 99, Batu, tél. (0341) 929 88 65 chambres.

Batu Hotel
Jl. Hasanuddin, 4, Batu

Libra Bungalows
Jl. Konto, 4, Batu

Palem Hotel*
Jl Trunojoyo, 26, Batu, tél. (0341) 919 77 38 chambres.

Purnama Hotel Bar & Restaurant****
Jl. Raya, Selekta, Batu, tél. (0341) 927 00 142 chambres.

Santoso
Jl. Tulungrejo, 11, Batu

Selekta Hotel & Pool
Jl. Tulungrejo, Batu

Songgoriti Hotel
Jl. Songgoriti, Batu

La meilleure voie d'approche pour le **Bromo** est celle qui relie la route côtière du nord à Ngadisari, *via* Sukapurna (20 km). A Tongas ou à Ketapang, on prend l'un des nombreux *colt* pour Ngadisari. De là, une piste conduit à Cemara Lawang (3 km), sur la caldeira du Bromo. On fait les derniers kilomètres et la montée finale à pied ou à dos de poney. Il faut un permis (auprès de la police du village) pour emprunter cette piste avec un véhicule privé. De Surabaya, il faut 5 h pour atteindre le bord de la caldeira. La seconde route part de Pasuruan, aussi sur la côte nord, et mène à Tosari (43 km). La voie la plus longue passe par Malang et Ngadas, petit village où la randonnée commence. La traversée de la mer de sable sur un poney jusqu'au pied du Bromo dure 2 h. On part de l'hôtel vers 3 h du matin, afin d'admirer le lever du soleil (retour vers 9 h). Un escalier mène au sommet du volcan. Autre possibilité : commencer le circuit du bord de la caldeira, où le spectacle de l'aurore est encore plus impressionnant, avant de descendre dans la mer de sable.

Bromo Permai Hotel
Jl. Panglima Sudirman 237-242, Cemara Lawang, tél. 215 10
30 chambres et un restaurant. Rarement complet mais, en haute saison, il est recommandé de réserver à Probolinggo. Confort sommaire (prévoir sac de couchage et vêtements chauds).

Grand Bromo
Jl. Bromo-Ngadisari
Le plus luxueux, 85 chambres et bungalows.

Bromo Cottages
Pasuruan
Une centaine de pavillons éparpillés dans une forêt de pins.

Après le Bromo, on peut poursuivre vers le sud en direction du volcan **Semeru**, le plus haut sommet javanais (3 676 m). L'ascension requiert une parfaite condition physique et du matériel de randonnée et de camping de bonne qualité. Le massif compte trois beaux lacs surplombés de forêts de pins. De Rano Pani, on rejoint ensuite Ngadas puis Malang, *via* Tumpang.

Aller à Malang

De Jakarta, le train traverse de belles régions, mais il est lent et inconfortable. De Surabaya, on voyage dans de vieilles voitures de troisième classe.

Les *colt* express sont beaucoup plus pratiques. Les hôtels de Surabaya peuvent faire les réservations. Des autocars réguliers pour Malang partent du terminal de Joyoboyo (Surabaya).

Où loger

Bamboe Denn-Transito Inn
Jl. Semeru, 35, tél. (0341) 248 59

Kartika Prince Hotel***
Jl. Jaksa Agung Suprapto, 17, tél. (0341) 619 00, fax (0341) 619 11
79 chambres.

Malang Regent Park Hotel***
Jl. Jaksa Agung Suprapto, 12-16, tél. (0341) 633 88, fax (0341) 614 08
99 chambres.

Pelangi Hotel**
Jl. Merdeka Selatan, 3, tél. (0341) 651 56
74 chambres.

Santoso
Jl. H. Agus Salim, 24, Malang, tél. (0341) 238 89
Splendid Inn Hotel*
Jl. Mojopahit, 2-4, tél. 668 60
27 chambres.
Tugu Park Hotel
Jl. Tugu, 3, tél. (031) 638 91, fax (031) 627 47
36 chambres.
YMCA
Jl. Basuki Rachmad, 68-76, tél. (031) 236 05

Où se restaurer

Minang Jaya
Jl. Basuki Rachmat, 22
En face de la YMCA. Excellente cuisine sumatranaise.
Toko Oen
Proche du précédent. Ses spécialités hollandaises : *wienerschnitsel, broodjes* et *uitsmijters.*
La Vanda
Jl. Semeru, 49
Glaces maison, mais on peut aussi y déguster un bifteck.
New Hongkong
Jl. Arif Rahman Hakim
Bonne adresse pour la cuisine chinoise.

Achats

La plupart des antiquaires et des brocanteurs sont sur Jalan Basuki Rachmat. Le deuxième étage de Pasar Besar, le grand marché couvert, renferme également des boutiques d'antiquités qui vendent de la vieille vaisselle hollandaise, des services de table et de l'argenterie.
Amongsari
Jl. Basuki Rachmat, 26A
Batu Artshop
Jl. Bromo, 8
Peintures, batiks, vannerie.
CV. Unggul
Jl. Raya Karanglo, 84
Kalimantan Artshop
Jl. Basuki Rachmat, 81
Seruni
Jl. Basuki Rachmat, 22C

BANYUWANGI

Banyuwangi est à 8 km au nord de l'embarcadère de Ketapang, d'où partent les bacs pour Bali. La ville voit passer tous les visiteurs en partance pour l'Ijen, Sukamade, Bali et la péninsule de Blambangan.
Office de tourisme
Jl. Diponegoro, 2, tél. (0333) 417 61

Agence Nitour
Jl. Raya, 43
Circuits pour tous les budgets.

La principale attraction du **volcan Ijen**, au nord-ouest, est le lac turquoise qui en occupe le cratère. De Sempol, on peut faire l'excursion dans la journée. De Jambu, il faut 7 h de marche (moins si on loue des chevaux). On peut passer la nuit dans la station volcanologique d'Ungkup-Ungkup, à 1 h en contrebas du cratère, mais il faut un sac de couchage (nuits très fraîches).

Dans la **réserve d'Alas Purwo** (Banyuwangi Sud), les vagues de 3 m à 10 m qui déferlent sur la partie occidentale de l'étroite péninsule de Blambangan, entre mai et juillet, attirent de nombreux surfeurs. Ils logent à Plengkung dans quelques paillotes. Il y a trois manières d'atteindre ce camp. La plus simple (mais la plus chère) est d'affréter une vedette à Bali. On peut aussi rejoindre Grajagan en *bemo, via* Benculuk et Purwoharjo (52 km). A Grajagan, sur la côte sud, il faut affréter un bateau de pêche pour traverser la baie jusqu'à Plengkung. La dernière solution, la plus éprouvante, est d'aller à motocyclette ou en jeep jusqu'à Triangullasi, dans la réserve (60 km de Banyuwangi), et de faire à pied les 10 km qui restent.

La **réserve de Meru Betiri** (Sukamade) est l'une des plus intéressantes de Java, d'accès plus aisé et moins coûteux que celui d'Ujung Kulon. Elle s'étend dans une région de collines au bord de l'océan Indien, à 90 km au sud-ouest de Banyuwangi. On peut louer une jeep, mais aussi, de Banyuwangi, prendre un autocar jusqu'à Genteng (35 km), puis un *bemo* jusqu'à Pesanggaran, à 30 km.

Le seul moyen d'atteindre **Rajegwesi** (à 24 km) est de monter dans un des camions qui transportent passagers et marchandises sur cette piste en mauvais état. L'auberge du village peut accueillir 6 personnes (pour réserver, consulter le bureau du PPA à Banyuwangi). Sukamade Baru, village de la plantation de café, est 11 km plus loin. Les visiteurs sont logés à l'intérieur des terres, dans une pension confortable qui peut accueillir 30 personnes. La plage de Pantai Penyu, à quelques kilomètres de là, est un lieu de ponte pour les tortues de mer (certaines atteignent 200 kg).

Où loger

Banyuwangi et ses environs comptent de nombreux hôtels. A Kaliklatak (15 km à l'ouest de Banyuwangi, sur les pentes du Merapi), on peut loger dans les bungalows de la plantation.
Manyar Hotel*
Jl. Gatot Subroto, 110, Banyuwangi,
tél. (0333) 417 41
43 chambres.

SUMATRA

ALLER À SUMATRA

Par avion

L'aéroport international de Medan est le point d'arrivée si l'on commence le voyage par Sumatra, avec des vols en provenance de Kuala Lumpur et de Penang (Malaisie, par Garuda et Malaysia Airlines), Singapour (Silk Air et Merpati, cette dernière desservant toutes les grandes villes à partir de Java, Kalimantan, Sulawesi, etc.). Palembang et Padang, à l'ouest de Sumatra, sont aussi quotidiennement reliées à Singapour.

Par bateau

Plusieurs bacs quotidiens relient en 4 h Merak, à la pointe ouest de Java, à Bakauheni, à la pointe sud de Sumatra. Par beau temps, on aperçoit Krakatau.
   Les départs pour Nias se font du port de Sibolga. La croisière dure 16 h.
   La Pelni assure une liaison hebdomadaire de Jakarta à Medan et à Padang.

Par la route

La Transsumatranaise traverse l'île dans toute sa longueur, sur 2 500 km. Les autres voies (sauf aux environs de Medan, du lac Toba et de Bukittinggi) sont en mauvais état, souvent impraticables en saison des pluies et parfois réservées aux 4x4 en saison sèche. Les autocars, très bon marché, vont partout et sont de plus en plus souvent climatisés, équipés de sièges inclinables et d'écrans vidéo.

Par le train

Il y a trois lignes. La première va de Langsa (au nord de Medan) à Rantauprapat en passant par Medan, avec un embranchement pour Pematangsiantar. La seconde relie Padang et son port, Teluk Bayur à Padangpanjang, puis continue vers le nord jusqu'à Sawahlunto, près du lac Singkarak. La dernière va de Tanjung Karang (pointe sud), à Palembang, au nord-est, et à Lubuklinggau, à l'ouest.

MEDAN

Le **parc national du mont Leuser** correspond à la vallée de l'Atas. A Bukit Lawang, à 2 h de Medan (bureau du PHPA), le centre d'adaptation des orangs-outangs apprend la vie en forêt aux singes nés en captivité. Hébergement : gîte de Binjai et *losmen* de Bukit Lawang.

Office de tourisme
Jl. A. Yani 107, tél. & fax (061) 511 101
Les marchés de Medan regorgent de produits artisanaux de toutes les provinces de l'île, mais aussi de Java. Beaucoup de boutiques de souvenirs se trouvent sur Jl. Jendral A. Yani. et Jl. Arifin. Elles vendent des batiks, au mètre ou en coupons. Mais il faut d'abord aller au Pasar Ikan Lama.
Pasar Ikan Lama
Jl. Perniagaan
Marché aux tissus, entre Jl. Yani et la voie ferrée.
Seni Batik Indonesia
Gedung Perisai, Jl. Pemuda 7
Iwan Tirta
Jl. Sriwijaya Ujung Utara 1
Tiara Boutique
Jl. Prof. Yamin 20 C
Au **lac Toba**, quinze ans de tourisme ont épuisé les réserves d'antiquités des districts toba et karo. Il y a encore en revanche de belles porcelaines chinoises, des pièces d'argenterie hollandaises et parfois des figurines bataks. Les tissus bataks sont intéressants... à condition de marchander ferme. Autour du lac, on logera à Prapat ou dans l'île de Samosir.
Niagara Prapat Hotel********
Jl. Pembangunan 1, Prapat, tél. (0625) 410 28, fax (0625) 412 33
152 chambres.
Patrajasa Prapat Hotel******
Jl. Semenanjung Siuhan, Prapat, tél. (0625) 411 96, fax (0625) 41 536
58 chambres.
Danau Toba International Hotel******
Jl. P. Samosir, 17, Prapat, tél. (0625) 41 583, fax (0625) 417 19
82 chambres.
Danau Toba International Cottage*****
Jl. Nelson Purba, 4, Prapat, tél. (0625) 411 72
96 chambres.
Silintong Hotel******
Jl. Durian 5, Tuk Tuk, tél. (0622) 41 345
67 chambres.
Toba Beach Hotel******
Tomok, tél. (0622) 41 275
120 chambres.
Tuk Tuk Toledo Inn
Tuk Tuk, tél. (0625) 41 181

Où loger

Danau Toba International********
Jl. Imam Bonjol ,17, tél. (061) 327 000, fax. (061) 530 553
256 chambres.
Polonia Hotel********
Jl. Sudirman ,14-18, tél. (061) 535 111, fax (061) 519 553
174 chambres.

Tiara Medan Hotel**
Jl. Cut Mutiah, tél. (061) 516 000, fax. (061) 510 176
189 chambres.
Garuda Plaza Hotel*
Jl. Sisingamangaraja, 18, tél. (061) 7111 411,
fax. (061) 51 565
151 chambres.
Novotel Seochi*
Jl. Cirebon, 76A, tél. (061) 561 234,
fax. (061) 572 222
Sumatra Village Resort*
Jl. Jamin Ginting, km 11,2, tél. (061) 830 036
58 chambres.
Pardede International Hotel**
Jl. Ir. H. Juanda, 14, tél. (061) 323 866,
fax. (061) 323 675
128 chambres.
Angkasa Hotel**
Jl. Sutomo, 61, tél. (061) 322 555, fax (061) 720 000
57 chambres
Elbruba Hotel*
Jl. Perintis Kemerdakaan, 29, tél. (061) 520 119
48 chambres.
Garuda Hotel*
Jl. Sisingamangaraja, 27, tél. (061) 324 453
45 chambres.
Sumatra Hotel*
Jl. Sisingamangaraja, 21, tél. (061) 717 072
55 chambres.
Wai Yat Hotel*
Jl. Asia, 44, tél. (061) 274 75
70 chambres.
Dharma Deli
Jl. Balai Kota, tél. (061) 327 011, fax. (061)327 153
Dirga Surya
Jl. Imam Bonjol 6, tél. (061) 321 555,
fax. (061) 513 327
Emerald Garden Hotel
Jl. Yos Sudarso 1, tél. (061) 611 888,
fax. (061) 622 888

Où se restaurer

Le Tip Top est réputé pour sa cuisine padang et ses glaces. On peut dîner en plein air à Selat Pangjang, derrière Jl. Pandu, où des étals vendent de la cuisine chinoise, des brochettes et des jus de fruits, ou sur Jl. Sisingaman-Garaja, près de la piscine, où l'on cuit d'excellentes brochettes. En août-septembre, les éventaires au bord des routes regorgent de durions, fruits à la chair blanche et laiteuse protégée par une écorce couverte de grosses épines jaunes et à l'odeur… particulière.
Bali Plaza
Jl. Kumango 1 A
Chinois.
Cafe Demarati
Jl. Gatot Subroto
Européen.

Garuda
Jl. Pemuda 20 C. D.
Cuisines indonésienne, européenne, chinoise, grand choix de glaces et de jus de fruits.
Hawa Mandarin
Jl. Mangkubumi 18
Indonésien, européen, chinois.
Lynn's Bar
Jl. A. Yani
Bonne cuisine occidentale à prix raisonnable.
Mohammed Shariff
Jl. Bandung 30
Beaucoup d'ambiance.

BANDA ACEH

La compagnie d'autocars Banda Aceh Express relie Medan à Banda Aceh. D'autres autocars qui font Blangkeseren-Kutacane, Takingon-Bireuen, Sigli-Aceh, partent en général tôt le matin pour arriver l'après-midi.
Office de tourisme
Jl. Chik Kuta Karang 3, tél. (0651) 23 692,
fax. (0651) 33 723.
Il y a peu de bonnes affaires, à l'exception des *rencong* (poignards qui peuvent coûter 700 F) et des bijoux, à négocier au marché. On trouve une grande variété de tissus dans la province d'Aceh, chaque localité ayant ses propres motifs.
Les alentours de **Brastagi**, station climatique à 70 km au sud de Medan (2 h d'autocar), se prêtent à des randonnées dans les collines du pays Karo.
Bukit Kubu Hotel
Jl. Sempurna 2, tél. (0628) 20 832
Rudang Hotel
Jl. Sempurna 3, tél. (0628) 20 921

Où loger

Kuala Tripa Hotel*
Jl. Mesjid, tél. (0651) 218 79, fax (0651) 217 90
40 chambres.
Sultan Hotel International*
Jl. T. Panglima Polim, tél. (0651) 22 465,
fax (0651) 31 770
60 chambres.
Cakra Donya Hotel*
Jl. Khairil Anwar, tél. (0651) 33 633, fax (0651) 23 879
67 chambres.
Paviliun Seulawah*
Jl.Masjid Ibrahim III/3, tél. (0651) 22 788
22 chambres.
Prapat Hotel
Jl. A. Yani 7, tél. (0651) 22 159
43 chambres.
Aceh Barat Hotel
Jl. Khairil Anwar, tél. (0651) 23 250
21 chambres.

Où se restaurer

La cuisine d'Aceh change agréablement de la cuisine *padang* : poisson (*ikan panggang*), salade de papaye (*sambal bunga kates*), œufs aux épinards (*sayur bayam*). Le dessert le plus courant est le *pulot hitam dua masak*, gâteau de riz noir sucré.

Les restaurants bataks de Kutacane servent du curry de chien (*cicang anjing*) et du vin de palme (*tuak*). Le café noir (*kopi tok*) ou au lait (*kopi susu*) est excellent dans tout Aceh.

Aroma
Jl. Cut Nyak Dhien 18, Penayong
Chinois.
Asia Baru
Jl. Gutmeuda
Cuisine locale.
Eka Daroy Coffee Shop
Hôtel Eka Daroy, Jl. Mata I
Chinois, indonésien, européen.

BUKITTINGGI, PEKANBARU ET L'ARCHIPEL DE RIAU

Sur le marché de Bukittinggi, les étals d'alimentation jouxtent des échoppes qui vendent des objets en argent de Kota Gadang, des *songket* brodés de Silungkang et des bronzes. **Pandai Sikat**, à 10 km de Bukittinggi, est spécialisé dans le tissage et la sculpture, et **Kota Gadang** (à 12 km) dans l'argenterie.
Office du tourisme de Bukittinggi
Jl. Sudirman, tél. (0752) 22 403
Office de tourisme de Pekanbaru
Jl.Diponegoro 24 A, tél. (0761) 315 62

Batam et **Bintan** sont reliées par bateau à Singapour, Jakarta, Pekanbaru et Palembang. Chacune de ces deux îles, ainsi que celle de Karimun, possède un aéroport (international à Batam). De l'un de ces trois points de chute, on se rend aisément dans les îles voisines. Pour Pulau Penyengat, la rivière aux Serpents et les plages des environs, le mieux est d'affréter à plusieurs un prao en s'adressant aux patrons des bateaux à quai. Les agences de voyages de Singapou proposent séjours et excursions dans cet archipel situé à 1 h de mer de la cité-État.

Où loger

● **Bukittinggi**

Pusako Hotel***
Jl. Sukarno-Hatta, 9, Bukittinggi, tél. (0752) 21 105, fax (0752) 210 17
191 chambres.

Denai Hotel**
Jl. Rivai 26, Bukittinggi, tél. (0752) 21 460
21 chambres.
Dymen's International Hotel**
Jl. Nawawi 1-3, Bukittinggi, tél. (0752) 221 11
54 chambres.
Pasir Panjang Permai Hotel*
Jl. Raya Maninjau, tél. (0752) 610 22
15 chambres. Au lac Maninjau.
Singkarak Sumpur Hotel
Pinggir Danau Singkarak, tél. (0752) 825 29
Au lac Singkarak.

● **Pekanbaru**

Grand Dyan Hotel***
Jl. Gatot Subroto 7, tél. (0761) 266 00
Furaya Hotel**
Jl. Sudirman, tél. (0761) 266 88
Anom Hotel
Jl. Gatot Subroto 3, tél. (0761) 360 83
Dharma Utama Hotel
Jl. Sisingamangaraja 6, tél. (0761) 211 71

● **Batam et Bintan**

Batam View Hotel****
Jl. Hang Lekir, Nongsa, tél. (0778) 459 308, fax. (0778) 453 747
195 chambres.
Nagoya Plaza Hotel***
Jl. Imam Bonjol, Lubuk Baja, tél. (0778) 459 888
110 chambres.
Nongsa Beach Resort***
Jl. Pantai Bahagia Nongsa, Batam
Ramayana Hotel**
Jl. Pembangunan, Komplek Batam Blok B1, Labuk Baja, tél. (0778) 456 888
47 chambres.
Club Med****
Ria Bintan
Royal Palace Hotel***
Jl. Adi Sucipto km. 10, Bintan, tél. (0771) 275 55
Sempurna Jaya Hotel**
Jl. Yusuf Kahar 15, Bintan, tél. (0771) 212 64
Pinang Island Hotel*
Jl.Gudung Miniak 133, Bintan, tél. (0771) 213 07

Où se restaurer

● **Bukittinggi**

Dymen's Hotel Restaurant
Jl. Nawawi 1-5
Indonésien, européen, chinois et japonais.
ACC
Muka Jam Gudang
Spécialités minangkabaus, ainsi que les suivants.
Ria Sari
Centre commercial Ngarai Sianok, Jl. Jendral Sudirman 1

Selamat
Jl. A. Yani 19
Simpang Raya
Muka Jam Gadang

● **Pekanbaru**

Anom
Jl. Gatot Subroto 3
Indonésien.
Caloca
Jl. Diponegoro 26
Indonésien, européen.
Gelas Mas Restaurant
Jl. H. Sulaiman
Européen, chinois.
Medan
Jl. Ir. Juanda 28
Indonésien, chinois.

PALEMBANG

Le **parc national de Way Kambas** est un univers de prairies où paissent les éléphants, de marécages et de mangrove, à explorer en canoë à partir de Way Kanan. Bac de Merak (Java) à Bakauheni, puis 100 km jusqu'à Tanjungkarang (bureau du PHPA), ou par avion jusqu'à cette localité, puis route jusqu'à Way Kanas, où il y a une maison d'hôtes.
Office du tourisme
Jl. POM IX Kampus (Taman Budaya),
tél. (0711) 357 348

Où loger

Sanjaya Hotel**
Jl. Kapten A. Rivai 6193, tél. (0711) 310 675,
fax (0711) 313 693
182 chambres.
King's Hotel*
Jl. Kol. Atmo 623, tél. (0711) 362 323,
fax (0711) 310 937
140 chambres.
Arjuna Hotel*
Jl. Kapt. A. Rivai 219, tél. (0711) 356 719
Le Paradise Hotel
Jl. Kapten A. Rivai 257, tél. (0711) 356 707

● **Telukbetung (Bandar Lampung)**

Indra Palace Hotel*
Jl. W. Mongonsidi 70, tél. (0721) 627 66
64 chambres.
Kartika Hotel**
JL. Kh. A. Dahlan 96, tél. (0721) 667 78,
fax (0721) 454 13
44 chambres.

Sheraton Inn Lampung***
Jl. W. Mongonsidi 75, tél. (0721) 486 666,
fax (0721) 486 690
107 chambres.
Sriwijaya Hotel
Jl. Ikan Kalap 25, tél. (0721) 410 46
32 chambres.

Où se restaurer

Coffee House Maxim
Jl. Jendral Sudirman 304
Indonésien.
Mandala
Jl. Veteran 86-88
Indonésien, européen, japonais et chinois.
City Bar and Restaurant
Jl. Jendral Sudirman 589, Makmur Store, 3ᵉ ét.
Indonésien, européen, chinois, comme les suivants.
Musi
Jl. Merdeka 252
Sanjay
Jl. Kapten A. Rivai 6193

PADANG

Les boutiques de batiks et les antiquaires sont implantés dans la rue Pasar Raya, qui borde le grand marché, et sur Jl. Imam Bonjol.
Office de tourisme de Sumatra-Ouest
Jl. Jend. Sudirman 43, tél. (0751) 34 231

Où loger

Pangerang Beach Hotel**
Jl. Juanda 79, tél. (0751) 51 333, fax (0751) 31 613
139 chambres.
Mariani International Hotel**
Jl. Bundo Kandung 36, tél. (0751) 341 33
30 chambres.
Pangeran City Hotel**
Jl. Dobi 3-5, tél. (0751) 312 30, fax (0751) 271 89
65 chambres.
Tiga-Tiga Hotel
Jl. Pemuda 33, tél. (0751) 226 33

Où se restaurer

Alima
Jl. Pasar Baru 29
Spécialités minangkabaus, comme le suivant.
Roda Baru
Jl. Pasar Raya 6
Chan's Restaurant
Jl. Pondok 94
Chinois et européen, comme le suivant.
Phoenix
Jl. Niaga 138

BALI

Malgré 2 millions de touristes par an, le visiteur est un hôte. Les tenues légères sont à bannir lors des visites de temples. Ne pas entrer dans un temple sans ceinture « sacrée », donner une obole au gardien, se conduire avec déférence. Garder argent et papiers en lieu sûr, mais être discret, car les Balinais considèrent l'étalage de richesses comme une provocation, et la suspicion comme une insulte. Ne pas marchander dur sans acheter.

Le **parc national de Bali Barat** est vaste et montagneux. Nombreuses espèces rares (étourneau de Rothschild, buffle sauvage). L'île Manjangan est réputée pour la plongée. Gîte dans la baie de Terima ou hôtels à Gilimanuk.

Office de tourisme
Jl. Surapati 7, Denpasar, tél. (0361) 23 45 69

ALLER À BALI

En avion

L'aéroport international Ngurah Rai, sur l'isthme de Tuban, à 15 km au sud de Denpasar, reçoit plusieurs vols par jour de Jakarta, Yogyakarta, Surabaya, etc. Garuda assure des liaisons entre l'Europe ou Singapour et Bali *via* Jakarta, et Air France assure deux vols par semaine Paris-Denpasar, avec escale. Les vols Jakarta-Bali sont fréquents et, en atterrissant à Jakarta avant 18 h, on gagne Bali dans la journée. Qantas et Garuda proposent des vols directs entre Sydney, Melbourne, Perth et Darwin et Bali.

Le service de taxis est très fiable entre l'aéroport et les villes (Kuta, Sanur, Denpasar, Nusa Dua, Ubud…). Le prix des courses est affiché au comptoir de réservation des taxis. On peut aussi prendre un *bemo* pour Kuta ou Denpasar (l'arrêt se trouve à quelques centaines de mètres de l'aéroport).

En bateau

En dehors du bac qui relie Banyuwangi à Gilimanuk (voir ci-dessous), il n'existe pas de liaisons régulières, mais on peut, à Surabaya et à Madura, s'embarquer sur les voiliers de commerce qui accostent à Singaraja, sur la côte nord.

En train

De Jakarta, Bandung ou Yogya, il faut aller à Surabaya (gare de Gubeng) prendre le Mutiara Timur, train non climatisé qui va en 7 h à Banyuwangi, à la pointe sud de Java (départs à 11 h et 23 h). Le billet de train comprend la traversée Banyuwangi-Gilimanuk en bac et la correspondance pour Denpasar en autocar. Il faut 12 h en tout.

COMMENT SE DÉPLACER

Les routes suivent les axes utilisés pour escorter les divinités du village à la mer, pour les processions et les crémations, ou encore pour les représentations de danse *barong*. Elles sont de plus en plus encombrées. Les meilleurs moyens de visiter Bali sont peut-être la marche à pied et le vélo, hors des grandes routes.

Taxi

Location possible à la journée, avec simple chauffeur ou chauffeur-guide parlant anglais.
Praja Taxi
Jl. By-pass Ngurah Rai, Sanur, tél. (0361) 289 090

Minibus et autocars

Le réseau de *bemo* est efficace et bon marché, mais ils ne circulent que le jour. A Denpasar, quatre gares de *bemo* desservent le sud, l'ouest, le nord et l'est de la ville.
Terminal Tegal (sud-ouest) : Kuta, aéroport et Nusa Dua.
Terminal Ubung (nord-ouest) : Gilimanuk, Singaraja, Sangeh, Mengwi, Tabanan et temple de Tanah Lot.
Terminal Kereneno (est) : Sanur, Ubud, Bangli, Kintamani, Klungkung, Padangbai et Amlapura.
Terminal Suci (centre) : port de Benoa. Tous les autocars intervilles en partent, sur Jl. Hasanuddin ; les compagnies d'autocars y ont leur bureau.

Location de véhicules

La location de véhicules est peu coûteuse en dehors de l'été (105 € la semaine pour une camionnette climatisée à six places). Les agences proposent surtout des voitures indonésiennes fabriquées sous licence japonaise. Il est recommandé de contracter une assurance complémentaire au tiers (*third party insurance*, cocher la case sur le contrat de location) et de régler avec une carte bancaire (pour bénéficier des assurances attachées à ce mode de paiement). Ne pas rouler de nuit.

Le permis de conduire international est en principe nécessaire, mais on peut en obtenir un provisoire valable un mois uniquement à Bali, au commissariat de police de Denpasar, en une matinée : test de conduite et frais de dossier. Se munir du passeport, des trois photos d'identité, du permis de conduire, et se présenter dans une tenue convenable.

Les deux-roues sont commodes, bon marché mais très dangereux. Il est vivement recommandé de souscrire une assurance, non comprise dans le contrat de location. Il y a partout des propositions de location, à des prix variables. Essayer la moto, vérifier les pneus, les freins et les feux.

Bagus
Jl.Duyung, 1, Sanur, tél. (0361) 28 77 94

Bali Car Rental Service
Jl. By-pass Ngurah Rai, Sanur, tél. (0361) 28 85 50, 28 83 59

CV Bali Jasa Utama Jaya
Jl. Danau Poso, 46, tél. (0361) 28 73 70

Norman's
Sanur Beach Street, Sanur, tél. (0361) 28 83 28

Toyota Rent-a-Car
Jl. Tuban Raya 99, tél. (0361) 75 13 56
A l'aéroport : *tél. (0361) 75 37 44*

Utama Motors
Jl. Imam Bonjol, Kuta, tél. (0361) 22 20 73

Excursions

Beaucoup d'agences organisent des excursions en autocar ou 4x4 avec des guides polyglottes. On peut louer une voiture avec chauffeur-guide.

Bali Mas Ace
- Pondok Galerai, 57, Jl. Gunung Soputan, Denpasar, tél. (0361) 73 05 84
- c/o Ida Haliasih Digin, 52, rue du Vallon, 91190 Gif-sur-Yvette, tél. & fax 01 69 07 74 11
Excursions à Bali, circuits sur mesure à Sulawesi et dans les petites îles de la Sonde.

Golden Kuta
Jl. Pantai Kuta, 23D, Kuta, tél. (0361) 75 19 29
Bonne adresse parmi les dizaines de Kuta.

Golden Kriss Tour
Jl. Ngurah Rai, 87X, Denpasar, tél. (0361) 28 92 25
Riche palette de circuits et bonne réputation.

Nitour
Jl. Veteran 5, Denpasar, tél. (0361) 23 60 96
Location de voiture, réservations d'hôtels, circuits à Bali : un généraliste complet.

Udaya Tours & Travel
Jl. Hang Tuah, Denpasar, tél. (0361) 28 85 64
Circuits à Bali et dans les îles voisines.

● Agences spécialisées

Ayung River Rafting
Jl. Diponegoro, 150 B29, tél. (0361) 23 87 59, fax (0361) 22 42 36
Raft sur les rapides de l'Ayung.

Bali Adventure Tours
Jl. Tunjung Mekar, Legian, fax. (0361) 75 43 34
Kayak, *raft*, VVT et randonnée.

Bali Marine Sports
Jl. Ngurah Rai, Blanjong Sanur, tél. (0361) 28 93 08, fax (0361) 28 78 72
Plongée (apnée et bouteille), pêche au gros, location de matériel de plongée.

Bali Pesona Bahari
Jl. By Pass Ngurah Rai, Sanur, tél. (0361) 28 93 08
Plongée et cours de plongée.

Bali Sea Dancer
PO Box 351, Denpasar, tél. (0361) 28 62 83, fax (0361) 28 92 84
Croisière (quatre nuits, paquebot de 140 places) à Bali, Komodo et Sumbawa.

Golden Hawk
Tél. (0361) 28 95 08
Mini-croisières et plongée.

Island Explorer Cruises
Jl. Sekar Waru, 14D, Sanur, tél. (0361) 28 98 56

Motive Bali Tours & Travel
Jl. Ngurah Rai, 21XX, Sanur, tél. (0361) 28 90 18
Les petites îles de la Sonde vues d'hélicoptère.

Wakalouka Cruises
Port de Benoa, tél. (0361) 26 10 52
Croisières en catamaran.

À SAVOIR SUR PLACE

Santé et urgences

Denpasar compte plusieurs hôpitaux et tous les villages de Bali ont un dispensaire (*puskesmas*).

Ambulance
Tél. 118

Hôpital de Denpasar
Tél. (0361) 22 79 11

Bali Tourist International Assist
Jl. Hayam Wuruk 40-58, Kadatan, Denpasar, tél. (0361) 22 89 96
Représentant d'Europ Assistance, 24 h sur 24.

A Denpasar, la plupart des pharmacies (*apotik*) sont ouvertes tous les jours de 8 h à 18 h. Garde la nuit, les dimanches et jours fériés (consulter le *Bali Post* ou la réception de l'hôtel).

Kimia Farma
Jl. Diponegoro, 123, Denpasar, tél. (0361) 22 78 11

Kosala Farma
Jl. Kartini, 136, Denpasar, tél. (0361) 22 23 01

Ria Farma
Jl. Veteran, 43, Denpasar, tél. (0361) 22 26 35

Bali Farma
Jl. Melati, 9, Denpasar, tél. (0361) 23 32 31

Dirga Yusa
Jl. Surapati 10, Denpasar, tél. (0361) 222 67

Sadha Karya
Jl. Gajah Mada, 41, tél. (0361) 22 24 33
A Kuta, la plupart des pharmacies sont sur la route de l'aéroport et sur *jalan* Legian.

Farmasari
Jl. Segara Ayu, Sanur, tél. (0361) 28 80 62).

Compagnies aériennes et maritimes

Air France
Grand Bali Beach Hotel, Sanur, tél. (0361) 28 85 11

Ansett Australia
Grand Bali Beach Hotel, Sanur, tél. (0361) 28 96 37
Bouraq
Jl. Sudirman 7A, Denpasar, tél. (0361) 23 74 20
Cathay Pacific
Grand Bali Beach Hotel, Sanur, tél. (0361) 28 85 76
Garuda
- Jl. Melati, 61, Denpasar, tél. (0361) 23 51 69
- Sanur Beach Hotel, Kota, tél. (0361) 28 79 15
- Nusa Dua Beach Hotel, Nusa Dua, tél. 77 14 44
- Grand Bali Beach Hotel, Sanur, tél. (0361) 28 82 43
KLM
Grand Bali Beach Hotel, Sanur, tél. (0361) 28 75 76
Lufthansa
Grand Bali Beach Hotel, Sanur, tél. (0361) 28 70 69
Malaysia Airlines
Grand Bali Beach Hotel, Sanur, tél. (0361) 28 87 16
Merpati
Jl. Melati, 57, Denpasar, tél. (0361) 26 12 38
Pelni
Jl. Pelabuhan Benoa, Denpasar, tél. (0361) 23 89 62
Quantas
Grand Bali Beach Hotel, Sanur, tél. (0361) 28 83 32
Sempati
Grand Bali Beach Hotel, tél. (0361) 28 88 24
Singapore Airlines
Grand Bali Beach Hotel, tél (0361) 28 79 40
Thai International Airways
Grand Bali Beach Hotel, tél. (0361) 28 81 41

Représentations étrangères

Consulat de France
Jl. Tambak Sari, 5, Sanur, tél. (0361) 28 73 83
Alliance française
Jl. Patih Jelantik, 3, Denpasar, tél. (0361) 22 41 23
Consul honoraire de Suisse
*Swiss Restaurant, Jl. Pura Bagus Taruna, Kuta,
tél. (0361) 75 17 35*
Consul honoraire d'Italie
Jl. Cemara Semawang, Sanur, tél. (0361) 28 88 96
Consulat des Pays-Bas
Jl. Raya Kuta, 99, Kuta, tél. (0361) 75 15 17

ACHATS

Il y a des centaines de boutiques et d'étals dans les villes, les villages et sur le bord des routes.

Les boutiques de souvenirs vendent des marionnettes de *wayang kulit* et des bibelots, mobiles et accessoires en bambou, en écorce de noix de coco et en teck. On peut se procurer des sculptures sur os à bon prix à Tampaksiring et de beaux objets traditionnels au marché de Klungkung. Les chapeaux et paniers tressés sont les spécialités de Bedulu et de Bona. Le marché de Sukawati et les éventaires face à Goa Gajah sont les meilleurs endroits pour les paniers. A Denpasar, le centre artisanal Sanggraha Karya Hasta (Jl. Supratman, dans le faubourg de Tohpati), coopérative d'État, propose un choix étendu d'articles à prix fixes (et souvent plus élevés que sur les marchés, comparer avec le marché Pasar Badung de Denpasar).

Sculpture

Sur bois, surtout dans les boutiques de la rue principale de Mas, en particulier la galerie-musée d'Ida Bagus Tilem. Mais aussi dans les villages de Pujung (après Tegalalang, au nord d'Ubud), de Batuan et de Jati. A Kuta, Sanur et dans la rue principale de Klungkung, on peut encore dénicher les belles pièces en bois sculpté qui décoraient pavillons, temples et palais. Outre les essences locales (jacquier, cocotier), les sculpteurs travaillent l'hibiscus et le teck de Java ou encore l'ébène de Sulawesi.

Les ateliers de Batubulan proposent des œuvres sur pierre de style traditionnel. A Ubud, visiter la maison de Wayan Cemul, de renommée internationale, et faire un tour chez Ida Bagus Tilem Carver.

Textiles

Les boutiques de Kuta Beach proposent toutes sortes de batiks. Les brocarts et les sarongs se vendent dans tous les villages. Gianyar est le centre du tissage à la main. Les villages de Blayu, Sideman, Mengwi, Batuan, Gelgel, Tenganan et Ubud ont chacun leur style.

Orfèvrerie

Bijoux d'or et d'argent à des prix très raisonnables à Celuk, Kamasan et Kuta. A Denpasar, les boutiques de Jl. Sulawesi et Jl. Kartini vendent des bijoux javanais.

Antiquités

La demande (hôtels, collectionneurs, touristes) raréfie les pièces abordables et conduit au pillage du patrimoine des lointaines îles de l'archipel. Pour en prendre la mesure, voir les antiquaires dans les galeries marchandes des grands hôtels.

Pour les arts primitifs, Anang's et East West Shop sont de bonnes adresses à Kuta. A Denpasar, les antiquaires se distribuent entre les rues Gajah Mada, où ils sont les plus nombreux, Arjuna, Dresna, Veteran et Gianyar. A Sanur, ils sont rue Tamblingan. Hors des chemins battus, les boutiques de Klungkung recèlent de rares porcelaines chinoises d'époque, ainsi que des peintures aux motifs empruntés au théâtre d'ombres, et des tissages balinais. Sur la côte nord, les antiquaires de Singaraja disposent de pièces d'un grand intérêt.

Peinture

Les peintres balinais ont une grande réputation. Depuis les années 30, Ubud est la mecque locale de la peinture. Les villages voisins de Pengosekan, Penestanan, Sanggingan, Peliatan, Mas et Batuan, s'y sont joints. A Ubud, la galerie-musée Neka et le musée Puri Lukisan permettent de se familiariser avec les techniques et les genres. Les galeries Munut, Oka Kartini, Agung et le lieu d'exposition Pengosekan, géré par des artistes associés, complètent cet aperçu. De nombreux artistes ouvrent les portes de leurs ateliers : Antonio Blanco, Hans Snel, Wayan Rendi, Arie Smit et I Gusti Nyoman Lempad, l'un des plus grands noms de Bali.

A Klungkung et à Kamasan, au sud de Klungkung, on peut trouver des calendriers astrologiques (*ider-ider*, longs morceaux de tissu en coton suspendus aux larmiers des autels lors des cérémonies) ou des peintures *wayang*, tous très anciens.

Poterie

Depuis des générations, les habitants de Pejaten modèlent dans la glaise des créatures grotesques. Dans un style tout autre, la céramique de Batu Jimba (Sanur) s'inspire du répertoire décoratif local.

DISTRACTIONS

Rien de mieux que d'assister à un festival villageois pour découvrir les danses balinaises, les représentations de *wayang kulit* et les sonorités des gamelans de l'île. Il y en presque un par jour dans l'un des innombrables villages. Des séances spéciales pour les touristes ont aussi lieu un peu partout (voir ci-dessous). Bien que largement dépourvus de dimension mystique, ces spectacles font appel à des artistes confirmés.

Kecak
Ayoda Pura, Tanjung Bungkak, Banjar Legian, Kelod, Bona, Gianyar, Puri Agung, Peliatar, Pura Dalem, Ubud

Ballet Râmâyana
Ayoda Pura, Tanjung Bungkak, Inda Prasta, Kuta, Pura Dalem, Ubud

Barong
Banjar Seminiyak, Legian, Saha Dewa, Batubulan

Legong
Ayoda Pura, Tanjung Bungkak, Banjar Tegal, Ubud, Puri Agung, Peliatan, Puri Dalem, Tebasayan, Puri Keteran, Peliatan

Wayang
Ubud

Danses de transe
Batubulan, Bona, Gianyar, Pura Dalem, Ubud

Denpasar manque d'adresses nocturnes. A Sanur, les grands hôtels proposent des spectacles de danse. Mais, excepté l'excellent club de jazz du Bali Beach Hotel, rares sont ceux offrant plus que les musiciens à demeure dans leur bar. Beaucoup plus amusants sont les dîners-spectacles organisés par des restaurants comme le Karya, le Purnama Terrace (Bali Hyatt Hotel), le Kul Kul et le Pasar Senggol du Grand Hyatt Bali (Nusa Dua).

A Kuta Beach, sur Jl. Legian et Jl. Buni Sari, nombre de bars restent ouverts tant qu'il y a des clients, et une kyrielle de boîtes de nuit (Sand Bar, sur Jl. Legian, est sans doute la plus populaire) illuminent les rues de leurs enseignes criardes.

A Legian, le Rum Jungle a une piste de danse en plein air. Plus bas, sur la plage de Seminyak, Gado-Gado's est « le » lieu de rencontre du samedi soir, et Goa 2001 attire une faune variée.

Sports aquatiques et nautiques

Surf et planche à voile
Haut lieu du surf, Bali le devient pour la plongée, le kayak et le *raft*. Kuta et Legian sont idéals pour les néophytes. Nusa Lembogan, petite île en face de Sanur, draine des surfeurs de bon niveau. Ulu Watu, au pied de la falaise, est un site pour surfeurs confirmés. Les autres sites moins connus de Bali sont du même niveau.

Voile
Mini-croisières sur les praos et apprentissage du maniement de ces canots à voile sont possibles avec les pêcheurs de Sanur et de Benoa.

Plongée
Nusa Penida (île à 30 mn de Bali) compte une grande variété de coraux et de poissons, mais de forts courants (avec bouteilles). Malgré le tourisme, Nusa Dua et Sanur ont une vie sous-marine riche, en apnée ou avec bouteilles, à la hauteur de la barrière de corail. Candi Dasa et Padang Bai sont de très bons sites dans la baie, autour des petites îles de Tepekong, Mimpang et Likman (avec bouteilles). A Tulamben, à 50 m du rivage et de 2 m à 30 m de profondeur, l'épave du *Liberty* abrite une faune époustouflante. On l'atteint facilement à la nage depuis la plage (inoubliable, même en apnée). Les fonds coralliens d'Amed sont faciles d'accès et proches de Tulamben. Lovina Beach compte des formations coralliennes proches de la plage. A la pointe ouest, Pulau Menjangan, l'« île au daim », est éloignée. Visibilité excellente et faune abondante (avec bouteilles).

Kayak et raft
Surtout sur l'Ayung, qui dévale la montagne près d'Ubud. De nombreuses agences de voyages proposent cette activité.

Piscines
On a accès à celles des grands hôtels pour une somme modique.

Waterbom Park
Jl. Kartika Plaza, Tuban, Kuta
Parc aquatique, double toboggan de 19 m de haut et parcours en barque dans un décor tropical.

DENPASAR

On séjourne rarement longtemps dans la capitale, polluée et encombrée. Musées, marchés et rues commerçantes lui donnent cependant du charme.

Tourism Indonesia
Jl. Surapati 7, tél. (0361) 227 88
De 7 h à 14 h, jusqu'à 11 h le vendredi, 12 h 30 le samedi, fermé le dimanche. Cartes, plans, plus un mensuel gratuit, le *Bali Tourist Indonesia Guide*.

Où loger

Natour Bali Hotel ***
Jl. Veteran, 3, tél. (0361) 22 56 81, fax 23 53 47
71 chambres avec air conditionné et eau chaude. Hôtel des années 30 très central. Piscine et bon restaurant (excellent *rijstafel*).

Adiyasa Hotel*
Jl. Nakula 11, tél. (0361) 22 26 79
20 chambres style *losmen*, autour d'un jardin.

Two Brothers Inn Hotel
Jl. Imam Bonjol, Gang VII/5
Près de la gare routière, *losmen* sympathique pour petits budgets. La plupart des autres *losmen* sont sur Jl. Diponegoro.

Où se restaurer

Les restaurants chinois et indonésiens sont parmi les meilleurs de Bali. Atom Baru et Hongkong sont de bonnes cantines chinoises. A 500 m plus loin en ligne droite, le marché de nuit (Pasar Krenen) est une invite permanente.

Rumah Makan Betty
Jl. Kartini
Prisé des expatriés. Plats chinois et indonésiens peu épicés : *tahu goreng kentang* (pâté de soja frit et curry de pommes de terre) et *bubur ayam* (bouillie de riz au poulet).

Kartini
En face du cinéma Indra, près de la station-service. Choix infini de plats indonésiens au poulet.

Rumah Makan Gema Rempah
Jl. Sumatra

Gajah Mada
Jl. Gajah Mada

Dépôt 88
Jl. Sumatra
Soupe de crabe et d'asperges, cuisses de grenouille et porc aigre-doux.

SANUR

Depuis les années 20, Sanur est une station balnéaire chic. Il faut en visiter les temples, de préfé-rence lors des cérémonies d'anniversaire (*odalan*), qui ont lieu tous les sept mois (demander aux offices de tourisme).

Où loger

Les hôtels haut de gamme reçoivent les clients des voyagistes européens, japonais et australiens. Un bungalow sur la plage est moitié moins cher. Si l'on voyage seul, mieux vaut réserver entre début juillet et début septembre ou en décembre et janvier. Hors de ces périodes, marchander systématique-ment.

Bali Hyatt Hotel*****
Jl. Danau Tamblingan, tél. (0361) 28 82 71, fax (0361) 28 76 93
388 chambres. Architecture traditionnelle réussie dans 15 ha de parc en bord de mer, 2 piscines, golf 8 trous, piscine, 4 restaurants, boîte de nuit.

The Grand Bali Beach Hotel *****
Jl. Hang Tuah, tél. (0361) 28 88 51, fax (0361) 879 17
600 chambres. Hôtel des années 60. Plage privée, 2 piscines, 4 restaurants, golf de 9 trous.

Sanur Beach Hotel *****
Semawang, Sanur, tél. (0361) 28 80 11, fax (0361) 28 75 66
429 chambres. Classique. Bonne réputation. Deux piscines, tennis, badminton, club-forme.

Bumi Aya Bungalows***
Jl. Bumi Ayu, Sanur, tél. (0361) 28 91 01, fax 28 75 17
Piscine, grandes chambres et prix modiques.

La Taverna Bali Hotel***
Jl. Danau Tamblingan, tél. (0361) 28 84 97, fax (0361) 28 71 26
Adresse de charme. Piscine et plage privée.

Natour Sindhu Beach Hotel ***
Jl. Danau Tondano, 14, tél.(0361) 28 84 41, fax (0361) 28 79 30
59 chambres. Bungalows climatisés, sur la plage.

Segara Village Cottages***
Jl. Segara Ayu, tél. (0361) 28 84 07, fax (0361) 28 72 42
140 chambres. Bungalows climatisés dans un jardin, à 2 mn de la plage. Piscine, 2 restaurants, planches à voile. Ambiance et cadre chaleureux.

Tanjung Sari Hotel ***
Jl. Danau Tamblingan, tél. (0361) 28 84 41, fax (0361) 28 79 30
30 chambres. Paisible et stylé. Bungalows dans un jardin, plage toute proche.

Alit's Beach Bungalows**
JL. Pantai Sanur, tél. (0361) 28 85 67, fax (0361)28 87 66
100 chambres. Piscine, squash, tennis.

Besakih Beach Hotel**
Jl. Danau Tamblingan, tél. (0361) 28 84 25, fax (0361) 28 84 24
50 chambres. Bungalows climatisés en bord de plage.

Diwangkara Beach Hotel**
Jl. Pantai Sanur, tél. (0361) 28 82 12, fax (0361) 28 83 00
40 chambres. En bout de plage, bungalows, piscine.
Puri Dalem Hotel**
Jl. Hang Tuah, tél. (0361) 28 84 21,
fax (0361) 28 84 26
38 chambres. Route de Denpasar, près de la plage.
Santrian Beach Resort**
Jl. Cemara, tél. (0361) 28 80 09, fax (0361) 28 71 01
133 chambres, bungalows et grand jardin. Au sud.
Abian Srama Hotel*
Jl. Ngurah Rai, tél. (0361) 28 84 15,
fax (0361) 28 86 73
49 chambres dont quelques-unes climatisées. A 10 mn de la mer.
Narmada Bali Inn*
Jl. Sindhu Sanur, tél. (0361) 28 80 54
Bungalows dans un jardin, à 2 mn de la mer. Climatisation et eau chaude.
Taman Agung Beach Inn
Jl. Tanjungsari
20 chambres très agréables de style *losmen* sur un jardin bien entretenu. A 5 mn de la plage.
Tourist Beach Inn
Jl. Segara
10 chambres très calmes près de la plage.

Où se restaurer

Sashimis et autres suchis au restaurant japonais Kita et au New Seoul Restaurant. En face du Hyatt, le Telaga Naga est un restaurant sechouanais au style étonnant. Bonne cuisine, notamment le poulet aux piments séchés frits et les crevettes royales, et prix corrects. Il y a des *warung* un peu partout, pour quelques milliers de *rupiah*.
Bali Hyatt
Jl. Danau Tamblingan
Le buffet, pas plus cher qu'un restaurant moyen en France, présente toutes les spécialités balinaises.
Tanjung Sari Hotel
Jl. Danau Tamblingan, Sanur
L'un des meilleurs *rijstafel* d'Indonésie, dans une salle bourrée d'antiquités et donnant sur la mer.
Kuri Putih
Bali Sanur Irama, Jl. Tangjungsari
Buffet de salades et d'entrées.
Kul Kul
Jl. Danau Tamblingan
Bar chic et spécialités occidentales, indonésiennes et chinoises.
Swastika Gardens
Jl. Danau Tamblingan
Nombreuses spécialités locales comme le canard au curry (*bebek tutu*), à des prix plus raisonnables.
La Taverna
Mets italiens et français sur une terrasse en front de mer.

Sanur Beach Market Restaurant
Jl. Segara
Au bord de la plage, *sate, nasi goreng* et poissons frais grillés au déjeuner, langoustes et délicieux desserts balinais pour le dîner.
Swastika I
Toutes sortes de plats balinais comme le *nasi campur* et de délicieux jus de fruits.
Adi's Restaurant
Au rond-point de Renon, sur la route de Denpasar. La cuisine javanaise y est bien représentée.

KUTA

Cet ancien village de pêcheurs, dont la plage longue de 5 km a attiré les premiers touristes, abrite une kyrielle d'hôtels, de restaurants, de bars, de boutiques, d'agences de voyages, etc. Mais il y a toujours des temples, une foule de cafés-restaurants sympathiques et des hôtels de bon goût. Legian, Jimbaran et Tuban sont plus calmes.
Government Tourism Information Centre
Jl. Legian, Legian, tél. (0361) 516 60
De 9 h à 15 h (13 h le vendredi, 14 h le samedi).

Où loger

Il y a beaucoup d'hôtels et de *losmen* près de Kuta. L'été et en décembre-janvier, réservation indispensable dans les grands hôtels. On compte près de 300 *losmen* dans le périmètre Kuta-Legian, près de la plage ou loin de la foule, dans les cocoteraies. Nusa Dua, nouvelle station balnéaire sur la côte est de Bukit, n'a que des hôtels de grand luxe.
Bali InterContinental*****
Jl. Uluwatu, 45, Jimbaran, tél. (0361) 70 10 20,
fax 75 50 56
450 chambres. Club-forme, 3 piscines, 4 restaurants, tennis et squash, club pour les enfants.
Bali Padma Hotel*****
Jl. Padma, 1, Legian, tél. (0361) 75 21 11,
fax (0361) 77 11 99
400 chambres. Un classique. Club-forme, 2 piscines, tennis et squash, 4 restaurants.
Four Seasons*****
Jimbaran, tél. (0361) 77 12 88, fax (0361) 77 12 30
155 chambres, villas particulières avec piscines.
Kartika Plaza Beach Hotel *****
Jl. Kartika Plaza, Kuta, tél. (0361) 75 10 67,
fax (0361) 75 24 75
386 chambres et des bungalows en bord de mer dans un grand jardin. Piscine.
Bali Oberoi Hotel ****
Jl. Kayu Aya, Legian, tél. (0361) 75 10 61, fax 527 91
Le fin du fin du charme : 75 luxueux bungalows dans un jardin, au bout de la plage. Grande piscine et délicieux petits déjeuners.

Kuta Palace Hotel ***
Jl. Pura Bagus Taruna, Legian, tél. (0361) 75 14 33, fax (0361) 75 20 74
281 chambres sur 3 étages, surplombant la mer.

Legian Beach Hotel ***
Jl. Melasti, Legian, tél. (0361) 75 17 11, fax 75 26 52
190 chambres sur la plage. Bon rapport qualité/prix.

Kuta Beach Club Hotel **
Jl. Bakungsari, Kuta, tél. (0361) 75 12 61, fax 75 28 96
L'un des meilleurs dans cette catégorie. Bungalows climatisés à 150 m de la plage.

Natour Kuta Beach Hotel **
Jl. Pantai Kuta, Kuta, tél. (0361) 75 13 61, fax (0361) 75 13 62
137 chambres et bungalows dans un jardin en bord de mer. Très calme.

Ida Beach Inn*
Jl. Pantai, Kuta, tél. (0361) 75 12 05, fax 75 19 34
Joliment aménagé et décoré. Chambres et bunga-lows. Piscine, plage à 5 mn.

Kuta Cottages*
Jl. Bakung Sari
Bungalows avec ventilateur, près de la plage.

Ramayana Seaside Cottages*
Jl. Bakung Sarik, Kuta, tél. (0361) 75 18 64, fax (0361) 75 18 66
54 chambres climatisées ou ventilées, plage à 150 m.

Poppies Cottages
Poppies Gang, Kuta
A 300 m de la plage, presque toujours complet.

● **Nusa Dua**

Bali Hilton International*****
Tél. (0361) 77 11 02, fax (0361) 77 11 99
537 chambres. Piscines, tennis et squash, 3 restau-rants, boîte de nuit.

Grand Hyatt Bali Hotel*****
Tél. (0361) 77 12 34, fax (0361) 77 20 38
750 chambres. Quatre villages néo-traditionnels dans un jardin tropical, 9 restaurants, 4 piscines, tennis, squash, 2 clubs-forme, centre nautique.

Melia Bali Sol Hotel*****
Lot N-1, tél. (0361) 77 15 10, fax (0361) 77 13 60
500 chambres. Cet hôtel rénové en 1996 est fier de ses jardins. Cinq restaurants, dont un français.

Nusa Dua Beach Hotel *****
Lot N-4, tél. (0361) 7 712 10, fax (0361) 77 12 29
450 chambres. Piscine, 3 restaurants, squash et ten-nis, club-forme, boîte de nuit, grande plage.

Sheraton Lagon Nusa Dua Beach*****
Tél. (0361) 77 13 27, fax (0361) 77 13 26
276 chambres au bord d'un lagon dans 17 ha arbo-rés. Piscine, tennis, club-forme, sports nautiques, 3 restaurants.

Sheraton Nusa Indah Resort*****
Tél. (0361) 77 19 06, fax (0361) 77 19 08
369 chambres. Près du palais des Congrès. Piscine, tennis, sports aquatiques, club-forme et 4 restau-rants (dont un français).

Amanusa Hotel****
Tél. (0361) 77 23 33, fax (0361) 77 23 35
35 chambres. Très luxueux, villas (certaines avec piscine privée) entre mer et golf. Grande piscine.

Bali Tropic Cottages***
Jl. Pratama 34/A, Tanjung Benoa, tél. (0361) 77 21 30, fax (0361) 77 21 31
103 chambres, certaines avec balcon sur la mer.

Club Méditerranée***
Lot N-6, tél. (0361) 77 15 20, fax (0361) 77 18 35
400 chambres. Cocoteraie et bord de plage pour un superbe village avec toutes les activités du club.

Segara Village Hotel***
Jl. Segara Ayu, tél. (0361) 28 84 07, fax 28 72 42
140 chambres. Belle réalisation de 50 bungalows. Piscine, 2 restaurants, planche à voile, plongée.

Où se restaurer

Made's Warung
Jl. Pantai
Fréquenté par les résidents. Salades thaïes, glaces maison, excellents capuccinos et petits déjeuners.

Poppies
Jl. Pantai
Autre haut lieu de Kuta : salades d'avocat et de fruits de mer, langoustes grillées, biftecks et bro-chettes, dans un jardin tropical.

Bali Indah
Jl. Buni Sari
Cuisine chinoise et fruits de mer.

Hotel Yasa Samudra
Jl. Pantai
Langouste et biftecks de thon au bord de la mer.

● **Legian**

Hôtel Blue Ocean
Très couru pour le petit déjeuner et le déjeuner.

Topi Kopi
Jl. Pura Bagus
Le plus vieux restaurant français de Bali (on y sert même du fromage), reçoit la télévision française.

La Marmite (Chez Gado-Gado)
Seminyak
« Nouvelle cuisine balinaise » près de la plage. Sa boîte de nuit attire les foules.

Kura Kura
Bali Oberoi Hotel, Jl. Kayu Aya
Assez loin de Legian, couru pour son cadre.

UBUD

Rizières, forêt, torrents et temples : le village des peintres est un havre de paix et une base idéale pour essaimer vers les villages et les montagnes.

Office du tourisme (Bina Wisata)
Jl. Raya Ubud
De 8 h à 21 h (18 h le dimanche).

Où loger

Du très grand luxe aux *losmen* par dizaines, souvent chez l'habitant, en passant par des trois étoiles sans prétention.

Amandari Hotel***
Tél. (0361) 97 53 33, fax (0361) 97 53 35
27 chambres. Lieu privilégié, à l'écart du bourg, au-dessus d'un torrent. Un grand nom du luxe.

Kupu Kupu Barong***
A 5 km d'Ubud, tél. *(0361) 97 54 78*
Autre adresse pour *happy few*, bungalows avec des vues plongeantes sur la rivière et les rizières.

Okawati's***
9 chambres. Piscine et restaurant.

Hans Snel's Bungalows
Cinq pavillons, dans le jardin attenant à la maison de ce peintre hollandais.

Losmen Mustika
Petite pension sur la grand-route, à 200 m du centre ; 5 chambres très simplement meublées.

Menara Hotel
En face du musée, 9 chambres très simples.

Mutiara Hotel
Six chambres autour d'un patio. Restaurant.

Puri Saraswati Hotel
Six bungalows récents à côté du vieux temple, des jardins et du lac d'Ubud.

Puri Saren Hotel
Maison du Cokorda Agung, chef de la famille royale d'Ubud : 14 bungalows dans une cour et des jardins privés, décorés d'antiquités balinaises.

Tjampuhan Hotel
Bungalows et piscine, sur une colline verdoyante, au-dessus de deux rivières.

Uboed Hotel
Maison balinaise avec quelques bungalows autour d'une cour proprette.

Où se restaurer

Les meilleures tables ont élu domicile à Ubud, dans des cadres dignes d'éloges. Quantité de cafés et de *warung* sans prétention les complètent.

Wayan Café
Monkey Forest Road
Cuisine inventive et rigoureuse.

Bebek Bengli
Jl. Hanuman
Canards (spécialité d'Ubud) à la balinaise et à l'européenne, ainsi que le suivant.

Okawati's
Monkey Forest Road

Tropical View
Pâtisseries.

Murni's Warung
Monkey Forest Road
Au pied du pont Tjampuhan. Hamburgers, salades de fruits, yaourts, mets occidentaux et chinois.

Café Lotus
Puri Saraswati Hotel
Excellents plats balinais ou occidentaux.

CANDI DASA ET KLUNGKUNG

Cette région qui vit prospérer quelques-uns des plus grands royaumes de Bali réunit souvenirs historiques, particularismes culturels, paysages typiques et plages tropicales.

Où loger

Amankila***
Klungkung, tél. (0363) 41 333, fax (0361) 41 555
Villas avec vue sur la mer, plage privée et piscine.

Candi Beach Cottage**
A Manggis, entre Goa Lawah et Candi Dasa,
tél. (0363) 41 234, fax (0361) 41 111
Chambres et bungalows. Piscine, école de plongée, club-forme, tennis.

Serai**
Manggis, tél. (0363) 41 011, fax (0361) 41 105
En bord de plage, piscine et restaurant.

Ida Beach Village**
Candi Dasa, plage de Mendire
17 chambres. Bungalows de style traditionnel. Piscine, restaurant sur la plage.

Ida Home Stay**
Candi Dasa
Un des nombreux hôtels bon marché de Candi Dasa. Bungalows, cocotiers, et la mer en face.

COTE NORD

Moins fréquentée, mais moins luxuriante que la côte sud, la côte nord séduit les amateurs de calme et de simplicité (Singaraja et Lovina Beach) et les plongeurs (Tulamben et Amed).

Hidden Paradise Cottages**
Amed
16 chambres. Bungalows sur une plage de sable blond. Piscine, plongée, VTT, voile, restaurant. Distribué en France par certains voyagistes.

Paradise Palm Beach Bungalows**
Tulamben
Bungalows proprets entre bosquets d'hibiscus et palmiers, à 50 m de l'épave du *Liberty*. Très bon rapport qualité/prix.

Baruna Beach Cottages**
Lovina Beach, Singaraja, tél. (0361) 24 17 45
Aussi quelques chambres genre *losmen*. Piscine.

Bali Lovina Beach Hotel*
Jl. Raya Lovina, Singaraja, tél. (0361) 22 23 85,
fax (0361) 22 34 675
34 chambres de plusieurs catégories dans les bungalows du jardin et de la plage.

PETITES ILES DE LA SONDE

Ces îles où l'on découvre une autre Indonésie (marquée d'influences mélanésiennes, plus sèche, moins peuplée et fortement christianisée) commencent à apparaître dans les brochures des voyagistes spécialistes des raids lointains. Le voyageur individuel doit se préparer à un manque de confort et à une relative uniformité culinaire. Administrations, magasins et banques sont rares et n'ouvrent que de 8 h à 13 h; il faut donc faire provision de *rupiah* avant de partir. Les déplacements par terre, très longs, se font à 30 km/h (mais avions et bateaux relient la plupart des capitales locales). Et connaître une cinquantaine de mots de base en indonésien est bien utile. Attention : Lombok et les îles plus à l'est ne sont pas dans le même fuseau horaire que Bali (1 h en plus).

Office de tourisme de la province de Nusa Tenggara Barat (Lombok et Sumbawa)
Dirarda, Jl. Langko 70, Ampenan, tél. (0364) 217 30
Du lundi au jeudi, 7 h à 14 h ; vendredi, 7 h à 11 h.

LOMBOK

Si Bali semble trop touristique, on appréciera Lombok. Il suffit de trois jours pour en découvrir les curiosités, jamais à plus de 1 h de route de Mataram, la capitale. En revanche, pour plonger aux îles Trawangan (Gili Air, Gili Meno, Gili Trawangan) et gravir le Rinjani, il faut une semaine.

Les montagnes du centre, peu peuplées à cause du climat et du relief, culminent au **Rinjani** (deuxième sommet d'Indonésie, 3 726 m). Jusqu'à 2 000 m, on chemine dans la forêt dense ; plus haut, il n'y a plus que des pins et des arbustes. L'intérieur de la caldeira du Rinjani est occupé par le grand lac Segara Anak (« l'enfant de la mer »). Déconseillée aux personnes peu habituées, l'ascension n'est possible qu'en saison sèche. Les *losmen* des hameaux « camps de base » fournissent équipement de camping, nourriture et porteurs. Il y a deux voies d'accès. Celle de l'est, plus courte, ne permet pas de descendre dans la caldeira. Il faut d'abord se rendre à Sapit, dans les collines de l'Est, en *bemo* et à partir de la route Mataram-Pringgabaya (3 h de la gare routière de Sweta). De Sapit, une route monte aux hameaux de Sembulan Bumbung et Sembulan Lawang. Au camp de base, on passe la nuit afin de faire l'ascension finale (1 h) au petit matin, quand les abords du volcan sont dégagés. La seconde voie part de Senaru. On atteint ce village sasak (ethnie originelle de Lombok) en autocar ou en *bemo* de Mataram au carrefour de Bayan (3 h à travers forêt, rizières et *bush*). Là, on prend un autre *bemo* jusqu'à Senaru – malgré l'insistance des hôteliers de Bayan et de Batu Kok, qui prétendent qu'il n'y a rien à Senaru : il y a un très agréable *losmen* (bungalows, bosquets d'hibiscus, café-restaurant, en lisière des habitations sasaks), dont le patron a l'habitude d'organiser les randonnées au Rinjani. Matériel de camping, nécessaire de cuisine et nourriture, guide (demander M. Misanom Bolé, sérieux, sûr et d'une grande gentillesse) et porteurs : tout est fourni, à un tarif honnête. On quitte le village vers 4 h, pour arriver sur la crête, à 2 500 m, vers midi, après 2 000 m de dénivelé. Soit on redescend à Senaru après avoir contemplé la caldeira, soit on s'aventure au fond de celle-ci, en 3 h sur un périlleux sentier à chèvres, pour coucher au bord du lac, à 1 800 m, et s'y baigner dans une eau très chaude. Ceux que 2 000 m de dénivelé de plus n'effraient pas peuvent partir à l'assaut du sommet : au moins 8 h. Sinon, les environs du lac ont des attraits : bandes de singes gris, daims, sources chaudes et grottes.

Aller à Lombok

En avion, tous les jours, avec la Merpati : 10 vols (40 mn), de 7 h à 16 h, entre Denpasar (Bali) et l'aéroport Selaparang, à 3 km de Mataram ; deux vols directs de Surabaya (2 h de vol), et un de Jakarta (4 h de vol, escale à Surabaya). Les hôteliers viennent chercher gratuitement les clients qui les ont avertis ; sinon, taxis et *bemo*.

Garuda
Jl. Yos Sudarso, 6, Mataram, tél. (0364) 317 80
Merpati
Jl. Pecanggik, 69, Mataram, tél. (0364) 322 26
Bouraq
Jl. Langko, Ampenan, tél. (0364) 226 70

En bateau, six départs par jour entre 8 h et 20 h, de Padang Bai, sur la côte est de Bali, à Lembar, sur la côte ouest de Lombok (20 km au sud de Mataram). La traversée, agréable, dure 4 h, plus 2 h de route entre Sanur ou Kuta et Padang Bai (3 h en transport en commun). La meilleure solution : coucher la veille à Candi Dasa, à 20 mn de Padang Bai.

En bac, le trajet est le même, départs à 8 h 30 et 15 h 30 tous les jours, et 6 h de mer (petit restaurant à bord). Retour de Lembar à Padang Bai à 11 h 30 et 17 h 30.

En hydroglisseur, du port de Benoa (Bali) à 8 h 30 et 14 h 30 (2 h de voyage).

Les *bemo* et les autocars desservent toutes les localités (pour aller à Mataram en *bemo* dès le débarquement à Lembar, acheter les billets au snack-bar du bac). La gare routière est au carrefour de Sweta, à 6 km de Mataram. Un panneau indique les tarifs pour les destinations de l'île, et on peut, ici comme ailleurs, louer un *bemo* à la journée (ou plus).

Les taxis pratiquent des tarifs légèrement supérieurs. Certains chauffeurs parlent anglais.

On peut louer motocyclettes et voitures à Mataram, à des tarifs un peu supérieurs à ceux de Bali (mais il est interdit d'amener sa motocyclette ou sa voiture de location de Bali à Lombok).

Où loger

Tous les sites touristiques comptent au moins quelque *losmen*. Ils sont légion sur la plage de Kuta, sur les îles Trawangan et dans la station d'altitude de Tetebatu. A Mataram-Ampenan-Cakranegara et à Senggigi, l'offre d'hébergement est plus diverse.

● Senggigi

Sheraton Senggigi Beach Hotel**
Jl. Raya, Senggigi, tél. (0364) 933 33, fax 277 30
158 chambres. L'un des hôtels de luxe qui ont poussé en dix ans dans la baie de Senggigi.
Ida Beach Cottages*
Jl. Raya Senggigi, tél. (0364) 930 13, fax 932 86
42 chambres. L'un des meilleurs des nombreux petite hôtels de Senggigi

● Cakranegara

Selaparang Hotel*
Jl. Selaparang 40-42, tél. (03634) 226 70
18 chambres.

● Ampenan

Nitour Hotel**
Jl. Yos Sudarso, 4, tél. (0364) 237 80
20 chambres.

● Mataram

Granada Hotel**
Jl. Bung Karno, tél. (0364) 222 75, fax 238 56
99 chambres.
Kerta Yoga Hotel
Jl. Pejanggik, 64, tél. (0364) 217 75

Où se restaurer

La cuisine est plus épicée et moins variée qu'à Java ou Bali. Il faut essayer le cochon de lait grillé (*babi guling*) préparé par les Balinais de Lombok et servi arrosé de vin de palme (*tuak*).
Taliwang
Jl. Pejanggik, Ampenan
Dans la rue principale d'Ampenan. *Ayam pelicing* (poulet au curry très épicé), spécialité locale. A proximité, le Garden House Restaurant propose une honnête cuisine indonésienne et chinoise.

Tjiberon
Jl. Pabean
Pabean
Jl. Pabean
Ces deux restaurants chinois d'Ampenan sont bon marché.
Asia
Jl. Selaparang, Cakranegara
Cuisine chinoise, ainsi que le suivant.
Harum
Jl. Selaparang, Cakranegara
Friendship
Jl. Panca Usaha
Minang
Recettes *padang*.
Siti Nurmaya
Jl. Palapa
Cuisine indonésienne, ainsi que le suivant.
Indonesia
Jl. Selaparang

Achats

Des paniers en bambou raffinés et solides sont fabriqués dans les villages de Kotaraja et de Loyok (est de l'île), où l'on produit aussi des céramiques et des objets en terre cuite. On trouve ces articles aux marchés de Sweta (près de la gare routière) et de Cakranegara (à l'ouest du candi Meru).

● Tissus

On peut assister à la teinture des fils et au tissage à la main dans les villages de Sukarare (pour les *tenun lombok*), Punjung (*kain lambung*), Purbasari (*kain purbasari*), Balimurti (étoffes sacrées *beberut*) et de Labuhan Lombok (couvertures). Les tissages contemporains sortent des ateliers de Cakranegara.
Pak Abdullah (C. V. Rinjani)
Jl. Selaparang
Cet atelier, à côté de l'hôtel Selaparang, fournit certains grands couturiers italiens. Ses sarongs en soie et son assortiment de châles (*selendang*) sont très prisés à Bali comme à Jakarta.
Balimurti
Jl. Ukir Kawi
Belles étoffes, comme chez son voisin Selamat Ryadi.

● Antiquités

Sudirman's
Jl. Pabean
Au fond d'une impasse donnant sur Jl. Pabean, en face de la station de *bemo*. Céramiques chinoises, tissus et sculptures à Ampenan. Dans le hall des hôtels, des marchands ambulants proposent aussi des antiquités aux touristes.

SUMBAWA

Aller à Sumbawa

Chaque jour, à 8 h, 9 h et 10 h (en principe), un bac relie en 2 h Labuhan Lombok à Alas, sur la côte ouest. Demander un billet combiné bac-autocar pour rallier ensuite Sumbawa Besar (3 h de route), ou Bima, la capitale (9 h).

La Merpati a un vol quotidien Denpasar-Bima avec escale à Lombok (20 mn de vol). Bouraq assure plusieurs vols par semaine, et, les lundi, mercredi et samedi, Garuda assure une liaison Denpasar-Sumbawa Besar.

Où loger

● Sumbawa Besar

Amanwana**
Sumbawa Besar, tél. (0371) 222 33, fax 2822 88
La chaîne hôtelière de luxe Amanresort a choisi l'île de Moyo, dans la baie de Saleh et à 15 km de Sumbawa Besar, pour édifier un très chic camp de toile dans un espace naturel vierge d'autre présence humaine.
Suci Hotel
Jl. Hasanudin 57, tél. (0371) 215 89
Hôtel Tambora*
Jl. Kebayan, tél. (0371) 215 55

● Bima

Sangiang Bima Hotel*
Jl. Sultan Husanuddin, 6, tél. 20 17.
Lila Graha
Jl. Lombok 20, tél. 27 40

Où se restaurer

Aneka Raya
Jl. Hasanuddin, Sumbawa Besar
Cuisine locale et chinoise bon marché.

KOMODO

L'archipel de Komodo (Komodo, Rinca et Padar) est parc national depuis 1980. La saison sèche est la meilleure période. A Jakarta, Bali et Lombok, les agences de voyages vendent des circuits. Si l'on y va seul, on ne paiera que le bateau, le droit d'entrée (assez élevé) et l'hébergement. Dès l'arrivée à Sape ou à Labuhanbajo, contacter le PHPA (Département de la protection de la nature), qui avertira par radio son camp à Komodo et s'assurera qu'il y a des lits et de la nourriture disponibles.

En débarquant, se présenter au PHPA de Loho Liang, s'inscrire sur un registre et acquitter le droit d'entrée. Il est interdit de quitter le camp sans guide (un pour trois touristes), qu'il faut payer.

Aller à Komodo

Les bacs entre Sape (côte est de Sumbawa) et Labuhanbajo, à Florès, jettent l'ancre au large de Komodo. De Sape à Labuhanbajo : lundi et mercredi 9 h, samedi, 8 h ; de Labuhanbajo à Sape, mardi et jeudi 9 h ; dimanche 8 h. Des embarcations locales assurent le transfert. La traversée varie avec le temps qu'il fait, mais on peut tabler sur 6 h de Sape à Komodo et 2 h de Komodo à Labuhanbajo. La fréquence et les horaires des bacs varient selon la saison et l'état de la mer : se renseigner dans un office du tourisme dès l'arrivée en Indonésie, et se faire confirmer l'escale à Komodo par le commandant.

On peut affréter un bateau à Sape ou à Labuhanbajo. La traversée est plus courte de Labuhanbajo (50 km) que de Sape (120 km), la mer souvent plus calme et les prix plus bas. Les horaires dépendent des marées et des courants, qui sont violents.

De Bali à Komodo, combiner avion, bac et bateau est le plus rapide. Le vol Denpasar-Bima (Sumbawa) permet d'arriver au bac de Sape le lendemain matin à 8 h. Des vols relient aussi Denpasar à Labuhanbajo. La solution la plus souple est l'avion de Bali à Labuhanbajo, puis l'affrètement d'un bateau pour Komodo.

Où loger

Le camp du PHPA dispose de 80 lits dans de confortables bungalows avec salle d'eau et assure un service de restauration. Le tout est bon marché.

SUMBA

Cette île, l'une des moins connues de l'archipel de la Sonde, reste attachée à ses traditions. De nombreuses fêtes ont lieu de juillet à octobre. On peut assister à la construction des maisons, au *pajura*, combat de boxe traditionnelle, ou à des funérailles au cours desquelles on sacrifie cochons, buffles et chevaux. Le nouvel an, en octobre-novembre, est marqué par de nombreuses fêtes. La fête nationale, le 17 août, donne lieu à des courses de chevaux et à des danses rituelles. Quatre villages de l'Ouest célèbrent en février-mars le *pasola*, reconstitution des combats que se livraient jadis les royaumes de l'île. S'adresser au directeur du bureau culturel de Waikabubak (*Kepala Seksi Kebudayaan*) pour tout renseignement sur ces événements ou pour louer les services d'un guide.

Les *ikat* sumbanais sont considérés comme les plus beaux des petites îles de la Sonde. On peut aussi acheter des *hinggi*, en général par paires : l'une pour draper le corps, l'autre sert d'écharpe. Mais elles sont souvent de piètre qualité : vérifier la souplesse de la trame, les motifs, la tenue des couleurs, et ne pas hésiter à marchander. Melolo, sur la côte sud-est, Prailiu et Mangili, près de Waingapu, sont les principaux centres de tissage.

Aller à Sumba

La Merpati a trois vols par semaine Bali-Waingapu (mercredi, vendredi, dimanche, 1 h 50 de vol) *via* Tambolaka (ouest de Sumba) et trois de Bima à Waingapu (lundi, jeudi, samedi, 1 h 35 de vol). Elle relie Waingapu à Surabaya trois fois par semaine (lundi, jeudi, samedi, 2 h de vol). Trois vols par semaine entre Waingapu et Tambolaka (Merpati, lundi, jeudi et samedi matin, 40 mn de vol).

Les ports de Waikelo (côte ouest, 50 km au nord de Waikabubak) et de Waingapu (côte est) accueillent les bateaux de la compagnie nationale Perintis. Ceux qui vont à Surabaya s'arrêtent deux fois par mois à Sumba, à l'aller et au retour. Ces ports accueillent aussi, chaque semaine, les bateaux en provenance de Kupang (Timor). Les passagers couchent sur le pont. Ces navires font escale dans les îles voisines ; si on n'est pas pressé, c'est un excellent moyen de visiter l'archipel de la Sonde. Les caboteurs qui transportent des marchandises acceptent parfois des passagers.

Les chefs-lieux, Waikabubak et Waingapu, sont reliés par 137 km de route. Une dizaine d'autocars couvrent cette distance chaque jour en 5 h. Des autocars relient aussi Waingapu à Kapunduk (50 km), Lewa (60 km), Melolo (65 km) et Wajelon (115 km). Des voies souvent non asphaltées desservent les villages, on y circule en *bemo*.

Où loger

Merlin Hotel
Jl. Panjaita, 25, Waingapu
Hôtel Surabaya
Jl. Eltari 2, Waingapu, tél. 125
Manandang Hotel
Jl. Pemuda 4, Waikabukak, tél. 197

FLORÈS

Aller à Florès

Les liaisons par avion se multiplient et l'on peut atterrir à Labuhanbajo, Ruteng, Bajawa, Ende, Larantuka, Maumere. De Lombok, Bali ou Java, correspondance à Bima.

Fréquences des vols de la Merpati
Denpasar-Maumere et Ujung Pandang (Sulawesi)-Maumere : 1 direct par jour.
Bima-Ruteng-Ende : 1 par jour (arrêt à Bajawa, mardi et vendredi ; à Labuhanbajo, lundi, mardi, samedi et dimanche).
Ende-Bajawa : 3 par semaine.
Bajawa-Ende : 3 par semaine.
Ende-Labuhanbajo : 4 par semaine.
Labuhanbajo-Ende : 3 par semaine.
Labuhanbajo-Ruteng : 3 par semaine.
Ende-Kupang : 1 par jour.
Larantuka-Lewoleba (île de Lembata) : 1 par semaine.

Le relief accidenté et 14 volcans actifs ne facilitent pas l'aménagement et l'entretien du réseau routier. Les autocars ne roulent pas la nuit et il faut 4 ou 5 jours pour faire le tour de l'île (667 km), plus encore à la saison des pluies.

Du port de Larantuka, on peut rejoindre par bateau les îles et îlots à l'est de Florès. Se préparer à marchander ferme et à quelques contretemps.

Où loger

Des *losmen* et de petits hôtels sans prétention composent tout le parc d'hébergement. A Maumere, essayer le Flores Sea Resort, sur la plage de Waiara (piscine et stages de plongée).

TIMOR-OUEST

Où loger

Sasando International Hotel***
Jl. Kartini, 1, Kupang, tél. (0391) 222 24
48 chambres.
Ausindo Hotel**
Jl. Pahlawan, 25, tél. (0391) 225 80
Cendana Hotel**
Jl. Raya El Tari, 15, Kupang, tél. (0391) 215 41
40 chambres.
Orchid Garden Hotel
Jl. G. Fatuleu, Kupang, tél. (0391) 320 04
Laguna Inn
Jl. G. Kelimutu, 25, tél. (391) 215 59

Où se restaurer

Lima Jaya Raya
Jl. Sukarno, 15, Kupang
Istana Garden
Jl. Tim-Tim, Kupang
Pantai Laut
Jl. I. Duyung, 3, Kupang

KALIMANTAN

En dehors des capitales provinciales, Kalimantan reste une terre d'aventure qui demande du temps.

Le **parc national du mont Polung**, sur la côte et dans les marais de l'Ouest, présente toutes les formations végétales propres aux forêts tropicales humides et abrite nasiques, orangs-outangs, gibbons, etc. Accès de Pontianak (bureaux du PHPA), en bateau jusqu'à Sukadana, puis louer une barque à moteur pour remonter le cours de la Simpang.

La **réserve de Tanjung Puting** est isolée et intéressante pour son centre d'adaptation des orangs-outangs, à Camp Leakey, où l'on peut loger (apporter sa nourriture) : accès par avion jusqu'à Pangkalanbun (bureaux du PHPA), puis 15 km de route jusqu'à Kumai et 3 h de bateau. De Banjarmasin, prévoir au moins 4 jours.

Office de tourisme de Palangkaraya
Jl. Tilik Riwut, km 5
Office de tourisme de Samarinda
Jl. Ade Irma Suryani, 1, tél. (0541) 216 69

ALLER À KALIMANTAN

En avion

Banjarmasin et Pontianak, qui reçoit des vols internationaux (de Malaisie et de Singapour), sont les deux principaux points d'entrée.

Garuda assure des vols quotidiens de Jakarta et de Surabaya.

La Merpati fait plusieurs allers et retours par jour Jakarta-Banjarmasin, Palangkaraya et Pontianak ; Medan (Sumatra)-Pekanbaru et Pontianak ; Surabaya-Balikpapan et Banjarmasin ; Yogyakarta-Balikpapan, Banjarmasin et Palangkaraya ; Ujung Pandang (Sulawesi)-Balikpapan.

Bouraq : vols quotidiens Jakarta-Banjarmasin, Balikpapan ; Ujung Pandang-Balikpapan ; deux vols par semaine Denpasar (Bali)-Balikpapan.

En bateau

Une ligne de la Pelni dessert Balikpapan, *via* Surabaya et Ujung Pandang.

COMMENT SE DÉPLACER

En avion

Garuda, Merpati et Bouraq relient les villes de Balikpapan, Banjarmasin, Palangkaraya, Pontianak, Samarinda, Bontang et Tarakan.

Les avions privés, ceux de la MAF (Missionary Aviation Fellowship) et des compagnies pétrolières, y compris Pertamina, atterrissent sur toutes les pistes. Ils prennent des passagers, mais c'est cher et il n'y a ni services réguliers, ni réservations.

En bateau

Les embarcations qui remontent et descendent les grands fleuves de Kalimantan sont les moyens de transport les plus utilisés par la population locale.

De Banjarmasin, on peut remonter le Barito jusqu'aux sources, en barque pontée et, à partir de Muarateweh, en pirogue. Puis une longue randonnée dans le Nord-Est, avec quelques tronçons en voiture, permet de traverser les marécages jusqu'à Intu, puis Long Iram, sur le Mahakam, en amont de Samarinda. Melak, en aval de Long Iram, a une petite piste d'atterrissage : on peut donc gagner Samarinda avec les appareils des missions.

De Samarinda, la remontée du Mahakam jusqu'à Long Iram, en deux jours avec le service régulier de transport fluvial, est un classique. Au-delà, seules les pirogues vont dans les villages dayaks : Longbangun, Longpahangai, Longblu, etc.

Des vedettes relient chaque jour Samarinda à Bontang en 5 h (les taxis maritimes mettent deux fois plus de temps). Il y a un service de vedettes entre Samarinda et Lokh Tuan (4 h).

Par la route

Batakan, Banjarmasin, Balikpapan, Samarinda, Bontang et Songkuli1ang sont reliées par une voie express qu'empruntent les autocars. Dans l'Ouest, une route assez bonne va de Pontianak à Seipenyu. De là, on peut rejoindre la frontière malaise (État de Sarawak, visa obligatoire) au nord, ou Sintang, à l'est. Ailleurs, les routes sont souvent à l'abandon. La circulation est plus facile en saison sèche, mais un véhicule tout terrain reste indispensable

PONTIANAK

Office de tourisme
Jl. Achmad Sood, 25, tél. (06561) 367 12

Où loger

Mahkota Hotel*
Jl. Diponegoro, 1, tél. (0561) 312 44
49 chambres.
Kapuas Palace Hotel*
Jl. Imam Bonjol, tél. (0561) 361 22
96 chambres.
Pontianak City Hotel*
Jl. Pak Kasih, 44, tél. (0561) 324 96

BANJARMASIN

Office de tourisme
Jl. Mayjen. D. I. Panjaitan, 23, tél (0511) 529 82

Où loger

The Kalimantan Hotel**
Jl. Lambung Mangkurat, tél. (0511) 668 18, fax 673 45
180 chambres.
Barito Palace Hotel*
Jl. Haryono 16-20, tél. (0511) 673 00 ; fax 522 40
200 chambres.
Banjarmasin Hotel**
Jl. Jendral A. Yani, km 3,5, tél. (0511) 670 07
71 chambres.
Maramim Hotel**
Jl. Lambung Mangkurat,32, tél. (0511) 689 44
68 chambres.
New River City Hotel*
Jl. R. E. Martadinata, 6, tél. (0511) 529 83
46 chambres.
Sampaga Hotel*
Jl. Mayjen. Soetoyo, 128, tél. (0511) 524 80
25 chambres.

BALIKPAPAN

Où loger

Altea Benakutai Hotel***
Jl. P. Antasari, tél. (0542) 358 96, fax 318 23
186 chambres.
Grand Park Hotel*
Jl. P. Antasari, tél. (0542) 229 42
Blue Sky Hotel**
Jl. Letjen. Suprapto, tél. (0542) 222 68
70 chambres.
Bahtera Hotel*
Jl. Jendral Sudirman, tél. (0542) 225 63
Balikpapan Hotel*
Jl. E. Suparjan, tél. (0542) 214 90
33 chambres.
Piersa Hotel
Jl. Sepingan By Pass Rt 52/1, tél. (0542) 210 64
Puri Kencana Hotel
Jl. A. Yani 10, tél. (0542) 229 81
Tirta Plaza Hotel
Jl. D. I. Panjaitan XX/5, tél. (0542) 223 24

Où se restaurer

Benua Putra
Jl. Yos Sudarso
Saveurs européennes, coréennes, japonaises et chinoises, bonne table internationale.

Bondi's
Jl. Mayjen. Sutoyo, 7
Poissons grillés, glaces et pâtisseries en plein air.
Hapkoen
Jl. D. I. Panjaitan, XX/55
Autre chinois, bon, mais sans surprise.
Ikan Bakar Dalle
Jl. K. S. Tubun
Autre bonne adresse pour les poissons grillés.
Salero Minang
Jl. Gajah Mada
Classique cuisine *padang*.
Shangri-la
Jl. Mayjen. Sutoyo IV/202
Plats chinois très élaborés.

SAMARINDA

On se rend au **parc national de Kutei** en avion, de Balikpapan à Samarinda (ligne régulière), ou directement jusqu'à l'une des trois pistes d'atterrissage de Tanjung Santan, Bontang et Sengatta, qui appartiennent à des compagnies pétrolières, en négociant avec celles-ci à l'aéroport de Balikpapan. Puis, de Saraminda, vers l'est de la réserve en bateau-taxi pour Bontang et Sengata (18 h) ou en vedette pour Lok Tuan (4 h). Le Santan et le Sengatta sont navigables jusqu'à Mentoko, où se trouvent les premiers rapides. De Samarinda, on va à Sedulang en une journée avec une vedette, en 2 jours en bateau-taxi. De Sedulang, il faut 4 h pour arriver à Klampa. La Transkalimantanaise jusqu'à Bontang, puis un réseau de 50 km de petites routes quadrille le sud de la réserve. Il y a aussi de nombreuses pistes praticables en jeep.

L'artisanat des Dayaks, coloré, est animé de motifs géométriques et d'entrelacs. Le tissage fait surtout appel à la technique de l'*ikat*, et utilise encore souvent fibres végétales et matières tinctoriales naturelles (terre, écorce, minéraux). Spécialité des femmes, les ouvrages en milliers de minuscules perles de verre décorent bourses, blagues à tabac, fourreaux, porte-bébés, paniers et serre-tête. Les femmes tressent, tatouent et tissent ; les hommes sculptent le bois et travaillent le métal.

Où loger

Mesra International Hotel *
Jl. Pahlawan 1, tél. (0541) 327 72, fax 410 17
160 chambres.
Sewarga Indah Hotel **
Jl. Jendral Sudirman 11, tél. (0541) 420 66
68 chambres.
Kota Tepian Hotel
Jl. Pahkawan, 4, tél. (0541) 325 10
30 chambres.

SULAWESI (CÉLÈBES)

Le **parc national de Lore Lindu**, près du port de Palu, est le plus grand de l'île (2 500 km²) : montagnes couvertes de forêt, grand lac d'altitude au nord (Danau Lindu), vertes vallées des Torajas au sud, et une faune riche (buffles nains, babiroussas, macaques noirs, etc.). Selon qu'on souhaite voir la partie nord ou les versants sud, l'accès se fait par Sidaunta, à l'ouest, ou par Wasa, à l'est. Ces deux localités sont à 3 h de (bonne) route de Palu. Il faut apporter matériel de camping et provisions, et embaucher guide et porteur. Compter au moins une semaine dans les vallées du Sud, et deux jours pour aller de Sidaunta à Wasa par lc lac Lindu.
Office de tourisme de Palu
Jl. Raja Moili, 103, tél. (0451) 217 95

ALLER À SULAWESI

En avion

L'aéroport Hasanuddin d'Ujung Pandang (l'ancienne Macassar) est l'un des mieux desservis de l'archipel. Garuda et Merpati assurent plusieurs vols quotidiens de, et vers, Jakarta, Bandung, Surabaya, Denpasar, Ambon (Moluques), Biak, Sorong et Jayapura (Irian Jaya). Des minibus STR-DAYA (arrêt sur la route principale, à 500 m) et des taxis vont jusqu'à la ville (22 km).

Manado reçoit des vols directs d'Ujung Pandang, Ambon et de Ternate, de Biak, Jayapura et Sorong. Autobus, *bemo* et taxis mènent à l'aéroport Sam Ratulangi (13 km).

En bateau

La Pelni dessert Sulawesi deux fois par semaine au départ de Surabaya, avec un navire qui continue sur Balikpapan (Kalimantan) et Bitung (au nord-est de Sulawesi). Les cabines sont bon marché.
Pelni
- *Jl. Gajah Mada 14, Jakarta, tél. (021)343 307*
- *Jl. R. E. Martadinata 38, Ujung Pandang, tél. (0411) 317 966*

COMMENT SE DÉPLACER

En avion

Garuda vole à Kendari, Manado et Palu ; Merpati dans le pays toraja (aéroport Tanahtoraja), à Gorontalo, Kendari et à Palu ; et Bouraq d'Ujung Pandang à Manado, *via* Palu et Gorontalo.

Bouraq
Jl. Veteran Selatan, Ujung Pandang, tél. (0411) 851 906
Garuda
- *Jl. Ir. Soekarno 85, Kendari, tél. (0401) 218 96*
- *Jl. Diponegoro 15, Manado, tél. (0341) 622 42*
- *Jl. Slamet Riyadi 6, Ujung Pandang*
Merpati
- *Jl. Konggoasa 29, Kendari, tél. 217 29*
- *Jl. Sam Ratulangi 138, Manado, tél. (0431) 640 28*
- *Jl. W. Monginsidi, 71, Palu, tél. (0451) 212 71*
- *Jl. Pao Rora, Rantepao, tél. (0423) 214 85*
- *Jl. G. Bawakareang, 109, Ujung Pandang, tél. (0411) 442 474*

En bateau

Service quotidien de bacs entre Watampone (*alias* Bone), au nord-est d'Ujung Pandang, et Kolaka, à l'ouest de Kendari : on atteint ainsi l'extrême sud-est de l'île en évitant un long périple par la route. Le bateau quitte Wantampone à 21 h et arrive à Kolaka le lendemain à l'aube (pas de cabine à bord, on voyage sur le pont). Des taxis et des navettes relient la gare maritime de Kolaka à l'embarcadère de Kendari.

De Kendari, on peut rallier le port de Bau-Bau (île de Buton) avec un ferry qui part dans l'après-midi, fait escale à Raha (île de Muna) vers minuit, et arrive à destination vers 3 h.

Par la route

Le réseau routier s'est amélioré avec la mise en service de la Transsulawésienne. On peut louer des minibus et des jeeps à des prix très abordables. Un service de taxis collectifs dessert l'île entière, et deux compagnies d'autocars relient les grandes villes.
Liman Express
Jl. Laiya, 25, Ujung Pandang
Litha
Jl. Merapi, 160, Ujung Pandang

SE RESTAURER

La cuisine sulawésienne est raffinée et peu chère. Le plat national, le *tinutuan*, est une bouillie de riz et de légumes variés (potiron, maïs, etc.), accompagnée de poisson salé et d'une sauce très piquante. Le *bakpiah*, grosse boulette farcie de viande, d'œufs et de légumes, est aussi très populaire. Ces mets sont accompagnés d'une salade de tomates, concombres, oignons, piments et jus de citron, le *dabu-dabu*. Le petit déjeuner consiste le plus souvent en une banane frite, des gâteaux et du café.

Boisson favorite des Sulawésiens, l'*es kacang* peut surprendre : il s'agit de haricots rouges cuits, servis avec des glaçons, une coulée de chocolat fondant et du lait concentré. Mais c'est rafraîchissant et revigorant.

Pour les audacieux, la cuisine minahasa (nordest) compte des plats originaux à base de mulot et de serpent (qui a le goût de l'anguille).

UJUNG PANDANG (MACASSAR)

Au contraire de beaucoup d'autres villes de l'est de l'Indonésie, Ujung Pandang est un lieu de villégiature très agréable. Les hôtels du front de mer sont à proximité de la plupart des curiosités et des meilleurs restaurants. On trouve sculptures, batiks, vanneries, mais aussi porcelaines anciennes, tissage toraja, orfèvrerie. Antiquaires et boutiques d'artisanat sont nombreux rue Somba Opu.

Office de tourisme
Jl. Jend. Urip Sumoharjo, 269, tél. (0411) 320 616

Où loger

Makassar Golden Hotel ****
Jl. Pasar Ikan, 52, tél. (0411) 314 408, fax 317 999
69 chambres.
Marannu City Hotel & Tower ****
156 chambres.
Jl. Sultan Hasanuddin, 3-5, tél. (0411) 315 087, fax 321 821
Victoria Panghegar Hotel ***
Jl. Jend. Sudirman, 24, tél. (0411) 311 556, fax 312 468
Yasmin Hotel***
Jl. Jampea, tél. (0411) 320 424
Kenari Hotel **
Jl. Yosef Latumahina, 20, tél. (0411) 852 353, fax 821 26
Losari Beach Guest-House *
Jl. Penghibur, 3, tél. (0411) 326 062
42 chambres.
Makassar Cottages*
Jl. C. Dangko, 50-52, tél. (0411) 873 559
15 chambres.
Legend Hotel
Jl. Jampea, 5G, tél. (0411) 328 203
Passanggrahan Beach Hotel
Jl. Somba Opu, 279, tél. (0411) 324 217

Agences de voyages

Il existe une multitude d'agences de voyages. Leurs atouts : connaissance du pays et des dialectes, circuits éprouvés, guides et chauffeurs parlant des langues européennes.

Iramasuka Tours & Travels
Jl. Amanagappa, 3, tél. (0411) 316 643, fax 317 777
Le directeur, Bachtiar Manaba, est un francophile spécialiste du sud de Sulawesi et du pays toraja.
Ramayana Satrya
Jl. Bulukunyi, 9, tél. (0411) 817 791
Maison sérieuse et réputée qui couvre tout Sulawesi et concocte des circuits aux Moluques et à Kalimantan.

Où se restaurer

La cuisine macassar, à base de poisson et de fruits de mer, propose des recettes simples mais délicieuses, comme le bar grillé, accompagné de riz et de sauce épicée. Autre spécialité, le *soto makassar* est une soupe épaisse et nourrissante au buffle d'eau. A manger l'après-midi, au Soto Daeng, près du cinéma Istana, ou dans les *warung* installés sur les trottoirs de la ville.

RANTEPAO ET MAKALE

La plupart des sites sont proches de Rantepao et accessibles en transports en commun ou à pied. Pour les villages isolés, un léger équipement de montagne et un guide sont nécessaires. Ce dernier se charge de l'hébergement et peut porter les bagages. Sans guide, on résout la question de l'hébergement en s'adressant au *kepala desa* (chef de village), qui trouvera une famille d'accueil.

Il y a plusieurs possibilités de randonnées autour de Rantepao. Le premier itinéraire fait une boucle à travers plusieurs villages. La randonnée la plus longue (4 jours) et la plus intéressante commence à Bituang, à 4 h de *bemo* de Makale, et mène à Mamasa, à 60 km de Rantepao. On n'est jamais seul sur cette piste, qui est un axe commercial. A Mamasa, on peut séjourner au *losmen* Mini, et poursuivre sur 90 km jusqu'à Polewali, sur la côte.

Attention : le troc ne marche plus comme autrefois, dans les villages, services et achats se paient en *rupiah*.

Aller à Rantepao et Makale

En 1 h par le vol Ujung Pandang-Makale de la Merpati, sauf le dimanche (départ à 9 h), dans un petit avion de 12 places. Ou par la route, avec de somptueux paysages à la clé et en 9 h (320 km). Autocars en début d'après-midi et vers 21 h, départ de la gare routière Singguminasa d'Ujung Pandang, et, bien sûr, taxis collectifs et *bemo* (pour ces derniers, station près du marché central), ou voiture et motos de location. En saison de funérailles (août à octobre), on trouve facilement quelqu'un avec qui partager un moyen de transport.

CV Taxi
Jl. Durian 2, Ujung Pandang
MPS
Jl. Martadinata 142, Ujung Pandang

Où loger

● **Rantepao**

Marante Highland Resort**
111 chambres.
Jl. Jurusan Palopo, tél. (0423) 216 16, fax 211 22
Misiliana Hotel II***
Jl. Raya Makale, tél. (0423) 212 12
65 chambres.
Toraja Cottage***
Kampung Bolu, tél. (0423) 213 04, fax 213 69
Toraja Prince Hotel***
Jl. Ratulangi, 26, tél. (0423) 215 83
Pison Hotel*
Jl. Ahman Yani, tél. (0423) 213 44
Wisma Malita
Jl. Suloara, 110, tél. (0423) 210 11

● **Makale**

Sahid Toraja Hotel***
Jl. Raya Getengan, 1, Mengkendek,
tél. (0423) 224 88, fax 221 67
Maranu City Hotel**
Jl. Pongtiku, 116-118, tél. (0423) 222 66
Puri Artha Hotel*
Jl. Pongtiku, 114, tél. (0423) 225 10

KENDARI

La Merpati assure un vol tous les jours à 9 h 05 et les mercredi, samedis et dimanches à 12 h 10 ; 50 mn de vol). Aucune liaison régulière par la route.
Office de tourisme
Jl. Lakikende, 9, tél. (0401) 217 64

Où loger

Arnis Hotel
Jl. Diponegoro, 75 ; tél. (0401) 217 51
Kendari Beach Hotel
Jl. Hasanuddin, 44 ; tél. (0401) 219 88

MANADO

La **réserve de Dua Saudara**, à l'extrême nord, est le meilleur coin pour voir la faune endémique de cette île en forme d'orchidée : tarsiers et autres lémuriens, macaques à crête, babiroussas, buffles nains, dans un paysage de cratères et de sources volcaniques. Accès de Manado par la route jusqu'à Bitung, puis bateau pour Batuputih (25 km de l'entrée nord de la réserve). Gîte près de la réserve (apporter sa nourriture).

La **réserve du mont Ambang** compte de magnifiques lacs de cratère et des forêts d'altitude. Elles est sillonnée de nombreux sentiers et proche de Kotamobagu (à 2 h de route de Manado). Hébergement : à Kotamobagu.
Office de tourisme
Komplek Perkan-toran, Jl. 17 Agustus,
tél. (0341) 642 99

Aller à Manado

De Singapour, vol (3 h 30) bihebdomadaire Silk Air. De Jakarta, plusieurs vols (4 h 30) hebdomadaires Sempati et Garuda. D'Ujung Pandang, vols quotidiens Merpati et Garuda, via Palu. De Palu et Gorontalo, plusieurs vols (2 h 45 et 1 h 10) hebdomadaires Merpati et Bouraq.

La Pelni dessert Manado au départ de Ternate (Moluques), à raison de deux rotations par semaine et en une dizaine d'heures.

En autocar : il faut 4 jours d'Ujung Pandang (2 000 km), 3 jours de Rantepao (1 500 km) et 2 jours de Palu (1 033 km).

Comment se déplacer

En autocar, à partir des trois gares routières de la ville, et avec les minibus-taxis collectifs qui sillonnent la ville et les environs. Et en bateau, avec les pêcheurs (pas de ligne régulière) pour se rendre dans la réserve sous-marine de Bunaken (départs en milieu de journée, 1 h de traversée).

Où loger

Nusantara Diving Centre
Molas Beach, tél. (0431) 639 88
Club de plongée franco-indonésien, bungalows en bord de mer, stages de plongée.
Manado Beach Hotel***
Jl. Raya Trans Sulawesi, Tasik Ria, tél. (0431) 670 01
205 chambres.
Kawanua City Hotel***
Jl. Sam Ratulangi, 1, tél. (0431) 677 77, fax 652 20
100 chambres.
Sahid Manado Hotel***
Jl. Babe Palar, 1, tél. (0431) 516 88, fax 633 26
60 chambres.
New Queen Hotel**
Jl. Wakeke, 12-14, tél. (0431) 529 79, fax 657 48
30 chambres.
Angkasa Raya Hotel *
Jl. Sugiono, 12 A, tél. (0431) 620 39
12 chambres.

MOLUQUES

L'artisanat est moins riche que dans le reste de l'archipel. On peut se rabattre sur les antiquités et les objets « ethniques » en provenance des îles Kai, Aru, Tanimbar et de l'Irian Jaya (à Ambon, Bandaneira et Ternate), les perles d'Ambon, de haute qualité et au moins deux fois moins chères qu'en France, les clous de girofle et les noix muscades dont les Moluques sont la terre d'origine.

La cuisine est assez frugale. Le sagou (pulpe du palmier sagoutier), la patate douce et le manioc sont les féculents de base. Viandes et volailles sont réservées aux jours de fête, mais on se gave de fruits de mer pour quelques milliers de *rupiah*. La noix de *kenari* pilée relève les salades. Les Moluques sont des îles bananières, et ce fruit est servi du petit déjeuner au dîner. La soupe de haricots rouges au porc, le poisson à la sauce blanche et le pain d'épices témoignent d'une influence néerlandaise.

ALLER AUX MOLUQUES

Compte tenu des événements survenus aux Moluques, et en particulier à Ambon, depuis la chute du régime Suharto, il est déconseillé de s'y rendre sans se renseigner au préalable sur la situation.

En avion

Garuda : tous les jours de Jakara, Surabaya et Denpasar à Ambon. Merpati: tous les jours pour Ambon de Bandung, Jakarta (*via* Surabaya), Surabaya, Denpasar (3 vols par semaine), Ujung Pandang, et Biak, Jayapura et Sorong (Irian Jaya). Tous les jours pour Ternate d'Ambon. Bouraq: Jakarta-Ternate avec escales à Balikpapan (Kalimantan), Palu, Gorontalo et Manado (Sulawesi).

La Merpati dessert les Moluques. Outre le vol quotidien Ambon-Ternate, 2 vols par semaine Ambon-Amahai (île de Ceram) et Ambon-Labuha (île de Bacan), Ambon-Galela (Halmahera, 3 fois par semaine), Ambon-Kao (Halmahera, 1 fois), Ambon-Morotai (1 fois). Merpati est la seule à atterrir sur les îles Banda (4 vols par semaine Ambon-Bandanaira), Kai, Aru, Tanimbar et Buru. L'aéroport Pattimura d'Ambon est sur une péninsule face à la ville, à 32 km. On y va en taxi.

En bateau

De Tanjung Pinang, Jakarta, Surabaya et Ujung Pandang, la Pelni relie Ambon et Ternate. Certains bateaux vont à Banda, Aru, Kai et l'Irian Jaya.

Le bateau est le principal moyen de transport. Le plus grand port est Ambon ; la capitainerie (*PT. Pelayoran Nasional, Jl. Kompleks Pelabuhan, 1*) et la Pelni sont à la même adresse. Liaisons avec Bandaneira (deux fois par semaine), Ternate, Ceram, Kai, ainsi que Sulawesi, Timor, Bali, Java et l'Irian Jaya. Dans les ports principaux, Ambon, Bandaneira, Ternate, Amahai (Ceram), Galela (Halmahera), des barques à moteur desservent les localités côtières et les petites îles, comme des taxis.

Par la route

Des *bemo* roulent sur les rares routes. A Ambon et Ternate, les gares routières sont dans le centre à côté du marché. Dans des régions reculées, rien n'interdit de partir à pied. Il est facile d'aller d'un village côtier à l'autre par les nombreux praos prêts à prendre un passager ou deux.

OÙ LOGER

● **Ambon**

Hotel Ambon Manise***
Jl. Pantai Mardika, 53, tél. (0911) 548 88
90 chambres.
Wisata Hotel**
Jl. Mutiara, 3/15; tél. (0911) 532 93
25 chambres.
Mutiara Hotel**
Jl.Pattimura, 12, tél. (0911) 530 75
28 chambres.
Amboina Hotel**
Jl. Kapten Ulupaha 5/A, tél. (0911) 417 25
Cendrawasih Hotel*
Jl. Tulukabessy, 39, tél (0911) 524 87
Beta Guest-House
Jl. Wim Reawaru, 114, tél. (0911) 534 63

● **Bandaneira**

Hotel Maulana**
Tél. (0910) 210 22, fax 210 24
40 chambres.
Delfika Guest House
Tél (0910) 210 27
Matahari Guest House
Tél. (0910) 210 50

● **Ceram**

Losmen Maharani
Jl. Kesturi, Masohi, Ceram-Sud
Lizar Guest House
Village de Sawai, Ceram-Nord

● **Ternate**

Neraca Hotel*
Jl. Pahlawan Revolusi, 30, tél (0921) 216 68
29 chambres.
Nirwana Hotel*
Jl. Pahlowan Revolusi, 48-60, tél. (0921) 210 13

IRIAN JAYA

Pour aller dans l'intérieur, il faut le *surat jalan* délivré par la police, à Jayapura. Les touristes présents sans autorisation dans les régions « sensibles » risquent d'être renvoyés aussitôt à Jayapura, à leurs frais. Or, il n'est pas toujours possible de savoir à l'avance quelles sont ces zones : contacter le « bureau pour le développement du tourisme ».

Bapparda
- *P. O. Box 499, Jayapura, Irian Jaya, tél. (0967) 2138*
- *Irian Jaya Promotion Board, Jl. Suwirojo, 43, Jakarta, tél. (021) 345 35 79).*

Le gouvernement a « urbanisé » nombre de tribus, mais des centaines d'autres vivent dans des régions isolées, accessibles avec un guide (contacter la section anthropologie de l'université Cenderawasih).

Université Cenderawasih
Jl. Sentani Abepura

Les sculptures des Asmat, tribu de la région d'Agats, se reconnaissent à leurs couleurs rouge terre, noir et blanc. L'Unesco a redoré le blason des maîtres sculpteurs en leur donnant un statut d'enseignant.

Asmat Handicraft Project
Dinas Perindustria, Kotakpos 294, Jayapura

Jayapura abrite une importante communauté de Bugis, peuple de marins du sud de Sulawesi, aussi mange-t-on force *ikan bakar* (« poisson grillé ») dans les *warung*, derrière l'Impor-Export Bank.

ALLER EN IRIAN JAYA

En avion

Garuda : vol quotidien Jakarta-Jayapura, avec arrêts à Ujung Pandang, Biak et Sorong. L'avion part à 5 h et atterrit à Jayapura à 15 h 35 (dont 2 h de décalage horaire). Merpati : vol quotidien de nuit Jakarta-Jayapura, *via* Surabaya, Ujung Pandang et Biak ; vol quotidien Denpasar-Jayapura, *via* Ujung Pandang, Ambon, Sorong et Biak ou Timika ; 2 vols par jour Ujung Pandang-Jayapura ; et un vol par jour Ambon-Jayapura et un Ambon-Sorong. A noter, un vol Darwin (Australie)-Ambon, d'où correspondance pour Biak et Jayapura.

La Merpati couvre toute l'île, de Jayapura et Biak à Sorong, Manokwari, Serui et Nabire, Fakfak, Kaimena, Kokenau, Timika et Merauke, et vers Enarotali et Wamena. Il y a jusqu'à 4 vols Jayapura-Wamena par jour.

Les avions des missions desservent les montagnes isolées et la côte. Deux groupes, l'un protestant (Missionary Aviation Fellowship, MAF), l'autre catholique, ont une antenne à l'aéroport Sentani de Jayapura. Se fier aux disponibilités permet de visiter des régions reculées.

En bateau

La liaison bimensuelle Jakarta-Jayapura (escales à Ujung Pandang, Manado, Ternate et Sorong), de la Pelni, demande une semaine. La Pelni relie Tanjung Pinang (près de Singapour) à Jayapura *via* Jakarta, Surabaya, Ujung Pandang, Ambon et Sorong (une semaine). Des bateaux de commerce acceptent des passagers payants, et on arrive même à embarquer gratis à bord de caboteurs.

Par la route

Il n'y a de routes qu'aux environs de Jayapura (route côtière), Timika (jusqu'au site minier de Tembaghapura), Sorong, Manokvari, Biak et Merauke. De bonnes pistes où circulent des *bemo* sillonnent Wamena et la vallée du Baliem. Marcher est le meilleur, parfois le seul moyen d'exploration.

OÙ LOGER

Hors de Jayapura (où les hôtels sont chers) et de Wamena, dans les missions, et les chefs de village, logent les visiteurs dans les *honnay*, contre quelques milliers de *rupiah* ou des cigarettes.

Matoa International Hotel***
Jl. Jend. A. Yani, 14, Jayapura, tél. (0967) 223 36
Triton Hotel**
Jl. Jend. A. Yani, 52, Jayapura, tél. (0967) 212 18
Natour's Hotel Numbai**
Jl. Trikora Dok. V Atas, tél. (0967) 221 85

● **Biak**

Irian Hotel
Jl. Prof. Moh. Yamin, tél. (0961) 211 39

● **Sorong**

Bantara Beach Hotel
Jl. Barito, 2, tél. (0951) 213 47

● **Timika**

Sheraton Inn Timika****
P. O. Box 3, Timika, tél. (0979) 549 49 49, fax 549 49 50

● **Wamena**

Baliem Cottages**
Jl. Thamrin
Baliem Palace*
Jl. Trikora, tél. (0969) 310 43
Nayak Hotel*
Jl. Gatot Subroto
Syarial Jaya
Jl Gatot Subroto

LANGUE

L'Indonésie compte plus de 250 idiomes, mais seule le *bahasa indonesia* a court d'un bout à l'autre de l'archipel. C'est la forme moderne du malais, qui servit de *lingua franca* dans la majeure partie de l'Asie du Sud-Est pendant des siècles. Marins, marchands et missionnaires musulmans parlaient le « malais de bazar », version simplifiée de cette langue. Au XXᵉ siècle, ses règles ont été fixées afin de répondre aux besoins de la nation naissante. Même si quatre langues régionales coexistent à Java (javanais, soundanais, madurais et betawi, le dialecte jakartanais), presque tout le monde parle le *bahasa indonesia*.

L'indonésien soutenu est une langue complexe, mais la construction des phrases de base est assez simple. Au contraire d'autres langues asiatiques, elle n'est pas tonale et l'alphabet a été romanisée.

En dépit des règles de 1972, les noms propres s'écrivent souvent avec *oe* au lieu de *u*. De même, le *dj* est devenu *j*. Certains Indonésiens ont modernisé leur nom, mais la plupart le conservent tel quel, ainsi, le nom de l'ancien président Soeharto s'écrivait rarement Suharto dans la presse ou les communiqués officiels. De moindre importance sont les distinctions subtiles qu'on établit à Java-Centre entre les deux formes d'*o* et les sons liquides du *l* et du *r* (Solo s'écrit parfois Sala, et le temple de Siva à Prambanan, Lara Janggrang, Loro Jonggrang ou Roro Jonggrang). La plupart des Indonésiens aident les étrangers et s'efforcent de les comprendre.

- **a** court comme dans « papa »
- **ai** comme dans « ail » ; comme dans « paix » ; ou comme dans « Caïn »
- **k** dur au début d'un mot, à peine audible à la fin
- **kh** (*rh*) légèrement expiré
- **ng** nasillard comme dans « dingue »
- **ngg** nasillard, plus appuyé que « ng » comme dans l'espagnol « gringo »
- **r** toujours roulé
- **u** (*oe*) comme dans « fou »
- **y** (*j*) comme dans « youyou »
- **c** (*tj*) se prononce « tch » comme dans « caoutchouc »
- **e** souvent muet ; parfois prononcé ê comme dans « tête »
- **g** dur comme dans « gangue »
- **h** en général légèrement aspiré
- **i** court ou **i** prolongé par une consonne
- **j** (*dj*) comme dans « adjoint »

Les Indonésiens sont soucieux des formes et de la politesse. On s'adresse à un homme plus âgé que soi en lui disant *bapak* ou *pak* (« père »). Une femme mariée est appelée *ibu* (« mère »). Ces formes sont aussi en usage entre personnes du même âge qui veulent se témoigner du respect. *Bung* (à Java-Ouest) et *mas* (à Java-Centre et Java-Est), qui se traduisent par « frère », sont des formules amicales et correctes entre égaux ou avec des personnes qu'on ne connaît pas bien, ainsi qu'avec les garçons d'hôtels, les chauffeurs de taxi, les guides et les serveurs (quand ceux-ci sont plus jeunes) ; *nyonya* est la forme polie pour s'adresser à une femme mariée, et on dit *nona* ou *mbak* (Java-Centre) à une demoiselle.

● **Formules de civilité**

merci (beaucoup)	*terima kasih (banyak)*
veuillez, s'il vous plaît	*silahkan*
bonjour (matin)	*selamat pagi*
bonjour (de 10 h à 15 h)	*selamat siang*
bonjour (de 15 h à 18 h)	*selamat sore*
bonsoir	*selamat malam*
au revoir, bonne route	*selamat jalan*
au revoir, bon séjour	*selamat tinggal*
pardon	*maaf*
bienvenue	*selamat datang*
entrez, je vous prie	*silahkan masuk*
asseyez-vous, je vous prie	*silahkan duduk*
comment vous appelez-vous ?	*siapa nama saudara ?*
je m'appelle...	*nama saya...*
d'où venez-vous ?	*dan mana ?*
je viens de France	*saya dari Perancis*

● **Pronoms**

je	*saya*
tu	*kamu* (familier)
il, elle	*dia*
nous	*kami* (inclusif)
nous	*kita* (exclusif)
vous (de politesse)	*saudara, anda*
ils	*mereka*

● **Directions et transports**

gauche	*kiri*
droite	*kanan*
tout droit	*terus*
proche, près	*dekat*
loin	*jauh*
de	*dari*
vers	*ke*
à l'intérieur	*(di) dalam*
dehors	*(di) luar*
entre	*antara*
sous	*di bawah*
ici	*di sinsi*
là-bas	*di sana*
devant	*di depan, di muka*
derrière	*di belakang*
à côté de	*di sebelah*
monter	*naik*

descendre	*turun*
voiture	*mobil*
autobus	*bis*
train	*kereta api*
avion	*pesawat terbang*
bateau	*kapal laut, prahu*
bicyclette	*sepeda*
moto	*sepeda motor*
où allez vous ?	*mau ke mana ?*
je veux aller à…	*saya mau ke…*
arrêtez-vous ici	*berhenti di sini,*
je reviens dans cinq minutes	*saya kembali*
	lima menit lagi
tourner à droite	*belok ke kanan*
tourner à gauche	*belok ke kiri*
combien de kilomètres ?	*berapa kilometer*
	jauhnya ?
doucement, moins vite	*pelan-pelan*

● Lieux publics

gare	*stasiun kereta api*
aéroport	*lapangan terbang*
cinéma	*bioskop*
librairie	*toko buku*
pompe à essence	*pompa bensin*
banque	*bank*
bureau de poste	*kantor pos*
piscine	*kolam renang*
bureau de l'immigration	*kantor imigrasi*
office du tourisme	*kantor parawisata*
ambassade	*kedutaan besar*

● Se restaurer

restaurant	*rumah makan, restoran*
salle à manger	*ruang makan*
nourriture	*makanan*
boisson	*minuman*
petit déjeuner	*makan pagi, sarapan pagi*
déjeuner	*makan siang*
dîner	*makan malam*
eau potable	*air putih*
glace	*es*
thé	*teh*
café	*kopi*
bière	*bir*
jus d'orange	*air jeruk manis*
lait	*susu*
pain	*roti*
beurre	*mentega*
riz	*nasi*
nouilles, vermicelles	*mie, bakmie*
soupe	*soto*
poulet	*ayam*
canard	*bebek*
bœuf	*daging sapi*
porc	*daging babi*
chèvre	*kambing*
poisson	*ikan*

crabe	*kepiting*
calamar	*cumi-cumi*
crevette	*udang*
légume	*sayur*
fruit	*buah*
banane	*pisang*
ananas	*nanas*
noix de coco	*kelapa*
mangue	*mangga*
œuf	*telur*
œuf à la coque	*telur setengah matang*
œufs sur le plat	*telur mata sapi*
ravioli frit	*pangsit*
brioche salée, fourrée, cuite à la vapeur	*bakpao*
sucre	*gula*
sel	*garam*
poivre	*merica, lada*
sauce de soja salée	*kecap asin*
sauce de soja sucrée	*kecap manis*
vinaigre	*cuka*
sucré	*manis*
acide	*asam*
amer	*pahit*
sans sucre	*tawar*
épicé	*pedas*
frit	*goreng*
grillé	*bakar*
bouilli	*rebus*
sauce, bouillon	*kuah, saus*
tasse, bol	*cangkir*
assiette	*piring*
verre	*gelas*
cuillère	*sendok*
couteau	*pisau*
fourchette	*garpu*

● Se loger

maison	*rumah*
pièce, chambre	*kamar*
lit	*tempat tidur*
chambre à coucher	*kamar tidur*
salle de bains	*kamar mandi*
toilettes	*kamar kecil*
serviette de toilette	*handuk*
draps	*seprei*
oreiller, traversin	*bantal*
eau	*air*
chaud	*panas*
froid	*dingin*
savon	*sabun*
ventilateur	*fan*
se laver	*mandi*
laver	*cuci*
repasser	*setrika*
vêtements	*pakaian, baju*
chemise	*kemeja*
pantalon	*celana*
combien pour une nuit ?	*berapa harganya*
	satu malam ?

● Achats

magasin, boutique	*toko*
argent	*uang*
change, monnaie	*uang kembali*
acheter	*beli*
vendre	*jual*
marchander	*tawar-menawar*
prix	*harga*
cher	*mahal*
bon marché	*murah*
prix fixe	*harga pas*
combien ?	*berapa ? berapa harganya ?*
c'est trop cher	*itu terlalu mahal*
qu'est-ce que c'est ?	*apa ini ?*
je le prends	*saya ambil ini*
je repasse tout à l'heure	*saya akan kembali nanti*

● Heures, temps

jour	*hari*
soir, nuit	*malam*
aujourd'hui	*hari ini*
matin (jusqu'à 10 h 30)	*pagi*
après-midi (15 h à 18 h)	*sore*
maintenant	*sekarang*
à l'instant	*baru saja*
longtemps	*lama*
ensuite, tout à l'heure	*nanti, kemudian*
avant	*dulu*
autrefois	*dahulu*
toujours	*selalu*
temps	*waktu*
quand	*kapan*
demain	*besok*
hier	*kemarin*
minute	*menit*
heure	*jam*
semaine	*minggu*
mois	*bulan*
année	*tahun*
quelle heure est-il ?	*jam berapa sekarang ?*
moins	*kurang*
plus, passé	*lewat*
lundi	*hari senen*
mardi	*hari selasa*
mercredi	*hari rabu*
jeudi	*hari kamis*
vendredi	*hari jumat*
samedi	*hari sabtu*
dimanche	*hari minggu*

● Nombres

un	*satu*
deux	*dua*
trois	*tiga*
quatre	*empat*
cinq	*lima*
six	*enam*
sept	*tujuh*
huit	*delapan*
neuf	*sembilan*
dix	*sepuluh*
onze	*sebelas*
douze	*dua belas*
treize	*tiga belas*
quatorze	*empat belas*
quinze	*lima belas*
seize	*enam belas*
dix-sept	*tuju hbelas*
dix-huit	*delapan belas*
dix-neuf	*sembilan belas*
vingt	*dua puluh*
vingt et un	*dua puluh satu*
trente	*tiga puluh*
quarante	*empat puluh*
cinquante-huit	*lima puluh delapan*
cent	*seratus*
deux cent soixante-trois	*dua ratus enam puluh tiga*
mille	*seribu*
deux mille trois cents	*dua ribu tiga ratus*
six mille	*enam ribu*

● Mots utiles

oui	*ya*
non	*tidak, tak,* (ou *nggak'*), *bukan*
c'est vrai	*betul, benar*
c'est faux	*salah*
beaucoup	*banyak*
énormément	*banyak sekali*
trop	*terlalu*
et	*dan*
mais	*tetapi, tapi*
si	*jika, kalau*
avec	*dengan*
ceci	*ini*
cela	*itu*
comme ceci	*begini*
comme cela	*begitu*
comme	*seperti*
ici	*di sini, sini*
bien	*bagus*
plus	*lebih*
moins	*kurang*
parce que	*karena*
peut-être	*barangkali, mungkin*
à peu près	*kira-kira*
bien, d'accord	*baik*
allumettes	*korek api*
carte	*peta*
chaussures	*sepatu*
cheveux	*rambut*
cigarette aux clous de girofle	*kretek*
cigarette	*rokok*
électricité	*listrik*
étranger	*orang asing*
journal	*surat kabar, koran*

papier	*kertas*
timbre	*perangko*
touriste	*turis*
visiteur, invité	*tamu*
renseignement	*keterangan*
hôpital	*rumah sakit*
pharmacie	*apotik*
billet, ticket	*karcis*

● Quelques verbes

Les verbes s'accompagnent de préfixes (*me, mem, men, meng* et *ber*) d'un usage complexe. L'emploi simple de la racine permet de se faire comprendre.

ouvrir	*buka*
fermer	*tutup*
entrer	*masuk*
apporter	*bawa*
porter	*angkat*
prendre	*ambil*
donner	*kasih, beri*
acheter	*beli*
vendre	*jual*
interroger, demander	*tanya*
demander quelque chose	*minta*
regarder	*lihat*
essayer	*coba*
chercher	*cari*
vouloir	*mau*
pouvoir, avoir la permission	*boleh*
pouvoir, avoir la capacité	*bisa*
refuser	*tolak*
parler	*bicara*
dire	*bilang, berkata*
tirer	*tarik*
sortir	*keluar*
je ne comprends pas	*saya tidak mengerti*
je ne parle pas indonésien	*saya tidak bicara buhasa indonesia*
je parle un peu l'indonésien	*saya bisa bicara sedikit saja buhasa indonesia*

● Interrogations

qui ?	*siapa*
quoi ?	*apa*
quand ?	*kapan*
où ?	*di mana*
vers où ?	*ke mana*
pourquoi ?	*kenapa, mengapa*
comment ?	*bagaimana*
combien ?	*berapa*
qui, lequel ?	*yang mana*

● Adjectifs utiles

grand	*besar*
petit	*kecil*
jeune	*muda*
vieux (personne)	*tua*
ancien	*lama*
neuf	*baru*
beau, joli	*indah* (chose), *cantik* (personne)

bien, bon	*baik, bagus*
pas bien, pas bon	*tidak baik*
délicieux, bon	*enak*
propre	*bersih*
sale	*kotor*
rouge	*merah*
blanc	*putih*
bleu	*biru*
noir	*hitam*
vert	*hijau*
jaune	*kuning*
or	*mas*
argent	*perak*
soie	*sutra*

● Termes courants

Des mots viennent de l'arabe, du néerlandais, de l'anglais, et même du français (comme *kudeta*, « coup d'État ») : *proklamasi, universitas, hotel, akademi, sektor, polisi, mobil, bis*, etc., mais la plupart des mots courants sont incompréhensibles.

dilarang merorok	défense de fumer
pintu	porte
loket	guichet
umum	public
wisma	bâtiment, maison, édifice (officiel)
pusat	centre
kota	ville
daerah	région
kebun binatang	zoo
gunung	montagne
pantai	plage
sawah	rizière
mesjid	mosquée
bea dan cukai	bureau des taxes et des douanes

● Remplir des formulaires

Obtenir un prolongement de visa, une *surat jalan*, séjourner dans un hôtel : impossible d'échapper aux formulaires, qui sont rarement traduits.

nama	nom
alamat	adresse
alamat lengkap	adresse complète
laki-laki	homme
perempuan	femme
umur	âge
tanggal	date
berangkat	départ
nikah	marié
agama	religion
kebangsaan	nationalité
pekerjaan	profession
surat keterangan	passeport, carte d'identité
pembesar yang memberikan	émis, établi par
maksud kunjungan	but de la visite
tanda tangan	signature

BIBLIOGRAPHIE

Archipel, maison des Sciences de l'homme, Paris (revue scientifique sur l'Insulinde)

Charrière (C.), *L'Indonésie, un album du voyageur*, Gallimard, Paris, 1990

Delvert (J.), *L'Indonésie*, PUF, Paris, 1979

Malraux (C.), *Java, Bali*, Rencontres, Lausanne, 1963

Monteil (V.), *Indonésie*, Horizons de France, Genève, 1970

Monteil (V.), *Indonésie*, coll. Petite Planète, Le Seuil, Paris, 1978

Muller (K.) et Zach (P.), *Indonésie, portraits d'un archipel*, Times Editions, Singapour, 1989

Vatikiotis (M.), *L'Indonésie vue du ciel*, Gallimard, Paris, 1992

Histoire

Bonneff (Marcel), *L'Indonésie contemporaine*, choix d'articles de la revue *Prisma* (1971-1991), L'Harmattan, Paris, 1994

Bruhat (J.), *Histoire de l'Indonésie*, coll. Que sais-je ?, PUF, Paris, 1993

Cayrac-Blanchard (F.), *Indonésie, l'armée et le pouvoir*, L'Harmattan, Paris, 1991

Coedès (G.), *Les États hindouisés d'Indonésie*, Boccard, Paris, 1964

Heuken (A.), S. J., *Historical Sights of Jakarta*, Times Book International, Singapour, 1989

Lombard (D.), *Le Carrefour javanais*, 3 vol., École des hautes études en sciences sociales, Paris, 1990

Raffles (T. S.), *The History of Java*, Oxford University Press

Raillon (F.), *Indonésie 2000, le Pari industriel et technologique*, ESTP, CNPFF, Paris, 1988.

Religion

Anderson (B.R.), *Mythology and the Tolerance of the Javanese*, Cornell University Press, New York, 1965

Geertz (C.), *The Religion of Java*, The Free Press, Glencoe, 1960

Koentjaraningrat, *Javanese Culture*, Oxford University Press, Singapour

Lombard (D.) et Salmon (C.), *Les Chinois de Jakarta, temples et vie collective*, maison des Sciences de l'Homme, Paris, 1980

Störh (W.) et Zoetmulder (P.), *Les Religions d'Indonésie*, Paris, Payot, 1968

Arts et artisanat

Artaud (A.), *Le Théâtre et son double*, in *Œuvres complètes*, tome IV, Gallimard, Paris, 1964

Basset (C.), *Musiques de Bali à Java*, coll. Musiques du Monde, Actes Sud, Paris, 1995

Bedrich (F.), *Batik, Ikat, arts suprêmes de l'Indonésie*, Le Cercle d'Art, Paris, 1988

Bodrogi (T.), *L'Art de l'Indonésie*, Le Cercle d'Art, Paris, 1972

Dumarçay (J.), *Histoire architecturale du Borobudur*, Mémoires archéologiques, BEBEO, Paris, 1977

Frédéric (L.), *L'Art de l'Inde et de l'Asie du Sud-Est*, coll. Tout l'art, Flammarion, Paris, 1994

Le Bonheur (A.), *La Sculpture indonésienne au musée Guimet*, Paris, 1951

Nou (J.-L.) et Frédéric (L.), *Borobudur*, Imprimerie nationale éditions, Paris, 1994

Sacca (L.), *Borobudur, mandala de pierre*, Arché, Milan, 1983

Wagner (F. A.), *Indonésie, l'art d'un archipel*, coll. L'art dans le Monde, Albin Michel, Paris, 1983

Littérature

Bonneff (M.), *Les Bandes dessinées indonésiennes*, Puyraimond, Paris, 1976

Chambert-Loir (H.), *Introduction à la littérature indonésienne contemporaine*, Cahier d'Archipel n° 11, Paris, 1980

Collison (K. B.), *Merdeka Square*, Sid Harta Publishers, 1997

Damais (L.-C.), *Cent Deux Poèmes indonésiens (1925-1950)*, A. Maisonneuve, Paris, 1965

Haasse (H.), *Les Seigneurs du thé*, Seuil, Paris, 1996

Kartini (R. A.), *Letters of a Javanese Princess*, Oxford in Asia Paperbacks, Kuala Lumpur, Oxford University Press, Jakarta, 1976

Kayam (U.), *Javanaises*, P. Picquier, Paris, 1992

Lombard (D.), *Histoires courtes d'Indonésie, 1933-1965*, Paris, EFEO, A. Maisonneuve, 1967

Lubis (M.), *Indonesia, Land Under the Rainbow*, Singapore Oxford University Press, Jakarta, 1976

Lubis (M.), *Twilight in Djakarta*, New York, 1963

Multatuli, *Max Havelaar, ou les ventes de café de la Compagnie commerciale des Pays-Bas*, Actes Sud, Paris, 1991

Nasjah (D.), *Le Départ de l'enfant prodigue*, Puyraimond, Paris, 1976

Praemoedya (A. T.), *Le Fugitif*, Plon, Paris, 1991

Praemoedya (A. T.), *Corruption*, Philippe Picquier, Paris, 1991

Praemoedya (A. T.), *La Vie n'est pas une foire nocturne*, coll. Connaissance de l'Orient, Gallimard, Paris, 1993

Rosidi (A.), *Voyage de noce*, Puyraimond, Paris, 1975

Thieuloy (J.), *La Passion indonésienne*, Presses de la Renaissance, Paris, 1985

CRÉDITS PHOTOGRAPHIQUES

Couverture : Bali, **Bruno Barbey © Agence Magnum**

Institut d'Amsterdam : 89, 90, 91, 102, 111, 112, 145

Archives Apa : 25, 28, 32-33, 34, 35, 37, 43, 227, 256, 314

Archives de l'Institut royal tropical d'Amsterdam : 52, 144, 206

Peter Bruechman : 2, 22-23, 63, 117, 158, 165, 249g, 250, 261g et d, 266, 269, 281, 289, 291, 292, 296, 298, 299, 300, 301, 303, 307, 309, 310

Christiana Carvalho : 320, 323

Frank Castle : 36, 38, 51, 66, 274

Alain Compost : 60-61, 65, 67 g et d, 164

Cesare Galli : 83

Collection Gary Gartenberg : 107

Jill Gocher : 186

Tony Hillhouse : 324

Hans Höfer : 18, 21, 39, 40-41, 59, 64, 70, 71, 72 g et d, 75, 76-77, 78, 84d, 96-97, 120-121, 122-123, 138, 163, 168-169, 174, 180, 182-183, 191, 193, 194, 201, 205, 208, 215, 216, 219, 226, 232, 235d, 237, 238, 239, 240g et d, 241, 242, 245, 252-253, 270-271, 276, 277, 279, 280, 282, 284

Indonesian Department of Information : 48-49, 50, 53g et d, 54, 55, 56

Luca Invernizzi Tettoni : 14-15, 24, 29, 30g et d, 42, 45, 46g et d, 57, 62, 68-69, 86-87, 88, 92, 93, 104-105, 124-125, 172, 173, 176, 181, 184, 187, 189, 190, 192, 196, 197, 198-199, 200, 202, 203d, 207d, 209, 221d, 212, 213, 217, 218, 220, 225, 326

Iwan Tirta : 110

Musée d'histoire de Jakarta : 47

Ingo Jezierski : 195, 234, 235g

Max Lawrence : 136-137, 210, 290

Lyle Lawson : 1, 12-13, 118-119, 177

Ian Lloyd : 233

Frederic Lontcho : 159d

Karl Müller : 73d, 74g, 84g, 85, 106, 109, 142g et d, 146d, 147, 151, 178, 188, 221, 230, 236d, 243, 246, 247, 248, 249d, 251, 257, 260, 262, 264, 265g et d, 267, 305

Eric M. Oey : 10-11, 26, 27, 31, 73d, 82, 94, 98, 99, 101, 108g et d, 113, 179, 207g, 222, 223, 224d

Photobank : 16-17, 58, 62, 78, 80, 81, 114, 115, 116, 136-137, 140, 143, 154, 157, 158g, 162, 167, 172, 254, 255, 258, 259, 263, 268, 273, 275, 278, 283, 285, 286-287, 293, 294, 295, 297, 304, 306, 308, 311, 312, 313, 315, 316-317, 318, 319, 321, 322, 325

Susan Pierres : 74d

G. P. Reichelt : 211g, 236g

Scott Rutherford : 9, 141, 146g, 148, 149, 150, 156, 160, 161

Paul Van Reel : 175

Wim Verengt : 185

Goradz Vilhar : 103, 203g, 214

Bill Wassman : 95

Christopher Wee : 224g

Joseph Yogerst : 272

Cartes : Berntson & Berntson.

Avec la collaboration de : V. Barl.

INDEX